Słownik

angielsko-polski
polsko-angielski
z rozmówkami

Tadeusz J. Grzebieniowski
Andrzej Kaznowski

Słownik

angielsko-polski
polsko-angielski
z rozmówkami

Harald G

Projekt okładki i stron tytułowych
Studio FK

Konsultacja językowa
prof. Ronnie D. Carter

Wydanie I w tej edycji

Firma Księgarska
Jacek i Krzysztof Olesiejuk – Inwestycje Sp. z o.o.
ul. Poznańska 91, 05-850 Ożarów Mazowiecki
tel. (0-22) 721-30-11
www.olesiejuk.pl
wydawnictwo@olesiejuk.pl

ISBN-13: 978-83-7423-910-3 (oprawa broszurowa)
ISBN-10: 83-7423-910-7 (oprawa broszurowa)

SPIS TREŚCI

WSTĘP

Słownik angielsko-polski polsko-angielski z rozmówkami przeznaczony jest głównie dla turystów polskich podróżujących po krajach anglojęzycznych, a także dla osób rozpoczynających naukę języka angielskiego. Może być również przydatny obcojęzycznemu turyście odwiedzającemu Polskę.

Słownik zawiera około 25 000 haseł ułożonych w kolejności alfabetycznej. Wyrazy hasłowe podane są pismem półgrubym i opatrzone odpowiednimi skrótami sygnalizującymi ich przynależność do poszczególnych części mowy. W części angielsko-polskiej po każdym haśle głównym, w nawiasie kwadratowym, podano jego zapis fonetyczny.

Jeżeli wyraz hasłowy ma kilka odpowiedników, oddzielone są one przecinkami, przy czym na pierwszym miejscu podano znaczenie najbliższe. Znaczenia dalsze lub pochodne oddzielono średnikiem. Jeżeli wyrazy pełnią różne funkcje gramatyczne oddzielono je średnikiem oraz opatrzono odpowiednim kwalifikatorem gramatycznym, np.

aboard [əˋbɔd] *prep* na pokładzie (...); *adv* na pokład

Homonimy podano jako oddzielne hasła, oznaczając je cyframi arabskimi w górnej frakcji, np.

palm[1] [pɑm] *s* palma

palm[2] [pɑm] *s* dłoń

W nawiasach okrągłych umieszczono objaśnienia, nieregularne formy wyrazu hasłowego, wyrazy i litery, które mogą być opuszczone, np.
brzeg *m* (*krawędź*) edge (...)

Tylda zastępuje w zwrotach hasło lub tę jego część, która jest odcięta pionową kreską, np.
czwart|y *num* fourth; **jedna ~a** one fourth (...)

W nawiasach trójkątnych umieszczono wymienne wyrazy lub człony związków frazeologicznych, np.
get <become> acquainted zaznajomić się (...)

Kropka w haśle angielskim pokazuje sposób dzielenia wyrazu, np.
Brit•ish•er

Gwiazdka przy czasowniku angielskim oznacza, że posiada on formy nieregularne; na pierwszym miejscu podano formę czasu przeszłego, na drugim – imiesłów czasu przeszłego (pominięto podstawowe formy gramatyczne czasowników, które tworzą się regularnie przez dodanie końcówki **-ed** lub **-d**).
***bet** [bet] **bet, bet** (...)

W słowniku zastosowano pisownię brytyjską, przyjętą powszechnie w Wielkiej Brytanii i innych krajach mówiących po angielsku, z wyjątkiem Stanów Zjednoczonych. Pewne oboczne formy ortograficzne, spotykane zarówno w pisowni brytyjskiej, jak i amerykańskiej, takie jak np. **cosy** albo **cozy, gipsy** albo **gypsy,** itd. oznaczone są znakiem równości (=).

Rozmówki przeznaczone są dla Polaków wyjeżdżających do krajów anglojęzycznych i znających słabo język angielski. Zawierają podstawowe pytania, odpowiedzi i zwroty w wersji brytyjskiej i amerykańskiej, umożliwiające porozumienie się w różnych typowych sytuacjach. Są one opatrzone wymową zarówno brytyjską, jak i amerykańską.

W **Słowniku** użyto następujących skrótów:

adj	przymiotnik (adjective)
adv	przysłówek (adverb)
am.	amerykański
anat.	anatomia
arch.	architektura
attr.	przydawka (attribute)
biol.	biologia
bot.	botanika
bryt.	brytyjski
chem.	chemia
comp	stopień wyższy (comparative degree)
conj	spójnik (conjunction)
dosł.	dosłownie
druk.	drukarstwo
elektr.	elektryczność
f	(rodzaj) żeński (feminine gender)
fiz.	fizyka
fot.	fotografia
geogr.	geografia
gram.	gramatyka
handl.	handel
imp	forma nieosobowa (impersonal from)
inf	bezokolicznik (infinitive)
int	wykrzyknik (interjection)
itp.	i tym podobne
kolej.	kolejnictwo
komp.	komputerowy
kulin.	kulinarny
łac.	wyraz łaciński
lotn.	lotnictwo
m	(rodzaj) męski (masculine gender)

mat.	matematyka
med.	medycyna
mors.	morski
mot.	motoryzacja
muz.	muzyka
n	(rodzaj) nijaki (neuter gender)
nieodm.	wyraz nieodmienny
np.	na przykład
num	liczebnik (numeral)
p	czas przeszły (past tense)
p praes	imiesłów czasu teraźniejszego (present participle)
part	partykuła
pl	(liczba) mnoga (plural)
polit.	polityka
pot.	potocznie
pp	imiesłów przeszły (past participle)
praed	orzecznik (predicative)
praef	przedrostek (prefix)
praep	przyimek (preposition)
praes	czas teraźniejszy (present tense)
prawn.	termin prawniczy
pron	zaimek (pronoun)
przen.	przenośnie
rel.	religia
rów.	również
s	rzeczownik (substantive)
sb, sb's	ktoś, kogoś, komuś (somebody, somebody's)
sing	(liczba) pojedyncza (singular)
skr.	skrót
sport.	sportowy
sth	coś (something)
suf	przyrostek (suffix)
sup	stopień najwyższy (superlative degree)
teatr.	teatralny
techn.	technika
v aux	czasownik posiłkowy (auxiliary verb)
v imperf	czasownik niedokonany (verbum imperfectum)

v impers	czasownik nieosobowy (verbum impersonale)
v perf	czasownik dokonany (verbum perfectivum)
vi	czasownik nieprzechodni (intransitive verb)
vr	czasownik zwrotny (reflexive verb)
vt	czasownik przechodni (transitive verb)
wojsk.	wojskowy
wulg.	wulgarnie
zbior.	rzeczownik zbiorowy
zdrob.	zdrobniale
zob.	zobacz
zool.	zoologia
zw.	zwykle

TRANSKRYPCJA FONETYCZNA

znak graficzny dźwięku	zbliżony polski odpowiednik	przykład użycia i wymowa
samogłoski		
i	i	eat [it]
ɪ	y	sit [sɪt]
e	e	bed [bed]
æ	a/e	bad [bæd]
ɑ	a (długie)	half [hɑf]
o	o (krótkie)	not [not]
ɔ	o (długie)	law [lɔ]
ʊ	u (krótkie)	put [pʊt]
u	u (długie)	food [fud]
ʌ	a (krótkie)	luck [lʌk]
ɜ	e (długie)	first [fɜst]
ə	e (zanikowe)	ago [ə`gəʊ]
dwugłoski		
eɪ	ei (łączne)	late [leɪt]
əʊ	eu (łącznie)	stone [stəʊn]
ɑɪ	ai (łącznie)	nice [nɑɪs]
ɑʊ	au (łącznie)	loud [lɑʊd]
ɔɪ	oi (łącznie)	point [pɔɪnt]
ɪə	ie (łącznie)	fear [fɪə(r)]

eə	e[a]	hair [eə(r)]
ʊə	u[e]	tour [tʊə(r)]

niektóre spółgłoski

tʃ	cz	chin [tʃɪn]
dʒ	dż	just [dʒʌst]
v	w	voice [vɔɪs]
θ	–	thing [θɪŋ]
ð	–	then [ðen]
ʃ	sz	sharp [ʃɑp]
ʒ	ż	vision [`vɪʒn]
ŋ	n (nosowe)	sing [sɪŋ]
w	ł	wet [wet]
(r)	r	*bryt.* wymawia się, gdy następne słowo zaczyna się od samogłoski, *am.* wymawia się zawsze

Uwaga: w **Rozmówkach**, dla ułatwienia zapisu wymowy amerykańskiej wprowadzono dodatkowe znaki graficzne:

a	a (trochę dłuższe niż ʌ)	not [nat]
D	d (bardzo krótkie)	city [`sɪDɪ]

Akcent w języku angielskim jest ruchomy.

` pochylony w lewo znak akcentu poprzedza główną akcentowaną sylabę, np.
accustom [ə`kʌstəm]

' pionowy znak akcentu wskazuje na to, że następująca po nim sylaba posiada akcent słabszy od głównego, np.
admiration ['ædmə`reɪʃn]

SŁOWNIK ANGIELSKO-POLSKI

ALFABET ANGIELSKI

a	[eɪ]	n	[en]
b	[bi]	o	[eʊ]
c	[si]	p	[pi]
d	[di]	q	[kju]
e	[i]	r	[ɑ(r)]
f	[ef]	s	[es]
g	[dʒi]	t	[ti]
h	[eɪt]	u	[ju]
i	[ɑɪ]	v	[vi]
j	[dʒeɪ]	w	[`dʌblju]
k	[keɪ]	x	[eks]
l	[el]	y	[wɑɪ]
m	[em]	z	[zed, *am.* zi]

A

a [ə, eɪ] *przedimek <rodzajnik> nieokreślony (przed spółgłoską); zob.* **an**

a•ban•don [ə`bændən] *vt* (*osobę, samochód*) opuścić, porzucić; zaniechać, zaprzestać; rezygnować; **~ hope** porzucić nadzieję

ab•bre•vi•a•tion [ə'brivɪ`eɪʃən] *s* skrót

ab•do•men [`æbdəmən] *s* brzuch

a•bil•i•ty [ə`bɪlətɪ] *s* zdolność; *pl* **abilities** talent, uzdolnienie; **to the best of my ~ <abilities>** najlepiej jak potrafię

a•ble [`eɪbl] *adj* zdolny, zręczny; **be ~** móc, być w stanie (**to do sth** coś zrobić)

a•board [ə`bɔd] *praep* na pokładzie (*statku, samolotu*); *adv* na pokład

a•bor•tion [ə`bɔʃn] *s* poronienie; **have an ~** przerwać ciążę

a•bor•tive [ə`bɔtɪv] *adj* poroniony, nieudany

a•bout [ə`baʊt] *adv* wokół; tu i tam; około; **at ~ two o'clock** około godziny drugiej; **be ~ to do sth** mieć (zamiar) coś zrobić; *praep* przy, dookoła; w sprawie; **what <how> ~ leaving?** a może byśmy wyszli?

a•bove [ə`bʌv] *adv* w górze, powyżej; *praep* nad, ponad; *adj attr* powyższy

a•broad [ə`brɔd] *adv* za granicą, za granicę; **go ~** jechać za granicę; **there is a rumour ~ that...** krążą plotki, że...

ab•sent [`æbsnt] *adj* nieobecny; brakujący

ab•sent-mind•ed ['æbsnt `maɪndɪd] *adj* roztargniony

ab•so•lute•ly [`æbsəlutlɪ] *adv* absolutnie, bezwzględnie; *int* na pewno!, oczywiście!

ab•sorb [əb`sɔb] *vt* (*ciecz*) wchłaniać; absorbować, pochłaniać; **he is ~ed in tennis** pochłania go tenis

ab•stain [əb`steɪn] *vi* powstrzymywać się (**from sth** od czegoś)

ab•stract [`æbstrækt] *adj* abstrakcyjny; *s* abstrakt, wyciąg; *vt* [əb`strækt] wyciągnąć, wychwycić (*najważniejsze informacje*)

ab•surd [əb`sɜd] *adj* niedorzeczny; wzbudzający śmiech

a•buse [ə`bjus] *s* nadużycie; obraza; znęcanie się; *vt* [ə`bjuz] nadużywać; obrażać; znęcać się (**sb** nad kimś)

a•byss [ə`bɪs] *s* przepaść, otchłań

a•cad•e•my [ə`kædəmɪ] *s* akademia, uczelnia

ac•cel•er•a•tor [ək`selər-eɪtə(r)] *s* akcelerator; *mot.* pedał gazu

ac•cent [`æksnt] *s* akcent; sposób wymawiania; nacisk; *vt* [æk`sent] akcentować, kłaść nacisk (**sth** na coś)

ac•cept [ək`sept] *vt vi* (*dar, propozycję*) przyjmować; zgadzać się; akceptować (*np. czek*); **~ blame <responsibility>** wziąć na siebie winę <odpowiedzialność>

ac•cess [`ækses] *s* dostęp, dojście, dojazd; **have ~ to the children** mieć prawo widywania dzieci

ac•ces•si•ble [ək`sesɪbl] *adj* dostępny, osiągalny

ac•ces•so•ry [ək`sesərɪ] *s* (*do ubrania*) dodatek; *pl* **accessories** akcesoria, dodatki

ac•ci•dent [`æksɪdnt] *s* wypadek; przypadek; **by ~** przypadkowo

ac•ci•den•tal ['æksɪ`dentl] *adj* przypadkowy

ac•com•mo•da•tion [ə'kɒmə`deɪʃn] *s* zakwaterowanie, mieszkanie; pomieszczenie; nocleg

ac•com•pa•ny [ə`kʌmpnɪ] *vt* towarzyszyć; wtórować; *muz.* akompaniować

ac•com•plice [ə`kʌmplɪs] *s* wspólnik, współwinny

ac•com•plish [ə`kʌmplɪʃ] *vt* zrealizować, osiągnąć, spełnić

ac•cord•ing [ə`kɔdɪŋ] *praep*: **~ to** według, zgodnie z

ac•cor•di•on [ə`kɔdɪən] *s* *muz.* akordeon

ac•count [ə`kaʊnt] *s* relacja; (*w banku*) konto, rachunek; *pl* **~s** rozliczenie; rachunkowość; **take into ~** brać pod uwagę, uwzględniać; **by all ~s** podobno; **on ~** na rachunek; **on ~ of** ze względu na, z powodu; **on no ~** w żadnym wypadku;

vi: ~ **for** być powodem (*np. nieobecności*)
ac•cu•rate [`ækjərət] *adj* dokładny, precyzyjny
ac•cuse [ə`kjuz] *vt* oskarżać (**sb of sth** kogoś o coś)
ac•cus•tom [ə`kʌstəm] *vt* przyzwyczajać; ~ **oneself** przyzwyczajać się (**to sth** do czegoś)
ace [eɪs] *s* as
ache [eɪk] *s* ból; *vi* boleć
a•chieve [ə`tʃiv] *vt* osiągnąć, zdobyć; *vi* odnieść sukces
ac•knowl•edge [ək`nolɪdʒ] *vt* uznawać; potwierdzać odbiór; wyrażać podziękowanie (**sth** za coś); zauważać, zwracać uwagę (**sth** na coś)
ac•quaint [ə`kweɪnt] *vt* zaznajomić (**sb with sth** kogoś z czymś); **get <become> ~ed** zaznajomić się (**with sb, sth** z kimś, czymś); **be ~ed** znać (**with sb, sth** kogoś, coś)
ac•quaint•ance [ə`kweɪntəns] *s* znajomy (człowiek); znajomość (**with sb** z kimś; **with sth** czegoś); **make sb's** ~ zawierać z kimś znajomość
ac•quire [ə`kwaɪə(r)] *vt* nabywać, kupować; (*sławę*) osiągać; (*umiejętności*) rozwijać, przyswajać sobie
ac•quit [ə`kwɪt] *vt* uniewinnić
ac•ro•bat [`ækrəbæt] *s* akrobata
a•cross [ə`kros] *praep* przez, w poprzek, po; *adv* na krzyż; wszerz; po drugiej stronie; na przełaj; ~ **the street** po drugiej stronie ulicy
act [ækt] *s* czyn; czynność; akt; ustawa; *teatr.* akt; **in the ~ of** w trakcie; **catch sb in the ~** złapać kogoś na gorącym uczynku; *vi* działać, zachowywać się; występować, grać (*na scenie*); *vt* grać (*rolę*); udawać
ac•tion [`ækʃn] *s* akcja; działanie; czyn; **take ~** podejmować działanie; **bring an ~** wnieść powództwo (**against sb** przeciw komuś)
ac•tive [`æktɪv] *adj* aktywny, czynny
ac•tiv•i•ty [æk`tɪvətɪ] *s* czynność; działalność; zajęcie
ac•tor [`æktə(r)] *s* aktor
ac•tress [`æktrɪs] *s* aktorka
ac•tu•al [`æktʃʊəl] *adj* rzeczywisty, faktyczny
a•cute [ə`kjut] *adj* (*o bólu*) ostry; (*o obserwatorze*) bystry, wnikliwy
ad [æd] *s pot.* = **advertisement**

a•dapt [ə`dæpt] *vt* dostosować, adaptować; przerobić
add [æd] *vt vi* dodawać, dołączać; powiększać (**to sth** coś); ~ **up** podsumować, dodać
ad•dict [`ædɪkt] *s* osoba uzależniona; **drug** ~ narkoman
ad•dic•tion [ə`dɪkʃn] *s* uzależnienie (**to sth** od czegoś)
ad•di•tion [ə`dɪʃn] *s* dodatek; dodawanie; **in** ~ dodatkowo, ponadto
ad•di•tion•al [ə`dɪʃnl] *adj* dodatkowy
ad•dress [ə`dres] *s* adres; przemówienie; **change of** ~ zmiana adresu; *vt* (za)adresować; zwracać się (**sb** do kogoś)
ad•dres•see ['ædre`si] *s* adresat
ad•e•quate [`ædɪkwət] *adj* wystarczający, odpowiedni; zadowalający
ad•he•sive [əd`hisɪv] *adj* klejący (się), przyczepny; ~ **tape** przylepiec, plaster
ad•jec•tive [`ædʒɪktɪv] *s gram.* przymiotnik
ad•just [ə`dʒʌst] *vt* modyfikować, poprawiać; regulować; *vi* przystosować się (**to sth** do czegoś)
ad•min•is•tra•tion [əd'mɪnɪ`streɪʃn] *s* administracja, zarząd; **the Administration** *am.* rząd
ad•mi•ral [`ædmərəl] *s* admirał
ad•mi•ra•tion ['ædmə`reɪʃn] *s* podziw
ad•mire [əd`maɪə(r)] *vt* podziwiać
ad•mis•sion [əd`mɪʃn] *adj* przyznanie się (**of sth** do czegoś); (*do szkoły*) przyjęcie; (*do klubu, budynku*) wstęp, dostęp; opłata za wstęp; ~ **free** wstęp wolny
ad•mit [əd`mɪt] *vt* przyznać; (*na stadion*) wpuszczać; (*do klubu*) przyjmować
a•dopt [ə`dopt] *vt* (*dziecko*) adoptować; (*postawę*) przyjmować
a•dore [ə`dɔ(r)] *vt* uwielbiać
a•dorn [ə`dɔn] *vt* zdobić, upiększać
a•dult [`ædʌlt] *adj* dorosły, pełnoletni; *s* dojrzały <dorosły> człowiek
ad•vance [əd`vɑns] *vi* posuwać się; czynić postępy; *vt* udoskonalać; *s* postęp; udoskonalenie; awans; zaliczka; **in** ~ (*płacić*) z góry; **a year in** ~ z rocznym wyprzedzeniem; **be in** ~ wyprzedzać (**of sb, sth** kogoś, coś)
ad•van•tage [əd`vɑntɪdʒ] *s* korzyść; przewaga; zaleta,

dobra strona; **have an ~** mieć przewagę (**over sb** nad kimś); **take ~** wykorzystać (**of sth** coś)
ad•ven•ture [əd`ventʃə(r)] *s* przygoda
ad•verb [`ædvɜb] *s gram.* przysłówek
ad•ver•tise [`ædvətaɪz] *vt* reklamować (się); (*w gazecie*) ogłaszać się
ad•ver•tise•ment [əd`vɜtɪsmənt] *s* ogłoszenie, reklama (**for sth** czegoś)
ad•vice [əd`vaɪs] *s* rada, porada; **~ note** awizo; **a piece of ~** rada; **ask sb's ~** prosić o czyjąś radę; **take sb's ~** posłuchać czyjejś rady
ad•vise [əd`vaɪz] *vt* radzić (*komuś*)
ad•vis•er [əd`vaɪzə(r)] *s* doradca
aer•i•al [`eərɪəl] *s* antena; *adj* powietrzny, lotniczy
aer•o•bics [eə`rəʊbɪks] *s* aerobik
aes•thet•ic ['is`θetɪk] *adj* estetyczny
af•fair [ə`feə(r)] *s* sprawa, interes; *pl* **~s** wydarzenia; **love ~** romans
af•fect [ə`fekt] *vt* oddziaływać, wpływać (**sb, sth** na kogoś, na coś); wzruszać
af•fec•tion [ə`fekʃn] *s* przywiązanie, uczucie, sentyment
af•ford [ə`fɔd] *vt* pozwolić sobie (**sth** na coś); **I can ~ it** stać mnie na to
a•fraid [ə`freɪd] *adj praed* przestraszony; **be ~ of sth** bać się czegoś; **I'm ~ so <not>** obawiam się, że tak <że nie>
af•ter [`aftə(r)] *praep* po; za; według; o; **~ all** mimo wszystko; a jednak; *adv* potem, następnie; w tyle; z tyłu; *conj* kiedy, skoro, po tym, jak; **be ~** szukać; (*ustępując pierwszeństwa*) **~ you!** proszę bardzo!
af•ter•noon ['aftə`nun] *s* popołudnie; **good ~!** dzień dobry!; *adj attr* popołudniowy; **~ tea** podwieczorek
af•ter•ward(s) [`aftəwəd(z)] *adv* następnie, później, potem
a•gain [ə`gen] *adv* znowu, jeszcze raz; **~ and ~** wielokrotnie; **never ~** nigdy więcej; **now and ~** od czasu do czasu
a•gainst [ə`genst] *praep* przeciw; wbrew; o; **~ a background** na tle (**of sth** czegoś); **~ the law** wbrew prawu; **be ~** być przeciw
age [eɪdʒ] *s* wiek; epoka; **what ~ is he?** ile on ma

lat?; **come of ~** osiągnąć pełnoletność; **of ~** pełnoletni; **under ~** niepełnoletni; **at the ~ of twenty** w wieku dwudziestu lat; *vi* starzeć się

a•gent [ˋeɪdʒənt] *s* agent, pośrednik; czynnik

ag•gres•sive [əˋgresɪv] *adj* napastliwy, agresywny

a•gile [ˋædʒaɪl] *adj* zwinny

ago [əˋgəʊ] *adv*: **long ~** dawno temu; **two years ~** dwa lata temu

a•go•ny [ˋægənɪ] *s* cierpienie; udręka; agonia

a•gree [əˋgri] *vi* zgadzać się (**to sth** na coś; **on sth** w sprawie czegoś; **with sb** z kimś); umawiać się, porozumiewać się (**on <upon> sth** w sprawie czegoś)

a•gree•a•ble [əˋgriəbl] *adj* przyjemny, miły

a•gree•ment [əˋgrimənt] *s* zgoda, umowa, układ; **reach an ~** osiągnąć porozumienie

ag•ri•cul•ture [ˋægrɪkʌltʃə(r)] *s* rolnictwo

a•head [əˋhed] *adv* przed siebie, naprzód; na przodzie; dalej; **straight ~** prosto przed siebie; **~ of time <schedule>** przed czasem <terminem>; **get ~** robić postępy; **go ~** rozpoczynać (**with sth** coś)

aid [eɪd] *s* pomoc; **teaching ~s** pomoce naukowe; **first ~** pierwsza pomoc; **in ~ of** na rzecz; *vt* pomagać (**sb** komuś)

AIDS [eɪdz] (*także* **Acquired Immune Deficiency Syndrome**) *s* AIDS

ail•ment [ˋeɪlmənt] *s* dolegliwość

aim [eɪm] *s* cel, zamiar; *vi* (*z broni*) celować; mieć na celu; dążyć (**at sth** do czegoś); *vt* kierować (**sth at sb** coś do kogoś); **~ to do sth** zamierzać coś zrobić

air[1] [eə(r)] *s* powietrze; **by ~** drogą powietrzną; **be on the ~** być na antenie; *vt* wietrzyć; suszyć (na wietrze)

air[2] [eə(r)] *s* aria, pieśń

air[3] [eə(r)] *s* wygląd, mina; zachowanie

air con•di•tion•ing [ˋeəkən'dɪʃnɪŋ] *s* klimatyzacja

air•craft [ˋeəkrɑft] *s* samolot

air host•ess [ˋeə'həʊstɪs] *s* stewardesa

air•line [ˋeə'lɑɪn] *s* linia lotnicza

air•mail [ˋeəmeɪl] *s* poczta lotnicza

air•plane [ˋeəpleɪn] *s* samolot

air•port [ˋeəpɔt] *s* lotnisko

a•larm [ə`lɑm] *s* zaniepokojenie, strach; alarm; *vt* niepokoić, alarmować
a•larm clock [ə`lɑmklok] *s* budzik
al•co•hol [`ælkəhol] *s* alkohol, napój alkoholowy
ale [eɪl] *s* piwo
a•lert [ə`lɜt] *adj* czujny; żwawy; *vt* alarmować; uświadamiać (**sb to sth** komuś coś); *s* alarm; pogotowie; **on the ~** na straży, w pogotowiu
al•i•bi [`ælɪbaɪ] *s* alibi
al•ien [`eɪlɪən] *adj* obcy; pozaziemski; *s* cudzoziemiec
a•like [ə`laɪk] *adj praed* podobny, jednakowy; *adv* podobnie, jednakowo; zarówno
a•live [ə`laɪv] *adj praed* żywy; żwawy, pełen życia
all [ɔl] *adj pron* cały, całkowity, wszystek, każdy; **~ men** wszyscy ludzie; **~ the time** cały czas; **after ~** mimo wszystko; ostatecznie; **~ in ~** całkowicie, razem wziąwszy; **at ~** w ogóle; **in ~** w całości, ogółem; **most of ~** najbardziej, przede wszystkim; **not at ~** wcale nie; nie ma za co (dziękować); *s* wszystko, całość; *adv* całkowicie, w pełni; **~ right** wszystko w porządku, dobrze; **~ the same** wszystko jedno; mimo wszystko; **~ the better** tym lepiej; **~ over** wszędzie, na całej przestrzeni
al•ler•gy [`ælədʒɪ] *s* alergia (**to sth** na coś)
al•ley [`ælɪ] *s* aleja; uliczka; **blind ~** ślepy zaułek
al•low [ə`laʊ] *vt* pozwalać; (*np. czas, pieniądze*) przeznaczać; *vi* dopuszczać (**of sth** do czegoś); **~ for sth** brać coś pod uwagę, uwzględniać coś; **he is (not) ~ed to...** (nie) wolno mu...
al•low•ance [ə`laʊəns] *s* dieta; zasiłek; ulga (podatkowa); *am.* kieszonkowe; **family ~** dodatek rodzinny
al•ly [ə`laɪ] *vt* połączyć, sprzymierzyć; *vi* połaczyć się, być sprzymierzonym; *s* [`ælaɪ] sprzymierzeniec
al•mond [`ɑmənd] *s* migdał
al•most [`ɔlməust] *adv* prawie
a•lone [ə`ləʊn] *adj praed* sam, sam jeden; **let sb, sth ~** pozostawić kogoś, coś w spokoju; *adv* tylko, jedynie
a•long [ə`loŋ] *praep* wzdłuż; **walk ~ the street** iść ulicą; *adv* naprzód, dalej; **~ with** razem, wspólnie, wraz z;

all ~ przez cały czas; **come** ~! chodź tu!
a•loud [ə`laud] *adv* głośno, na głos
al•pha•bet [`ælfəbət] *s* alfabet
al•read•y ['ɔl`redı] *adv* już
al•so [`ɔlsəu] *adv* także, również
al•tar [`ɔltə(r)] *s* ołtarz
al•ter [`ɔltə(r)] *vt vi* zmieniać (się)
al•though [ɔl`ðəu] *conj* chociaż, mimo że
al•ti•tude [`æltıtjud] *s geogr.* wysokość (nad poziomem morza)
al•to•geth•er ['ɔltə`geðə(r)] *adv* całkowicie, w pełni; ogółem; **how much is that ~?** ile to będzie (kosztowało) w sumie?
al•ways [`ɔlweız] *adv* zawsze, ciagle
am *zob.* **be**
am•a•teur [`æmətə(r)] *s* amator
am•bas•sa•dor [æm`bæsədə(r)] *s* ambasador (**to France** we Francji)
am•ber [`æmbə(r)] *s* bursztyn
am•bi•tious [æm`bıʃəs] *adj* ambitny
am•bu•lance [`æmbjuləns] *s* karetka pogotowia
A•mer•i•can [ə`merıkən] *adj* amerykański; *s* Amerykanin
a•mong [ə`mʌŋ] , **a•mongst** [ə`mʌŋst] *praep* między, wśród
a•mount [ə`maunt] *s* suma, kwota; ilość; *vi* wynosić; równać się (**to sth** czemuś)
a•muse [ə`mjuz] *vt* zabawiać, rozśmieszać
a•muse•ment [ə`mjuzmənt] *s* rozrywka, zabawa; ~ **arcade** salon gier automatycznych; ~ **park** *am.* wesołe miasteczko
an [ən, æn] *przedimek <rodzajnik> nieokreślony – przed samogłoską; zob.* **a**
an•cient [`eınʃnt] *adj* dawny; starożytny; wiekowy
and [ænd, ənd, ən] *conj* i, a; z; ~ **so on** (~ **so forth**) i tak dalej (i tak dalej); **better** ~ **better** coraz lepiej
a•new [ə`nju] *adv* na nowo, powtórnie; inaczej
an•gel [`eındʒl] *s* anioł
an•ger [`æŋgə(r)] *s* gniew; *vt* gniewać, złościć
an•gi•na [æn`dʒaınə] *s* angina
an•gle¹ [`æŋgl] *s* kąt; róg; punkt widzenia
an•gle² [`æŋgl] *vi* łowić ryby na wędkę
An•gli•can [`æŋglıkən] *adj* anglikański; *s* anglikanin

an•gry [`æŋgrı] *adj* zagniewany; gniewny; **be ~** gniewać się (**with sb** na kogoś; **at sth** o coś); **get ~** rozgniewać się

an•i•mal [`ænıml] *s* zwierzę; *adj* zwierzęcy

an•i•mate [`ænımət] *adj* ożywiony; żywy; *vt* [`ænımeıt] ożywiać; pobudzać; **~d cartoon** kreskówka, film rysunkowy

an•kle [`æŋkl] *s* kostka (*nogi*)

an•ni•ver•sa•ry ['ænı`vɜsrı] *s* rocznica; **wedding ~** rocznica ślubu

an•nounce [ə`nɑʊns] *vt* zapowiadać, ogłaszać, zawiadamiać

an•nounce•ment [ə`nɑʊnsmənt] *s* zawiadomienie, zapowiedź, ogłoszenie

an•noy [ə`nɔı] *vt* dokuczać, niepokoić, drażnić

an•noyed [ə`nɔıd] *zob.* **annoy**; *adj* zagniewany, rozdrażniony; **be ~ with sb** gniewać się na kogoś; **get ~ at sth** zmartwić <zirytować> się czymś

an•oth•er [ə`nʌðə(r)] *adj pron* inny, drugi, jeszcze jeden; **in ~ way** inaczej; **~ two hours** jeszcze dwie godziny

an•swer [`ɑnsə(r)] *s* odpowiedź (**to sth** na coś); rozwiązanie; **in ~** w odpowiedzi (**to sth** na coś); *vt* odpowiadać; **~ the phone** odebrać telefon

ant [ænt] *s* mrówka

an•te•lope [`æntıləʊp] *s* antylopa

an•ten•na [æn`tenə] *s* (*pl* **antennae** [æn`teni]) antena; (*u owadów*) czułek

an•them [`ænθəm] *s* hymn

anti•bi•ot•ic ['æntıbɑı`otık] *s* antybiotyk

an•tique ['æn`tik] *adj* antyczny; zabytkowy; **~ shop** sklep z antykami, antykwariat; *s* antyk

anx•ious [`æŋkʃəs] *adj* niespokojny, pełen troski (**for <about> sth** o coś); **he is ~ to go abroad** zależy mu na wyjeździe za granicę

an•y [`enı] *pron* każdy; którykolwiek; (*w pytaniach*) jakiś, trochę; (*w przeczeniach*) żaden, ani trochę; **in ~ case** w każdym razie; *adv* nieco, trochę, jeszcze; **~ farther** trochę dalej

an•y•bod•y [`enıbodı] *pron* ktokolwiek, ktoś; każdy

an•y•how [`enıhɑʊ] *adv* jakkolwiek, byle jak; w każdym razie, tak czy owak;

I will buy it ~ i tak to kupię; **not... ~** w żaden sposób
an•y•one [`enɪwʌn] *pron* = **anybody**
an•y•thing [`enɪθɪŋ] *pron* cokolwiek, coś; wszystko; **not... ~** nikt
an•y•way [`enɪweɪ] *adv* = **anyhow**
an•y•where [`enɪweə(r)] *adv* gdziekolwiek, gdzieś; wszędzie; **not... ~** nigdzie
a•part [ə`pɑt] *adv* oddzielnie; osobno; w odległości; **~ from** pomijając, z wyjątkiem; **tell ~** odróżniać; **take ~** rozkładać, rozbierać na części
a•part•ment [ə`pɑtmənt] *s am.* mieszkanie; **~ building** *am.* blok mieszkalny
a•pol•o•gize [ə`polədʒɑɪz] *vi* przepraszać (**to sb for sth** kogoś za coś)
ap•par•ent [ə`pærənt] *adj* widoczny, oczywisty; pozorny
ap•peal [ə`pil] *s* apel; atrakcyjność, urok; apelacja; **sex ~** seksapil; *vi* apelować, wzywać, usilnie prosić (**to sb for sth** kogoś o coś); pociągać; oddziaływać (**to sb** na kogoś)
ap•pear [ə`pɪə(r)] *vi* zjawiać się, pokazywać się; wydawać się; okazywać się
ap•pear•ance [ə`pɪərəns] *s* wygląd zewnętrzny; pojawienie się; wystąpienie; pozór; **keep up ~s** zachowywać pozory
ap•pen•di•ci•tis [ə'pendə`sɑɪtɪs] *s med.* zapalenie wyrostka robaczkowego
ap•pen•dix [ə`pendɪks] *s* (*pl* **~es** [ə`pendɪksɪz] *lub* **appendices** [ə`pendɪsiz]) dodatek, uzupełnienie; *anat.* wyrostek robaczkowy
ap•pe•tite [`æpətɑɪt] *s* apetyt (**for sth** na coś)
ap•pe•tiz•er [`æpətɑɪzə(r)] *s* zakąska, przystawka
ap•plaud [ə`plɔd] *vt* oklaskiwać; przyklasnąć; *vi* klaskać
ap•ple [`æpl] *s* jabłko; **~ tree** jabłoń; **the ~ of the eye** oczko w głowie
ap•pli•ance [ə`plɑɪəns] *s* urządzenie (elektryczne); narzędzie; *pl* **~s** sprzęt AGD
ap•pli•ca•tion ['æpli`keɪʃn] *s* podanie; zastosowanie; pilność; **~ form** formularz podania
ap•ply [ə`plɑɪ] *vt* stosować; (*np. farbę*) nakładać; *vi* składać wniosek, zwracać się (**to sb for sth** do kogoś

o coś), starać <ubiegać> się (**for sth** o coś); odnosić <stosować> się (**to sth** do czegoś)

ap•point [ə`pɔɪnt] *vt* wyznaczać; mianować

ap•point•ment [ə`pɔɪntmənt] *s* umówione spotkanie; wyznaczenie; nominacja; stanowisko; **keep an ~** przyjść na spotkanie; **make an ~** umówić się na spotkanie

ap•pre•ci•ate [ə`priʃɪeɪt] *vt* doceniać, wysoko sobie cenić; rozumieć (w pełni); być wdzięcznym (**sth** za coś)

ap•proach [ə`prəʊtʃ] *vt* zbliżać się, podchodzić (**sb, sth** do kogoś, czegoś); zwracać się (**sb about sth** do kogoś o coś); *vi* zbliżać się, nadchodzić; *s* zbliżanie się; dostęp; *(do zagadnienia)* podejście

ap•prove [ə`pruv] *vt vi* aprobować, akceptować (**of sth** coś); zatwierdzać

ap•prox•i•mate [ə`proksɪmət] *adj* przybliżony; *vi* [ə`proksɪmeɪt] zbliżać (się), podchodzić (**to sb, sth** do kogoś, czegoś); **the cost will ~ 9 pounds** koszt wyniesie w przybliżeniu 9 funtów

a•pri•cot [`eɪprɪkot] *s* morela

A•pril [`eɪprəl] *s* kwiecień; **~ Fools' Day** prima aprilis

a•pron [`eɪprən] *s* fartuszek

Ar•ab [`ærəb] *s* Arab; *(koń)* arab

A•ra•bi•an [ə`reɪbɪən] *adj* arabski

A•ra•bic [`ærəbɪk] *adj* arabski; *s* język arabski

arch [ɑtʃ] *s arch.* łuk, sklepienie; *vt vi* wyginać (się) (w łuk)

ar•chae•ol•o•gy ['ɑkɪ`olədʒɪ] *s* archeologia

ar•chi•tect [`ɑkɪtekt] *s* architekt

ar•chi•tec•ture [`ɑkɪtektʃə(r)] *s* architektura

arc•tic [`ɑktɪk] *adj* arktyczny; *s*: **the Arctic** Arktyka

are [ɑ(r)] *zob.* **be**

a•re•a [`eərɪə] *s* powierzchnia; obszar; okolica; dziedzina (**of sth** czegoś); **in the London ~** w rejonie Londynu; **~ code** numer kierunkowy

aren't [ɑnt] = **are not**; *zob.* **be**

Ar•gen•tin•ian ['ɑdʒən`tɪnɪən] *adj* argentyński; *s* Argentyńczyk

ar•gue [`ɑgju] *vi* sprzeczać się (**about <for> sth** o coś); *vt* dyskutować (**sth** nad

czymś); namawiać (**sb into sth** kogoś na coś)
ar•gu•ment [`agjumənt] *s* kłótnia; argument (**for <against> sth** za <przeciw> czemuś)
a•ri•a [`arıə] *s muz.* aria
***a•rise** [ə`raız], **arose** [ə`rəuz], **arisen** [ə`rızn] *vi* powstawać; ukazywać <wyłaniać> się; wynikać
a•rith•me•tic [ə`rıθmətık] *s* arytmetyka
arm [am] *s* ramię; ręka; poręcz krzesła; rękaw; **~ in ~** pod rękę; *pl* **~s** broń; **in ~s** pod bronią; *vt vi* zbroić (się)
arm•chair [`amtʃeə(r)] *s* fotel
ar•my [`amı] *s* wojsko, armia; **join the ~** pójść do wojska
a•rose *zob.* **arise**
a•round [ə`raund] *adv* naokoło, dookoła; na wszystkie strony; *praep* dokoła, wokół; *am.* tu i tam
a•rouse [ə`rauz] *vt* budzić; wzbudzać, podniecać
ar•range [ə`reındʒ] *vt* urządzać; porządkować; umawiać, ustalać; załatwiać; *muz.* aranżować
ar•range•ment [ə`reındʒmənt] *s* urządzenie; ułożenie; umowa; uporządkowanie; *pl* **~s** plany, przygotowania
ar•rest [ə`rest] *vt* aresztować; zatrzymywać; *s* areszt; **you are under ~** jest pan aresztowany
ar•riv•al [ə`raıvl] *s* przybycie, przyjazd, przylot (**at <in> sth** do czegoś); **~ hall** hala przylotów
ar•rive [ə`raıv] *vi* przybyć; przyjść na świat; dojść (**at a conclusion** do wniosku)
ar•row [`ærəu] *s* strzała, strzałka
art [at] *s* sztuka; **~ gallery** galeria sztuki; *pl* **~s** nauki humanistyczne
ar•ti•cle [`atıkl] *s* artykuł; paragraf; *gram.* rodzajnik, przedimek; **~ of clothing** część odzieży
ar•ti•fi•cial ['atı`fıʃl] *adj* sztuczny; **~ flowers** sztuczne kwiaty; **~ respiration** sztuczne oddychanie
art•ist [`atıst] *s* artysta
as [æz, əz] *adv* jak; jako; za; *conj* ponieważ, skoro; jak; jako; kiedy, (podczas) gdy; **as... as** tak... jak, równie... jak; **as far as** aż do, o ile; **as for** co się tyczy, co do; **as if, as though** jak gdyby; **as it is** faktycznie, rzeczywiście; **as a rule** z reguły, zasadniczo; **as much <many>** aż tyle; **as soon as** skoro tylko; **as to** co się

tyczy, odnośnie do; **as well** również, także; **as well as** równie dobrze, jak również; (*w przeczeniach*) **as yet** jak dotąd

ash [æʃ] *s* popiół; **Ash Wednesday** środa popielcowa

a•shamed [ə`ʃeɪmd] *adj praed* zawstydzony; **be ~** wstydzić się (**of sth** czegoś)

ash•tray [`æʃ treɪ] *s* popielniczka

A•sian [`eɪʃən] *adj* azjatycki; *s* Azjata

a•side [ə`saɪd] *adj* na bok, na boku; **put ~** odkładać

ask [ɑsk] *vt vi* pytać (**sb about sth** kogoś o coś); prosić (**sb for sth** kogoś o coś; **sb to do sth** kogoś, żeby coś zrobił); zapraszać (**sb to <for> sth** kogoś na coś); **~ a question** zadawać pytanie; **~ sb the time** pytać kogoś o godzinę; **~ after sb** pytać o kogoś (*co u kogoś słychać*)

as•pi•rin [`æsprɪn] *s* aspiryna

ass [æs] *s* osioł; *am. wulg.* tyłek

as•sem•ble [ə`sembl] *vt* gromadzić; składać; *techn.* montować; *vi* gromadzić się

as•sess [ə`ses] *vt* szacować, obliczać, taksować

as•sist [ə`sɪst] *vt* asystować; pomagać; *vi* być obecnym

as•sist•ant [ə`sɪstənt] *s* pomocnik, asystent; **~ manager** wicedyrektor; **shop ~** ekspedient

as•so•ci•a•tion [ə'səusɪ`eɪʃn] *s* stowarzyszenie, zrzeszenie; związek; skojarzenie

as•sur•ance [ə`ʃuərns] *s* zapewnienie; pewność (siebie); ubezpieczenie; **life ~** ubezpieczenie na życie

as•sure [ə`ʃuə(r)] *vt* zapewniać (**sb of sth** kogoś o czymś); ubezpieczać; **rest ~d that...** być spokojnym, że

asth•ma [`æsmə] *s* astma

as•ton•ish [ə`stonɪʃ] *vt* zdziwić, zdumieć

as•trol•o•gy [ə`strolədʒɪ] *s* astrologia

as•tron•o•my [ə`stronəmɪ] *s* astronomia

a•sy•lum [ə`sɑɪləm] *s* azyl; przytułek; **political ~** azyl polityczny

at [æt, ət] *praep* (*na oznaczenie miejsca*) przy, u, na, w; **at school** w szkole; **at sea** na morzu; (*na oznaczenie czasu*) w, o, na; **at nine o'clock** o godzinie dziewiątej; **at night** w nocy; (*na oznaczenie sposobu, celu,*

stanu, ceny) na, za, z, po, w; **at once** natychmiast; **at last** w końcu; nareszcie; **at least** przynajmniej; *(odpowiedź na podziękowanie)* **not at all!** nie ma za co!
ate *zob.* **eat**
ath•lete [`æθlit] *s* sportowiec; lekkoatleta
ath•let•ics [æθ`letɪks] *s* sport; lekkoatletyka
At•lan•tic [ət`læntɪk] *adj* atlantycki; *s*: **the ~** Atlantyk
at•las [`ætləs] *s* atlas
at•mos•phere [`ætməsfɪə(r)] *s fiz. i przen.* atmosfera
at•om [`ætəm] *s* atom; *przen.* odrobina; **~ bomb** bomba atomowa
a•tom•ic [ə`tomɪk] *adj* atomowy
at•tach [ə`tætʃ] *vt* przymocować; dołączać; przywiązać; **be ~ed to sb, sth** być przywiązanym do kogoś, czegoś
at•tack [ə`tæk] *vt* atakować; *s* atak
at•tempt [ə`tempt] *vt* próbować, usiłować; *s* próba, usiłowanie; **~ on sb's life** zamach na czyjeś życie
at•tend [ə`tend] *vt* uczęszczać (**school** do szkoły; **lectures** na wykłady); *(jako ochrona, pomoc)* towarzyszyć; **~ to** zajmować się; obsługiwać *(klienta)*
at•ten•tion [ə`tenʃn] *s* uwaga; opieka; **pay ~ to sth** zwracać na coś uwagę
at•test [ə`test] *vt* stwierdzać, zaświadczać
at•tic [`ætɪk] *s* poddasze, strych
at•ti•tude [`ætɪtjud] *s* pogląd, stanowisko, stosunek (**to sth** do czegoś); *(sylwetki)* postawa, pozycja
at•tract [ə`trækt] *vt* przyciągać, pociągać
at•trac•tion [ə`trækʃn] *s* atrakcyjność; atrakcja
auc•tion [`ɔkʃn] *s* aukcja, licytacja; *vt* sprzedawać na licytacji; **put sth up for ~** wystawiać coś na licytację
au•di•ence [`ɔdɪəns] *s* publiczność, widownia, słuchacze; audiencja
Au•gust [`ɔgəst] *s* sierpień
aunt [ɑnt] *s* ciotka
aus•pic•es [`ɔspɪsɪz] *s pl*, patronat; **under the ~ of** pod auspicjami
Aus•tra•lian [ɔ`streɪlɪən] *adj* australijski; *s* Australijczyk
Aus•tri•an [`ɔstrɪən] *adj* austriacki; *s* Austriak
au•then•tic [ɔ`θentɪk] *adj* autentyczny
au•thor [`ɔθə(r)] *s* autor

au•thor•i•ty [ɔ`θorətɪ] *s* autorytet, władza; upoważnienie; *pl* **the authorities** władze; **be in ~** mieć władzę

au•thor•ize [`ɔθərɑɪz] *vt* autoryzować, upoważniać

au•to•graph [`ɔtəgraf] *s* autograf

au•to•mat•ic ['ɔtə`mætɪk] *adj* automatyczny, mechaniczny

au•top•sy [`ɔtopsi] *s* autopsja, sekcja zwłok

au•tumn [`ɔtəm] *s* jesień; *adj attr* jesienny

a•vail•a•ble [ə`veɪləbl] *adj* do wykorzystania, dostępny, osiągalny

av•a•lanche [`ævəlɑnʃ] *s dosł. i przen.* lawina

av•e•nue [`ævənju] *s* aleja

av•er•age [`ævərɪdʒ] *s mat.* średnia; przeciętność; **below <above> ~** poniżej <powyżej> średniej; **on ~** przeciętnie; *adj* przeciętny; *vt* wynosić przeciętnie

a•void [ə`vɔɪd] *vt* unikać; omijać

***a•wake** [ə`weɪk], **awoke** [ə`wəʊk], **awoken** [ə`wəʊkən] *vt dosł. i przen.* budzić; *vi* budzić się

a•ward [ə`wɔd] *vt* przyznawać; *s* przyznana nagroda

a•ware [ə`weə(r)] *adj praed* świadomy, poinformowany; **be ~** uświadamiać sobie (**of sth** coś)

a•way [ɔ`weɪ] *adv* daleko, na uboczu; poza (domem); **three miles ~ from here** trzy mile stąd; *am.* **right ~** natychmiast; **~ with it!** precz z tym!

awe [ɔ] *s* strach, trwoga; *vt* napawać trwogą

aw•ful [`ɔfl] *adj* straszny, okropny

awk•ward [`ɔkwəd] *adj* niezgrabny; niezdarny

a•woke, a•wok•en *zob.* **awake**

axe [æks] *s* siekiera; topór

B

ba•by [`beɪbɪ] *s* niemowlę

ba•by-sit [`beɪbɪ'sɪt] *vi* pilnować dziecka

ba•by-sit•ter [`beɪbɪ sɪtə(r)] *s* baby-sitter (*osoba zatrudniona na kilka godzin do opieki nad dzieckiem*)

bach•e•lor [`bætʃələ(r)] *s* kawaler

back [bæk] *s* plecy; grzbiet;

(*np. domu*) tył; (*krzesła*) oparcie; *sport.* obrońca; **at the ~** z tyłu; **~ to front** tył(em) na przód; *adj* tylny; odwrotny; *adv* w tyle, z tyłu; z powrotem; do tyłu; *vt* (*samochód*) cofać; (*moralnie, finansowo*) podtrzymywać; (*w grze*) stawiać (**sth** na coś); **~ up** popierać (kogoś); *komp.* robić zapasową kopię; *vi* cofać się, iść do tyłu; **~ out** wycofać <wykręcić> się (**from <of> sth** z czegoś)

back•bone [`bækbəʊn] *s* kręgosłup

back•ground [`bækgraʊnd] *s* dalszy plan; tło (*także polityczne, społeczne*); pochodzenie, przeszłość; **against a ~** na tle (**of sth** czegoś)

back•ward [`bækwəd] *adj* tylny, położony w tyle; zacofany; **~(s)** *adv* w tył, ku tyłowi, z powrotem, wstecz; **~s and forwards** tam i z powrotem

ba•con [`beɪkən] *s* boczek, słonina, bekon

bad [bæd] *adj* (*comp* **worse** [wɜs], *sup* **worst** [wɜst]) zły, w złym stanie; niezdrowy; bezwartościowy; przykry; (*o dziecku*) niegrzeczny; **be ~ at sth** nie umieć czegoś, nie orientować się w czymś; (*o jedzeniu*) **go ~** zepsuć się; **~ name** zła reputacja; **not ~!** nieźle!

bade *zob.* **bid**

bad•ly [`bædlɪ] *adv* źle; bardzo; **be ~ off** być biednym; **be ~ in need** gwałtownie potrzebować

bad•min•ton [`bædmɪntən] *s* badminton

bag [bæg] *s* torba; torebka (damska); worek; *vt* włożyć do torby

bag•gage [`bægɪdʒ] *s am.* bagaż; **~ car** *am.* wagon bagażowy

bake [beɪk] *vt vi* piec (się); (*o cegłach*) wypalać (się)

bak•er [`beɪkə(r)] *s* piekarz; **~'s** piekarnia

bal•ance [`bæləns] *s* równowaga; (*przyrząd, ciężar*) waga; saldo; bilans; *vt* równoważyć; (*w myśli*) rozważać; *vi* zachowywać równowagę

bal•co•ny [`bælkənɪ] *s* balkon

ball [bɔl] *s* piłka; kula, kulka; kłębek

bal•let [`bæleɪ] *s* balet

bal•loon [bə`lun] *s* balon; *vi* nadymać się (*jak balon*)

bal•lot [`bælət] *s* karta do głosowania; tajne głosowa-

nie; ~ **box** urna wyborcza; *vi* tajnie głosować
ball•point (pen) [`bɔlpɔɪnt ('pen)] *s* długopis
bam•boo ['bæm`bu] *s* bambus
ban [bæn] *vt* zakazać, zabronić; *s* zakaz (**on sth** czegoś)
ba•na•na [bə`nɑnə] *s* banan
band[1] [bænd] *s* wstążka; opaska; pasmo, zakres (nadawania); **rubber ~** gumka; *vt* (*wstążką, taśmą*) obwiązywać
band[2] [bænd] *s* grupa; orkiestra; *vt vi* grupować (się); zrzeszać (się)
ban•dage [`bændɪdʒ] *s* bandaż; *vt* bandażować
ban•dit [`bændɪt] *s* bandyta
bank[1] [bæŋk] *s* bank; *adj attr* bankowy; *vt* składać w banku
bank[2] [bæŋk] *s* brzeg; wał, nasyp; zaspa śnieżna
bank note [`bæŋknəʊt] *s* banknot
bank•rupt [`bæŋkrʌpt] *s* bankrut; *adj* zbankrutowany; **go ~** zbankrutować
bap•tis•m [`bæptɪzəm] *s* chrzest
bar [bɑ(r)] *s* pręt; sztaba; zasuwa; (*mydła*) kostka; (*czekolady*) tabliczka; bar; *pl* **~s** krata; **behind ~s** za kratkami; *vt* ryglować; barykadować; zagradzać; wykluczać; zabraniać
bar•be•cue [`bɑbɪkju] *s* grill ogrodowy; przyjęcie, barbecue
bar•ber [`bɑbə(r)] *s* fryzjer (męski)
bare [beə(r)] *adj* goły, nagi; otwarty, jasny; jedyny; **in ~ feet** na bosaka; **with ~ hands** gołymi rękami; *vt* obnażać, odsłaniać
bare•ly [`beəlɪ] *adv* ledwo, tylko
bar•gain [`bɑgɪn] *s* interes, transakcja; okazyjne kupno; **into the ~** na dodatek; **strike a ~** ubić interes; **go ~ hunting** szukać okazyjnego kupna; *vi* negocjować; targować się
bark [bɑk] *vi* szczekać (**at sb, sth** na kogoś, coś); *s* szczekanie
bar•ley [`bɑlɪ] *s* jęczmień
barn [bɑn] *s* stodoła
ba•rom•e•ter [bə`romɪtə(r)] *s* barometr
bar•ri•er [`bærɪə(r)] *s* bariera, zapora
bar•ris•ter [`bærɪstə(r)] *s* adwokat
bar•row [`bærəʊ] *s* taczka; wózek (z warzywami)
base[1] [beɪs] *s* baza, podsta-

wa; *vt* opierać (**sth on sth** coś na czymś)

base[2] [beɪs] *adj* podły; niski

base•ball [ˋbeɪsbɔl] *s sport.* baseball

base•ment [ˋbeɪsmənt] *s* suterena

ba•sic [ˋbeɪsɪk] *adj* podstawowy, zasadniczy

ba•sis [ˋbeɪsɪs] *s* (*pl* **bases** [ˋbeɪsɪz]) baza, podstawa

bas•ket [ˋbɑskɪt] *s* kosz

bas•ket•ball [ˋbɑskɪt bɔl] *s* koszykówka

bat [bæt] *s* nietoperz

bath [bɑθ] *s* (*pl* **~s** [bɑðz]) kąpiel (*w wannie*); wanna, łazienka; *pl* **~s** łaźnia

bathe [beɪð] *vt vi* kąpać (się); przemywać; *s* (*morska, rzeczna*) kąpiel

bath•room [ˋbɑθrʊm] *s* łazienka

bat•ter•y [ˋbætrɪ] *s* bateria; akumulator; (*np. narzędzi*) zestaw

bat•tle [ˋbætl] *s* bitwa; *vi* walczyć

bay [beɪ] *s* zatoka

***be** [bi], **am** [æm, əm], **is** [ɪz], **are** [ɑ(r)], **was** [woz], **were** [weə(r)], **been** [bin] *v aux* być; **it is done** to jest zrobione; **I am reading** czytam; **I am to tell you** powinienem <mam> ci powiedzieć; **there are people in the street** na ulicy są <znajdują się> ludzie; **be late** spóźnić się; *vi* być, istnieć; pozostawać; mieć <czuć> się; kosztować; **how are you?** jak się masz?; **I am better** czuję się lepiej; **how much is that?** ile to kosztuje?; **be off** odchodzić, odjeżdżać

beach [bitʃ] *s* plaża

bean [bin] *s* (*zw. pl* **~s**) fasola; **broad ~s** bób

bear[1] [beə(r)] *s* niedźwiedź

***bear**[2] [beə(r)], **bore** [bɔ(r)], **borne** [bɔn] *vt* nosić; wytrzymać; (*np. ból*) znosić; rodzić; *vi* mieć znaczenie; odnosić się (**on sth** do czegoś); **~ out** potwierdzać; **~ up** trzymać się, nie upadać na duchu; **~ in mind** pamiętać, mieć na myśli; **~ sb a grudge** mieć do kogoś urazę

beard [bɪəd] *s* broda; zarost

bear•er [ˋbeərə(r)] *s* doręczyciel; (*np. paszportu*) posiadacz; (*czeku*) okaziciel

beast [bist] *s* bydlę; bestia

***beat** [bit], **beat** [bit], **beaten** [ˋbitn] *vt* bić; stukać; (*wroga, rekord*) pobić; ubijać; *s* uderzenie; (*serca*) bicie; rytm

beat•ing [ˋbitɪŋ] *s* bicie, *pot.* lanie

beau•ti•ful [`bjutəfl] *adj* piękny

beau•ty [`bjutɪ] *s* piękno; piękność

be•came *zob.* **become**

be•cause [bɪ`koz] *conj* ponieważ; *praep*: ~ **of** z powodu

***be•come** [bɪ`kʌm], **became** [bɪ`keɪm], **become** [bɪ`kʌm] *vi* zostać (*czymś*), stać się; **he became a doctor** został lekarzem; ~ **fat** utyć; **what has ~ of him?** co się z nim stało?

be•com•ing [bɪ`kʌmɪŋ] *adj* stosowny, właściwy; (*o stroju*) twarzowy; **blue looks ~ on her** jest jej do twarzy w niebieskim

bed [bed] *s* łóżko; grządka, klomb; **make the ~** posłać łóżko; **go to ~** iść spać; **~ and breakfast** pokój ze śniadaniem (*np. w pensjonacie*)

bed•clothes [`bedkləʊðz] *s pl* pościel

bed•room [`bedrʊm] *s* sypialnia

bee [bi] *s* pszczoła

beef [bif] *s* wołowina

been *zob.* **be**

beer [bɪə(r)] *s* piwo

bee•tle [`bitl] *s* chrząszcz, żuk

beet•root [`bitrut] *s* burak

be•fore [bɪ`fɔ(r)] *praep* przed; ~ **long** wkrótce; ~ **now** już przedtem; *adv* przedtem, kiedyś; *conj* zanim

beg [beg] *vi* żebrać (**for sth** o coś); *vt* prosić, błagać (**sb for sth** kogoś o coś); **I ~ your pardon** przepraszam (nie dosłyszałem)

be•gan *zob.* **begin**

beg•gar [`begə(r)] *s* żebrak

***be•gin** [bɪ`gɪn], **began** [bɪ`gæn], **begun** [bɪ`gʌn] *vt vi* zaczynać (się); **to ~ with** na początek

be•gin•ning [bɪ`gɪnɪŋ] *s* początek

be•gun *zob.* **begin**

be•half [bɪ`hɑf] *s*: **on ~ of sb** w czyimś imieniu; **on my ~** w moim imieniu

be•have [bɪ`heɪv] *vi* zachowywać (się), postępować (**towards sb** w stosunku do kogoś); dobrze się zachowywać; *vr* ~ **oneself** dobrze się zachowywać

be•hind [bɪ`haɪnd] *praep* za, poza; ~ **schedule** z opóźnieniem; ~ **the times** zacofany, przestarzały; *adv* z tyłu, do tyłu, wstecz; **be ~** zalegać, być opóźnionym; **leave ~** zostawić za sobą

beige [beɪʒ] *s* beż; *adj* beżowy
be•ing [`biɪŋ] *s* istnienie; istota; **for the time ~** (jak) na razie; **come into ~** powstać, zaistnieć
Bel•gian [`beldʒən] *adj* belgijski; *s* Belg
be•lief [bɪ`lif] *s* wiara (**in God** w Boga); przekonanie; **beyond ~** nie do wiary
be•lieve [bɪ`liv] *vt vi* wierzyć (**sb, sth** komuś, czemuś; **in sb, sth** w kogoś, coś); myśleć, sądzić; **make ~** udawać; pozorować
bell [bel] *s* dzwon, dzwonek
be•long [bɪ`loŋ] *vi* należeć (**to sb** do kogoś); **this chair ~s here** miejsce tego krzesła jest tutaj
be•long•ings [bɪ`loŋɪŋz] *s pl* rzeczy (osobiste), własność
be•low [bɪ`ləʊ] *praep* pod; *adv* niżej, poniżej
belt [belt] *s* pasek; (*obszar*) pas, strefa; *vt* zapiąć na pasek; bić pasem
bench [bentʃ] *s* ławka; trybunał
***bend** [bend], **bent**, **bent** [bent] *vt vi* zginać (się); pochylać (się); *s* zgięcie; (*na drodze*) zakręt
ben•e•fit [`benɪfɪt] *s* dobrodziejstwo; korzyść; zasiłek; **unemployment ~** zasiłek dla bezrobotnych; *vt* przynosić korzyść; *vi* korzystać (**from sth** z czegoś)
bent *zob.* **bend**
be•side [bɪ`saɪd] *praep* obok; w porównaniu z
be•sides [bɪ`saɪdz] *adv* oprócz tego, poza tym
best [best] *adj* (*sup od* **good**) najlepszy; *adv* (*sup od* **well**) najlepiej; *s* to, co najlepsze; **make the ~ of sth** zrobić jak najlepszy użytek z czegoś; **at ~** w najlepszym razie; **I will do my ~ to ...** zrobię wszystko, co w mojej mocy, żeby ...
best•sel•ler ['best `selə(r)] *s* bestseller
***bet** [bet], **bet**, **bet** *vt* zakładać się; **I ~ you a pound** zakładam się z tobą o funta; *vi* stawiać (**on sth** na coś); *s* zakład (**on sth** o coś)
be•tray [bɪ`treɪ] *vt* (*kraj, zasady*) zdradzać; wyjawić (**sth to sb** coś komuś)
bet•ter [`betə(r)] *adj* (*comp od* **good**) lepszy; (*comp od* **well**) zdrowszy, w lepszym stanie; *adv* (*comp od* **well**) lepiej; **~ and ~** coraz lepiej; **all the ~** tym lepiej; **you had ~ go** lepiej już idź sobie
be•tween [bɪ`twin] *praep*

między; *adv*: **in ~** pośrodku; w środek
bev•er•age [`bevrɪdʒ] *s* napój
be•ware [bɪ`weə(r)] *vi* (*tylko w inf i imp*) wystrzegać się, mieć się na baczności (**of sth** przed czymś)
be•yond [bɪ`jond] *praep* za, poza; **~ belief** nie do wiary; **~ recognition** nie do poznania
Bi•ble [`baɪbl] *s* Biblia
bi•cy•cle [`baɪsɪkl] *s* rower; *vi* jeździć rowerem
***bid** [bɪd], **bade** [beɪd], **bidden** [`bɪdn] *lub* **bid, bid** [bɪd] *vt* (*cenę*) oferować; zapraszać (**to sth** na coś); **~ sb do sth** nakazać komuś coś zrobić; *s* oferta
big [bɪg] *adj* duży; gruby; ważny
bike [baɪk] *s pot.* rower; *am.* motocykl
bill [bɪl] *s* rachunek; projekt ustawy; *am.* banknot; **~ of exchange** weksel; **~ of sale** akt sprzedaży; *vt* wystawiać rachunek (**sb for sth** komuś za coś)
bil•liards [`bɪljədz] *s pl* bilard
bil•lion [`bɪlɪən] *s* bilion; *am.* miliard
bin [bɪn] *s* pojemnik, kosz (na śmieci)
***bind** [baɪnd], **bound, bound** [baʊnd] *vt* wiązać, związywać; (*książkę*) oprawiać; zobowiązywać; **~ up** bandażować
bi•noc•u•lars [baɪ`nokjʊləz] *s pl* lornetka
bi•ol•o•gy [baɪ`olədʒɪ] *s* biologia
bird [bɜd] *s* ptak; **~'s-eye view** widok z lotu ptaka
birth [bɜθ] *s* narodziny; **give ~** urodzić, stworzyć (**to sb, sth** kogoś, coś)
birth•day [`bɜθdeɪ] *s* urodziny; **~ cake** tort urodzinowy
bis•cuit [`bɪskɪt] *s* herbatnik
bit[1] *zob.* **bite**
bit[2] [bɪt] *s* kawałek; odrobina; **a ~** nieco, trochę; **~ by ~** po trochu, stopniowo
***bite** [baɪt], **bit** [bɪt], **bitten** [`bɪtn] *lub* **bit** *vt vi* gryźć, kąsać; *s* ukąszenie; kęs
bit•ter [`bɪtə(r)] *adj* gorzki; (*o mrozie*) przenikliwy
black [blæk] *adj* czarny; czarnoskóry; **~ eye** podbite oko; *s* czerń; *vt*: **~ out** stracić na krótko przytomność
black•ber•ry [`blækbərɪ] *s bot.* jeżyna
black•board [`blækbɔd] *s* tablica (szkolna)

blad•der [ˋblædə(r)] *s* pęcherz
blade [bleɪd] *s* ostrze; klinga
blame [bleɪm] *vt* obwiniać (**sb for sth** kogoś za coś); **be to ~** być winnym; *s* wina
blank [blæŋk] *adj* (*o papierze*) czysty, nie zapisany; (*o wzroku*) pusty, bez wyrazu; **~ cheque** czek in blanco; *s* pustka; nie zadrukowane miejsce
blan•ket [ˋblæŋkɪt] *s* koc
***bleed** [blid], **bled, bled** [bled] *vi dosł. i przen.* krwawić
blend [blend] *vt vi* mieszać (się); *s* mieszanina
bless•ing [ˋblesɪŋ] *s* błogosławieństwo
blew *zob.* **blow**
blind [blaɪnd] *adj* ślepy; *vt* oślepiać; *s* roleta; **Venetian ~** żaluzja
bliz•zard [ˋblɪzəd] *s* burza śnieżna
block [blok] *s* blok; (*lodu*) bryła; (*drewna*) kloc; duży budynek; **~ of flats** budynek mieszkalny; *vt* blokować; zatykać
blond [blond] *adj* (*o włosach*) jasny; *s* blondyn
blonde [blond] *s* blondynka
blood [blʌd] *s* krew; **~ group** grupa krwi
blood•y [ˋblʌdɪ] *adj* krwawy; *wulg.* cholerny
bloom [blum] *vi* kwitnąć; *s* kwiat
bloom•er [ˋblumə(r)] *s pot.* gafa
blouse [blaʊz] *s* bluzka
blow[1] [bləʊ] *s* uderzenie, cios; **at a ~** za jednym uderzeniem; **strike a ~** zadać cios
***blow**[2] [bləʊ], **blew** [blu], **blown** [bləʊn] *vi* wiać, dąć; *vt* dmuchać; **~ out** zgasić, zdmuchnąć; **~ up** wysadzić w powietrze; wybuchnąć; nadmuchać
blue [blu] *adj* niebieski; siny; *pot.* przygnębiony, smutny; **out of the ~** niespodziewanie
blunt [blʌnt] *adj* tępy, stępiony; bezceremonialny; *vt* stępić
board [bɔd] *s* deska; tektura; wyżywienie; rada, zarząd; pokład; **bed and ~** mieszkanie z wyżywieniem; *vt* wchodzić na pokład (*statku*), wsiadać do (*pociągu, tramwaju*)
boast [bəʊst] *vt vi* przechwalać się; chwalić się (**of <about> sth** czymś); *s* samochwalstwo
boat [bəʊt] *s* łódź; statek; **by**

~ łodzią; statkiem; *vi* pływać łódką
bod•y [`bodı] *s* ciało; grupa ludzi, grono; znaczna ilość (*np. informacji*); *mot.* karoseria
bod•y•guard [`bodıgad] *s* ochroniarz
boil [bɔıl] *vi* gotować się, wrzeć, kipieć; *vt* gotować; ~ **away** wygotować się
bold [bəʊld] *adj* śmiały; wyraźny
bolt [bəʊlt] *s* zasuwa; śruba; piorun; *vi* pędzić, gnać; *vt* zamknąć na zasuwę
bomb [bom] *s* bomba; *vt* bombardować
bond [bond] *s* więź; zobowiązanie; obligacja
bone [bəʊn] *s* kość, ość; *vt* wyjmować kości <ości>
bon•net [`bonıt] *s* czepek; *mot.* maska (samochodu)
bo•nus [`bəʊnəs] *s* premia; dodatek
book [bʊk] *s* książka; bloczek; *pl* ~**s** księgi rachunkowe; *vt* (*bilet, miejsce, pokój*) rezerwować
book•ing [`bʊkıŋ] *s* rezerwacja; ~ **office** kasa biletowa
book•shop [`bʊkʃop] *s* księgarnia
book•store [`bʊkstɔ(r)] *s am.* księgarnia
boot [but] *s* but; *mot.* bagażnik
booth [buð] *s* kabina; stragan; **telephone** ~ budka telefoniczna
bor•der [`bɔdə(r)] *s* granica; brzeg; lamówka; rabata; *vt* ograniczać; ~ **France** graniczyć z Francją
bore[1] [bɔ(r)] *s* nudziarz; utrapienie; *vt* nudzić
bore[2] [bɔ(r)] *s* kaliber; *vt* wiercić, drążyć
bore[3] *zob.* **bear**[2]
born [bon] *adj*: **be** ~ urodzić się
borne *zob.* **bear**[2]
bor•row [`borəʊ] *vt vi* pożyczać (**from sb** od kogoś), wypożyczać
boss [bos] *s pot.* szef, kierownik; *vt* rozkazywać
both [bəʊθ] *pron adj* oboje; ~ **of them** oni obydwaj; ~ **books** obydwie książki; *adv conj* ~**... and...** nie tylko..., ale też...
both•er [`boðə(r)] *vt* niepokoić, dręczyć; *vi* martwić się (**with <about> sth** o coś); *s* kłopot, zawracanie głowy
bot•tle [`botl] *s* butelka; ~ **of wine** butelka wina; ~ **opener** otwieracz do butelek; *vt* butelkować
bot•tom [`botəm] *s* dno; spód; siedzenie, pupa; ~ **up**

do góry dnem; **at ~** w gruncie rzeczy
bought *zob.* **buy**
bound[1] [baund] *adj* zobowiązany (**to do sth** coś zrobić)
bound[2] *zob.* **bind**
bound•a•ry [`baundrɪ] *s* granica
bou•tique [bu`tik] *s* butik
bow[1] [bau] *vi* kłaniać się (**to <before> sb** komuś); *vt* zginać; *s* ukłon
bow[2] [bəu] *s* łuk; smyczek; kokarda
bowl[1] [bəul] *s* miska, waza
bowl[2] [bəul] *s* kula do gry w kręgle; *pl* **~s** gra w kręgle; *vt vi (w grze)* toczyć, rzucać kulę
box[1] [boks] *s* pudełko, skrzynia; budka; loża; **~ office** kasa biletowa *(np. w teatrze)*; *vt* pakować do pudełka
box[2] [boks] *vt* uderzać pięścią; *vi* boksować się
box•er [`boksə(r)] *s* bokser, pięściarz
box•ing [`boksɪŋ] *s* boks, pięściarstwo
boy [bɔɪ] *s* chłopiec
boy•friend [`bɔɪfrend] *s* chłopak, sympatia
bra [brɑ] *s pot.* stanik
brace [breɪs] *s* klamra; *(na zęby)* aparat korekcyjny; *pl* **~s** [`breɪsɪz] szelki
brace•let [`breɪslət] *s* bransoletka
brain [breɪn] *s* mózg; umysł; *pl* **~s** rozum; inteligencja; **rack one's ~s** łamać sobie głowę (**about sth** nad czymś)
brake [breɪk] *s* hamulec; **~ light** światła stopu; *vt vi* hamować
bran [bræn] *s* otręby
branch [brɑntʃ] *s* gałąź; filia, oddział; *vi* rozgałęziać się; **~ off** odgałęziać się
brand [brænd] *s* znak firmowy; rodzaj, odmiana; piętno; *vt* znakować
brand-new ['brænd `nju] *adj* nowiutki
bran•dy [`brændɪ] *s* brandy
bras•siere [`bræzɪə(r)] *s* biustonosz
brave [breɪv] *adj* odważny, dzielny; *vt* stawić czoło
Bra•zil•ian [brə`zɪljən] *adj* brazylijski; *s* Brazylijczyk
bread [bred] *s* chleb; **~ and butter** chleb z masłem; **white <brown> ~** chleb biały <ciemny>
breadth [bredθ] *s* szerokość
***break** [breɪk], **broke** [brəuk], **bro•ken** [`brəukən] *vt vi* łamać (się); tłuc (się); zepsuć, niszczyć; przerywać (się); *(o wietrze, burzy)* zerwać się; *(całość, przepisy)*

naruszać; zerwać przyjaźń (**with sb** z kimś); ~ **away** uciec; oderwać się; ~ **down** załamać (się); złamać czyjś opór; zepsuć (się); ~ **in** włamywać (się); wtrącać się; ~ **into tears <laughter>** wybuchnąć płaczem <śmiechem>; ~ **out** (*o wojnie*) wybuchnąć; ~ **through** przedrzeć (się); ~ **up** (*o statku*) rozbić (się); zerwać ze sobą, rozejść się; rozpocząć wakacje (szkolne); ~ **the record** pobić rekord; *s* przerwa; złamanie; rozbicie; wyłom; wybuch

break•down [`breɪkdaʊn] *s* awaria; rozpad; załamanie nerwowe

break•fast [`brekfəst] *s* śniadanie

break•through [`breɪkθru] *s* przełom

breast [brest] *s* pierś

breath [breθ] *s* oddech; **out <short> of** ~ bez tchu; **hold one's** ~ wstrzymać oddech; **draw** ~ zaczerpnąć tchu

breathe [brið] *vt vi* oddychać; ~ **in** wdychać; ~ **out** wydychać

***breed** [brid], **bred, bred** [bred] *vt vi* rozmnażać (się); hodować; *s* rasa, odmiana

breeze [briz] *s* wiaterek, bryza

bribe [braɪb] *vt* dać łapówkę, przekupić; *s* łapówka

brick [brɪk] *s* cegła; klocek

bride [braɪd] *s* panna młoda

bride•groom [`braɪdgrum] *s* pan młody

bridge[1] [brɪdʒ] *s* most; mostek kapitański; *przen.* pomost; *vt* połączyć mostem

bridge[2] [brɪdʒ] *s* brydż

brief [brif] *adj* krótki, zwięzły; **in** ~ w kilku słowach; *vt* instruować (**on sth** o czymś)

bright [braɪt] *adj* jasny, promienny; radosny; bystry, błyskotliwy; świetlany

bril•liant [`brɪljənt] *adj* wspaniały, olśniewający; błyskotliwy

***bring** [brɪŋ], **brought, brought** [brɔt] *vt* przynosić; przyprowadzać; przywozić; sprowadzać; ~ **about** powodować; ~ **down** obniżać; ~ **in** wnosić, wprowadzać; ~ **out** wykrywać, wydobywać na światło dzienne; (*produkt*) wypuszczać na rynek; ~ **up** wychowywać; (*temat*) poruszyć

Brit•ish [`brɪtɪʃ] *adj* brytyjski; *s pl* **the** ~ Brytyjczycy

Brit•ish•er [`brɪtɪʃə(r)] *s am.* Brytyjczyk

broad [brɔd] *adj* szeroki, obszerny; **in ~ daylight** w biały dzień

***broad•cast** [`brɔdkɑst], **broadcast, broadcast** *vt vi* (*przez radio, telewizję*) nadawać; transmitować; *s* program, audycja; **live ~** transmisja na żywo

broil [brɔɪl] *vt vi am.* piec, smażyć (się)

broke, bro•ken *zob.* **break**

bro•ker [`brəʊkə(r)] *s* makler; broker; **insurance ~** agent ubezpieczeniowy

broth [broθ] *s* rosół, bulion

broth•er [`brʌðə(r)] *s* brat

broth•er-in-law [`brʌðər ɪn lɔ] *s* szwagier

brought *zob.* **bring**

brow [brɑʊ] *s* brew; czoło

brown [brɑʊn] *adj* brązowy; brunatny; **~ bread** ciemny chleb; *s* brąz

bruise [bruz] *s* siniak; *vt vi* posiniaczyć (się)

bru•nette [bru`net] *s* brunetka

brush [brʌʃ] *s* szczotka; pędzel; *vt* szczotkować; zamiatać

Brus•sels-sprouts ['brʌslz `sprɑʊts] *s pl* brukselka

bub•ble [`bʌbl] *s* bańka (*np. mydlana*); *vi* musować; wrzeć

buck [bʌk] *s* samiec (*jelenia, królika*); *am. pot.* dolar

buck•et [`bʌkɪt] *s* wiadro

buck•le [`bʌkl] *s* klamerka, sprzączka; *vt vi* zapinać (się) (*na klamrę*)

budg•et [`bʌdʒɪt] *s* budżet; *vi* robić budżet

buf•fet [`bʊfeɪ] *s* bufet; **~ car** wagon restauracyjny

bug [bʌg] *s* pluskwa; wirus, zarazek; *am.* robak

***build** [bɪld], **built, built** [bɪlt] *vt vi* budować; tworzyć; **~ in** wbudować; **~ on** dobudować; **~ up** rozbudować; *s* (*ciała*) budowa

build•ing [`bɪldɪŋ] *s* budynek

built *zob.* **build**

bulb [bʌlb] *s* cebulka; żarówka

Bul•gar•i•an [bʌl`geərɪən] *adj* bułgarski; *s* Bułgar

bulge [bʌldʒ] *s* wybrzuszenie; *vi* wybrzuszać się

bull [bʊl] *s* byk

bul•let [`bʊlɪt] *s* kula, pocisk

bump•er [`bʌmpə(r)] *s mot.* zderzak

bunch [bʌntʃ] *s* wiązka, pęk, bukiet; (*ludzi*) grupa; *pl* **~es** kucyki, kitki

bun•ga•low [`bʌŋgələʊ] *s* domek (*parterowy z werandą*)

buoy [bɔɪ] *s* boja; *vt*: **~ (up)**

podtrzymywać; *przen.* podnosić na duchu
bur•den [ˋbɜdn] *s (ładunek, obowiązek)* ciężar; *vt* obciążyć (**sb with sth** kogoś czymś)
bu•reau [ˋbjʊərəʊ] *s* sekretarzyk; biuro, urząd; ~ **de change** kantor wymiany walut
bur•glar [ˋbɜglə(r)] *s* włamywacz; ~ **alarm** alarm antywłamaniowy
bur•i•al [ˋberɪəl] *s* pogrzeb
***burn** [bɜn], **burnt, burnt** [bɜnt] *lub* **~ed, ~ed** [bɜnd] *vt vi* palić (się); oparzyć (się); ~ **down** spalić się (doszczętnie); ~ **out** wypalić się; *s* oparzenie
burn•er [ˋbɜnə(r)] *s* palnik
burnt *zob.* **burn**
***burst, burst, burst** [bɜst] *vi* pękać; wybuchać; rozerwać; *vt (np. balon)* przebijać; ~ **into laughter <tears>** wybuchnąć śmiechem <płaczem>; ~ **out** wybuchnąć; ~ **open** gwałtownie (się) otworzyć; *s* pęknięcie; wybuch
bur•y [ˋberɪ] *vt* grzebać, chować
bus [bʌs] *s* autobus; **by ~** autobusem; ~ **stop** przystanek autobusowy
bush [bʊʃ] *s* krzak; busz
busi•ness [ˋbɪznəs] *s* interes(y), biznes; firma; branża; zajęcie; sprawa; ~ **hours** godziny urzędowania; **it is none of your ~** to nie twoja sprawa; **on ~** służbowo
busi•ness•man [ˋbɪznəsmən] *s (pl* **businessmen** [ˋbɪznəsmən]*)* biznesmen, człowiek interesu
bus•y [ˋbɪzɪ] *adj (o człowieku, linii telefonicznej)* zajęty; *(o ulicy)* ruchliwy; **be ~ doing sth** być czymś zajętym
but [bʌt, bət] *conj* ale, lecz; ależ; ~ **how nice!** ależ jakie to miłe!; *praep* oprócz; **all ~ me** wszyscy oprócz mnie; **the last ~ one** przedostatni
butch•er [ˋbʊtʃə(r)] *s* rzeźnik; **~'s (shop)** sklep mięsny; *vt* zarzynać; dokonywać rzezi
but•ter [ˋbʌtə(r)] *s* masło; *vt* smarować masłem
but•ter•fly [ˋbʌtəflaɪ] *s zool.* motyl
but•tock [ˋbʌtək] *s* pośladek
but•ton [ˋbʌtn] *s* guzik; przycisk; *vt vi:* ~ **(up)** zapinać (się) *(na guziki)*
***buy** [baɪ], **bought, bought** [bɔt] *vt* kupować; ~ **sb a drink** postawić komuś

drinka; ~ **up** wykupić; *s* *pot.* zakup, kupiona rzecz

by [baɪ] *praep* przez; przy, u, obok; nad; do; po, za; **by the sea** nad morzem; **by moonlight** przy świetle księżyca; **by 1999** do roku 1999; **one by one** jeden za drugim; **by night** w nocy, nocą; **by myself** ja sam, sam (jeden); **by bus** autobusem; **by land** lądem; **by sea** morzem; **by letter** listownie; **by phone** telefonicznie; **step by step** krok za krokiem; **by chance** przypadkiem; **by heart** na pamięć; **little by little** po trochu; *adv* obok, mimo; **by the way** przy okazji, mimochodem

bye(-bye) ['baɪ(`baɪ)] *int* *pot.* cześć!, na razie!

by•pass [`baɪpɑs] *s* objazd; *vt* objeżdżać, omijać

C

cab [kæb] *s* taksówka; kabina (kierowcy); powóz, dorożka

cab•bage [`kæbɪdʒ] *s* kapusta

cab•in [`kæbɪn] *s* kajuta; kabina; chata

ca•ble [`keɪbl] *s* kabel; telegram; ~ **TV** telewizja kablowa; *vt vi* depeszować

ca•fé [`kæfeɪ] *s* kawiarnia

caf•e•te•ri•a ['kæfɪ`tɪərɪə] *s* stołówka

cage [keɪdʒ] *s* klatka; (*w kopalni*) winda; *vt* zamknąć w klatce

cake [keɪk] *s* ciasto; ciastko; **birthday** ~ tort urodzinowy

cal•cu•la•tor [`kælkjʊleɪtə(r)] *s* kalkulator

cal•en•dar [`kælɪndə(r)] *s* kalendarz

calf[1] [kɑf] *s* (*pl* **calves** [kɑvz]) cielę; skóra cielęca

calf[2] [kɑf] *s* (*pl* **calves** [kɑvz]) łydka

call [kɔl] *vi vt* wołać; telefonować (**sb** do kogoś); *vt* wzywać, przywoływać; nazywać; (*np. wybory*) zwoływać; *vi* odwiedzać (**on sb** kogoś); przyjść (**for sb, sth** po kogoś, coś; **at sb's house** do czyjegoś domu); ~ **for** wzywać; żądać; ~ **sth in question** zakwestionować coś; ~ **off** odwoływać; ~ **out** wywoływać; ~ **sb names** przezywać, wymyślać komuś; *s* wołanie; krzyk; wezwanie; rozmowa telefoniczna; wizyta

cal•la•net•ics ['kælə`netɪks] *s* gimnastyka poprawiająca ogólną kondycję

calm [kɑm] *adj* cichy, spokojny; *vt vi*: ~ **(down)** uspokajać (się), uciszać (się)

cal•o•rie [`kælərɪ] s kaloria

cam•cor•der [`kæmkɔdə(r)] *s* kamera wideo

came *zob.* **come**

cam•el [`kæml] *s zool.* wielbłąd

cam•er•a [`kæmərə] *s* aparat fotograficzny; kamera; **Polaroid ~** aparat fotograficzny polaroid

camp [kæmp] *s* obóz, obozowisko; *vi* obozować, biwakować

camp•ing [`kæmpɪŋ] *s* kemping; obozowanie; **go ~** wybrać się na kemping

cam•pus [`kæmpəs] *s* teren szkoły <uniwersytetu>

can[1] [kæn, kən] *v aux* (*p* **could** [kud]) móc, potrafić, umieć; **I ~ speak French** znam (język) francuski; **I ~ see** widzę; **that ~'t be true!** to niemożliwe!

can[2] [kæn] *s* puszka; kanister; **milk ~** bańka na mleko; **~ opener** otwieracz do konserw; *vt* puszkować

Ca•na•dian [kə`neɪdɪən] *adj* kanadyjski; *s* Kanadyjczyk

ca•nal [kə`næl] *s* kanał; kanalik; przewód (*np. pokarmowy*)

ca•nar•y [kə`neərɪ] *s* kanarek

can•cel [`kænsl] *vt* odwoływać; anulować, unieważniać

can•cer [`kænsə(r)] *s med.* rak

can•di•date [`kændɪdət] *s* kandydat

can•dle [`kændl] *s* świeca

can•dy [`kændɪ] *s am.* cukierek; słodycze

can•non [`kænən] *s* działo, armata

can•not [`kænət], **can't** [kɑnt] *forma przecząca od* **can**[1]

cap [kæp] *s* czapka; (*pielęgniarki, pływacki*) czepek; skuwka; zakrętka, kapsel

ca•pa•ble [`keɪpəbl] *adj* zdolny, nadający się (**of sth** do czegoś); uzdolniony

ca•pac•i•ty [kə`pæsɪtɪ] *s* pojemność; zdolność (**for sth** do czegoś); charakter, uprawnienia; **in an advisory ~** w charakterze doradcy

cape [keɪp] *s* przylądek

cap•i•tal [`kæpɪtl] *s* stolica; kapitał; wielka litera; *adj*

główny; kapitałowy; stołeczny; ~ **punishment** kara śmierci
cap•i•tal•is•m [`kæpɪtlizəm] *s* kapitalizm
cap•tain [`kæptɪn] *s* kapitan; dowódca
cap•tion [`kæpʃn] *s* tytuł; napis, podpis
cap•ture [`kæptʃə(r)] *vt* schwytać; pojmać; (*miasto*) zdobywać; *przen.* uchwycić; *s* schwytanie; pojmanie
car [kɑ(r)] *s* samochód; wagon; ~ **park** parking; ~ **alarm** alarm samochodowy; ~ **wash** myjnia; ~ **hire** <**rental**> wynajem samochodów; ~ **service** autoserwis
car•a•van [`kærəvæn] *s* przyczepa kempingowa; karawana
car•bu•ret•tor ['kɑbjʊ`retə(r)] *s mot.* gaźnik
card [kɑd] *s* karta; bilet; kartka (okolicznościowa); **credit** ~ karta kredytowa; **playing** ~ karta (do gry); **visiting** ~ wizytówka
care [keə(r)] *s* opieka; troska; ostrożność; staranność; (*w adresie*) ~ **of** (*skr.* **c/o**) pod adresem, do rąk; **take** ~ dbać (**of sb, sth** o kogoś, o coś); (*przy pożegnaniu*) ~ **care!** uważaj na siebie!; *vi* martwić się, niepokoić się (**about sth** o coś); **I don't** ~ nic mnie to nie obchodzi; *vt*: ~ **for** opiekować się; (*w przeczeniach i pytaniach*) lubić
ca•reer ['kə`rɪə(r)] *s* kariera; *vi* pędzić
care•ful [`keəfl] *adj* troskliwy; ostrożny; **be** ~! uważaj!
care•less [`keəlɪs] *adj* beztroski; niedbały; nieostrożny
ca•ress ['kə`res] *vt* pieścić; *s* pieszczota
care•tak•er [`keəteɪkə(r)] *s* dozorca, stróż
car•na•tion [kɑ`neɪʃn] *s bot.* goździk
car•ol [`kærəl] *s* kolęda; *vi* kolędować
carp [kɑp] *s zool.* karp
car•pen•ter [`kɑpɪntə(r)] *s* stolarz; cieśla
car•pet [`kɑpɪt] *s* dywan; *vt* wykładać dywanami
car•riage [`kærɪdʒ] *s* powóz; wagon
car•rot [`kærət] *s* marchew
car•ry [`kærɪ] *vt* nosić; wozić; (*chorobę*) przenosić; nosić ze sobą; ~ **on** prowadzić dalej, kontynuować; ~ **out** wykonywać, przeprowadzać
cart [kɑt] *s* wóz, fura; wózek

car•ton [ˋkatn] *s* karton (**of sth** czegoś)
car•toon [kaˋtun] *s* rysunek satyryczny; film animowany
car•tridge [ˋkatrɪdʒ] *s* nabój
carve [kav] *vt* rzeźbić; krajać
case[1] [keɪs] *s* przypadek; sprawa (*np. sądowa*); **in ~ of** w przypadku; **in any ~** tak czy owak; **(just) in ~** na wszelki wypadek
case[2] [keɪs] *s* skrzynka; pudełko; futerał
cash [kæʃ] *s* gotówka; *pot.* pieniądze; **pay (in) ~** płacić gotówką; **~ down** płatne przy odbiorze; **~ on delivery** za zaliczeniem pocztowym; **~ desk** kasa; *vt* spieniężyć
cash•ier [kəˋʃɪə(r)] *s* kasjer
cas•sette [kəˋset] *s* kaseta; **video ~** wideokaseta; **~ recorder** magnetofon kasetowy
***cast** [kast], **cast, cast** *vt* (*cień, urok*) rzucać; (*sieci*) zarzucać; **~ out** wyrzucić; *s teatr.* obsada
cast•a•way [ˋkastəweɪ] *s* rozbitek
cas•tle [ˋkasl] *s* zamek
cas•u•al [ˋkæʒuəl] *adj* niedbały; przypadkowy; dorywczy
cas•u•al•ty [ˋkæʒuəltɪ] *s* ofiara; izba przyjęć (*dla nagłych przypadków*); *pl* **casualties** straty (w ludziach)
cat [kæt] *s* kot
ca•tas•tro•phe [kəˋtæstrəfɪ] *s* katastrofa
***catch** [kætʃ], **caught, caught** [kɔt] *vt* łapać, chwytać; przyłapywać; (*chorobą*) zarazić się; *vi* chwytać się (**at sth** czegoś); **~ up with sb** dogonić kogoś, dorównać komuś; **~ cold** zaziębić się; **~ fire** zapalić się; **~ hold** pochwycić (**of sth** coś); **~ sight** zobaczyć (**of sth** coś); *s* łapanie, chwytanie
ca•ter [ˋkeɪtə(r)] *vi* zaopatrywać w jedzenie i napoje; zaspokajać potrzeby **(for sb** kogoś)
ca•the•dral [kəˋθidrl] *s* katedra
Cath•o•lic [ˋkæθlɪk] *adj* katolicki; *s* katolik
cat•tle [ˋkætl] *s pl* bydło rogate
caught *zob.* **catch**
cau•li•flow•er [ˋkolɪflauə(r)] *s* kalafior
cause [kɔz] *s* przyczyna; powód (**of sth** czegoś; **for sth** do czegoś); *vt* powodować
cau•tion [ˋkɔʃn] *s* ostrożność; ostrzeżenie; *vt* ostrze-

gać (**against sth** przed czymś)
cau•tious [`kɔʃəs] *adj* ostrożny, rozważny
cave [keɪv] *s* pieczara, jaskinia
cav•i•ar [`kævɪɑ(r)] *s* kawior
cease [sis] *vi* ustawać; *vt* przerwać, skończyć
ceil•ing [`silɪŋ] *s* sufit
cel•e•brate [`seləbreɪt] *vt* (*uroczystość*) świętować, obchodzić; (*mszę*) odprawiać
cell [sel] *s* cela; (*także biol.*) komórka; *elektr.* bateria
cel•lar [`selə(r)] *s* piwnica
cel•lo [`tʃeləʊ] *s* wiolonczela
cell•phone [`selfəʊn] *s* telefon komórkowy
ce•ment [sɪ`ment] *s* cement; *vt* cementować
cem•e•ter•y [`semətrɪ] *s* cmentarz
cent [sent] *s am.* cent; **at 5 per ~** na 5 procent
cen•ter [`sentər] *am.* = **centre**
cen•ti•grade [`sentɪgreɪd] *adj*: **25 degrees ~** 25 stopni Celsjusza
cen•ti•me•tre [`sentɪmitə(r)] *s* centymetr
cen•tral [`sentrl] *adj* centralny, główny; śródmiejski; **~ heating** centralne ogrzewanie
cen•tre [`sentə(r)] *s* środek, centrum; ośrodek; **~ of gravity** środek ciężkości; *vt* ustawiać na środku; koncentrować się (**on sth** na czymś)
cen•tu•ry [`sentʃərɪ] *s* stulecie, wiek
ce•re•al [`sɪərɪəl] *s* zboże; (*jedzenie*) płatki zbożowe
cer•e•mo•ny [`serəmənɪ] *s* ceremonia, uroczystość
cer•tain [`sɜtn] *adj* pewny, określony; niejaki, pewien; **for ~** na pewno; **make ~** upewniać się; ustalać; **he is ~ to come** on na pewno przyjdzie
cer•tain•ly [`sɜtnlɪ] *adv* na pewno, bezwarunkowo; *int* **~ !** oczywiście!; **~ not!** nie!, nie ma mowy!
cer•tif•i•cate [sə`tɪfɪkət] *s* zaświadczenie, świadectwo; **birth ~** metryka urodzenia; **marriage ~** akt ślubu
chain [tʃeɪn] *s dosł. i przen.* łańcuch
chair [tʃeə(r)] *s* krzesło; przewodniczący; katedra
chair•man [`tʃeəmən] *s* (*pl* **chairmen** [`tʃeəmən]) przewodniczący, prezes

chalk [tʃɔk] *s* kreda; *vt* pisać kredą

chal•lenge [ˋtʃæləndʒ] *vt* wyzywać; kwestionować; *s* wyzwanie; kwestionowanie; próba sił

cham•ber [ˋtʃeɪmbə(r)] *s* komnata, sala; **~ music** muzyka kameralna; **~ pot** nocnik

cham•pagne [ʃæmˋpeɪn] *s* szampan

cham•pi•on [ˋtʃæmpɪən] *s* *sport.* mistrz; obrońca

chance [tʃɑns] *s* przypadek; szansa; ryzyko; **by ~** przypadkowo; **give sb a ~** dać komuś szansę; **take one's ~** próbować, ryzykować; *adj attr* przypadkowy; *vt* zaryzykować; *vi* zdarzać się; natknąć się przypadkowo (**on <upon> sb, sth** na kogoś, na coś)

change [tʃeɪndʒ] *vt vi* zmieniać (się); wymieniać; przebierać się; rozmieniać (*pieniądze*); przesiadać się; **~ hands** zmieniać właściciela; **~ one's mind** rozmyślić się; *s* zmiana; przesiadka; drobne pieniądze, reszta; **small ~** drobne; **for a ~** dla odmiany; **~ of clothes** zmiana ubrania

change•a•ble [ˋtʃeɪndʒəbl] *adj* zmienny

chan•nel [ˋtʃænl] *s* (*morski, telewizyjny*) kanał; *przen.* droga, sposób; **the English Channel** kanał La Manche

chap [tʃæp] *s pot.* facet, gość

chap•el [ˋtʃæpl] *s* kaplica

chap•ter [ˋtʃæptə(r)] *s* (*książki, życia*) rozdział

char•ac•ter [ˋkærɪktə(r)] *s* charakter; postać; **~ actor** aktor charakterystyczny

char•ac•ter•is•tic ['kærɪktəˋrɪstɪk] *adj* charakterystyczny, typowy; *s* cecha

charge [tʃɑdʒ] *vi vt* pobierać opłatę (**for sth** za coś); atakować; oskarżać (**with sth** o coś); zobowiązywać (**with sth** do czegoś); (*broń, akumulator*) ładować; **how much do you ~ for that?** ile za to żądasz?; *s* opłata; odpowiedzialność; zarzut, oskarżenie; atak; (*elektryczny, nabój*) ładunek; **on a ~ of sth** pod zarzutem czegoś; **at a ~ of** za opłatą; **be in ~** opiekować się, zarządzać (**of sth** czymś); **take ~** zajmować się (**of sth** czymś); **free of ~** bezpłatny

char•i•ty [ˋtʃærətɪ] *s* dobroczynność; jałmużna; organizacja charytatywna

charm [tʃɑm] *s* czar, wdzięk;

urok; amulet; *vt vi* czarować, urzekać; zauroczyć

chart [tʃɑt] *s* wykres; (*morska*) mapa; *pl* **~s** notowania (*muzyczne*); *vt* nanosić na mapę

char•ter [`tʃɑtə(r)] *s* karta; statut; *vt* wynajmować (*samolot, statek*)

chase [tʃeɪs] *vt* gonić, ścigać; *s* pogoń

chas•sis [`ʃæsɪ] *s mot.* podwozie

chat [tʃæt] *vi* gawędzić; *s* pogawędka; *komp.* czat

cheap [tʃip] *adj* tani; marny

cheat [tʃit] *vt vi* oszukiwać; *s* oszust

check [tʃek] *s* kontrola, inspekcja; powstrzymanie; (*np. w szatni*) numerek; *am.* czek; *vt* sprawdzać; powstrzymywać; szachować; *am.* oddawać bagaż na przechowanie; **~ in** zameldować się (*w hotelu*); **~ out** wymeldować się (*z hotelu*)

cheek [tʃik] *s* policzek; *przen.* bezczelność

cheer [tʃɪə(r)] *s* wiwat; *pl* **~s** (*toast*) na zdrowie; *vi* wiwatować; *vt* dopingować; zachęcać; **~ up!** głowa do góry!

cheese [tʃiz] *s* ser

cheese•cake [`tʃizkeɪk] *s* sernik

chem•ist [`kemɪst] *s* chemik; aptekarz; **~'s (shop)** apteka

chem•is•try [`kemɪstrɪ] *s* chemia

cheque [tʃek] *s* czek; **~book** książeczka czekowa; **~ card** karta czekowa

cher•ry [`tʃerɪ] *s* wiśnia; czereśnia

chess [tʃes] *s* szachy

chest [tʃest] *s* klatka piersiowa; skrzynia, kufer

chest•nut [`tʃesnʌt] *s* kasztan; **~ tree** kasztanowiec

chew [tʃu] *vt vi* żuć; *s* żucie

chew•ing gum [`tʃuɪŋ gʌm] *s* guma do żucia

chick•en [`tʃɪkɪn] *s* kurczę; *pot.* tchórz; *vi*: **~ out** stchórzyć

chick•en pox [`tʃɪkɪnpoks] *s med.* ospa wietrzna

chief [tʃif] *s* wódz, szef; *adj* główny, naczelny

child [tʃaɪld] *s* (*pl* **children** [`tʃɪldrn]) dziecko

chill [tʃɪl] *vi vt* schładzać; stygnąć; *s* przeziębienie; chłód; dreszcz; **catch a ~** dostać dreszczy

chim•ney [`tʃɪmnɪ] *s* komin

chin [tʃɪn] *s* podbródek, broda

chi•na [`tʃaɪnə] *s* porcelana

Chi•nese [tʃɑɪ`niz] *s* Chińczyk; *adj* chiński

chip [tʃɪp] *s* wiór, drzazga; odłamek; *pl* **~s** frytki; *vt vi* wyszczerbić

choc•o•late [`tʃoklət] *s* czekolada; *adj* czekoladowy

choice [tʃɔɪs] *s* wybór; rzecz wybrana; **I have no ~** nie mam wyboru; *adj* wyborowy

choir [`kwɑɪə(r)] *s* chór (*zw. kościelny*)

choke [tʃəʊk] *vt vi* dusić (się), krztusić (się); *s* krztuszenie (się)

chol•e•ra [`kolərə] *s med.* cholera

cho•les•te•rol [kə`lestərol] *s* cholesterol; **~-free** *attr* bez cholesterolu

***choose** [tʃuz], **chose** [tʃəʊz], **cho•sen** [`tʃəʊzn] *vt* wybierać

chop [tʃop] *vt* krajać, rąbać; (*drzewo*) **~ down** zrąbać; **~ up** siekać; *s* kotlet

chop•per [`tʃopə(r)] *s pot.* helikopter

cho•rus [`kɔrəs] *s* chór; refren; **in ~** chórem

chose, cho•sen *zob.* **choose**

Christ [krɑɪst] *s rel.* Chrystus

chris•ten [`krɪsn] *vt* chrzcić

Chris•tian [`krɪstʃən] *s* chrześcijanin; *adj* chrześcijański

Christ•mas [`krɪsməs] *s* Boże Narodzenie; **~ Eve** Wigilia; **~ tree** choinka

chron•i•cle [`kronɪkl] *s* kronika; *vt* prowadzić kronikę (**sth** czegoś)

church [tʃ3tʃ] *s* kościół; **the ~** kler; **~ wedding** ślub kościelny

ci•der [`sɑɪdə(r)] *s* (*napój*) jabłecznik

ci•gar [sɪ`gɑ(r)] *s* cygaro

cig•a•rette ['sɪgə`ret] *s* papieros; **~ end <butt>** niedopałek (*papierosa*)

cin•e•ma [`sɪnəmə] *s* kino

cir•cle [`s3kl] *s dosł. i przen.* koło, okrąg, krąg; *vt vi* okrążać

cir•cuit [`s3kɪt] *s* objazd, okrążenie; obwód (*elektryczny*); **short ~** spięcie

cir•cu•late [`s3kjʊleɪt] *vi* krążyć; *vt* puszczać w obieg

cir•cum•stances [`s3kəmstənsɪz] *s pl* okoliczności, położenie; **under <in> no ~s** pod żadnym warunkiem

cir•cus [`s3kəs] *s* cyrk; okrągły plac (*u zbiegu ulic*)

cit•i•zen [`sɪtɪzn] *s* mieszkaniec miasta; obywatel

cit•i•zen•ship [`sɪtɪznʃɪp] *s* obywatelstwo

cit•y [`sɪtɪ] *s* miasto; **~ council** rada miejska; **the City** śródmieście Londynu

civ•il [`sɪvl] *adj* cywilny; obywatelski, społeczny; uprzejmy; ~ **marriage** ślub cywilny; ~ **rights** prawa obywatelskie; ~ **servant** urzędnik państwowy; ~ **war** wojna domowa
civ•il•i•za•tion ['sɪvəlaɪ`zeɪʃn] *s* cywilizacja
claim [kleɪm] *vt* żądać, zgłaszać pretensje (**sth** do czegoś); twierdzić; *s* żądanie (**to sth** czegoś), roszczenie; twierdzenie
clamp [klæmp] *s* (*do przytrzymywania*) klamra, uchwyt
class [klɑs] *s* (*np. szkolna; społeczna*) klasa; lekcja, kurs; *vt* klasyfikować
clas•sic [`klæsɪk] *adj* klasyczny; *s* klasyka
clas•si•fy [`klæsɪfɑɪ] *vt* klasyfikować, sortować
class•room [`klɑsrʊm] *s* klasa, sala szkolna
claw [klɔ] *s* pazur; *pl* ~**s** szczypce, kleszcze; *vt* wydrapać
clay [kleɪ] *s* glina
clean [klin] *adj* czysty; świeży; gładki; *vt* czyścić; ~ **up** wyczyścić, uporządkować
clear [klɪə(r)] *adj* jasny; wyraźny; przezroczysty; bezsprzeczny; (*np. zysk, sumienie*) czysty; (*o drodze*) wolny; **all** ~ droga wolna; *adv* jasno, wyraźnie; czysto; **keep** ~ trzymać się z dala (**of sth** od czegoś); *vt* oczyszczać; sprzątać; usuwać; przeskakiwać; opróżniać; (*długi, rachunki*) rozliczać; *vi* przejaśniać się; ~ **away** usunąć; ~ **off** zwiewać; ~ **out** uprzątnąć, wyrzucić; ~ **up** wyjaśniać; uporządkować
cler•gy•man [`klɜdʒɪmən] *s* (*pl* **clergymen** [`klɜdʒɪmən]) duchowny
clerk [klɑk] *s* urzędnik; *am.* ekspedient
clev•er [`klevə(r)] *adj* zdolny, inteligentny; sprytny, zręczny; pomysłowy
cli•ent [`klɑɪənt] *s* klient
cli•mate [`klɑɪmɪt] *s dosł. i przen.* klimat
climb [klɑɪm] *vt vi* wspinać się (**sth** na coś, po czymś); wchodzić (**the stairs** po schodach); ~ **down** schodzić; iść na ustępstwa; *s* wspinaczka
clin•ic [`klɪnɪk] *s* klinika
clip[1] [klɪp] *s* sprzączka; (*do papieru*) spinacz; klips; (*do włosów*) spinka; *vt* spinać
clip[2] [klɪp] *vt* obcinać, strzyc; *s* strzyżenie (*np. żywopłotu, owiec*)

cloak•room [`kləuk rum] *s* szatnia

clock [klok] *s* zegar; **round the ~** non stop, dwadzieścia cztery godziny na dobę

clock•wise [`klokwaız] *adv* zgodnie z ruchem wskazówek zegara

clois•ter [`klɔıstə(r)] *s* krużganek; klasztor

close[1] [kləuz] *vt vi* zamykać (się); kończyć (się); **~ down** zamykać (*interes*); **~ in** otaczać; *s* koniec; zamknięcie; **bring to a ~** doprowadzać do końca; **draw to a ~** zbliżać się do końca

close[2] [kləus] *adj* zamknięty; bliski; duszny; dokładny; *adv* blisko, tuż obok (**to sb, sth** kogoś, czegoś)

cloth [kloθ] *s* tkanina, materiał; szmatka, ścierka

clothes [kləuðz] *s pl* ubranie, odzież; **~ hanger** wieszak (*ramiączko*); **~ peg** klamerka do bielizny

cloud [klaud] *s dosł. i przen.* chmura; obłok; *vi*: **~ over <up>** zachmurzyć się

clown [klaun] *s* klown, błazen; *vi* błaznować

club [klʌb] *s* klub; maczuga, pałka; kij golfowy; (*w kartach*) trefl; *vt* bić pałką

clue [klu] *s* (*do zagadki*) wskazówka, klucz

clum•sy [`klʌmzı] *adj* niezgrabny, niezdarny; nietaktowny

clutch [klʌtʃ] *vt* ściskać kurczowo; *s* chwyt, uścisk; *mot.* sprzęgło

coach [kəutʃ] *s* autokar; autobus dalekobieżny; wagon kolejowy; powóz; *sport.* trener; korepetytor; *vt* uczyć; *sport.* trenować

coal [kəul] *s* węgiel

coarse [kɔs] *adj* szorstki; prostacki, ordynarny

coast [kəust] *s* wybrzeże

coat [kəut] *s* płaszcz; sierść; warstwa; **~ of arms** herb

cock [kok] *s* kogut; (*u ptaków*) samiec; *vt* nastawić (uszu)

cock•roach [`kokrəutʃ] *s* karaluch

cock•tail [`kokteıl] *s* koktajl

co•coa [`kəukəu] *s* kakao

co•co•nut [`kəukənʌt] *s* kokos

cod [kod] *s zool.* dorsz

cof•fee [`kofı] *s* kawa; **white <black> ~** biała <czarna> kawa; **instant ~** kawa rozpuszczalna; **~ house** kawiarnia; **~ maker** ekspres do kawy

cof•fin [`kofın] *s* trumna

co•gnac [`konjæk] *s* koniak

coin [kɔın] *s* pieniądz, moneta; *vt* bić monety; (*termin*) ukuć

co•in•cide ['kəuɪn`saɪd] *vi* zbiegać się; pokrywać się (*w czasie*)

co•in•ci•dence [kəu`ɪnsɪdəns] *s* zbieg okoliczności

coke[1] [kəuk] *s* koks

coke[2] [kəuk] *s pot.* coca-cola; *pot.* kokaina

cold [kəuld] *adj* zimny, chłodny; zmarznięty; oziębły; **in ~ blood** z zimną krwią; *s* zimno, chłód; przeziębienie; **have a ~** być przeziębionym

col•lab•o•rate [kə`læbəreɪt] *vi* współpracować; kolaborować

col•lapse [kə`læps] *vi* runąć; załamać się; opaść z sił; *s* zawalenie się; zasłabnięcie; załamanie nerwowe

col•lar [`kolə(r)] *s* kołnierz; obroża

col•league [`kolig] *s* kolega (*z pracy*)

col•lect [kə`lekt] *vt vi* zbierać (się); kolekcjonować; odbierać (*np. dzieci ze szkoły*); **~ one's thoughts** zebrać myśli

col•lec•tion [kə`lekʃn] *s* zbiór; (*śmieci*) zbiórka; (*w kościele*) zbiórka na tacę; kolekcja

col•lege [`kolɪdʒ] *s* kolegium; wyższa uczelnia

col•lide [kə`laɪd] *vi* zderzyć się; kolidować

col•li•sion [kə`lɪʒn] *s* kolizja, zderzenie

col•lo•qui•al [kə`ləukwɪəl] *adj* potoczny

colo•nel [`kɜnl] *s* pułkownik

col•o•ny [`kolənɪ] *s* kolonia

col•our [`kʌlə(r)] *s* barwa, kolor; *vt* kolorować (*zw. kredkami*); *vi* nabierać koloru

col•umn [`koləm] *s* kolumna; (*w gazecie*) szpalta

comb [kəum] *s* grzebień; *vt* czesać; przeczesywać

com•bat [`kombæt] *s* walka; *vt* walczyć

com•bine [kəm`baɪn] *vt vi* łączyć (się); *s* [`kombaɪn]: **~ harvester** kombajn

***come** [kʌm], **came** [keɪm], **come** [kʌm] *vi* przychodzić, przyjeżdżać; nadchodzić; (*drogę*) przebywać; pochodzić (**from France** z Francji); (*także* **up <down>**) sięgać, dochodzić (**to sth** do czegoś); wynosić; (*o marzeniach*) **~ true** spełnić się; **nothing will ~ of it** nic z tego nie wyjdzie; **~ about** zdarzyć się, stać się; **~ across sth** natknąć się na coś; **~ in**

wchodzić; ~ **into** odziedziczyć; ~ **into fashion** stawać się modnym; ~ **off** odpadać, odrywać się; dochodzić do skutku; ~ **on** nadchodzić; ~ **out** wychodzić; ukazywać się (*w druku*); wychodzić na jaw; ~ **round** odzyskiwać przytomność; przychodzić do siebie; ~ **up** (*o problemie*) pojawiać się; ~ **up with** wymyślić

com•e•dy [`komədɪ] *s* komedia

com•fort [`kʌmfət] *s* wygoda; pociecha, ulga; *vt* pocieszać, przynosić ulgę

com•fort•a•ble [`kʌmftəbl] *adj* wygodny; zadowolony; dobrze sytuowany

com•ic [`komɪk] *adj* komiczny; komediowy; *s* komiks; komik

com•ma [`komə] *s gram.* przecinek; **inverted ~s** cudzysłów

com•mand [kə`mɑnd] *vt* rozkazywać; dowodzić; zasługiwać (**sth** na coś); *s* rozkaz, polecenie; dowództwo; znajomość, opanowanie; **have a good ~ of English** biegle posługiwać się angielskim; **be in ~ of sth** mieć władzę nad czymś

com•ment [`koment] *s* komentarz, wyjaśnienie; **no ~** bez komentarza; *vi* komentować (**on <upon> sth** coś)

com•merce [`komɜs] *s* handel

com•mer•cial [kə`mɜʃl] *adj* handlowy; komercyjny; *s* reklama telewizyjna <radiowa>

com•mis•sion [kə`mɪʃn] *s* prowizja; zlecenie; pełnomocnictwo; komisja; *vt* zlecać; zamawiać

com•mit [kə`mɪt] *vt* popełnić; powierzyć, oddać; *vr* **~ oneself** angażować się, wdawać się (**to sth** w coś)

com•mit•tee [kə`mɪtɪ] *s* komitet, komisja

com•mon [`komən] *adj* pospolity; powszechny; wspólny; ~ **sense** zdrowy rozsądek; *s* błonia; **have sth in ~** mieć coś wspólnego; **out of the ~** niezwykły

com•mu•ni•cate [kə`mjunɪkeɪt] *vt vi* komunikować (się)

com•mu•ni•ca•tion [kə'mjʊnɪ`keɪʃn] *s* komunikacja, łączność; komunikat

com•mun•ion [kə`mjunɪən] *s* wspólnota; *rel.* komunia

com•mu•nis•m [`komjʊnɪzəm] *s* komunizm

com•mu•ni•ty [kə`mjunɪtɪ] *s* społeczność; wspólnota

com•mute [kə`mjut] *vi* dojeżdżać do pracy
com•pact [kəm`pækt] *adj* zwarty, gęsty, niewielki; ~ **disc** (*skr.* **CD**) płyta kompaktowa (CD); *vt* stłoczyć, zgęścić; *s* [`kompækt] puderniczka
com•pan•ion [kəm`pænɪən] *s* towarzysz; podręcznik
com•pa•ny [`kʌmpənɪ] *s* przedsiębiorstwo, spółka, kompania; zespół teatralny; towarzystwo; **keep sb** ~ dotrzymywać komuś towarzystwa
com•pare [kəm`peə(r)] *vt* porównywać, zestawiać; *vi* dorównywać (**with sb, sth** komuś, czemuś)
com•par•i•son [kəm`pærɪsn] *s* porównanie; **in <by>** ~ przez porównanie (**with sb, sth** z kimś, czymś)
com•part•ment [kəm`pɑtmənt] *s* przedział; przegródka, komora
com•pass [`kʌmpəs] *s* kompas; obręb, zasięg; *pl* **~es** cyrkiel
com•pas•sion [kəm`pæʃn] *s* współczucie, litość
com•pat•i•ble [kəm`pætəbl] *adj* dający się pogodzić, zgodny; *komp.* kompatybilny
com•pel [kəm`pel] *vt* zmuszać, wymuszać
com•pen•sate [`kompənseɪt] *vt* wynagradzać; *vi* rekompensować (**for sth** coś)
com•pete [kəm`pit] *vi* współzawodniczyć; ubiegać się (**for sth** o coś)
com•pe•ti•tion ['kompə`tɪʃn] *s* konkurs; zawody; współzawodnictwo; *handl.* konkurencja
com•plain [kəm`pleɪn] *vi* skarżyć się, narzekać (**to sb about <of> sb, sth** komuś na kogoś, coś)
com•plaint [kəm`pleɪnt] *s* skarga, narzekanie; dolegliwość; **lodge** ~ wnosić skargę (**against sb** przeciw komuś)
com•plete [kəm`plit] *adj* kompletny, zupełny; skończony; *vt* kompletować; dopełniać; ukończyć
com•plex [`kompleks] *adj* zawiły; złożony; *s* kompleks
com•plex•ion [kəm`plekʃn] *s* cera; zabarwienie
com•pli•cate [`komplɪkeɪt] *vt* komplikować; wikłać
comp•li•ment [`komplɪmənt] *s* komplement; **pay sb ~s** prawić komuś komplementy; *vt* [`komplɪment] prawić komplemen-

ty; gratulować (**sb on sth** komuś czegoś)
com•pose [kəm`pəʊz] *vt* komponować; składać (*do druku*); *vr* ~ **oneself** uspokajać się
com•pos•er [kəm`pəʊzə(r)] *s* kompozytor
com•po•si•tion ['kompə`zɪʃn] *s* kompozycja; utwór; skład; wypracowanie
com•pro•mise [`komprəmaɪz] *s* kompromis, ugoda; *vi* iść na ustępstwa (**on sth** w sprawie czegoś); *vt* kompromitować
com•pul•so•ry [kəm`pʌlsərɪ] *adj* obowiązkowy
com•put•er [kəm`pjutə(r)] *s* komputer; ~ **game** gra komputerowa
con•cave [`koŋkeɪv] *adj* wklęsły
con•ceal [kən`sil] *vt* ukrywać, taić
con•ceit•ed [kən`sitɪd] *adj* zarozumiały
con•cen•trate [`konsntreɪt] *vt vi* koncentrować <skupiać> (się); *s* koncentrat
con•cept [`konsept] *s* pojęcie; myśl, pomysł
con•cern [kən`sɜn] *vt* dotyczyć; *vr* ~ **oneself** martwić (się) (**about sth** czymś); **as ~s** co się tyczy; **as far as I am ~ed** jeśli o mnie chodzi; *s* sprawa; zmartwienie; zainteresowanie; *handl.* koncern
con•cern•ing [kən`sɜnɪŋ] *praep* co się tyczy
con•cert [`konsət] *s* koncert; ~ **hall** sala koncertowa; **in** ~ wspólnie; w zgodzie
con•cise [kən`saɪs] *adj* zwięzły
con•clude [kən`klud] *vt vi* zakończyć (się); wywnioskować; zawierać
con•clu•sion [kən`kluʒn] *s* wniosek; zakończenie; zawarcie (*np. umowy*)
con•crete [`koŋkrit] *adj* konkretny; betonowy; *s* beton; *vt* wybetonować
con•demn [kən`dem] *vt* potępiać; skazywać
con•dense [kən`dens] *vt vi* skraplać (się); zgęszczać (się), kondensować (się)
con•di•tion [kən`dɪʃn] *s* położenie; stan; warunek; *pl* **~s** otoczenie; warunki; **heart ~** choroba serca; **on ~ that** pod warunkiem, że; *vt* uzależniać, uwarunkowywać
con•di•tion•er [kən`dɪʃnə(r)] *s* odżywka (*do włosów*); **fabric ~** płyn zmiękczający
con•do•lences [kən`dəʊlənsɪz] *s pl* kondolencje

con•dom [ˋkɔndəm] *s* kondom, prezerwatywa
con•duct [kənˋdʌkt] *vt vi* prowadzić; kierować; dyrygować; przewodzić (*elektryczność*); *vr* ~ **oneself** prowadzić się; *s* zachowanie; prowadzenie
con•duc•tor [kənˋdʌktə(r)] *s* dyrygent; przewodnik (*elektryczny*); konduktor
con•fec•tion•e•ry [kənˋfekʃnrɪ] *s* wyroby cukiernicze; cukiernia
con•fer•ence [ˋkonfərəns] *s* konferencja; narada
con•fess [kənˋfes] *vt vi* przyznawać się; spowiadać (się)
con•fes•sion [kənˋfeʃn] *s* przyznanie się; spowiedź
con•fi•dence [ˋkonfɪdəns] *s* pewność siebie; zaufanie; zwierzenie
con•fi•dent [ˋkonfɪdənt] *adj* pewny siebie; przekonany, pewny (**of sth** o czymś); ufny
con•firm [kənˋfɜm] *vt* potwierdzać; zatwierdzać
con•flict [ˋkonflɪkt] *s* konflikt; **armed** ~ konflikt zbrojny; *vi* [kənˋflɪkt] ścierać się, walczyć
con•front [kənˋfrʌnt] *vt* stawać przed (*np. problemem*); stawiać czoło
con•fuse [kənˋfjuz] *vt* gmatwać; wprawiać w zakłopotanie
con•fu•sion [kənˋfjuʒn] *s* zamieszanie, zamęt; pomyłka; nieporządek
con•grat•u•late [kənˋgrætʃʊleɪt] *vt* gratulować (**sb on sth** komuś czegoś)
con•grat•u•la•tions [kən'grætʃʊˋleɪʃnz] *s pl* gratulacje (**on sth** z okazji czegoś)
con•gress [ˋkoŋgres] *s* kongres
con•nect [kəˋnekt] *vt vi* łączyć (*np. telefonicznie, linią kolejową*); kojarzyć; podłączać (*do sieci elektrycznej*)
con•nec•tion [kəˋnekʃn] *s* związek; połączenie (*np. telefoniczne, kolejowe*); *pl* ~**s** znajomości; **in ~ with** w związku z
con•nois•seur ['konəˋsɜ(r)] *s* znawca, koneser
con•quer [ˋkoŋkə(r)] *vt* zdobyć, podbić
con•science [ˋkonʃns] *s* sumienie; **bad <clear>** ~ nieczyste <czyste> sumienie; **pangs of** ~ wyrzuty sumienia
con•scious [ˋkonʃəs] *adj* przytomny; świadomy (**of sth** czegoś)
con•scious•ness [ˋkonʃəsnəs] *s* przytomność;

świadomość; **lose <regain> ~** stracić <odzyskać> przytomność

con•sent [kən`sent] *vi* zgadzać się (**to sth** na coś); *s* zgoda

con•se•quence [`konsıkwəns] *s* następstwo, konsekwencja; **take the ~s** ponosić konsekwencje; **in ~** w rezultacie

con•serv•a•tive [kən`sɜvətıv] *adj* konserwatywny; *s* konserwatysta

con•sid•er [kən`sıdə(r)] *vt vi* rozpatrywać; brać pod uwagę; uważać (**sb a fool** kogoś za głupca)

con•sid•er•a•ble [kən`sıdrəbl] *adj* znaczny

con•sid•er•ate [kən`sıdrət] *adj* uważny, życzliwy (**towards <to> sb** w stosunku do kogoś)

con•sid•er•a•tion [kən'sıdə`reıʃn] *s* wzgląd (**for sb, sth** na kogoś, coś); rozwaga, namysł; czynnik; uznanie; **out of ~** ze względu (**for sb, sth** na kogoś, coś); **take into ~** uwzględniać

con•sist [kən`sıst] *vi* składać się, być złożonym (**of sth** z czegoś); polegać (**in sth** na czymś)

con•sist•ent [kən`sıstənt] *adj* konsekwentny; zgodny (**with sth** z czymś)

con•sole [kən`səʊl] *vt* pocieszać (**sb with sth** kogoś czymś); *s* [`konsəʊl] konsola

con•stant [`konstənt] *adj* stały, trwały

con•sti•pa•tion ['kɔnstı`peıʃn] *s* obstrukcja, *pot.* zatwardzenie

con•sti•tu•tion ['konstı`tjuʃn] *s* konstytucja; budowa fizyczna; **have a strong ~** mieć silny organizm

con•struct [kən`strʌkt] *vt* budować, konstruować

con•struc•tion [kən`strʌkʃn] *s* budowa; budowla; konstrukcja; **under ~** w budowie

con•sul•ate [`konsjulət] *s* konsulat

con•sult [kən`sʌlt] *vt* radzić się (**sb, sth** kogoś, czegoś)

con•sum•er [kən`sjumə(r)] *s* konsument; **~ goods** artykuły konsumpcyjne

con•tact [`kontækt] *s* kontakt, styczność; **~ lenses** szkła kontaktowe; **make ~** nawiązać łączność (**with sb, sth** z kimś, czymś); *vt* kontaktować (się) (**sb** z kimś)

con•ta•gious [kən`teıdʒəs] *adj* zakaźny; zaraźliwy

con•tain [kən`teɪn] *vt* zawierać; powstrzymywać

con•tain•er [kən`teɪnə(r)] *s* zbiornik, pojemnik; kontener

con•tem•po•ra•ry [kən`tempərərɪ] *adj* współczesny, dzisiejszy; współczesny (**with sb** komuś); *s* współcześnie żyjący

con•tempt [kən`tempt] *s* pogarda, lekceważenie

con•tent[1] [kən`tent] *adj* zadowolony; *vt* zadowalać; *s* zadowolenie

con•tent[2] [`kontent] *s* zawartość; treść (*np. książki*); **table of ~s** spis rzeczy

con•test [`kontest] *s* rywalizacja; zawody, konkurs; [kən`test] *vt vi* spierać się, rywalizować (**sth** o coś); kwestionować

con•ti•nent [`kontɪnənt] *s* kontynent

con•tin•u•al [kən`tɪnjʊəl] *adj* ciągły, powtarzający się, nieustanny

con•tin•u•a•tion [kən'tɪnjʊ`eɪʃn] *s* kontynuacja; przedłużenie

con•tin•ue [kən`tɪnju] *vt* kontynuować; **to be ~d** ciąg dalszy nastąpi; *vi* ciągnąć się, trwać

con•tin•u•ous [kən`tɪnjʊəs] *adj* nieprzerwany, trwały

con•tra•cep•tive ['kontrə`septɪv] *s* środek antykoncepcyjny

con•tract [`kontrækt] *s* kontrakt; *vi* [kən`trækt]: **~ in <out>** zgłaszać <wycofywać> swój udział; *vt vi* zawierać kontrakt; kurczyć (się); nabawić się (*np. choroby*)

con•tra•ry [`kontrərɪ] *s* przeciwieństwo; *adj* sprzeczny, przeciwny (**to sth** czemuś); **on the ~** przeciwnie, na odwrót

con•trast [`kontrɑst] *s* kontrast; **in ~ to <with>** w przeciwieństwie do; *vt vi* [kən`trɑst] porównywać, przeciwstawiać

con•trol [kən`trəʊl] *vt* kontrolować; panować (**sth** nad czymś); *s* władza; kontrola; **~ panel** pulpit sterowniczy; **under ~** pod kontrolą; **be in ~** mieć władzę; **take ~ of sth** przejąć kontrolę nad czymś

con•va•les•cence ['konvə`lesns] *s* rekonwalescencja

con•ve•nience [kən`vinɪəns] *s* wygoda; *pl* **~s** komfort; **at your ~** kiedy ci <panu> będzie odpowiadało

con•ve•ni•ent [kən`vinɪənt] *adj* wygodny, dogodny
con•ven•tion [kən`venʃn] *s* zwyczaj; konwencja; zjazd
con•ver•sa•tion ['konvə`seɪʃn] *s* rozmowa, konwersacja
con•vex [`konveks] *adj* wypukły
con•vey [kən`veɪ] *vt* przewozić, przekazywać
con•vince [kən`vɪns] *vt* przekonać (**sb of sth** kogoś o czymś)
cook [kʊk] *vt vi* gotować (się); *s* kucharz
cool [kul] *adj* chłodny; (*o ubraniu*) przewiewny; opanowany; oziębły; *vt vi* chłodzić (się); **~ down** ostygnąć; *przen.* ochłonąć; *s* chłód
co•op•er•ate [kəʊ`opəreɪt] *vi* współdziałać, współpracować
cop [kop] *s pot.* gliniarz
cop•i•er [`kopɪə(r)] *s* kopiarka
cop•per [`kopə(r)] *s* miedź; (*moneta*) miedziak
cop•u•late [`kopjʊleɪt] *vi* spółkować, kopulować
cop•y [`kopɪ] *s* kopia; egzemplarz; *vt vi* kopiować; przepisywać
cor•al [`korl] *s* koral; *adj* koralowy
cord [kɔd] *s* sznur, lina; przewód elektryczny; **vocal ~** struna głosowa; *vt* związać sznurem
cork [kɔk] *s* korek; *vt* korkować
cork•screw [`kɔkskru] *s* korkociąg
corn[1] [kɔn] ziarno, zboże; *am.* kukurydza
corn[2] [kɔn] *s* nagniotek, odcisk
corn•er [`kɔnə(r)] *s* róg; kąt; **round the ~** za rogiem, niedaleko; *vt* przypierać do muru
corn•flakes [`kɔnfleɪks] *s pl* płatki kukurydziane
corps [kɔ(r)] *s wojsk.* korpus; zespół
corpse [kɔps] *s* zwłoki, trup
cor•rect [kə`rekt] *adj* poprawny, prawidłowy; *vt* poprawiać
cor•re•spond ['korɪs`pond] *vi* odpowiadać, być odpowiednim; korespondować
cor•re•spond•ence ['korɪ`spondəns] *s* korespondencja; zgodność
cor•ri•dor [`korɪdɔ(r)] *s* korytarz
cor•rup•tion [kə`rʌpʃn] *s* korupcja
cos•met•ic [koz`metɪk] *adj* kosmetyczny; *s* kosmetyk
***cost** [kost], **cost, cost** [kost]

vi kosztować; *s* koszt; ~ **of living** koszty utrzymania; **at** ~ po cenie kupna; **at the** ~ **of** za cenę; **at all** ~**s** za wszelką cenę

cost•ly [`kostlı] *adj* kosztowny, drogi; wymagający ofiar <poświęcenia>

cos•tume [`kostjum] *s* kostium, strój

co•sy [`kəʊzı] *adj* przytulny, wygodny

cot•tage [`kotıdʒ] *s* domek (*na wsi*); ~ **cheese** serek ziarnisty

cot•ton [`kotn] *s* (*roślina, materiał*) bawełna; ~ **wool** wata

cough [kof] *vi* kaszleć; *vt*: ~ **up** wykrztusić, wykaszleć; *s* kaszel

could *zob.* **can**[1]

coun•cil [`kaʊnsl] *s* (*zespół ludzi*) rada

count [kaʊnt] *vt vi* liczyć (się); policzyć; ~ **on <upon> sb, sth** liczyć na kogoś, coś; *s* liczenie; **lose** ~ stracić rachubę

coun•ter [`kaʊntə(r)] *s* lada (sklepowa); okienko (*np. w banku*); licznik; pionek; żeton; *vt vi* przeciwstawiać (się); *adv* przeciwnie, w przeciwnym kierunku

coun•try [`kʌntrı] *s* kraj; wieś; **native** ~ kraj rodzinny

coup [ku] *s* wyczyn, osiągnięcie; ~ **d'état** ['ku deı`tɑ] zamach stanu

cou•ple [`kʌpl] *s* para (*np. małżeńska*); **a** ~ **of** parę, kilka; *vt* łączyć

cour•age [`kʌrıdʒ] *s* odwaga, męstwo

cou•ra•geous [kə`reıdʒəs] *adj* odważny, mężny

course [kɔs] *s* kurs; tok; bieżnia; danie (*na stole*); **in the** ~ **of the year** w ciągu roku; **in due** ~ we właściwym czasie; ~ **(of action)** sposób postępowania; **of** ~ oczywiście

court [kɔt] *s* sąd; *sport.* kort; podwórze, dziedziniec; dwór królewski; ~ **of appeal** sąd apelacyjny; *vt* zabiegać (*np. o popularność*); igrać (*z niebezpieczeństwem*); zalecać się (**sb** do kogoś)

cour•te•sy [`kɜtəsı] *s* grzeczność, uprzejmość; **(by)** ~ **of** dzięki uprzejmości

cous•in [`kʌzn] *s* kuzyn; **first** ~ brat cioteczny <stryjeczny>; siostra cioteczna <stryjeczna>

cov•er [`kʌvə(r)] *vt* pokrywać; przykrywać; ubezpieczać; omawiać (*np. temat*);

~ **up** zatuszować; *s* pokrywa, przykrywa; nakrycie, narzuta; okładka; osłona, schronienie; ubezpieczenie (**against sth** od czegoś); *przen.* przykrywka

cow [kaʊ] *s* krowa; samica (*różnych ssaków*)

cow•ard [`kaʊəd] *s* (*o człowieku*) tchórz

cow•ard•ly [`kaʊədlɪ] *adj* tchórzliwy

cow•boy [`kaʊbɔɪ] *s* pastuch; *am.* kowboj

co•zy [`kəʊzɪ] *adj* = **cosy**

crab [kræb] *s* krab

crack [kræk] *vt i* pękać; rozłupywać (*np. orzechy*); trzaskać; ~ **up** załamać się (psychicznie); *s* pęknięcie, rysa; trzask

crack•er [`krækə(r)] *s* krakers; petarda

craft [krɑft] *s* biegłość; rzemiosło

crafts•man [`krɑftsmən] *s* (*pl* **craftsmen** [`krɑftsmən]) rzemieślnik

cramp [kræmp] *s* skurcz; *vt* zahamować, ograniczać

crash [kræʃ] *vt vi* zderzyć się; rozbić <roztrzaskać> (się); *handl.* upaść; *s* wypadek, katastrofa; trzask; *handl.* krach

crawl [krɔl] *vi* czołgać się; pełzać; *s* kraul; **at a** ~ w żółwim tempie

cra•zy [`kreɪzɪ] *adj* szalony, zwariowany; **be ~ about sb, sth** szaleć za kimś, czymś

cream [krim] *s dosł. i przen.* śmietanka; krem; **sour** ~ kwaśna śmietana; *adj attr* kremowy

crease [kris] *s* fałda, zmarszczka; kant (spodni); *vt vi* marszczyć (się); gnieść (się)

cre•ate [kri`eɪt] *vt* stwarzać; kreować; mianować

cred•it [`kredɪt] *s* kredyt; zaufanie; uznanie; zaliczenie (*na uczelni*) ; *pl* **~s** napisy końcowe (*na filmie*); **on** ~ na kredyt; **be in** ~ być wypłacalnym; ~ **card** karta kredytowa; *vt* wierzyć; dopisywać do rachunku

crew [kru] *s* załoga, ekipa

crick•et[1] [`krɪkɪt] *s zool.* świerszcz

crick•et[2] [`krɪkɪt] *s sport.* krykiet

crime [krɑɪm] *s* przestępstwo; zbrodnia

crim•i•nal [`krɪmɪnl] *adj* kryminalny; *s* przestępca; zbrodniarz

crip•ple [`krɪpl] *s* kaleka, inwalida; *vt* okaleczać

cri•sis [`krɑɪsɪs] *s* (*pl* **crises** [`krɑɪsiz]) kryzys

crisp [krɪsp] *adj* chrupiący; kruchy; *s pl* chrupki, chipsy

cri•te•ri•on [kraɪ`tɪərɪən] *s* (*pl* **criteria** [kraɪ`tɪərɪə]) kryterium

crit•i•cize [`krɪtɪsaɪz] *vt* krytykować; recenzować

croc•o•dile [`krokədaɪl] *s zool.* krokodyl

cross [kros] *s dosł. i przen.* krzyż, krzyżyk; krzyżówka, mieszanina; *adj* rozgniewany; **be ~** gniewać się (**with sb** na kogoś); *vt* przechodzić na drugą stronę; (*np. kraj*) przemierzać; (*ręce; zwierzęta; plany*) krzyżować; *vi* krzyżować <przecinać> się; *vr* **~ oneself** przeżegnać się; **~ off** wykreślać; **~ out** przekreślać

cross•ing [`krosɪŋ] *s* przejście przez ulicę; (*przez morze*) przeprawa

cross•roads [`krosrəʊdz] *s pl* skrzyżowanie dróg; *dosł. i przen.* rozstaje

cross•word [`kros'wɜd] *s* krzyżówka (*literowa*)

crow [krəʊ] *s* wrona

crowd [kraʊd] *s* tłum, tłok; *vt vi* tłoczyć (się); wpychać (się) (**into sth** do czegoś)

crown [kraʊn] *s* korona; *vt* koronować; wieńczyć

cru•cial [`kruʃl] *adj* decydujący, kluczowy

crude [krud] *adj* surowy, nie obrobiony; wulgarny, nieokrzesany

cru•el [`krʊəl] *adj* okrutny; bolesny

cruise [kruz] *vi* (*zw. o statku*) krążyć; *s* krążenie po morzu, rejs

crush [krʌʃ] *vt vi* rozgniatać, miażdżyć; druzgotać (*nadzieje*); *s* ścisk, tłok; **have a ~ on sb** zadurzyć się w kimś

cry [kraɪ] *vi* płakać; krzyczeć; **~ for help** wołać o pomoc; *s* krzyk; płacz

crys•tal [`krɪstl] *s* kryształ; *adj attr* kryształowy; krystaliczny

cu•bic [`kjubɪk] *adj* sześcienny

cuck•oo [`kʊku] *s* kukułka; **~ clock** zegar z kukułką

cu•cum•ber [`kjukʌmbə(r)] *s* ogórek

cult [kʌlt] *s* kult, cześć

cul•tur•al [`kʌltʃərl] *adj* kulturalny; kulturowy

cul•ture [`kʌltʃə(r)] *s* kultura; uprawa; hodowla

cun•ning [`kʌnɪŋ] *adj* podstępny; sprytny; *s* spryt

cup [kʌp] *s* filiżanka; kubek; kielich; *sport.* puchar

cup•board [`kʌbəd] *s* kredens; szafka
cure [kjʊə(r)] *vt dosł. i przen.* wyleczyć; *s* lekarstwo; kuracja
cu•ri•ous [`kjʊərɪəs] *adj* ciekawy; osobliwy
curl [kɜl] *s* lok; *vt* (*włosy*) zakręcać; *vi* wić <kręcić> się; ~ **up** zwijać się w kłębek
cur•ren•cy [`kʌrənsɪ] *s* waluta; **hard** ~ twarda waluta
cur•rent [`kʌrənt] *adj* bieżący; powszechny; obecny; ~ **account** rachunek bieżący; *s* prąd (*rzeczny, elektryczny*)
curse [kɜs] *vt vi* przeklinać, kląć; *s* klątwa; przekleństwo
cur•tain [`kɜtn] *s* zasłona; kurtyna; **lace** ~ firanka
curve [kɜv] *s* krzywa; zakręt; *vt vi* krzywić (się), zataczać łuk
cus•tom [`kʌstəm] *s* zwyczaj; nawyk; **~s duty** cło; **~s officer** celnik; *pl* **Customs** punkt odprawy celnej
cus•tom•er [`kʌstəmə(r)] *s* klient
***cut** [kʌt], **cut, cut** [kʌt] *vt* krajać, ciąć; skaleczyć; wycinać; przecinać; obcinać; obniżać (*np. ceny, płace*); ~ **down** ścinać (*np. drzewo*); ~ **in** wtargnąć; ~ **off** odcinać; odłączać; ~ **out** wycinać; odrzucać; ~ **open** rozciąć; ~ **short** przerywać; *s* cięcie; skaleczenie; krój; **short** ~ skrót; *pl* **cold ~s** wędlina (*krojona w plasterki*)
cute [kjut] *adj* milutki, pociągający; bystry, zdolny
cut•let [`kʌtlət] *s* kotlet
cy•cle [`saɪkl] *s* cykl; rower; *vi* jeździć na rowerze
cy•cling [`saɪklɪŋ] *s* kolarstwo
cyl•in•der [`sɪlɪndə(r)] *s* walec; butla; *techn.* cylinder
Czech [tʃek] *adj* czeski; *s* Czech

D

dad [dæd], **daddy** [`dædɪ] *s* *zdrob.* tatuś, tata
dai•ly [`deɪlɪ] *adj* codzienny; ~ **help** pomoc domowa; *adv* codziennie; *s* (*gazeta*) dziennik

dair•y [ˋdeərɪ] *s* mleczarnia; **~ products** nabiał

dai•sy [ˋdeɪzɪ] *s bot.* stokrotka

dam•age [ˋdæmɪdʒ] *s* uszkodzenie; *pl* **~s** odszkodowanie; *vt* uszkodzić; zaszkodzić (**sb** komuś)

damn [dæm] *adj* przeklęty, cholerny; *vt* potępiać; przeklinać; *wulg.* **~ you!** niech cię cholera!

damp [dæmp] *adj* wilgotny; *s* wilgoć; *vt* namoczyć, zwilżyć

dance [dɑns] *vt vi* tańczyć; *s* taniec; zabawa; **~ floor** parkiet do tańca

Dane [deɪn] *s* Duńczyk

dan•ger [ˋdeɪndʒə(r)] *s* niebezpieczeństwo

dan•ger•ous [ˋdeɪndʒrəs] *adj* niebezpieczny

Dan•ish [ˋdeɪnɪʃ] *adj* duński; *s* język duński

dare [deə(r)] *vt vi* ośmielać się (**do sth** zrobić coś); wyzwać; **I ~ say** śmiem twierdzić, sądzę

dark [dɑk] *adj* ciemny, mroczny; smutny, ponury; ukryty; **it is getting ~** ściemnia się; **keep sth ~** trzymać coś w tajemnicy; *s* ciemność; zmrok

dark•ness [ˋdɑknəs] *s* ciemność, mrok

dar•ling [ˋdɑlɪŋ] *s* kochanie; *adj* drogi, kochany

darts [dɑts] *s pl* gra w rzutki

da•ta [ˋdeɪtə] *s pl* fakty, informacje; *komp.* dane

date [deɪt] *s* data; umówione spotkanie; *pot.* randka; **~ stamp** datownik; **to ~** do tej pory, po dzień dzisiejszy; **out of ~** przestarzały, niemodny; **up to ~** nowoczesny, modny; *vt vi* określać wiek; wyjść z mody; chodzić na randki (**sb** z kimś)

daugh•ter [ˋdɔtə(r)] *s* córka

daugh•ter-in-law [ˋdɔtə(r) ɪn lɔ] *s* synowa

dawn [dɔn] *s* świt; *vi* świtać

day [deɪ] *s* dzień; doba; **~ off** dzień wolny (*od pracy*); **by ~** za dnia; **~ by ~** dzień za dniem; **the ~ before yesterday** przedwczoraj; **the ~ after tomorrow** pojutrze; **the other ~** kilka dni temu; **this ~ week** od dziś za tydzień

dead [ded] *adj* martwy, nieżywy; zepsuty, niesprawny; zdrętwiały; obojętny (**to sth** na coś); **be ~** nie funkcjonować; *adv* całkowicie, kompletnie; *s pl*: **the ~** zmarli

deaf [def] *adj* głuchy; **~-and-dumb** głuchoniemy; **turn a**

~ **ear** nie słuchać (**to sb, sth** kogoś, czegoś)
***deal** [dil], **dealt, dealt** [delt] *vt* (*dary, karty*) rozdawać (**to sb** komuś); ~ **in sth** handlować czymś; ~ **with sth** zajmować się czymś; *s* interes, transakcja; układ; rozdanie kart; **a great** ~ wielka ilość, dużo (**of sth** czegoś)
deal•er [`dilə(r)] *s* handlarz
dear [dıə(r)] *adj* (*kosztowny, bliski*) drogi; *s* kochanie; *int* ~ **me!, oh** ~**!** ojej!
death [deθ] *s* śmierć; ofiara śmiertelna
de•bris [`deıbri] *s* szczątki (*np. samolotu*); gruzy, rumowisko
debt [det] *s* dług
de•cay [dı`keı] *vi* gnić, rozpadać się, niszczeć; *vt* powodować gnicie; *s* gnicie, rozkład; upadek
de•ceit [dı`sit] *s* fałsz, oszustwo
de•ceive [dı`siv] *vt* zwodzić, oszukiwać
De•cem•ber [dı`sembə(r)] *s* grudzień
de•cent [`disnt] *adj dosł. i przen.* przyzwoity
de•cide [dı`saıd] *vi* postanawiać, decydować się (**on sth** na coś); *vt* przekonać; rozstrzygać, decydować (**sth** o czymś)
de•ci•sion [dı`sıʒn] *s* decyzja; zdecydowanie
deck [dek] *s* pokład; (*w tramwaju, autobusie*) piętro; magnetofon (*bez wzmacniacza*); *vt* stroić, zdobić
dec•la•ra•tion ['deklə`reıʃn] *s* deklaracja; oświadczenie; wypowiedzenie (*np. wojny*)
de•clare [dı`kleə(r)] *vt vi* oświadczać, oznajmiać; deklarować (się); zgłaszać (*do oclenia*)
dec•o•rate [`dekəreıt] *vt* ozdabiać; dekorować (orderem); malować; tapetować
de•crease [dı`kris] *vt vi* zmniejszać (się), obniżać (się); *s* [`dikris] zmniejszanie się, obniżanie się; ubytek (**in sth** czegoś)
deed [did] *s* czyn, uczynek; akt prawny
deep [dip] *adj* głęboki; *adv* głęboko
deer [dıə(r)] *s zool.* jeleń; zwierzyna płowa
de•feat [dı`fit] *vt* pokonać; *s* porażka
def•e•cate [`defəkeıt] *vi* wypróżniać się
de•fect [`difekt] *s* brak, wada, defekt
de•fence, *am.* **de•fense**

[dɪˋfens] *s* (*także prawn. i sport.*) obrona

de•fend [dɪˋfend] *vt* bronić (**against sth** przed czymś)

de•fense [dɪˋfens] *zob.* **defence**

de•fi•cien•cy [dɪˋfɪʃnsɪ] *s* brak, niedostatek

def•i•cit [ˋdefɪsɪt] *s* deficyt

de•fine [dɪˋfɑɪn] *vt* określać, definiować; wyznaczać (*kształt*)

def•i•nite [ˋdefɪnɪt] *adj* określony; stanowczy

de•fi•ni•tion ['defəˋnɪʃn] *s* definicja

de•frost [dɪˋfrost] *vt vi* odmrażać (się); rozmrażać (się)

de•gree [dɪˋgri] *s* stopień; **24 ~s Celsius below <above> zero** 24 stopni Celsjusza poniżej <powyżej> zera; **by ~s** stopniowo

de•lay [dɪˋleɪ] *vi* zwlekać; *vt* opóźniać; odkładać; wstrzymywać; *s* zwłoka, opóźnienie; **without ~** bezzwłocznie

del•e•gate [ˋdelɪgət] *s* delegat; *vt* [ˋdelɪgeɪt] delegować; upoważniać

del•i•cate [ˋdelɪkət] *adj* delikatny

de•li•cious [dɪˋlɪʃəs] *adj* pyszny; wyborny

de•light [dɪˋlɑɪt] *s* zachwyt; radość, rozkosz; **take ~ in sth** lubować się w czymś; *vt vi* zachwycać (się), rozkoszować się (**in sth** czymś); **be ~ed** być zachwyconym, mieć wielką przyjemność (**with sth** w czymś)

de•liv•er [dɪˋlɪvə(r)] *vt* dostarczać, doręczać (**sth to sb** coś komuś); wygłaszać (*np. mowę*); zadawać (*razy*); odbierać poród; uwolnić, wybawić

de•lude [dɪˋlud] *vt* łudzić, zwodzić

del•uge [ˋdeljudʒ] *s dosł. i przen.* potop

de•mand [dɪˋmɑnd] *s* żądanie; wymaganie; popyt (**for sth** na coś); **on ~** na żądanie; *vt* żądać; wymagać (**sth of sb** czegoś od kogoś)

de•moc•ra•cy [dɪˋmokrəsɪ] *s* demokracja

dem•o•crat•ic ['deməˋkrætɪk] *adj* demokratyczny

dem•on•strate [ˋdemənstreɪt] *vt* wykazywać, dowodzić; demonstrować, pokazywać; *vi* brać udział w demonstracji (**for sth** za czymś; **against sth** przeciw czemuś)

den•im [ˋdenɪm] *s* drelich, teksas; *pl* **~s** dżinsy

dense [dens] *adj* gęsty; (*o człowieku*) tępawy
den•tal [`dentl] *adj* dentystyczny; zębowy; ~ **floss** nić dentystyczna
den•tist [`dentıst] *s* dentysta
de•ny [dı`naı] *vt* zaprzeczać; odmawiać; wypierać się (**sb, sth** kogoś, czegoś)
de•o•do•rant [di`əudrənt] *s* dezodorant
de•part [dı`pat] *vi* wyruszać, odjeżdżać; odbiegać (*np. od tematu*)
de•part•ment [dı`patmənt] *s* departament; wydział; dział; ministerstwo; ~ **store** dom towarowy
de•par•ture [dı`patʃə(r)] *s* odjazd; odlot; ~ **lounge** hala odlotów; **point of ~** punkt wyjścia
de•pend [dı`pend] *vi* zależeć (**on sb, sth** od kogoś, czegoś); liczyć, polegać (**on sb, sth** na kimś, czymś)
de•pos•it [dı`pozıt] *vt* zdeponować (*np. pieniądze w banku*); oddać na przechowanie; wpłacać kaucję; *s* złoże; depozyt; kaucja
de•pot [`depəu] *s* skład; *am.* dworzec (*kolejowy, autobusowy*)
de•pres•sion [dı`preʃn] *s* depresja, przygnębienie; kryzys gospodarczy; obniżenie (*terenu*)
de•prive [dı`praıv] *vt* pozbawiać (**sb of sth** kogoś czegoś)
dep•u•ty [`depjutı] *s* zastępca, wice-; poseł
de•scribe [dı`skraıb] *vt* opisywać
de•scrip•tion [dı`skrıpʃn] *s* opis; rodzaj
des•ert[1] [`dezət] *s* pustynia; ~ **island** bezludna wyspa
de•sert[2] [dı`zɜt] *vt* opuszczać, zostawiać; *vi* dezerterować
de•serve [dı`zɜv] *vt vi* zasłużyć sobie (**sth** na coś)
de•sign [dı`zaın] *vt* projektować; planować; układać; *s* projekt; projektowanie; wzór, deseń; plan, zamiar
de•sign•er [dı`zaınə(r)] *s* projektant; konstruktor
de•sire [dı`zaıə(r)] *vt* pragnąć, pożądać; *s* pragnienie, życzenie; żądza
desk [desk] *s* biurko; ławka szkolna; kasa; **information ~** informacja; **reception ~** recepcja
de•spair [dı`speə(r)] *vi* tracić nadzieję (**of sth** na coś); *s* rozpacz
des•per•ate [`desprət] *adj* zdesperowany; rozpaczliwy; beznadziejny; **be ~ for**

sth rozpaczliwie czegoś potrzebować
de•spise [dı`spaız] *vt* pogardzać
de•spite [dı`spaıt] *praep* mimo, wbrew
des•sert [dı`zɜt] *s* deser
des•ti•na•tion ['destı`neıʃn] *s* cel podróży, miejsce przeznaczenia
des•ti•ny [`destını] *s* przeznaczenie
de•stroy [dı`strɔı] *vt* niszczyć; dobijać (*zwierzę*)
de•struc•tion [di`strʌkʃn] *s* zniszczenie
de•tach [dı`tætʃ] *vt* oddzielać; odłączać (**from sth** od czegoś)
de•tail [`diteıl] *s* szczegół; **in ~** szczegółowo; *vt* wyszczególniać
de•tect [dı`tekt] *vt* odkrywać; wykrywać
de•tec•tive [dı`tektıv] *s* detektyw; **~ story** kryminał
de•ter•mine [dı`tɜmın] *vt* postanawiać (**on sth** coś); ustalać, określać; wpływać (**sth** na coś)
de•test [dı`test] *vt* nienawidzić, nie cierpieć (**sb, sth** kogoś, czegoś)
de•vel•op [dı`veləp] *vt vi* rozwijać (się); zagospodarować (*np. teren*); nabawić się (*np. choroby*); popadać (*np. w nałóg*); *fot.* wywoływać
de•vel•op•ment [dı`veləpmənt] *s* rozwój; wydarzenie; *fot.* wywoływanie; **housing ~** osiedle mieszkaniowe
de•vice [dı`vaıs] *s* urządzenie; plan, sposób
dev•il [`devl] *s* diabeł
de•vise [dı`vaız] *vt* wymyślić; wynaleźć
de•void [dı`vɔıd] *adj* próżny, pozbawiony (**of sth** czegoś)
de•vote [dı`vəʊt] *vt* poświęcać (**sth to sb, sth** coś komuś, czemuś)
dew [dju] *s* rosa
di•a•be•tes ['daıə`bitiz] *s* *med.* cukrzyca
di•ag•no•sis ['daıəg`nəʊsıs] *s* (*pl* **diagnoses** ['daıəg`nəʊsiz]) diagnoza
di•al [`daıl] *s* (*zegara, telefonu*) tarcza; zegar słoneczny; *vt* nakręcać numer (*na tarczy telefonu*)
di•a•lect [`daıəlekt] *s* dialekt
di•a•mond [`daıəmənd] *s* diament; (*w kartach*) karo
di•ar•rhoe•a ['daıə`rıə] *s* *med.* biegunka
di•a•ry [`daıərı] *s* dziennik, pamiętnik; terminarz; **keep a ~** prowadzić dziennik

dice [daɪs] *s* kostka do gry; *vt* kroić w kostkę; *vi* grać w kości (**for sth** o coś)
dic•tion•a•ry [`dɪkʃənrɪ] *s* słownik
did *zob.* **do**
die [daɪ] *vi* umierać (**of sth** na coś) ; ~ **away** zamierać, zanikać; ~ **down** ucichnąć, uspokoić się; ~ **out** wymierać, wygasać
di•et [`daɪət] *s* dieta; **slimming** ~ dieta odchudzająca; **go on a** ~ przejść na dietę
dif•fer [`dɪfə(r)] *vi* różnić się (**from sb, sth** od kogoś, czegoś); być innego zdania
dif•fer•ence [`dɪfrəns] *s* różnica; spór
dif•fer•ent [`dɪfrənt] *adj* inny, różny, odmienny
dif•fi•cult [`dɪfɪkəlt] *adj* trudny
dif•fi•cul•ty [`dɪfɪkəltɪ] *s* trudność (**in sth** z czymś); *pl* **difficulties** trudności, kłopoty
***dig** [dɪg], **dug, dug** [dʌg] *vt vi* kopać, ryć; grzebać (**for sth** w poszukiwaniu czegoś); wykopać; ~ **in** użyźniać (*glebę*); (*o żołnierzach*) okopywać się
di•gest [daɪ`dʒest] *vt* trawić; przetrawiać (*np. informacje*); *s* kompendium, streszczenie
di•ges•tion [daɪ`dʒestʃn] *s* trawienie
dig•it [`dɪdʒɪt] *s* cyfra; *anat.* palec
digi•tal [`dɪdʒɪtl] *adj* cyfrowy; ~ **computer** komputer cyfrowy
dig•ni•ty [`dɪgnətɪ] *s* godność; dostojeństwo; **beyond one's** ~ poniżej godności
di•gres•sion [daɪ`greʃn] *s* dygresja
dil•i•gent [`dɪlɪdʒnt] *adj* pilny, sumienny
di•men•sion [daɪ`menʃn] *s* wymiar, rozmiar
di•min•ish [dɪ`mɪnɪʃ] *vt vi* zmniejszać (się); obniżać (się); maleć
dine [daɪn] *vi* jeść obiad; ~ **out** jeść obiad na mieście
din•ing car [`daɪnɪŋ kɑ(r)] *s* wagon restauracyjny
din•ing room [`daɪnɪŋ rʊm] *s* jadalnia
din•ner [`dɪnə(r)] *s* obiad
dip [dɪp] *vt vi* zanurzać (się), zamoczyć (się); opadać, obniżać się; *s* szybkie pływanie
di•plo•ma [dɪ`pləʊmə] *s* dyplom
dip•lo•mat [`dɪpləmæt] *s* dyplomata
di•rect [dɪ`rekt] *vt* (s)kierować; zarządzać, kierować;

reżyserować; **~ sb to sth** wskazać komuś drogę do czegoś; *adj* prosty, bezpośredni; dokładny; *adv* bezpośrednio

di•rec•tion [dɪˋrekʃn] *s* kierunek; kierownictwo; reżyseria; *pl* **~s** wskazówki, instrukcja obsługi; **give sb ~s to sth** wskazać komuś drogę do czegoś

di•rect•ly [dɪˋrektlɪ] *adv* bezpośrednio; natychmiast; *conj* skoro tylko

di•rec•tor [dɪˋrektə(r)] *s* dyrektor, kierownik; reżyser

di•rec•to•ry [daɪˋrektrɪ] *s* książka telefoniczna; **~ enquiries** biuro numerów

dirt [dɜt] *s* brud; błoto

dirt-cheap ['dɜtˋtʃip] *adj pot.* śmiesznie tani

dirt•y [ˋdɜtɪ] *adj* brudny; nieprzyzwoity; *vt vi* brudzić (się)

dis•ad•van•tage ['dɪsədˋvɑntɪdʒ] *s* wada; szkoda; **to one's ~** na czyjąś niekorzyść

dis•a•gree ['dɪsəˋgri] *vi* nie zgadzać się; *vt (o pogodzie, jedzeniu)* nie służyć (**with sb** komuś)

dis•ap•pear ['dɪsəˋpɪə(r)] *vi* znikać; zginąć

dis•ap•point ['dɪsəˋpɔɪnt] *vt* rozczarować, zawieść; **be ~ed** zawieść się (**in sb, sth** na kimś, czymś)

dis•ap•point•ment ['dɪsəˋpɔɪntmənt] *s* rozczarowanie, zawód; **to my ~** ku mojemu rozczarowaniu

dis•as•ter [dɪˋzɑstə(r)] *s* nieszczęście, klęska

disc [dɪsk] *s* = **disk**

dis•co [ˋdɪskəʊ] *s* dyskoteka

dis•com•fort [dɪˋskʌmfət] *s* niewygoda; zażenowanie, zakłopotanie

dis•count [ˋdɪskɑʊnt] *s handl.* zniżka, rabat; **at a ~** ze zniżką; *vt* [dɪsˋkɑʊnt] pomijać, nie brać pod uwagę

dis•cour•age [dɪˋskʌrɪdʒ] *vt* zniechęcać (**sb from sth** kogoś do czegoś)

dis•cov•er [dɪˋskʌvə(r)] *vt* odkrywać

dis•cov•er•y [dɪˋskʌvrɪ] *s* odkrycie

dis•creet [dɪˋskrit] *adj* dyskretny; roztropny

dis•cre•tion [dɪˋskreʃn] *s* dyskrecja, takt; rozsądek; **at sb's ~** według czyjegoś uznania

dis•crim•i•nate [dɪˋskrɪmɪneɪt] *vt vi* rozróżniać; dyskryminować

dis•cuss [dɪˋskʌs] *vt* dys-

kutować (**sth** o czymś), przedyskutować
dis•cus•sion [dɪ`skʌʃn] *s* dyskusja, omówienie
dis•ease [dɪ`ziz] *s* choroba; **infectious ~** choroba zakaźna
dis•guise [dɪs`gɑɪz] *vt* przebierać (**sb as sth** kogoś za coś); ukrywać; *s* przebranie; **in ~** w przebraniu
dis•gust [dɪs`gʌst] *s* wstręt, obrzydzenie; *vt* napawać wstrętem; **be ~ed** czuć wstręt (**with sth** do czegoś)
dish [dɪʃ] *s* półmisek; danie; **satellite ~** antena satelitarna; *vt*: **~ out** rozdawać (*jedzenie*); **~ up** nakładać (*posiłek na talerze*)
dish•wash•er [`dɪʃ'woʃə(r)] *s* zmywarka do naczyń
dis•in•fect ['dɪsɪn`fekt] *vt* dezynfekować
disk [dɪsk] *s* krążek; *komp.* dysk; **hard ~** dysk twardy; **floppy ~** dyskietka; **~ drive** stacja dysków
dis•kette [dɪs`ket] *s komp.* dyskietka
dis•like [dɪs`lɑɪk] *vt* nie lubić; *s* niechęć, antypatia
dis•miss [dɪs`mɪs] *vt* odrzucać (*np. pomysł*); zwalniać (*z pracy*); zwalniać, puszczać (*uczniów do domu*)
dis•o•bey ['dɪsə`beɪ] *vt vi* nie słuchać (**sb** kogoś)
dis•or•der [dɪs`ɔdə(r)] *s* nieporządek; zamieszki; *med.* zaburzenie
dis•play [dɪ`spleɪ] *vt* wystawiać na pokaz; (*uczucia*) okazywać; *s* pokaz, wystawa; **on ~** na wystawie
dis•pos•al [dɪ`spəʊzl] *s* usuwanie (*np. śmieci*); rozporządzanie (**of sth** czymś); **at sb's ~** do czyjejś dyspozycji
dis•pose [dɪ`spəʊz] *vt vi* rozmieścić, ulokować; niszczyć, pozbywać się (**of sth** czegoś)
dis•re•gard ['dɪsrɪ`gɑd] *vt* lekceważyć, nie zważać (**sth** na coś); *s* lekceważenie
dis•solve [dɪ`zolv] *vt vi* rozpuszczać (się) (*w płynie*); (*o organizacji*) rozwiązywać (się); zanikać
dis•suade [dɪ`sweɪd] *vt* odradzać (**sb from sth** komuś coś)
dis•tance [`dɪstəns] *s* odległość; *dosł. i przen.* dystans; *vt* dystansować się (**from sth** od czegoś)
dis•tant [`dɪstənt] *adj* (*o miejscu, czasie*) odległy; (*o krewnym*) daleki
dis•tinct [dɪ`stɪŋkt] *adj* różny; wyraźny

dis•tinc•tion [dɪ`stɪŋkʃn] *s* różnica; wyróżnienie, odznaczenie; **draw a ~ between...** przeprowadzić rozróżnienie pomiędzy...
dis•tin•guish [dɪ`stɪŋgwɪʃ] *vt* odróżniać, rozróżniać; *vr* **~ oneself** wyróżniać się
dis•tin•guished [dɪ`stɪŋgwɪʃt] *adj* wybitny, znakomity; dystyngowany
dis•tort [dɪ`stɔt] *vt* przekręcać, zniekształcać
dis•trac•tion [dɪ`strækʃn] *s* rozrywka; rozproszenie uwagi; **love to ~** kochać do szaleństwa
dis•trib•ute [dɪ`strɪbjut] *vt* rozdzielać, rozdawać; rozprowadzać, rozmieszczać
dis•tri•bu•tion ['dɪstrɪ`bjuʃn] *s* rozdzielanie, dystrybucja
dis•trict [`dɪstrɪkt] *s* okręg (*administracyjny*); region; dzielnica
dis•turb [dɪ`stɜb] *vt* przeszkadzać; niepokoić, martwić; zakłócać; **I'm sorry to ~ you** przepraszam, że przeszkadzam
ditch [dɪtʃ] *s* rów, kanał
dive [daɪv] *vi* nurkować; zanurzać się; *s* nurkowanie
di•vide [dɪ`vaɪd] *vt vi* dzielić (się); **~ up** podzielić (się)
di•vi•sion [dɪ`vɪʒn] *s* podział; dział, oddział; *mat.* dzielenie; *wojsk.* dywizja
di•vorce [dɪ`vɔs] *s* rozwód; *vt* rozwieść się (**sb** z kimś)
***do** [du], **did** [dɪd], **done** [dʌn], 3 *pers sing praes* **does** [dʌz] *vt vi* robić, czynić; wystarczyć; pełnić (*np. obowiązek*); załatwić; przebywać (*odległość*); **do away** usuwać, znosić (**with sth** coś); **do up** zapinać; zawiązywać; zreperować; uporządkować; **do without sth** obywać się bez czegoś; **I'll do my best** zrobię co w mojej mocy; **do sb a favour** oddać komuś przysługę; **do well <badly>** radzić sobie dobrze <źle>; **how do you do?** dzień dobry, miło mi poznać; *v aux* (*tworzy formę pytającą i przeczącą czasu Present Simple i Simple Past*) **do <did> you like him?** czy lubisz <lubiłeś> go?; **I do <did> not like him** nie lubię <lubiłem> go; (*zastępuje orzeczenie*) **you play better than he does** grasz lepiej od niego; **do you smoke? – I do <I don't >** czy palisz? – tak, palę <nie, nie palę>; (*w zdaniach pytających*) **you don't like her, do you?**

nie lubisz jej, prawda?; **you like her, don't you?** lubisz ją, prawda?; (*oznacza emfazę*) **I did go** przecież <jednak> poszedłem; **do come!** bardzo proszę, przyjdź!

doc•tor [`doktə(r)] *s* lekarz; doktor

doc•u•ment [`dokjʊmənt] *s* dokument; *vt* [`dokjʊment] (u)dokumentować

does *zob.* **do**

dog [dog] *s* pies; *vt* śledzić; prześladować

do•ing [`duɪŋ] *s* sprawka, czyn; trud; *pl* **~s** poczynania

dole [dəʊl] *s* zasiłek dla bezrobotnych; **be on the ~** pobierać zasiłek

doll [dol] *s* lalka

dol•lar [`dolə(r)] *s* dolar

dol•phin [`dolfɪn] *s* delfin

do•mes•tic [də`mestɪk] *adj* domowy; wewnętrzny; krajowy; **~ animal** zwierzę domowe

dom•i•nate [`domɪneɪt] *vt vi* dominować (**sb, sth** nad kimś, czymś)

do•na•tion [dəʊ`neɪʃn] *s* darowizna

done *zob.* **do**

don•key [`doŋkɪ] *s* osioł

door [dɔ(r)] *s* drzwi; drzwiczki; **next ~** w sąsiedztwie (**to sth** czegoś)

door•keep•er [`dɔ kipə(r)] *s* dozorca, portier

dose [dəʊs] *s* dawka; *vt* dawkować

dot [dot] *s* kropka; punkcik; *vt* stawiać kropkę

doub•le [`dʌbl] *adj* podwójny; **~ room** pokój dwuosobowy (*w hotelu*); *s* podwójna ilość; sobowtór; dubler; *vt vi* podwoić (się); składać na pół; **~ up with laughter** skręcać się ze śmiechu; *adj* podwójny

doubt [daʊt] *vt* wątpić (**sth** w coś); *s* wątpliwość; **without ~** bez wątpienia; **be in ~** wątpić (**about sth** w coś)

doubt•ful [`daʊtfl] *adj* niepewny; wątpliwy; nieprawdopodobny

dough [dəʊ] *s* (*masa*) ciasto; *pot.* pieniądze

dove [dʌv] *s* gołąb; *przen.* gołąbek

down [daʊn] *adv* na dole, w dół, nisko; *adj* smutny; poruszający się w dół; *praep* na dół; wzdłuż; **walk ~ the road** iść drogą; *vt sport.* rozłożyć (*przeciwnika*) na łopatki; **~ tools** zastrajkować

down•stairs ['daʊn`steəz] *adv* na dół (*po schodach*); na dole

down•ward [`daʊnwəd] *adv*

ku dołowi, w dół; *adj attr* skierowany w dół
doz•en [`dʌzn] *s* tuzin; ~ **eggs** tuzin jajek
draft [drɑft] *s* (*rysunek, brudnopis*) szkic; projekt; przekaz (*bankowy*); *vt* sporządzać szkic
drag [dræg] *vt vi* wlec (się); ~ **on** wlec się (*w czasie*); *s pot.* nuda
dra•ma [`drɑmə] *s* dramat; dramaturgia (*wydarzeń*)
drank *zob.* **drink**
draught [drɑft] *s* przeciąg; ciąg; łyk; *pl* ~**s** warcaby; **beer on** ~ piwo z beczki; *adj* (*o zwierzęciu*) pociągowy
***draw** [drɔ], **drew** [dru], **drawn** [drɔn] *vt vi* rysować; ciągnąć; zaciągać (*zasłony*); wyciągać; przyciągać; nadciągać; zremisować; ~ **back** wycofać się (**from sth** z czegoś); ~ **near** zbliżać się; ~ **out** przedłużać, wydłużać; ~ **up** nakreślać (*plan, szkic*); podjeżdżać (*samochodem*); *s* remis; losowanie
draw•back [`drɔbæk] *s* wada, ujemna strona
draw•er [`drɔə(r)] *s* rysownik; [drɔ(r)] szuflada
draw•ing [`drɔɪŋ] *s* rysowanie; rysunek
draw•ing room [`drɔɪŋrʊm] *s* salon
drawn *zob.* **draw**
dread [dred] *vt* bać się; *s* strach
dread•ful [`dredfl] *adj* straszny
***dream** [drim], **dreamt, dreamt** [dremt] *lub* **dreamed, dreamed** [drimd] *vt vi* śnić; marzyć (**of <about> sb, sth** o kimś, czymś); *s* sen; marzenie
dress [dres] *vt vi* ubierać (się); wkładać strój wieczorowy; opatrywać (*ranę*); ~ **up** wystroić (się); przebierać się (**as sb** za kogoś); *s* sukienka; strój, ubranie; **evening** ~ strój wieczorowy; suknia wieczorowa; **full** ~ strój uroczysty; frak
dress•ing [`dresɪŋ] *s* ubieranie się, toaleta; opatrunek; sos (*do sałatek*)
dress•ing gown [`dresɪŋgɑʊn] *s* szlafrok
dress•ma•ker [`dresmeɪkə(r)] *s* krawiec damski
drew *zob.* **draw**
drift [drɪft] *vt vi dosł. i przen.* dryfować; (*o śniegu*) tworzyć zaspy; *s* zaspa; kupa (*np. liści*); prąd (*morski*); tendencja
drill [drɪl] *s* wiertło, wiertarka (*np. dentystyczna*);

wojsk. musztra; ćwiczenie; *vt vi* wiercić; musztrować; ćwiczyć (**sb in sth** coś z kimś)

***drink** [drɪŋk], **drank** [dræŋk], **drunk** [drʌŋk] *vt vi* pić; ~ **to sth** wypić za coś (*np. za zdrowie*); *s* napój, kieliszek trunku; **soft** ~ napój bezalkoholowy; **strong** ~ trunek; **get drunk** upić się

***drive** [draɪv], **drove** [drəʊv], **driven** [ˋdrɪvn] *vt vi* kierować, prowadzić (*samochód*); jechać; wieźć; pędzić, prowadzić (*np. bydło*); wbijać (*np. gwóźdź*); zmierzać (**at sth** do czegoś); ~ **sb mad** doprowadzać kogoś do szału; *s* przejażdżka; wjazd, dojazd; *komp.* **disk** ~ stacja dysków; **front-wheel** ~ napęd na przednie koła

driv•er [ˋdraɪvə(r)] *s* kierowca

driv•ing li•cence [ˋdraɪvɪŋ 'laɪsns] *s* prawo jazdy

drop [drop] *vt* upuścić; zniżać (*np. głos, cenę*); opuścić, porzucić; *vi* spadać; ~ **in** wpaść, odwiedzić (**on sb** kogoś); ~ **off** zmniejszać się, spadać; ~ **out** wycofać się (**of sth** z czegoś); ~ **out of school** porzucić szkołę; *s* kropla; spadek; obniżka (cen)

drought [draʊt] *s* susza

drove *zob.* **drive**

drown [draʊn] *vt* topić; *vi* tonąć

drug [drʌg] *s* lek, lekarstwo; narkotyk; ~ **addict** narkoman; **be on ~s** brać narkotyki; *vt* podawać środki nasenne

drug•store [ˋdrʌgstɔ(r)] *s am.* drogeria (*z działem sprzedaży lekarstw, kosmetyków, czasopism i napojów chłodzących*)

drum [drʌm] *s* bęben; *pl* **~s** perkusja; *vi* bębnić

drunk[1] *zob.* **drink**

drunk[2] [drʌŋk] *adj praed* pijany; *s* pijak

drunk•en [ˋdrʌŋkən] *adj attr* pijany; pijacki

dry [draɪ] *adj* suchy; wyschnięty; (*o winie*) wytrawny; (*o humorze*) ironiczny; *vt* suszyć; wycierać; *vi* schnąć; ~ **up** wysuszyć; wyschnąć

dry-clean•ing ['draɪˋklinɪŋ] *s* pranie chemiczne

duck [dʌk] *s zool.* kaczka

due [dju] *adj* (*o podziękowaniach, pieniądzach*) należny; właściwy, odpowiedni; planowany, spodziewany; płatny; ~ **to sth** z powodu czegoś; **the train is ~ at three** pociąg przyjeżdża (planowo) o trzeciej; *s pl* **~s** opłaty; składki (członkowskie)

dug *zob.* **dig**

dull [dʌl] *adj* matowy; (*o dźwięku*) tępy, głuchy; pochmurny; nudny

du•ly [`djulɪ] *adv* należycie, słusznie; w porę

dumb [dʌm] *adj* niemy; **strike sb ~** wprawić kogoś w osłupienie

dum•my [`dʌmɪ] *s* atrapa; manekin; smoczek

du•pli•cate [`djuplɪkət] *adj* zapasowy, dodatkowy; *s* duplikat; *vt* [`djuplɪkeɪt] kopiować

du•ra•tion [djʊ`reɪʃn] *s* czas trwania

dur•ing [`djʊərɪŋ] *praep* podczas, w czasie

dusk [dʌsk] *s* zmierzch

dust [dʌst] *s* kurz, pył, proch; *vt* odkurzać

dust•bin [`dʌstbɪn] *s* kosz na śmieci

Dutch [dʌtʃ] *adj* holenderski; *s* język holenderski

Dutch•man [`dʌtʃmən] *s* (*pl* **Dutchmen** [`dʌtʃmən]) Holender

du•ty [`djutɪ] *s* obowiązek; służba; cło; **on <off> ~** na <po> służbie; *pl* **duties** należności podatkowe

dye [daɪ] *s* barwa, farba; barwnik; *vt* farbować

dy•na•mite [`daɪnəmaɪt] *s* dynamit; *vt* wysadzać dynamitem

E

each [itʃ] *adj pron* każdy; **~ other** nawzajem

ea•ger [`igə(r)] *adj* gorliwy; żądny (**for sth** czegoś); **be ~ to do sth** być chętnym do zrobienia czegoś

ea•gle [`igl] *s* orzeł

ear [ɪə(r)] *s* ucho; **by ~** ze słuchu

ear•ly [`ɜlɪ] *adj* wczesny; *adv* wcześnie

earn [ɜn] *vt* zarabiać; zasługiwać; **~ one's living** zarabiać na życie

earn•ings [`ɜnɪŋz] *s pl* zarobki, dochody

ear•phones [`ɪəfəʊnz] s *pl* słuchawki

ear•ring [`ɪərɪŋ] *s* kolczyk

earth [ɜθ] *s* ziemia; świat; *elektr.* uziemienie; *vt* uziemiać

earth•quake [`ɜθkweɪk] *s* trzęsienie ziemi
ease [iz] *s* łatwość; beztroska; **at ~** swobodnie, wygodnie; *vt* łagodzić; uspokajać
east [ist] *s* wschód; *adj* wschodni; *adv* na wschód, na wschodzie
East•er [`istə(r)] *s* Wielkanoc
east•ern [`istən] *adj* wschodni
eas•y [`izɪ] *adj* łatwy; beztroski; swobodny; spokojny; *adv* łatwo; lekko; swobodnie; **take things ~** nie przemęczać się
***eat** [it], **ate** [et], **eaten** [`itn] *vt vi* jeść; **~ out** jeść poza domem (*zw. w restauracji*); **~ up** zjeść do końca; *przen.* pożreć
eat•a•ble [`itəbl] *adj* jadalny
eat•en *zob.* **eat**
ec•cen•tric [ɪk`sentrɪk] *adj* ekscentryczny; *s* dziwak, ekscentryk
ech•o [`ekəʊ] *s* echo; *vi* odbijać się echem; *vt* powtarzać (*jak echo*)
e•col•o•gy [ɪ`kolədʒɪ] *s* ekologia
e•co•nom•ic ['ekə`nomɪk] *adj* ekonomiczny, gospodarczy
e•co•nom•i•cal ['ekə`nomɪkl] *adj* oszczędny
e•co•nom•ics ['ekə`nomɪks] *s* ekonomia; ekonomika
e•con•o•mize ['ɪ`konəmaɪz] *vi* oszczędnie gospodarować (**on sth** czymś)
e•con•o•my [ɪ`konəmɪ] *s* gospodarka; oszczędność
edge [edʒ] *s* krawędź, brzeg; kant; ostrze; *vt* okrawać; **~ one's way** przeciskać się
ed•i•ble [`edəbl] *adj* jadalny
ed•it [`edɪt] *vt* wydawać; redagować
e•di•tion [ɪ`dɪʃn] *s* wydanie
ed•u•cate [`edʒʊkeɪt] *vt* kształcić; uświadamiać
ed•u•ca•tion ['edjʊ`keɪʃn] *s* wykształcenie; oświata
eel [il] *s zool.* węgorz
ef•fect [ɪ`fekt] *s* skutek; efekt; wrażenie; *pl* **~s** dobytek; rzeczy osobiste; **in ~** w praktyce; w rzeczywistości; **to no ~** bezskutecznie; *vt* spowodować
ef•fec•tive [ɪ`fektɪv] *adj* efektywny, skuteczny; efektowny; faktyczny
ef•fi•cient [ɪ`fɪʃnt] *adj* wydajny; sprawny
ef•fort [`efət] *s* wysiłek; próba
egg [eg] *s* jajko; **hard-boiled <soft-boiled> ~** jajko na twardo <na miękko>
e•go•ist [`egəʊɪst] *s* egoista

E•gyp•tian [ɪ`dʒɪpʃn] *adj* egipski; *s* Egipcjanin
ei•der•down [`aɪdədaun] *s* kołdra puchowa
eight [eɪt] *num* osiem
eight•een ['eɪ`tin] *num* osiemnaście
eight•eenth ['eɪ`tinθ] *adj* osiemnasty
eighth [eɪtθ] *adj* ósmy
eight•i•eth [`eɪtɪəθ] *adj* osiemdziesiąty
eight•y [`eɪtɪ] *num* osiemdziesiąt
ei•ther [`aɪðə(r)], *am.* [`iðər] *adj pron* jeden lub drugi, jeden z dwóch; obaj, obie, oboje; którykolwiek z dwóch; *conj*: **~... or...** albo..., albo...; (*z przeczeniem*) ani..., ani...; *adv* (*z przeczeniem*) też (nie)
e•las•tic [ɪ`læstɪk] *adj* elastyczny; **~ band** gumka
el•bow [`elbəu] *s* łokieć; *vt* popychać <szturchać> łokciem
e•lec•tion [ɪ`lekʃn] *s* wybory; **~ campaign** kampania wyborcza; **general ~** wybory powszechne
e•lec•tric(al) [ɪ`lektrɪk(l)] *adj* elektryczny
e•lec•tric•i•ty [ɪ'lek`trɪsətɪ] *s* elektryczność
e•lec•tro•cardio•gram [ɪ'lektrəu`kadɪəgræm] *s* elektrokardiogram
el•ec•tron•ic [ɪ'lek`tronɪk] *adj* elektroniczny; **~ mail** (*skr.* **e-mail**) poczta elektroniczna (e-mail)
el•e•gant [`elɪgənt] *adj* elegancki
el•e•ment [`eləmənt] *s chem.* pierwiastek; element; żywioł
el•men•ta•ry ['elə`mentrɪ] *adj* elementarny; podstawowy; **~ school** szkoła podstawowa
el•e•phant [`eləfnt] *s* słoń
el•e•va•tor [`eləveɪtə(r)] *s am.* winda; elewator
e•lev•en [ɪ`levn] *num* jedenaście
e•lev•enth [ɪ`levnθ] *adj* jedenasty
else [els] *adv* prócz tego, ponadto; **or ~** bo inaczej; **someone ~** ktoś inny; **something ~** coś innego
else•where ['els`weə(r)] *adv* gdzie indziej
e-mail [`imeɪl] *s komp.* e-mail
em•bark [ɪm`bak] *vt vi* zaokrętować (się)
em•bas•sy [`embəsɪ] *s* ambasada
e•merge [ɪ`mɜdʒ] *vi* wyłaniać się, ukazywać się; ujawnić się, wyjść na jaw

e•mer•gen•cy [ɪ`mɜdʒənsɪ] *s* nagły wypadek, krytyczne położenie; **in an ~** w razie niebezpieczeństwa; **~ exit** wyjście awaryjne; **state of ~** stan wyjątkowy
em•i•grant [`emɪgrənt] *s* emigrant
em•i•grate [`emɪgreɪt] *vi* emigrować
e•mo•tion [ɪ`məʊʃn] *s* uczucie; emocja
em•ploy [ɪm`plɔɪ] *vt* zatrudniać; używać, stosować
em•ploy•ee ['emplɔɪ`i] *s* pracownik
em•ploy•er [ɪm`plɔɪə(r)] *s* pracodawca
em•ploy•ment [ɪm`plɔɪmənt] *s* zatrudnienie; użycie, zastosowanie
emp•ty [`emptɪ] *adj* pusty; czczy; **on an ~ stomach** na czczo; *vt vi* opróżnić (się)
en•a•ble [ɪ`neɪbl] *vt* umożliwiać
en•core [`ɒŋkɔ(r)] *int* bis!; *s* bis, bisowanie; **give an ~** bisować
en•cour•age [ɪn`kʌrɪdʒ] *vt* zachęcać; popierać; dodawać odwagi
en•cy•clo•pae•di•a [ɪn'saɪklə`pidɪə] *s* encyklopedia
end [end] *s* koniec; cel; **cigarette ~** niedopałek papierosa; **in the ~** w końcu; *vt vi* zakończyć (się); **~ in sth** zakończyć się czymś
en•dure [ɪn`djʊə(r)] *vt* znosić, wytrzymywać; *vi* przetrwać
en•e•my [`enəmɪ] *s* wróg; przeciwnik
en•er•gy [`enədʒɪ] *s* energia
en•gage [ɪn`geɪdʒ] *vt vi* zaciekawić; *techn.* zaczepiać się; angażować, najmować; zajmować (**sb in sth** kogoś czymś); **~ sb's attention** pochłaniać czyjąś uwagę **~ the clutch** włączyć sprzęgło; **~ in sth** brać udział w czymś; **be ~d** być zajętym; **get ~** zaręczyć się (**to sb** z kimś)
en•gine [`endʒɪn] *s* silnik; lokomotywa
en•gi•neer ['endʒɪ`nɪə(r)] *s* inżynier; mechanik (*zw. na statku*); *am.* maszynista; *vt* ukartować, uknuć
en•gi•neer•ing ['endʒɪ`nɪərɪŋ] *s* inżynieria; mechanika
Eng•lish [`ɪŋglɪʃ] *adj* angielski; *s* język angielski; *pl* **the ~** Anglicy
Eng•lish•man [`ɪŋglɪʃmən] *s* (*pl* **Englishmen** [`ɪŋglɪʃmən]) Anglik
Eng•lish•wom•an [`ɪŋglɪʃwʊmən] *s* (*pl* **Englishwomen** [`ɪŋglɪʃwɪmɪn]) Angielka

en•joy [ɪnˋdʒɔɪ] *vt* znajdować przyjemność (**sth** w czymś); cieszyć się (*np. zdrowiem*); *vr* ~ **oneself** dobrze się bawić
en•joy•a•ble [ɪnˋdʒɔɪəbl] *adj* przyjemny
en•large [ɪnˋlɑdʒ] *vt vi* powiększać (się); rozszerzać (się); rozwodzić się (**on sth** nad czymś)
En•light•en•ment [ɪnˋlaɪtnmənt] *s*: **the** ~ Oświecenie (*epoka*)
en•list [ɪnˋlɪst] *vt* werbować; *vi* zaciągać się (*do wojska*); ~ **in the navy** wstąpić do marynarki
e•nor•mous [ɪˋnɔməs] *adj* ogromny
en•ough [ɪˋnʌf] *pron adv* dość, dosyć; **big** ~ wystarczająco duży; ~ **money** wystarczająca ilość pieniędzy; ~**!** dosyć tego!
en•rich [ɪnˋrɪtʃ] *vt* wzbogacać
en•rol [ɪnˋrəʊl] *vt* zarejestrować; *vi* zapisać się (*np. na kurs*)
en•sure [ɪnˋʃʊə(r)] *vt* zapewnić; zabezpieczyć
en•ter [ˋentə(r)] *vt vi* wchodzić; wjechać; przystępować (**sth** do czegoś); wstępować (**university** na uniwersytet); *komp.* wprowadzać (*dane*)
en•ter•prise [ˋentəprɑɪz] *s* przedsięwzięcie; *handl.* przedsiębiorstwo
en•ter•tain•ment ['entəˋteɪnmənt] *s* rozrywka; widowisko
en•tire [ɪnˋtɑɪə(r)] *adj* cały, całkowity
en•tire•ly [ɪnˋtɑɪəlɪ] *adv* całkowicie; wyłącznie
en•trance [ˋentrns] *s* wejście; wstęp; ~ **examination** egzamin wstępny
en•try [ˋentrɪ] *s* wejście; hasło (*w słowniku*); praca konkursowa; ~ **form** kwestionariusz; **no** ~ zakaz wjazdu
e•nu•mer•ate [ɪˋnjuməreɪt] *vt* wyliczać
en•ve•lope [ˋenvələʊp] *s* koperta
en•vi•ous [ˋenvɪəs] *adj* zazdrosny, zawistny (**of sb, sth** o kogoś, coś)
en•vi•ron•ment [ɪnˋvɑɪrənmənt] *s* środowisko, otoczenie; **the** ~ środowisko naturalne; ~ **friendly** przyjazny dla środowiska
en•vi•rons [ˋenvɪrənz] *s pl* okolice
en•vy [ˋenvɪ] *s* zazdrość, zawiść; **green with** ~ zielony z zazdrości; *vt* zazdrościć
ep•i•dem•ic ['epɪˋdemɪk] *s* epidemia

e•poch [`ipok] *s* epoka
e•qual [`ikwl] *adj* równy; **on ~ terms** na równych prawach; *vt* równać się; dorównywać (**sb** komuś)
e•qua•tor [ɪ`kweɪtə(r)] *s* równik
e•quip [ɪ`kwɪp] *vt* zaopatrzyć, wyposażyć (**with sth** w coś)
e•quip•ment [ɪ`kwɪpmənt] *s* wyposażenie, sprzęt
e•rase [ɪ`reɪz] *vt* zetrzeć (*np. gumką*); *przen.* wymazać
e•rot•ic [ɪ`rotɪk] *adj* erotyczny
er•ror [`erə(r)] *s* omyłka, błąd; **in ~** przez pomyłkę
es•ca•la•tor [`eskəleɪtə(r)] *s* schody ruchome
es•cape [ɪ`skeɪp] *vt vi* uciec; uniknąć; **~ notice** umknąć uwadze; *s* ucieczka
es•pe•cial•ly [ɪ`speʃlɪ] *adv* specjalnie, w szczególności
es•sence [`esns] *s* istota, sedno; esencja; **in ~** w gruncie rzeczy
es•sen•tial [ɪ`senʃl] *adj* niezbędny; istotny, zasadniczy; *s pl* **~s** rzeczy niezbędne; najważniejsze informacje
es•tab•lish [ɪ`stæblɪʃ] *vt* zakładać (*np. firmę*); ustalać (*fakty*); *vr* **~ oneself** urządzać się
es•tab•lish•ment [ɪ`stæblɪʃmənt] *s* założenie (*np. firmy*); placówka, instytucja
es•tate [ɪ`steɪt] *s* posiadłość; majątek ziemski; **real ~** nieruchomość; **housing ~** osiedle mieszkaniowe
es•ti•mate [`estɪmeɪt] *vt* (o)szacować; *s* [`estɪmət] oszacowanie; ocena
e•ter•nal [ɪ`tɜnl] *adj* wieczny
eth•i•cal [`eθɪkl] *adj* etyczny
eu•ro [`jʊərəʊ] *s* euro
Eu•ro•pe•an ['jʊərə`pɪən] *adj* europejski; *s* Europejczyk
e•vac•u•ate [ɪ`vækjʊeɪt] *vt* ewakuować
e•vade [ɪ`veɪd] *vt* uchylać się (**sth** od czegoś); unikać
eve [iv] *s* wigilia; przeddzień; **Christmas Eve** Wigilia
e•ven [`ivn] *adv* nawet; **~ if** nawet jeśli; **~ though** chociaż, pomimo że; *adj* równy; płaski; gładki; parzysty; *vt vi*: **~ out** wyrównywać (się)
eve•ning [`ivnɪŋ] *s* wieczór; **in the ~** wieczorem; **on Sunday ~** w niedzielę wieczorem; **~ dress** strój wieczorowy

e•vent [ɪ`vent] *s* wydarzenie; *sport.* konkurencja; **in the ~ of sth** w razie czegoś

e•ven•tu•al•ly [ɪ`ventʃʊəlɪ] *adv* ostatecznie, w końcu

ev•er [`evə(r)] *adv* zawsze; kiedyś; kiedykolwiek; **for ~** na zawsze; **hardly ~** prawie nigdy

eve•ry [`evrɪ] *adj* każdy; **~ day** codziennie; **~ other** co drugi; **~ ten minutes** co dziesięć minut

eve•ry•bod•y [`evrɪbodɪ] *pron* każdy, wszyscy

eve•ry•day [`evrɪdeɪ] *adj attr* codzienny; pospolity

eve•ry•one [`evrɪwʌn] *pron* każdy, wszyscy

eve•ry•thing [`evrɪθɪŋ] *pron* wszystko

eve•ry•where [`evrɪweə(r)] *adv* wszędzie

e•vic•tion [ɪ`vɪkʃn] *s* wysiedlenie, eksmisja

ev•i•dence [`evɪdəns] *s* dowód; materiał dowodowy; zeznanie; **in ~** widoczny

ev•i•dent [`evɪdənt] *adj* oczywisty, jawny (**to sb** dla kogoś)

e•vil [`ivl] *adj* zły; *s* zło

e•vo•lu•tion ['ivə`luʃn] *s* ewolucja; rozwój

ex•act [ɪg`zækt] *adj* dokładny; *vt* egzekwować

ex•ag•ger•ate [ɪg`zædʒəreɪt] *vt vi* przesadzać, wyolbrzymiać

ex•am [ɪg`zæm] *s pot.* **examination**

ex•am•i•na•tion [ɪg'zæmɪ`neɪʃn] *s* egzamin; badanie (*lekarskie*); przesłuchanie (*sądowe*); **pass an ~** zdać egzamin; **take <sit (for)> an ~** przystępować do egzaminu

ex•am•ine [ɪg`zæmɪn] *vt* analizować; badać; przeszukiwać; przesłuchiwać; egzaminować

ex•am•ple [ɪg`zampl] *s* przykład; wzór do naśladowania; **for ~** na przykład; **set an ~** dawać przykład (*do naśladowania*); **give an ~** podać przykład (**of sth** czegoś)

ex•ceed [ɪk`sid] *vt* przewyższać, przekraczać

ex•cel•lent [`ekslənt] *adj* wspaniały, doskonały

ex•cept [ɪk`sept] *praep* oprócz, poza; **~ for** pomijając; *vt* wyłączyć, wykluczyć

ex•cep•tion [ɪk`sepʃn] *s* wyjątek; **without ~** bez wyjątku

ex•cess [ɪk`ses] *s* nadmiar; nadwyżka; *pl* **~es** ekscesy; okrucieństwa; **~ baggage** dodatkowy bagaż; **in ~ of** powyżej

ex•change [ɪks`tʃeɪndʒ] *s* wymiana; giełda; centrala telefoniczna; **foreign ~** waluta obca; wymiana waluty; **~ rate** kurs walut; **in ~ for sth** w zamian za coś; *vt* wymieniać (**sth for sth** coś na coś)

ex•cite [ɪk`saɪt] *vt* podniecać; **get ~d** podniecać się

ex•cite•ment [ɪk`saɪtmənt] *s* podniecenie

ex•clude [ɪk`sklud] *vt* wykluczać, wyłączać

ex•cur•sion [ɪk`skɜʃn] *s* wycieczka

ex•cuse [ɪk`skjus] *s* wytłumaczenie; wymówka; usprawiedliwienie; *vt* [ɪk`skjuz] wybaczać; usprawiedliwiać; zwalniać (**from sth** z czegoś); **~ me!** przepraszam!

ex•empt [ɪg`zempt] *adj* zwolniony; *vt* zwalniać (**from sth** od czegoś)

ex•er•cise [`eksəsaɪz] *s* (*fizyczne, umysłowe*) ćwiczenie; zadanie (*np. szkolne*); *wojsk.* manewry; **~ book** zeszyt (szkolny); *vt vi* ćwiczyć; skorzystać (*np. z prawa do czegoś*)

ex•haust [ɪg`zɔst] *vt* wyczerpać; **be ~ed** być bardzo zmęczonym; *s* spaliny; **~ pipe** rura wydechowa

ex•hib•it [ɪg`zɪbɪt] *vt vi* wystawiać, eksponować; okazywać (*uczucia*); *s* eksponat; dowód rzeczowy

ex•hi•bi•tion ['eksɪ`bɪʃn] *s* pokaz; wystawa; **make an ~ of oneself** robić z siebie widowisko

ex•ist [ɪg`zɪst] *vi* istnieć; egzystować

ex•ist•ence [ɪg`zɪstəns] *s* istnienie, byt; egzystencja

ex•it [`eksɪt] *s* wyjście; zjazd (*z autostrady*); *vi* wychodzić

ex•ot•ic [ɪg`zotɪk] *adj* egzotyczny

ex•pand [ɪk`spænd] *vt vi* powiększać (się); rozszerzać <rozprzestrzeniać> (się); rozrastać (się); **~ on sth** omawiać coś szczegółowo

ex•pect [ɪk`spekt] *vt* oczekiwać, spodziewać się; przypuszczać

ex•pec•ta•tion ['ekspek`teɪʃn] *s* oczekiwanie

ex•pe•di•tion ['ekspɪ`dɪʃn] *s* wyprawa, ekspedycja

ex•pel [ɪk`spel] *vt* wypędzać; wydalać (*np. ze szkoły*)

ex•pense [ɪk`spens] *s* koszt, wydatek; **at the ~ of** kosztem

ex•pen•sive [ɪk`spensɪv] *adj* drogi, kosztowny

ex•pe•ri•ence [ɪk`spɪərɪəns] *s* doświadczenie, przeżycie; *vt* doświadczać, przeżywać
ex•per•i•ment [ɪk`sperɪmənt] *s* doświadczenie, eksperyment; *vi* [ɪk`sperɪment] eksperymentować, robić doświadczenia
ex•pert [`ekspɜt] *s* ekspert, rzeczoznawca; *adj* biegły
ex•pire [ɪk`spaɪə(r)] *vi* wygasać, tracić ważność
ex•plain [ɪk`spleɪn] *vt* wyjaśniać, tłumaczyć
ex•pla•na•tion ['ekspləˋneɪʃn] *s* wyjaśnienie, wytłumaczenie
ex•plore [ɪk`splɔ(r)] *vt vi* badać, zgłębiać
ex•plo•sion [ɪk`spləʊʒn] *s* wybuch
ex•port [ɪk`spɔt] *vt* eksportować; *s* [`ekspɔt] eksport
ex•po•si•tion ['ekspə`zɪʃn] *s* wyjaśnienie, przedstawienie; wystawa
ex•press [ɪk`spres] *vt* wyrażać, okazywać; wysłać ekspresem; *vr* ~ **oneself** wypowiedzieć się, wyrazić opinię; *s* pociąg pospieszny; list ekspresowy; *adv* ekspresem; *adj* ekspresowy; wyraźny
ex•pres•sion [ɪk`spreʃn] *s* wyrażenie, zwrot; wyraz twarzy
ex•ten•sion [ɪk`stenʃn] *s* przedłużenie; rozszerzenie; dobudówka; numer wewnętrzny; *elektr.* ~ **lead** przedłużacz
ex•tent [ɪk`stent] *s* obszar; rozmiar, zasięg; **to some** ~ w pewnej mierze, do pewnego stopnia
ex•te•ri•or [ɪk`stɪərɪə(r)] *adj* zewnętrzny; *s* strona zewnętrzna; powierzchowność
ex•ter•nal [ɪk`stɜnl] *adj* zewnętrzny; ~ **affairs** sprawy zagraniczne
ex•tin•guish•er [ɪk`stɪŋgwɪʃə(r)] *s* gaśnica
ex•tra[1] [`ekstrə] *adj* dodatkowy; *adv* dodatkowo; *s* dodatek, dopłata; statysta; wydanie nadzwyczajne (*gazety*)
ex•tra-[2] [`ekstrə] *praef* poza; bardzo
ex•tract [ɪk`strækt] *vt* wyrywać, usuwać (*np. ząb*); ekstrahować; *s* [`ekstrækt] urywek, fragment; ekstrakt, wyciąg
ex•traor•di•na•ry [ɪk`strɔdnərɪ] *adj* nadzwyczajny, niezwykły
ex•trav•a•gant [ɪk`strævəgənt] *adj* rozrzutny; ekstrawagancki
ex•treme [ɪk`strim] *adj*

krańcowy; skrajny, *s* kraniec; skrajność
ex•treme•ly [ɪk`strimlɪ] *adv* niezmiernie; nadzwyczajnie
eye [aɪ] *s* oko; ucho igielne; **keep an ~** mieć na oku (**on sb** kogoś); *vt* przypatrywać się
eye•ball [`aɪbɔl] *s* gałka oczna
eye•brow [`aɪbraʊ] *s* brew; **~ pencil** kredka do brwi; **~ shadow** cień do powiek
eye•lid [`aɪlɪd] *s* powieka

F

fab•ric [`fæbrɪk] *s* tkanina; konstrukcja (*budynku*)
face [feɪs] *s* twarz; mina, wyraz twarzy; ściana (*np. domu, skały*); tarcza (*zegara*); **~ value** wartość nominalna; **in the ~ of** wobec, w obliczu (*czegoś*); **pull ~s** robić miny (**at sb** do kogoś); *vt* zwracać się twarzą (**sb, sth** do kogoś, czegoś); być zwróconym w kierunku; stawiać czoło (**sth** czemuś)
fa•cil•i•ty [fə`sɪlətɪ] *s* łatwość; *pl* **facilities** udogodnienia (*np. sklepy, usługi*); urządzenia
fact [fækt] *s* fakt; **as a matter of ~** w istocie rzeczy; **in ~** faktycznie
fac•to•ry [`fæktrɪ] *s* fabryka
fac•ul•ty [`fækltɪ] *s* zdolność, umiejętność; wydział (*na uczelni*); *am.* wykładowcy
fail [feɪl] *vi* nie zdołać; nie udać się; oblać (*egzamin*); zawodzić; opuszczać; (*o zdrowiu*) pogarszać się; (*o świetle*) gasnąć
fail•ure [`feɪljə(r)] *s* fiasko, niepowodzenie; **heart ~** niewydolność serca; **crop ~** nieurodzaj na zboże
faint [feɪnt] *adj* słaby; nikły; *vi* zemdleć
fair[1] [feə(r)] *adj* sprawiedliwy; uczciwy; spory; jasny; (*o niebie*) pogodny; (*o stopniu*) dostateczny; **~ play** uczciwa gra
fair[2] [feə(r)] *s* wesołe miasteczko; jarmark; targi (międzynarodowe)
fair•y [`feərɪ] *s* wróżka; **~ tale** bajka, baśń
faith [`feɪθ] *s* wiara; ufność; **keep ~** dotrzymywać słowa (**with sb** komuś)
faith•ful [`feɪθfl] *adj* wierny

fake [feɪk] *vt* fałszować, podrabiać; udawać; *s* falsyfikat; podróbka; *adj* podrabiany; udawany

***fall** [fɔl], **fell** [fel], **fallen** [ˋfɔlən] *vi* upadać; spadać; padać; ~ **down** upadać; ~ **for** dawać się nabrać; ~ **asleep** zasnąć; ~ **ill** zachorować; ~ **in love** zakochać się (**with sb** w kimś); *s* upadek; spadek; *am.* jesień; *pl* ~**s** wodospad

false [fɔls] *adj* fałszywy; obłudny; ~ **teeth** sztuczna szczęka

fame [feɪm] *s* sława

fa•mil•iar [fəˋmɪlɪə(r)] *adj* dobrze znany, znajomy; **be ~ with sth** dobrze coś znać

fam•i•ly [ˋfæmlɪ] *s* rodzina; ~ **allowance** dodatek rodzinny; ~ **name** nazwisko; ~ **tree** drzewo genealogiczne

fam•ine [ˋfæmɪn] *s* głód

fa•mous [ˋfeɪməs] *adj* sławny, słynny

fan[1] [fæn] *s* wachlarz; wentylator; *vt* wachlować; podsycać

fan[2] [fæn] *s pot.* entuzjasta, fan; *sport.* kibic

fan•cy [ˋfænsɪ] *s* upodobanie; fantazja; kaprys; **take a ~** upodobać sobie (**to sb, sth** kogoś, coś); *vt* mieć ochotę na...; wyobrażać sobie; *adj attr* fantazyjny; (*o cenach*) wygórowany; ~ **dress** przebranie, kostium

fan•tas•tic [fænˋtæstɪk] *adj* fantastyczny

far [fɑ(r)] *adj* (*comp* **farther** [ˋfɑðə(r)] *lub* **further** [ˋfɜðə(r)], *sup* **farthest** [ˋfɑðɪst] *lub* **furthest** [ˋfɜðɪst]) daleki; *adv* daleko; ~ **too hot** o wiele za gorąco; **by ~** zdecydowanie; **as ~ as...** aż do...; ~ **from it** bynajmniej; **so ~** dotąd, dotychczas; **how ~?** jak daleko?

fare [feə(r)] *s* opłata za przejazd; *dosł. i przen.* strawa; *vi* poradzić sobie

fare•well ['feəˋwel] *s* pożegnanie; *int* żegnaj(cie)!

farm [fɑm] *s* gospodarstwo wiejskie; farma; *vt vi* uprawiać (ziemię); hodować

farm•er [ˋfɑmə(r)] *s* rolnik, farmer

far•ther *zob.* **far**

fas•ci•nate [ˋfæsɪneɪt] *vt* fascynować

fash•ion [ˋfæʃn] *s* moda; sposób; **after a ~** na wzór; **out of ~** niemodny; **in ~** w modzie

fash•ion•a•ble [ˋfæʃnəbl] *adj* modny

fast[1] [fɑst] *adj* szybki; (*o ko-*

lorach) trwały; ~ **food** szybkie dania; **my watch is (five minutes)** ~ mój zegarek spieszy się (o pięć minut); *adv* szybko; mocno

fast[2] [fɑst] *vi* pościć; *s* post

fast•en [`fɑsn] *vt vi* przymocować; zapinać (się)

fat [fæt] *adj* gruby; tłusty; *s* tłuszcz

fa•tal [`feɪtl] *adj* śmiertelny; zgubny

fate [feɪt] *s* przeznaczenie, los

fa•ther [`fɑðə(r)] *s* ojciec; **Father Christmas** Święty Mikołaj

fa•ther-in-law [`fɑðər ɪn lɔ] *s* teść

fa•ther•land [`fɑðəlænd] *s* ojczyzna

fa•tigue [fə`tig] *s* znużenie, zmęczenie; *vt* nużyć, męczyć

fault [fɔlt] *s* błąd; usterka; wada; wina; **at** ~ w błędzie; **find** ~ krytykować, czepiać się (**with sb, sth** kogoś, czegoś)

fa•vour [`feɪvə(r)] *s* przychylność; faworyzowanie; przysługa; **in** ~ na korzyść, na rzecz; **ask a** ~ **of sb** poprosić kogoś o przysługę; **do sb a** ~ oddać komuś przysługę; *vt* sprzyjać; faworyzować

fa•vour•ite [`feɪvrɪt] *adj* ulubiony; *s* ulubieniec; faworyt

fax [fæks] *vt* faksować; *s* faks; ~ **machine** faks (*urządzenie*)

fear [fɪə(r)] *s* strach; obawa; *vt* bać się, obawiać się; ~ **for sb** lękać się o kogoś

fea•si•ble [`fizəbl] *adj* wykonalny

feath•er [`feðə(r)] *s* pióro (*ptasie*)

fea•ture [`fitʃə(r)] *s* cecha; obszerny artykuł (*w gazecie*); *pl* ~**s** rysy twarzy; ~ **film** film pełnometrażowy (*w kinie*); *vt* grać pierwszoplanową rolę; odgrywać ważną rolę

Feb•ru•ar•y [`februərɪ] *s* luty

fed *zob.* **feed**

fee [fi] *s* opłata; czesne; honorarium

***feed** [fid], **fed, fed** [fed] *vt* karmić, żywić; *vi* żywić się (**on sth** czymś); **be fed up** mieć dość (**with sth** czegoś)

***feel** [fil], **felt, felt** [felt] *vt vi* dotykać; czuć (się); ~ **for** współczuć; ~ **like** mi[illegible]ć ochotę (**sth** na coś); **I d**[illegible] ~ **like dancing** nie[illegible] ochoty tańczyć; **it** [illegible] **here** tu jest zi[illegible]

soft to jest miękkie (*w dotyku*)
feel•ing [ˋfilɪŋ] *s* uczucie; emocja; czucie
feet *zob.* **foot**
fell *zob.* **fall**
fel•low [ˋfeləʊ] *s* towarzysz, kolega; *pot.* gość, facet; ~ **citizen** współobywatel; ~ **creature** bliźni
felt *zob.* **feel**
fe•male [ˋfimeɪl] *adj* żeński; samiczy; *s* kobieta; *zool.* samica
fem•i•nine [ˋfemənɪn] *adj* kobiecy
fence [fens] *s* ogrodzenie, płot; *pot.* paser; *przen.* **sit on the** ~ zachowywać neutralność; *vi* uprawiać szermierkę; *vt* ogradzać; ~ **off** odgradzać
fend•er [ˋfendə(r)] *s* błotnik
fer•ry [ˋferɪ] *s* prom; *vt vi* przeprawiać (się) promem
fer•tile [ˋfɜtaɪl] *adj* płodny; żyzny
fes•ti•val [ˋfestɪvl] *s* święto; festiwal
fetch [fetʃ] *vt* przynieść; przywieźć
fe•ver [ˋfivə(r)] *s* gorączka; rozgorączkowanie
few [fju] *adj pron* mało, niewiele; **a** ~ nieco, kilka
field [fild] *s* pole; boisko; dziedzina; **in the** ~ w terenie (*np. badania*)
fif•teen ['fɪfˋtin] *num* piętnaście
fif•teenth ['fɪfˋtinθ] *adj* piętnasty
fifth [fɪfθ] *adj* piąty
fif•ti•eth [ˋfɪftɪəθ] *adj* pięćdziesiąty
fif•ty [ˋfɪftɪ] *num* pięćdziesiąt
fig [fɪg] *s bot.* figa
***fight** [faɪt], **fought, fought** [fɔt] *vt vi* walczyć, zwalczać; ~ **back** bronić się; *s* walka; bitwa; kłótnia
fig•ure [ˋfɪgə(r)] *s* figura; postać; cyfra; wykres; *vi* figurować; *vt*: ~ **out** wymyślić, wykombinować
file [faɪl] *s* teczka; segregator; kartoteka; akta; *komp.* plik; **on** ~ w aktach; *vt* składać do akt
fill [fɪl] *vt vi* napełniać (się); wypełniać (się); spełniać; plombować; ~ **in** wypełniać (*np. formularz*); zastępować (**for sb** kogoś); *s* ładunek, porcja
fill•ing [ˋfɪlɪŋ] *s* plomba; nadzienie
fill•ing sta•tion [ˋfɪlɪŋ steɪʃn] *s* stacja benzynowa
film [fɪlm] *s* film; cienka warstwa; folia (*do pakowania*); *vt vi* filmować

fil•ter [ˋfɪltə(r)] *s* filtr; *vt* filtrować

fi•nal [ˋfaɪnl] *adj* końcowy, ostateczny; *s* finał; *pl* **~s** egzaminy końcowe

fi•nance [ˋfaɪnæns] *s* finanse; *pl* **~s** fundusze; *vt* [faɪˋnæns] finansować

***find** [faɪnd], **found, found** [faʊnd] *vt* znajdować; natrafiać; odkrywać; uważać za; **~ sb guilty** uznawać kogoś za winnego; **~ out** dowiadywać się, odkrywać; *s* odkrycie; znalezisko

fine[1] [faɪn] *adj* świetny; cienki; drobny; (*o pogodzie*) piękny; **~ arts** sztuki piękne; *adv* drobno; świetnie

fine[2] [faɪn] *s* grzywna; *vt* ukarać grzywną

fin•ger [ˋfɪŋgə(r)] *s* palec (*ręki*); *vt* dotykać palcami

fin•ish [ˋfɪnɪʃ] *vt vi* kończyć (się), przestać; **~ off** dokończyć; dobić (*np. ranne zwierzę*); *s* koniec; wykończenie; *sport.* finisz

Finn [fɪn] *s* Fin

Fin•nish [ˋfɪnɪʃ] *adj* fiński

fire [ˋfaɪə(r)] *s* ogień, pożar; **~ alarm** alarm przeciwpożarowy; **be on ~** płonąć; **be under ~** być pod ostrzałem; **catch ~** zapalić się; **set sth on ~** podpalić coś; *vt vi* strzelać (**sth at sb** z czegoś do kogoś); *pot.* zwalniać z pracy; rozpalać; inspirować

fire bri•gade [ˋfaɪə brɪgeɪd] *s* straż pożarna

fire ex•tin•guish•er [ˋfaɪər ɪkstɪŋgwɪʃə(r)] *s* gaśnica

fire•place [ˋfaɪəpleɪs] *s* kominek

firm[1] [fɜm] *adj* trwały, solidny; mocny, pewny; stanowczy

firm[2] [fɜm] *s* firma, przedsiębiorstwo

first [fɜst] *adj* pierwszy; **~ aid** pierwsza pomoc; **~ floor** pierwsze piętro; *am.* parter; **~ name** imię; **~ night** premiera; *s* (*o człowieku, rzeczy*) pierwszy; **at ~** z początku; **from the ~** od początku; *adv* najpierw, po pierwsze; **~ thing in the morning** z samego rana; **~ of all** przede wszystkim

fish [fɪʃ] *s* (*pl* **~es** *lub* **~**) ryba; *vt vi* łowić ryby

fish•er•man [ˋfɪʃəmən] *s* (*pl* **fishermen** [ˋfɪʃəmən]) rybak

fist [fɪst] *s* pięść

fit[1] [fɪt] *vt* dopasować; pasować (*np. o ubraniu*); montować; być odpowiednim (**sth** do czegoś); **~ out** wyposażać; **~ up** umeblować; *adj* odpowiedni, nadający

się (**for sth** do czegoś); w dobrej kondycji
fit[2] [fɪt] *s* atak (*np. choroby, śmiechu*)
fit•ter [`fɪtə(r)] *s* monter
five [faɪv] *num* pięć; ~ **o'clock (tea)** podwieczorek
fix [fɪks] *vt* przymocować; ustalać; naprawiać; sfingować; *am.* przygotować (posiłek); *s pot.* położenie bez wyjścia
flag [flæg] *s* flaga
flame [fleɪm] *s* płomień; **burst into ~s** stanąć w płomieniach; *vi* płonąć
flash [flæʃ] *vi vt* błyskać, błyszczeć; posyłać (*np. uśmiech*); *s* błysk; przebłysk (*np. natchnienia*); *fot.* flesz; **in a ~** w okamgnieniu; **news ~** wiadomości z ostatniej chwili
flash•light [`flæʃlaɪt] *s fot.* lampa błyskowa, flesz; *am.* latarka elektryczna
flat [flæt] *s* mieszkanie; płaszczyzna; **block of ~s** blok mieszkalny; *adj* płaski; (*o oponie*) bez powietrza; (*o akumulatorze*) rozładowany; (*o napoju*) bez gazu; stanowczy; *adv* płasko
fla•vour [`fleɪvə(r)] *s* smak; posmak; *vt* aromatyzować, przyprawiać
flax [flæks] *s bot.* len
flea [fli] *s* pchła; ~ **market** pchli targ
***flee** [fli], **fled, fled** [fled] *vi vt* uciekać
fleet [flit] *s* flota
flesh [fleʃ] *s* mięso; miąższ; ciało
flew *zob.* **fly**[2]
flex•i•ble [`fleksəbl] *adj* elastyczny, giętki
flight[1] [flaɪt] *s* lot, przelot; ~ **of stairs** kondygnacja schodów
flight[2] [flaɪt] *s* ucieczka; **take to ~** uciekać
float [fləʊt] *vi* unosić się; (*o walucie*) mieć płynny kurs; *s* pływak; spławik; drobne pieniądze
flood [flʌd] *s* powódź, potop; zalew (*np. listów*); *vt* zalewać, zatapiać
floor [flɔ(r)] *s* podłoga; piętro
floppy [`flopɪ] *adj* miękko opadający; *komp.* ~ **disk** dyskietka
flour [`flaʊə(r)] *s* mąka; *vt* posypywać mąką
flour•ish [`flʌrɪʃ] *vi* kwitnąć; prosperować; *vt* wymachiwać; *s* zawijas; **with a ~** z rozmachem
flow [fləʊ] *vi* płynąć, spływać, wypływać; *s* płynięcie, przepływ; prąd; przypływ (*np. morza*)

flow•er [`flauə(r)] *s* kwiat; *vi* kwitnąć
flown *zob.* **fly²**
flu [flu] *s* grypa
flu•ent [`fluənt] *adj* płynny, biegły; **be ~ in English** mówić biegle po angielsku
flush [flʌʃ] *s* rumieniec; *vt* przepłukiwać; **~ the toilet** spuszczać wodę (*w toalecie*)
flute [flut] *s muz.* flet
fly¹ [flɑɪ] *s* mucha
***fly²** [flɑɪ], **flew** [flu], **flown** [fləʊn] *vi vt* latać, fruwać; pilotować; przewozić drogą powietrzną; uciekać; **~ a kite** puszczać latawca
fog [fog] *s* mgła; *vt* zamglić
fold [fəʊld] *vt* składać, zaginać; zawijać (*np. w papier*); **~ in half** składać na pół; *s* zagięcie; fałda
fold•ing [fəʊldɪŋ] *adj* składany
folk [fəʊk] *s* ludzie; lud; *adj attr* ludowy
folk•lore [`fəʊklɔ(r)] *s* folklor
fol•low [`foləʊ] *vt vi* iść (**sb** za kimś); śledzić; następować (**sth** po czymś); obserwować; rozumieć; stosować się (**sth** do czegoś); **as ~s** jak następuje
fond [fond] *adj* czuły; miły; **be ~ of sb, sth** lubić kogoś, coś
food [fud] *s* żywność, pokarm
fool [ful] *s* głupiec, wariat; błazen; *vi* oszukiwać; wygłupiać się; **~ about <around>** obijać się
fool•ish [`fulɪʃ] *adj* głupi
foot [fʊt] *s* (*pl* **feet** [fit]) stopa; dół, spód; **on ~** piechotą, pieszo; **get to one's feet** wstawać
foot•ball [`fʊtbɔl] *s* piłka nożna, futbol
foot•wear [`fʊtweə(r)] *s* obuwie
for [fɔ(r), fə(r)] *praep* dla; z powodu; przez; do; z; po; co do; wbrew; jak na; **~ all that** mimo wszystko; **~ ever** na zawsze; **~ good** na dobre; **~ instance <example>** na przykład; **what ~?** na co?, po co?; *conj* gdyż, bowiem
***for•bid** ['fə`bɪd], **forbade** [fə`beɪd], **forbidden** [fə`bɪdn] *vt* zakazywać, zabraniać
force [fɔs] *s* siła; przemoc; *pl* **the ~s** siły zbrojne; **by ~** siłą; **in ~** licznie; *vt* zmuszać; **~ a smile** zmuszać się do uśmiechu
***fore•cast** [`fɔkɑst] , **~**, **~** *lub* **~ed, ~ed** [`fɔkɑstɪd] *vt* przewidywać, zapowiadać; *s* przewidywanie, prognoza
fore•ground [`fɔgraʊnd] *s* pierwszy plan

fore•head [`forɪd] *s* czoło
for•eign [`forɪn] *adj* obcy, zagraniczny; ~ **exchange** wymiana walut
for•eign•er [`forɪnə(r)] *s* obcokrajowiec, cudzoziemiec
***fore•see** [fɔ`si], **foresaw** [fɔ`sɔ], **foreseen** [fɔ`sin] *vt* przewidywać
for•est [`forɪst] *s* las
***fore•tell** [fɔ`tel], **foretold, foretold** [fɔ`təʊld] *vt* przepowiadać
for•ev•er [fə`revə(r)] *adv* na zawsze, wiecznie
for•gave *zob.* **forgive**
***for•get** [`fə`get], **forgot** [fə `got], **forgotten** [fə`gotn] *vt vi* zapominać
for•get•ful [fə`getfl] *adj* nie zważający (**of sth** na coś); *pot.* zapominalski
***for•give** [fə`gɪv], **forgave** [fə`geɪv], **forgiven** [fə-`gɪvn] *vt* przebaczać
for•got, for•got•ten *zob.* **forget**
fork [fɔk] *s* widelec; widły; rozwidlenie; *vt* rozwidlać się
form [fɔm] *s* forma; formularz; procedura; klasa; **in the ~ of sth** w kształcie czegoś; *vt vi* tworzyć (się)
for•mal [`fɔml] *adj* formalny; oficjalny
for•mer [`fɔmə(r)] *adj* dawny, były; pierwszy (*z dwu*)
for•ti•eth [`fɔtɪəθ] *adj* czterdziesty
for•tu•nate [`fɔtʃʊnət] *dj* szczęśliwy, pomyślny
for•tune [`fɔtʃən] *s* fortuna, majątek; szczęście; los, przypadek; **tell ~s** przepowiadać przyszłość
for•ty [`fɔtɪ] *num* czterdzieści
for•ward [`fɔwəd] *adj* przedni; skierowany do przodu; śmiały; *adv* naprzód; do przodu; **come ~** wystąpić; zgłosić się; *vt* przesyłać (*pod nowym adresem*); wysyłać; przyspieszać; *s sport.* napastnik
for•wards *zob.* **forward** *adv*
fought *zob.* **fight**
foul [faʊl] *adj* wstrętny, paskudny; cuchnący; ordynarny; brudny; *s sport.* faul; *vt vi* faulować; zanieczyszczać, brudzić
found *zob.* **find**
foun•da•tion [faʊn`deɪʃn] *s* założenie (*np. spółki*); podstawa; fundacja; *pl* **~s** fundamenty
found•er [`faʊndə(r)] *s* założyciel
foun•tain [`faʊntɪn] *s* fontanna; **~ pen** pióro wieczne
four [fɔ(r)] *num* cztery

four•teen ['fɔ`tin] *num* czternaście
four•teenth ['fɔ`tinθ] *adj* czternasty
fourth [fɔθ] *adj* czwarty
fox [foks] *s* lis; *vt pot.* zdezorientować; przechytrzyć
frac•tion [`frækʃn] *s* ułamek
frac•ture [`fræktʃə(r)] *s* złamanie; pęknięcie; *vt vi* złamać (się)
frag•ile [`frædʒaɪl] *adj* kruchy, łamliwy; wątły, delikatny
frag•ment [`frægmənt] *s* fragment; *vi* rozpadać się (*na kawałki*)
frame [freɪm] *s* ram(k)a; framuga; oprawka (*do okularów*); sylwetka; kadr; ~ **of mind** nastrój; *vt* oprawiać; formułować
frame•work [`freɪmwək] *s* struktura, szkielet
frank [fræŋk] *adj* otwarty, szczery
frank•fur•ter [`fræŋkfɜtə(r)] *s* mała wędzona kiełbaska wieprzowa
fran•tic [`fræntɪk] *adj* szalony, oszalały
fraud [frɔd] *s* oszustwo; oszust
free [fri] *adj* wolny; swobodny; bezpłatny; *adv* bezpłatnie; swobodnie; *vt* uwolnić
free•dom [`fridəm] *s* wolność; swoboda; prawo (**of sth** do czegoś)
***freeze** [friz], **froze** [frəʊz], **frozen** [`frəʊzn] *vi* marznąć, zamarzać; zamierać w bezruchu; ~ **to death** zamarznąć na śmierć; *vt* zamrażać; *s* zamrożenie (*np. płac*)
freez•er [`frizə(r)] *s* chłodnia; zamrażarka
French [frentʃ] *adj* francuski; *s* język francuski
French•man [`frentʃmən] *s* (*pl* **Frenchmen** [`frentʃmən]) Francuz
fre•quent [`frikwənt] *adj* częsty; *vt* [frɪ`kwent] uczęszczać; bywać
fresh [freʃ] *adj* świeży; nowy; ~ **water** słodka woda
Fri•day [`fraɪdɪ] *s* piątek
friend [frend] *s* przyjaciel, kolega; **be ~s** przyjaźnić się (**with sb** z kimś); **make ~s** zaprzyjaźnić się
friend•ly [`frendlɪ] *adj* przyjazny, przychylny
friend•ship [`frendʃɪp] *s* przyjaźń
fright [fraɪt] *s* strach; **stage ~** trema; **take ~** przestraszyć się (**at sth** czegoś)
fright•en [`fraɪtn] *vt* nastraszyć, przerazić
frog [frog] *s zool.* żaba

from [from, frəm] *praep* od, z
front [frʌnt] *s* front, czoło, przód; front, linia ognia; **in ~ of** przed; *adj attr* frontowy, przedni
fron•tier [`frʌntɪə(r)] *s* granica
frost [frost] *s* szron; mróz; *vt vi* pokrywać (się) szronem
frost•y [`frostɪ] *adj* mroźny, lodowaty
froze *zob.* **freeze**
fruit [frut] *s* owoc; *zbior.* owoce; *vi* owocować
fry [frɑɪ] *vt vi* smażyć (się)
fry•ing pan [`frɑɪɪŋ pæn] *s* patelnia
fu•el [`fjuəl] *s* opał, paliwo
ful•fil [fʊl`fɪl] *vt* spełniać; *vr* **~ oneself** spełniać się
full [fʊl] *adj* pełny; *pot.* najedzony; kompletny; **~ up** pełny (po brzegi); **~ stop** kropka; *adv* wprost, bezpośrednio; *s*: **in ~** w całości
fun [fʌn] *s* zabawa, wesołość; **for ~** dla przyjemności; **make ~** żartować sobie (**of sb, sth** z kogoś, czegoś)
func•tion [`fʌŋkʃn] *s* funkcja; uroczystość; *vi* funkcjonować, działać
fund [fʌnd] *s* fundusz; zapas; *vt* finansować
fun•da•men•tal ['fʌndə`mentl] *adj* podstawowy; *s* podstawa, zasada
fu•ner•al [`fjʊnrəl] *s* pogrzeb; **~ home** dom pogrzebowy
fu•nic•u•lar [fjʊ`nɪkjʊlə(r)] *s* kolejka linowa
fun•ny [`fʌnɪ] *adj* zabawny, wesoły, śmieszny; dziwny
fur [fɜ(r)] *s* sierść; futro
fu•ri•ous [`fjʊərɪəs] *adj* wściekły; szalony
fur•nish [`fɜnɪʃ] *vt* meblować; wyposażać, zaopatrywać (**with sth** w coś)
fur•ni•ture [`fɜnɪtʃə(r)] *s zbior.* meble; **piece of ~** mebel
fur•ther[1] *zob.* **far**
fur•ther[2] [`fɜðə(r)] *vt* popierać
fur•ther•more ['fɜðə`mɔ(r)] *adv* co więcej, ponadto
fur•thest *zob.* **far**
fu•ry [`fjʊərɪ] *s* szał, furia; **fly into ~** wpadać w szał
fuse [fjuz] *s* bezpiecznik; zapalnik; *vt vi* stopić (się)
fuss [fʌs] *s* zamieszanie; krzątanina; *vi* robić zamieszanie (**about sth** z powodu czegoś); *vt* zawracać głowę
fu•tile [`fjutɑɪl] *adj* daremny
fu•ture [`fjutʃə(r)] *s* przyszłość; *adj* przyszły

G

gad•get [`gædʒɪt] *s* urządzenie, przyrząd; *pot.* gadżet
gain [geɪn] *vt vi* zyskiwać; nabierać (*np. szybkości*); przybierać (*na wadze*); doganiać; ~ **ground** zdobywać popularność; *s* zysk, korzyść; wzrost
gale [geɪl] *s* wichura
gal•ler•y [`gælərɪ] *s* galeria; balkon (*w teatrze*)
gal•lon [`gælən] *s* galon (*bryt.* = 4,5 l; *am.* = 3,8 l)
gam•ble [`gæmbl] *vi* uprawiać hazard; stawiać (**on sth** na coś); ryzykować; *s* ryzyko
game [geɪm] *s* gra; zabawa; *sport.* rozgrywka; dziczyzna; *pl* **Olympic Games** olimpiada
gang [gæŋ] *s* banda, gang; paczka (*przyjaciół*); brygada robocza
gang•ster [`gæŋgstə(r)] *s* gangster
gang•way [`gæŋweɪ] *s* przejście (*w kinie, pociągu*); trap
gaol [dʒeɪl] *s* więzienie
gap [gæp] *s* luka; wyrwa; odstęp
ga•rage [`gærɑʒ] *s* garaż; warsztat samochodowy; *vt* garażować
gar•bage [`gɑbɪdʒ] *s am. zbior.* odpadki, śmieci; bzdury; ~ **can** pojemnik na śmieci
gar•den [`gɑdn] *s* ogród; *vi* pracować w ogrodzie
gar•gle [`gɑgl] *vt vi* płukać gardło; *s* płukanie gardła
gar•lic [`gɑlɪk] *s* czosnek; **clove of** ~ ząbek czosnku
gas [gæs] *s* gaz; *am. pot.* benzyna; *vt* zagazować, zatruć gazem
gas•o•line [`gæsəlin] *s am.* benzyna
gas•om•e•ter [gæ`somɪtə(r)] *s* licznik do gazu
gate [geɪt] *s* brama, furtka
gate•way [`geɪtweɪ] *s* brama; wejście, wjazd
gath•er [`gæðə(r)] *vt vi* zbierać (się); wnioskować
gauge [geɪdʒ] *s* przyrząd pomiarowy; szerokość toru (*kolejowego*); *vt* robić pomiary; oceniać
gave *zob.* **give**
gear [gɪə(r)] *s* przekładnia; *mot.* bieg; *zbior.* sprzęt; ~ **lever <stick>** dźwignia zmiany biegów
gear•box [`gɪəboks] *s mot.* skrzynia biegów
geese *zob.* **goose**
gen•er•al [`dʒenrl] *adj* ogól-

ny; generalny; **in ~** w ogóle; *s* generał

gen•er•al•ize [ˋdʒenrəlaɪz] *vt vi* uogólniać

gen•er•a•tion ['dʒenəˋreɪʃn] *s* pokolenie; wytwarzanie (*elektryczności*)

gen•er•ous [ˋdʒenrəs] *adj* wspaniałomyślny; wielkoduszny; hojny

ge•ne•tic [dʒɪˋnetɪk] *adj* genetyczny

ge•nius [ˋdʒinɪəs] *s* geniusz; talent (**for sth** do czegoś)

gen•tle [ˋdʒentl] *adj* delikatny, łagodny

gen•tle•man [ˋdʒentlmən] *s* (*pl* **gentlemen** [ˋdʒentlmən]) dżentelmen; pan

gen•tle•wom•an [ˋdʒentlwʊmən] *s* (*pl* **gentlewomen** [ˋdʒentlwɪmɪn]) dama, kobieta z towarzystwa

gen•u•ine [ˋdʒenjʊɪn] *adj* prawdziwy, autentyczny; szczery

ge•og•ra•phy [dʒɪˋogrəfɪ] *s* geografia

ge•ol•o•gy [dʒɪˋolədʒɪ] *s* geologia

ge•om•e•try [dʒɪˋomətrɪ] *s* geometria

Ger•man [ˋdʒɜmən] *adj* niemiecki; *s* Niemiec; język niemiecki

ges•ture [ˋdʒestʃə(r)] *s* gest

***get** [get], **got, got** [got] *vt vi* dostawać; nabywać; brać; przynosić, dostarczać; dostawać się, dochodzić; stawać się; zmuszać; **~ sb to do sth** nakłonić kogoś, żeby coś zrobił; **~ one's hair cut** ostrzyc sobie włosy; **~ sth ready** przygotować coś; **I have got** *pot.* = **I have**; **have you got a watch?** czy masz zegarek?; **I have got to = I must**; **it has got to be done** to musi być zrobione; **~ to know** dowiedzieć się; **~ married** ożenić się, wyjść za mąż; **~ dressed** ubrać się; **~ rid** pozbyć się (**of sb, sth** kogoś, czegoś); **~ old** zestarzeć się; **~ ready** przygotować się; **it's ~ting late** robi się późno; **~ along** dawać sobie radę; posuwać (się); być w przyjacielskich stosunkach; **~ away** wyrwać się; uciekać; **~ back** wracać; odzyskiwać; **~ down** połykać; zanotować; przygnębiać; zabierać się (**to sth** do czegoś); **~ in** przybywać, przyjeżdżać; zbierać (*np. zboże*); wzywać (*np. hydraulika*); **~ into** wsiadać (**the car** do samochodu); **~ off** wysiadać (**the bus** z autobusu); zdejmować (*ubranie*); ~ **on** wsiadać (**the bus** do autobusu); posuwać się naprzód; być w dobrych stosunkach; **easy to ~ on with** łatwy w pożyciu; ~ **out** wydostać (się); wysiadać (**of the car** z samochodu); wyjść na jaw; ~ **through** przejść, przebrnąć (**sth** przez coś); zdać (*egzamin*); połączyć się (*telefonicznie*); ~ **together** zbierać (się), schodzić się; ~ **up** podnosić (się), wstawać

ghost [gəʊst] *s* duch

gi•ant [`dʒaɪənt] *s* olbrzym; *adj attr* olbrzymi

gift [gɪft] *s* prezent; talent (**for sth** do czegoś)

gig•gle [`gɪgl] *vi* chichotać; *s* chichot

gin [dʒɪn] *s* dżin

gin•ger [`dʒɪndʒə(r)] *s* imbir; *adj* rudy

gip•sy [`dʒɪpsɪ] *s* Cygan

gi•raffe [dʒɪ`rɑf] *s* żyrafa

girl [gɜl] *s* dziewczynka; dziewczyna; ~ **guide** harcerka

girl•friend [`gɜlfrend] *s* sympatia, dziewczyna; *am.* koleżanka

***give** [gɪv], **gave** [geɪv], **given** [`gɪvn] *vt* dawać; ~ **ground** cofać się, ustępować; ~ **rise** dawać początek (**to sth** czemuś); ~ **way** ustępować z drogi; ~ **away** rozdawać; wyjawiać (*np. sekret*); ~ **back** oddawać; ~ **in** poddawać się; wręczać, podawać; ~ **off** wydzielać (*zapach*); ~ **up** zrezygnować; rzucać, porzucać

glad [glæd] *adj* zadowolony; wdzięczny (**of sth** za coś); **I am ~ to see you** cieszę się, że cię widzę

glance [glɑns] *vi* zerkać (**at sth** na coś); *s* zerknięcie; **at first ~** na pierwszy rzut oka

gland [glænd] *s anat.* gruczoł

glass [glɑs] *s* szkło; szklanka; kieliszek; *pl* **~es** okulary; **looking ~** lustro

gla•zier [`gleɪzɪə(r)] *s* szklarz

glid•er [`glaɪdə(r)] *s lotn.* szybowiec

glit•ter [`glɪtə(r)] *vi* błyszczeć, połyskiwać; *s* blask

globe [gləʊb] *s* kula; globus; kula ziemska

gloom•y [`glumɪ] *adj* mroczny; ponury, posępny

glor•i•fy [`glɔrɪfaɪ] *vt* sławić; gloryfikować

glo•ry [`glɔrɪ] *s* chwała, sława; *vi* chlubić się (**in sth** czymś)

glove [glʌv] *s* rękawiczka

glue [glu] *s* klej; *vt* kleić

gnat [næt] *s* komar

*__go__ [gəʊ], **went** [went], **gone** [gon], 3rd *pers sing praes* **goes** [gəʊz] *vi* iść, chodzić, poruszać się, jechać; **let go** puścić; **go bad** zepsuć się; **go mad** zwariować; **go red** poczerwienieć; **go wrong** nie udać się; **go after** gonić; ubiegać się o coś; **go ahead** iść przodem; rozpoczynać (**with sth** coś); **go back** wracać; **go down** schodzić; obniżać się, opadać; iść na dno; **go off** odchodzić; eksplodować; gasnąć; zepsuć się; **go on** kontynuować (**with sth** coś; **doing sth** robienie czegoś); dziać się; **go out** wychodzić; chodzić, spotykać się (**with sb** z kimś); gasnąć; **go up** iść na <w> górę; wzrastać; **go without sth** obchodzić się bez czegoś; *s* kolej (*np. w grze*); werwa; próba

goal [gəʊl] *s sport.* gol, bramka; cel; **score a ~** zdobyć bramkę

goal•keep•er [`gəʊlkipə(r)] *s sport.* bramkarz

goat [gəʊt] *s* koza; kozioł

god [god] *s* bóg, bóstwo; **God** Bóg

goes *zob.* **go**

gold [gəʊld] *s* złoto; *adj* złoty

gold•en [`gəʊldn] *adj* złoty; złocisty

golf [golf] *s sport.* golf

gone *zob.* **go**

good [gʊd] *adj* dobry (*comp* **better** [`betə(r)] lepszy, *sup* **best** [best] najlepszy); grzeczny; **~ at sth** dobry w czymś; **~ morning <afternoon>!** dzień dobry!; **~ evening!** dobry wieczór!; **~ night!** dobranoc!; *s* dobro; *pl* **~s** towary; **~s train** pociąg towarowy; **for ~** na dobre, na zawsze

good•bye ['gʊd`baɪ] *int* do widzenia!

good-look•ing ['gʊd`lʊkɪŋ] *adj* przystojny

goods *zob.* **good** *s*

good•will ['gʊd`wɪl] *s* dobra wola

goose [gus] *s* (*pl* **geese** [gis]) gęś; **~ pimples** gęsia skórka

goose•ber•ry [`gʊzbrɪ] *s* agrest

gos•pel [`gospl] *s* ewangelia

gos•sa•mer [`gosəmə(r)] *s* babie lato, pajęczyna

gos• sip [`gosɪp] *s* plotka; plotkowanie; plotkarz; *vi* plotkować

got *zob.* **get**

got•ten [`gotn] *am. pp od* **get**

gov•ern [ˋgʌvn] *vt vi* rządzić, panować
gov•ern•ment [ˋgʌvənmənt] *s* rząd; rządzenie
grace [greɪs] *s* wdzięk; łaska; *vt* zaszczycać; ozdabiać
grace•ful [ˋgreɪsfl] *adj* pełen wdzięku
grade [greɪd] *s* jakość; ranga; ocena, stopień; *am.* klasa (*w szkole*)
grad•u•ate [ˋgrædʒʊɪt] *s* absolwent; *vi* [ˋgrædʒueɪt] kończyć studia
grain [greɪn] *s* ziarno; *zbior.* zboże
gram•mar [ˋgræmə(r)] *s* gramatyka; ~ **school** szkoła średnia
grand [grænd] *adj* okazały; wspaniały; ~ **piano** fortepian
grand•child [ˋgræntʃaɪld] *s* wnuk, wnuczka; **great** ~ prawnuk, prawnuczka
grand•fath•er [ˋgrændfaðə(r)] *s* dziadek; **great** ~ pradziadek
grand•moth•er [ˋgrændmʌðə(r)] *s* babka; **great** ~ prababka
grant [grant] *vt* spełniać; nadawać (*na własność*); udzielać (*np. pozwolenia*); przyznawać rację; **take sth for ~ed** przyjmować coś za rzecz oczywistą; *s* stypendium
grape [greɪp] *s* winogrono
grape•fruit [ˋgreɪpfrut] *s* grejpfrut
grasp [grasp] *vt* uchwycić, ścisnąć; pojmować; ~ **at sth** chwytać się czegoś; *s* uchwyt (*ręki*); pojmowanie
grass [gras] *s* trawa; **keep off the ~!** nie deptać trawników!
grate•ful [ˋgreɪtfl] *adj* wdzięczny (**for sth** za coś)
grat•i•fi•ca•tion ['grætɪfɪˋkeɪʃn] *s* zadowolenie; satysfakcja; zaspokojenie
grat•i•tude [ˋgrætɪtjud] *s* wdzięczność
gra•tu•i•ty [grəˋtjuətɪ] *s* napiwek; odprawa pieniężna (*dla pracownika*)
grave[1] [greɪv] *s* grób
grave[2] [greɪv] *adj* poważny
gray [greɪ] *zob.* **grey**
grease [gris] *s* tłuszcz; smar; *vt* smarować
great [greɪt] *adj* wielki; świetny
greed•y [ˋgridɪ] *adj* żarłoczny; chciwy
Greek [grik] *adj* grecki; *s* Grek; język grecki
green [grin] *adj* zielony; niedojrzały; *przen.* niedoświadczony; *s* zieleń; trawa

green•house [`grinhaʊs] *s* cieplarnia, szklarnia
greet [grit] *vt* przywitać, pozdrawiać; powitać
greet•ing [`gritɪŋ] *s* przywitanie, pozdrowienie; *pl* **~s** życzenia
grew *zob.* **grow**
grey [greɪ] *adj* szary, siwy; *przen.* ponury
grief [grif] *s* żal; zgryzota
grill [grɪl] *s* ruszt; mięso z rusztu; *vt vi* smażyć (się) na ruszcie
gro•cer•y [`grəʊsrɪ] *s* sklep spożywczy
ground [graʊnd] *s* ziemia; grunt; teren; *pl* **~s** podstawa, powód; **~ floor** parter; *vt vi* osiadać na mieliźnie; odmawiać zgody na start (*samolotu*)
group [grup] *s* grupa; *vt vi* grupować (się)
***grow** [grəʊ], **grew** [gru], **grown** [grəʊn] *vt* hodować; uprawiać; *vi* rosnąć; stawać się; **~ old** starzeć się; **it is ~ing dark** ściemnia się; **~ out** wyrastać (**of sth** z czegoś); **~ up** dorastać
grown-up [`grəʊnʌp] *adj* dorosły; *s* dorosły (człowiek)
guar•an•tee ['gærən`ti] *s* gwarancja; *vt* gwarantować
guard [gɑd] *s* strażnik; straż; konduktor (*kolejowy*); *pl* **~s** gwardia; **stand ~** trzymać wartę; **be on one's ~** mieć się na baczności; *vt* pilnować, strzec
guess [ges] *vt vi* zgadywać; przypuszczać, domyślać się; *s* zgadywanie; domysł; **have a ~** zgadywać; **at a ~** na oko
guest [gest] *s* gość
guide [gaɪd] *s* (*książka, człowiek*) przewodnik; poradnik; *vt* oprowadzać, prowadzić
guilt•y [`gɪltɪ] *adj* winny; **~ conscience** nieczyste sumienie
gui•tar [gɪ`tɑ(r)] *s* gitara
gulf [gʌlf] *s* zatoka; *dosł. i przen.* przepaść
gull [gʌl] *s zool.* mewa
gum¹ [gʌm] *s* dziąsło
gum² [gʌm] *s* klej; **chewing ~** guma do żucia; *vt* kleić
gun [gʌn] *s* pistolet; strzelba; działo
gut•ter [`gʌtə(r)] *s* rynsztok; rynna
guy [gaɪ] *s pot.* gość, facet
gym•nas•tic [dʒɪm`næstɪk] *adj* gimnastyczny; *s pl* **~s** gimnastyka
gynae•colo•gist ['gaɪnɪ`kolədʒɪst] *s* ginekolog
gypsy [`dʒɪpsɪ] *s* = **gipsy**

H

hab•it [ˋhæbɪt] *s* zwyczaj; nawyk; nałóg; habit; **be in the ~ of doing sth** mieć w zwyczaju coś robić

had *zob.* **have**

hadn't [ˋhædnt] = **had not** *zob.* **have**

haem•or•rhage [ˋhemərɪdʒ] *s* krwotok

hail [heɪl] *s* grad; *vi* (*o gradzie*) padać

hair [heə(r)] *s* włos; *zbior.* włosy; sierść

hair•cut [ˋheəkʌt] *s* strzyżenie (*włosów*); fryzura

hair•dress•er [ˋheədresə(r)] *s* fryzjer

hair•dry•er, hair•dri•er [ˋheə'draɪə(r)] *s* suszarka do włosów

half [hɑf] *s* (*pl* **halves** [hɑvz]) połowa; **in ~** na połowę; **one and a ~** półtora; **by halves** połowicznie; **go halves** dzielić się po połowie; *adv* na pół, po połowie

hall [hɔl] *s* przedpokój; hall; sala, aula

hal•lo [həˋləʊ] *int* halo!; cześć!

halves *zob.* **half**

ham [hæm] *s* szynka; **~ sandwich** kanapka z szynką

ham•burg•er [ˋhæmbɜgə(r)] *s* hamburger

ham•mer [ˋhæmə(r)] *s* młotek; *vt vi* wbijać (*gwoździe*); walić (*młotkiem*)

ham•per [ˋhæmpə(r)] *vt* przeszkadzać, utrudniać

ham•ster [ˋhæmstə(r)] *s zool.* chomik

hand [hænd] *s* ręka; wskazówka (*np. zegara*); charakter pisma; **at ~** pod ręką; **by ~** ręcznie; **on the one <other> ~** z jednej <drugiej> strony; **have sth in ~** mieć coś pod kontrolą; *vt* wręczać, podawać; **~ out** rozdawać

hand•bag [ˋhændbæg] *s* torebka damska

hand•i•cap [ˋhændɪkæp] *s* ułomność, upośledzenie; przeszkoda, utrudnienie

hand•i•craft [ˋhændɪkrɑft] *s* rękodzielnictwo; rzemiosło

hand•ker•chief [ˋhæŋkətʃɪf] *s* chusteczka (*do nosa*)

han•dle [ˋhændl] *s* rączka, uchwyt; klamka; *vt* dotykać rękami; obchodzić się, radzić sobie (**sb, sth** z kimś, czymś); odpowiadać (**sth** za coś)

hand•made ['hændˋmeɪd] *adj* ręcznie wykonany

hand•some [ˋhænsəm] *adj* przystojny; pokaźny; hojny
hand•writ•ing [ˋhændraɪtɪŋ] *s* charakter pisma, pismo
***hang** [hæŋ], **hung, hung** [hʌŋ] *vt vi* wieszać (*np. zasłony*); wisieć; *vt vi* (**hanged, hanged** [hæŋd]) wieszać (*np. skazańca*); *vr* ~ **oneself** powiesić się; ~ **about** włóczyć się bez celu; ~ **on** poczekać; trzymać się (**to sth** czegoś); ~ **up** odkładać słuchawkę; wieszać (*ubranie na wieszaku*)
hang•er [ˋhæŋə(r)] *s* wieszak (*ramiączko*)
hang•over [ˋhæŋəʊvə(r)] *s* kac
hap•pen [ˋhæpn] *vi* zdarzyć się; dziać się; ~ **to do sth** przypadkowo coś zrobić
hap•pi•ness [ˋhæpɪnəs] *s* szczęście
hap•py [ˋhæpɪ] *s* szczęśliwy; zadowolony
har•bour [ˋhɑbə(r)] *s* port; *vt* chronić (*np. przestępcę*)
hard [hɑd] *adj* twardy; surowy; trudny; mocny; ~ **cash** gotówka; *adv* mocno, twardo; ciężko, z trudem
hard•ly [ˋhɑdlɪ] *adv* z trudem; ledwo; **I can ~ say** trudno mi powiedzieć; ~ **ever** rzadko, prawie nigdy
hard•ware [ˋhɑdweə(r)] *s zbior.* towary żelazne; *komp.* hardware
hare [heə(r)] *s zool.* zając
harm [hɑm] *s* szkoda; krzywda; **do ~** zaszkodzić; *vt* szkodzić; krzywdzić
harm•ful [ˋhɑmfl] *adj* szkodliwy
har•mo•ny [ˋhɑmənɪ] *s muz.* harmonia; zgodność
harsh [hɑʃ] *adj* szorstki; surowy; (*o kolorze, świetle*) ostry
har•vest [ˋhɑvɪst] *s* żniwa; zbiory, plon; *vt vi* zbierać (zboże)
has *zob.* **have**
hasn't [ˋhæznt] = **has not** *zob.* **have**
haste [heɪst] *s* pośpiech; **make ~** śpieszyć się
hat [hæt] *s* kapelusz
hate [heɪt] *vt* nienawidzić; *s* nienawiść
haul hɔl] *vt vi* ciągnąć; przewozić; *mors.* holować; *s* połów; łup
***have** [hæv, həv], **had, had** [hæd, həd], 3 *pers sing praes* **has** [hæz, həz] *vt* mieć; posiadać; dostawać; ~ **sth done** kazać (sobie) coś zrobić, oddawać coś do zrobienia; **I must ~ my watch repaired** muszę dać zegarek do naprawy; **I ~ (got) to** muszę; **I ~ to go**

muszę iść; ~ **a good time** dobrze się bawić; ~ **dinner** jeść obiad; ~ **a bath** wykąpać się; ~ **a swim** popływać

haven't [ˋhævnt] = **have not**

hawk [hɔk] *s* jastrząb

hay [heɪ] *s* siano

haz•ard [ˋhæzəd] *s* niebezpieczeństwo; ryzyko; *vt* ryzykować

he [hi] *pron* on

head [hed] *s* głowa; dyrektor; przywódca; nagłówek; **at the** ~ na czele; **keep one's** ~ nie tracić głowy; *vt* prowadzić, przewodzić; ~ **for** zmierzać, kierować się (**home** do domu)

head•ache [ˋhedeɪk] *s* ból głowy

head•phones [ˋhedfəʊnz] *s pl* słuchawki

head•way [ˋhedweɪ] *s* postęp; **make** ~ robić postępy

heal [hil] *vi* goić się; *vt* leczyć, uzdrawiać

health [helθ] *s* zdrowie; ~ **food** zdrowa żywność; ~ **insurance** ubezpieczenie na wypadek choroby; ~ **resort** uzdrowisko

health•y [ˋhelθɪ] *adj* zdrowy

heap [hip] *s* stos; *vt* układać w stos

***hear** [hɪə(r)], **heard, heard** [hɜd] *vt vi* słyszeć; wysłuchać; ~ **from sb** otrzymać wiadomość od kogoś

heart [hɑt] *s dosł. i przen.* serce; *pl* ~**s** (*w kartach*) kiery; ~ **attack** zawał; **by** ~ na pamięć; ~ **to** ~ szczerze; **have sth at** ~ mieć coś na sercu

heart•burn [ˋhɑtbɜn] *s* zgaga

heat [hit] *vt vi* podgrzewać (się); *s* gorąco, upał; *fiz.* ciepło; rozgorączkowanie

heat•er [ˋhitə(r)] *s* grzejnik

heav•en [ˋhevn] *s* niebo, niebiosa; **for** ~**'s sake!** na miłość boską!

heav•y [ˋhevɪ] *adj* ciężki; wielki; (*o deszczu*) rzęsisty; ~ **smoker** nałogowy palacz

He•brew [ˋhibru] *adj* hebrajski; *s* Hebrajczyk; język hebrajski

he'd [hid] = **he had, he would**

hedge•hog [ˋhedʒhog] *s zool.* jeż

heel [hil] *s* pięta; obcas

height [hɑɪt] *s* wzrost (*człowieka*); wysokość; wzniesienie (*terenu*); *przen.* szczyt; *pl* ~**s** wzgórza

held *zob.* **hold**

hell [hel] *s* piekło; *int* do diabła!

he'll [hil] = **he will, he shall**

hel•lo [he`ləʊ] *int* cześć!; halo!
hel•met [`helmɪt] *s* hełm; kask
help [help] *vt vi* pomagać (**with sth** w czymś); **~ yourself** poczęstuj się (**to sth** czymś); **I can't ~ laughing** nie mogę się powstrzymać od śmiechu; **I can't ~ it** nic na to nie poradzę; *s* pomoc; **be of ~** być pomocnym (**to sb** komuś)
hen [hen] *s zool.* kura; samica (*u ptaków*)
her [hɜ(r), ɜ(r)] *pron* ją, jej
herb [hɜb] *s* zioło
here [hɪə(r)] *adv* tu, tutaj; **from ~** stąd; **in ~** tu (*wewnątrz*); **near ~** niedaleko stąd, tuż obok; **~ and there** tu i tam; **~ you are** proszę bardzo
he•ro [`hɪərəʊ] *s* (*pl* **~es** [`hɪərəʊz]) bohater
her•ring [`herɪŋ] *s zool.* śledź
hers [hɜz] *pron* jej
her•self [hə`self] *pron* się, siebie; sama; **by ~** sama, samodzielnie
he's [hiz] = **he is, he has**
hes•i•tate [`hezɪteɪt] *vi* wahać się, być niezdecydowanym
hic•cup, hic•cough [`hɪkʌp] *s* czkawka; *vi* mieć czkawkę
***hide** [haɪd], **hid** [hɪd], **hidden** [`hɪdn] *vt vi* ukrywać (się), chować (się)
hid•e•ous [`hɪdɪəs] *adj* ohydny, paskudny
high [haɪ] *adj* wysoki; (*o wietrze*) silny; **~ life** życie wyższych sfer; **~ season** szczyt sezonu; **~ spirits** radosny nastrój; **it's ~ time you went there** najwyższy czas, żebyś tam poszedł; *adv* wysoko; **~ and low** wszędzie
high•way [`haɪweɪ] *s am.* autostrada; szosa; **Highway Code** kodeks drogowy
hi•jack [`haɪdʒæk] *vt* porywać (*np. samolot*); *s* porwanie
hike [haɪk] *s* wędrówka, piesza wycieczka; *vi* wędrować
hill [hɪl] *s* wzgórze, pagórek
him [hɪm] *pron* jemu, mu; jego, go
him•self [hɪm`self] *pron* się, siebie; sam; **by ~** sam, samodzielnie
hin•der [`hɪndə(r)] *vt* powstrzymywać (**sb from doing sth** kogoś od zrobienia czegoś); przeszkadzać
hinge [hɪndʒ] *s* zawias
hint [hɪnt] *s* aluzja; wzmianka; wskazówka; ślad, cień;

vt vi robić aluzję, dawać do zrozumienia (**at sth** coś)

hip [hɪp] *s* biodro

hire [ˋhaɪə(r)] *vt* (wy)najmować; *s* (wy)najem; opłata za (wy)najem; **car ~** wypożyczalnia samochodów

his [hɪz] *pron* jego

his•tor•ical [hɪˋstorɪkl] *adj* historyczny

his•to•ry [ˋhɪstrɪ] *s* historia, dzieje

***hit, hit, hit** [hɪt] *vt* uderzyć; trafiać; **~ back** oddawać cios; *s* uderzenie; przebój

hitch•hike [ˋhɪtʃhaɪk] *vi* podróżować autostopem

hive [haɪv] *s* ul

hoax [həʊks] *s* kawał, żart

hob•by [ˋhobɪ] *s* hobby, konik

hock•ey [ˋhokɪ] *s* hokej; **field <ice> ~** hokej na trawie <na lodzie>

***hold** [həʊld], **held, held** [held] *vt vi* trzymać (się); odbywać (*np. zebranie*); (*np. o pogodzie*) utrzymywać się; zatrzymywać (*np. zakładników*); mieścić; obchodzić (*np. święto*); twierdzić; **be held** odbywać się; **~ one's tongue** milczeć; **~ back** powstrzymywać; zatajać; **~ off** powstrzymywać, trzymać z dala; opóźniać, wstrzymywać; **~ on** poczekać (*przy telefonie*); trwać (**to sth** przy czymś); **~ up** podtrzymywać; podnosić; zatrzymywać, opóźniać; napadać (*z bronią*); *s* uchwyt; trzymanie; **get ~** pochwycić, złapać (**of sth** coś)

hold•up [ˋhəʊldʌp] *s* zatrzymanie (*ruchu*); napad (rabunkowy)

hole [həʊl] *s* dziura, otwór; *vt* dziurawić

hol•i•day [ˋholɪdɪ] *s* święto; dzień wolny od pracy; (*zw. pl* **~s**) wakacje; urlop

hol•low [ˋholəʊ] *adj* pusty, wydrążony; (*o policzkach*) zapadnięty; *s* dziura, wydrążenie; *vt*: **~ out** wydrążyć

ho•ly [ˋhəʊlɪ] *adj* święty, poświęcony; **~ orders** święcenia

home [həʊm] *s* dom; **at ~** w domu; **make oneself at ~** rozgościć się; *adv* do domu; *adj* domowy; krajowy

home•sick [ˋhəʊmsɪk] *adj* tęskniący za domem

home•work [ˋhəʊmwɜk] *s* praca domowa

hon•est [ˋonɪst] *adj* uczciwy; szczery

hon•ey [ˋhʌnɪ] *s* miód; *int* (*zwracając się do kogoś*) kochanie!

hon•our [ˋonə(r)] *s* honor; zaszczyt; **in ~ of** na cześć; *vt* uhonorować

hood [hʊd] *s* kaptur; osłona; *am.* maska samochodu

hook [hʊk] *s* hak; haczyk; haftka; *geogr.* cypel; *vt* łapać na haczyk

hoot [hut] *s* pohukiwanie; trąbienie (*samochodu*); *vt vi* pohukiwać; (*o samochodzie*) trąbić (**at sb** na kogoś); (*o syrenie*) wyć

hoot•er [ˋhutə(r)] *s* syrena; klakson

hope [həʊp] *vi* mieć nadzieję; *s* nadzieja

ho•ri•zon [həˋraɪzn] *s* horyzont, widnokrąg

horn [hɔn] *s* róg; klakson

hor•ri•ble [ˋhorəbl] *adj* straszny, okropny

hor•ror [ˋhorə(r)] *s* przerażenie; okropność; **~ film** horror

hors d'oeu•vre ['ɔˋdɜv] *s* przystawka

horse [hɔs] *s zool.* koń; **~ racing** wyścigi konne

horse•back [ˋhɔsbæk] *s*: **on ~** konno, na koniu

horse•rad•ish [ˋhɔsrædɪʃ] *s bot.* chrzan

hose [həʊz] *s* wąż (*ogrodowy*)

ho•sier•y [ˋhəʊzɪərɪ] *s zbior.* wyroby pończosznicze

hos•pi•ta•ble [ˋhospɪtəbl] *adj* gościnny

hos•pi•tal [ˋhospɪtl] *s* szpital

host [həʊst] *s* gospodarz, pan domu

hos•tage [ˋhostɪdʒ] *s* zakładnik

hos•tel [ˋhostl] *s* schronisko; **youth ~** schronisko młodzieżowe

host•ess [ˋhəʊstɪs] *s* gospodyni, pani domu

hos•tile [ˋhostaɪl] *adj* wrogi (**to sb, sth** komuś, czemuś)

hot [hot] *adj* gorący; (*o potrawie*) ostry; **~ dog** hot dog; **~ line** gorąca linia; **~ news** najświeższe wiadomości

ho•tel [həʊˋtel] *s* hotel

hour [ɑʊə(r)] *s* godzina; **office ~s** godziny urzędowe

house [hɑʊs] *s* dom; izba (*w parlamencie*); widownia; **keep ~** prowadzić dom; *vt* przydzielać mieszkanie; mieścić

house•wife [ˋhɑʊswɑɪf] *s* gospodyni domowa

hov•er•craft [ˋhovəkrɑft] *s* poduszkowiec

how [hɑʊ] *adv* jak, w jaki sposób; **~ much <many>?** ile?; **~ are you?** jak się czujesz?; ~ **nice of you to come** jak miło, że przyszedłeś

how•ev•er [hɑʊ`evə(r)] *adv* jakkolwiek; jednak(że), niemniej; *conj* jednak

hug [hʌg] *vt* tulić, obejmować; *s* uścisk

huge [hjudʒ] *adj* olbrzymi, ogromny

hu•man [`hjumən] *adj* ludzki; ~ **being** człowiek; *s* istota ludzka

hu•mane [hju`meɪn] *adj* humanitarny, ludzki; humanistyczny

hu•man•i•ty [hju`mænətɪ] *s* ludzkość; humanitarność; *pl* **humanities** nauki humanistyczne

hum•ble [`hʌmbl] *adj* pokorny; skromny; *vt* upokarzać

hum•bug [`hʌmbʌg] *s* brednie; oszust

hu•mid•i•ty [hju`mɪdətɪ] *s* wilgotność

hu•mil•i•ate [hju`mɪlɪeɪt] *vt* upokarzać, poniżać

hu•mor•ous [`hjumərəs] *adj* humorystyczny, śmieszny

hu•mour [`hjumə(r)] *s* humor; nastrój; **out of** ~ w złym humorze; **sense of** ~ poczucie humoru

hun•dred [`hʌndrəd] *num* sto; *s* setka

hun•dredth [`hʌndrədθ] *adj* setny; *s* jedna setna

hung *zob.* **hang**

Hun•ga•ri•an [hʌŋ`geərɪən] *adj* węgierski; *s* Węgier; język węgierski

hun•ger [`hʌŋgə(r)] *s* głód (**for sth** czegoś); *vi* głodować; pożądać (**after <for> sth** czegoś)

hun•gry [`hʌŋgrɪ] *adj* głodny, wygłodzony; **be ~ for sth** pragnąć <pożądać> czegoś

hunt [hʌnt] *vt vi* polować (**animals** na zwierzynę); poszukiwać; ścigać; *s* polowanie; pościg

hur•ri•cane [`hʌrɪkən] *s* huragan

hur•ry [`hʌrɪ] *vt* popędzać, ponaglać; *vi* śpieszyć się; *s* pośpiech

***hurt, hurt, hurt** [hɜt] *vt vi* skaleczyć, zranić; sprawiać ból; boleć; *s* skaleczenie, rana; uraz (*psychiczny*)

hus•band [`hʌzbənd] *s* mąż

hy•dro•foil [`hɑɪdrəfoɪl] *s* wodolot

hy•dro•gen [`hɑɪdrədʒən] *s* *chem.* wodór

hy•giene [`hɑɪdʒin] *s* higiena

hymn [hɪm] *s* hymn

hys•ter•i•cal [hɪ`sterɪkl] *adj* histeryczny

I

I [aɪ] *pron* ja

ice [aɪs] *s* lód; **~ rink** lodowisko

ice•berg [`aɪsbɜg] *s* góra lodowa

ice cream [aɪs`krim] *s* lody

I'd [aɪd] = **I had, I should, I would**

i•de•a [aɪ`dɪə] *s* myśl, pomysł; pojęcie; **what an ~!** co za pomysł!

i•den•ti•ty [aɪ`dentətɪ] *s* tożsamość; **~ card** dowód osobisty

id•i•om [`ɪdɪəm] *s* idiom; styl językowy

id•i•ot [`ɪdɪət] *s* idiota

if [ɪf] *conj* jeżeli, jeśli; (*w zdaniach pytających zależnych*) czy; **I wonder if he is there** ciekaw jestem, czy on tam jest; **if I knew** gdybym wiedział; **if necessary** w razie potrzeby; **if not** w przeciwnym razie; **if so** w takim razie; **as if** jak gdyby

ig•nore [ɪg`nɔ(r)] *vt* ignorować, nie zwracać uwagi

ill [ɪl] *adj* (*comp* **worse** [wɜs], *sup* **worst** [wɜst]) *praed* chory (**with sth** na coś); szkodliwy; **fall <be taken> ~** zachorować; *adv* źle

I'll [aɪl] = **I shall, I will**

il•le•gal [ɪ`ligl] *adj* bezprawny, nielegalny

ill•ness [`ɪlnəs] *s* choroba

il•lu•sion [ɪ`luʒn] *s* złudzenie, iluzja

il•lus•tra•tion ['ɪlə`streɪʃn] *s* ilustracja

I'm [aɪm] = **I am**

im•age [`ɪmɪdʒ] *s* obraz, podobizna; wyobrażenie, wizerunek

im•ag•i•na•tion [ɪ'mædʒɪ`neɪʃn] *s* wyobraźnia; urojenie

im•ag•ine [ɪ`mædʒɪn] *vt* wyobrażać sobie; mieć wrażenie

im•i•ta•tion ['ɪmɪ`teɪʃn] *s* naśladownictwo; imitacja

im•me•di•ate [ɪ`midɪət] *adj* natychmiastowy; najbliższy; bezpośredni

im•me•di•ate•ly [ɪ`midɪətlɪ] *adv* natychmiast; bezpośrednio

im•merse [ɪ`mɜs] *vt* zanurzać; *vr* **~ oneself** (*w pracy, myślach*) zatapiać się

im•mi•grant [`ɪmɪgrənt] *s* imigrant

im•mi•grate [`ɪmɪgreɪt] *vi* imigrować

im•mor•al ['ɪ`morl] *adj* niemoralny

im•pa•tient [ɪm`peɪʃnt] *adj* niecierpliwy, zniecierpliwiony (**with sth** czymś)

im•per•a•tive [ɪm`perətɪv] *adj* naglący; rozkazujący; *s gram.* tryb rozkazujący; imperatyw

im•per•son•al [ɪm`pɜsnl] *adj* nieosobowy, bezosobowy

im•ple•ment [`ɪmpləmənt] *s* narzędzie; *vt* [`ɪmpləment] wprowadzać w życie

im•po•lite ['ɪmpə`lɑɪt] *adj* nieuprzejmy, niegrzeczny

im•port [ɪm`pɔt] *vi* importować; *s* [`ɪmpɔt] import; znaczenie; ważność, waga

im•por•tant [ɪm`pɔtnt] *adj* ważny, doniosły

im•pose [ɪm`pəʊz] *vt* nakładać (*podatki*); narzucać (**sth on sb** coś komuś); *vi*: **~ on sb** nadużywać czyjejś uprzejmości

im•pos•si•ble [ɪm`posəbl] *adj* niemożliwy

im•pres•sion [ɪm`preʃn] *s* wrażenie, impresja; odcisk, odbicie; *druk.* nakład; **make an ~** wywrzeć wrażenie (**on sb** na kimś)

im•pris•on [ɪm`prɪzn] *vt* uwięzić

im•prob•a•ble [ɪm`probəbl] *adj* nieprawdopodobny

im•prove [ɪm`pruv] *vt vi* poprawiać <udoskonalać, ulepszać> (się)

im•pu•dent [`ɪmpjʊdənt] *adj* zuchwały, bezczelny

im•pulse [`ɪmpʌls] *s* nagła ochota, poryw; *elektr.* impuls; **on ~** pod wpływem impulsu

in [ɪn] *praep* (*miejsce*) w, we, wewnątrz, na, do; (*czas*) w ciągu, w czasie, za; **in a month** za miesiąc; **in the morning** rano; **in writing** na piśmie; *adv* w środku, wewnątrz, w domu; do środka, do wewnątrz <wnętrza>; **be in** być wewnątrz <w domu>

in•cen•tive [ɪn`sentɪv] *s* podnieta, bodziec

in•cest [`ɪnsest] *s* kazirodztwo

inch [ɪntʃ] *s* cal; **~ by ~** stopniowo

in•ci•dent [`ɪnsɪdənt] *s* wydarzenie; incydent

in•cline [ɪn`klɑɪn] *vt vi* skłaniać (się) (**to <towards> sth** do czegoś); nachylać (się), pochylać (się)

in•clude [ɪn`klud] *vt* włączać, zawierać

in•come [`ɪnkəm] *s* dochód; **~ tax** podatek dochodowy

in•com•pat•i•ble [ɪnkəm`pætəbl] *adj* nie dający się

pogodzić; *komp.* niekompatybilny

in•con•sist•ent ['ɪnkən`sɪstənt] *adj* niekonsekwentny; niezgodny, sprzeczny

in•con•ven•ient ['ɪnkən`viniənt] *adj* niedogodny; kłopotliwy, uciążliwy

in•crease [ɪn`kris] *vt* zwiększać; (*ceny, płace*) podwyżać; *vi* wzrastać, powiększać się; *s* [`ɪnkris] wzrost (**in sth** czegoś); podwyżka; **be on the ~** wzrastać

in•cred•i•ble [ɪn`kredəbl] *adj* niewiarygodny

in•cred•u•lous [ɪn`kredjʊləs] *adj* nie dowierzający

in•debt•ed [ɪn`detɪd] *adj* wdzięczny, zobowiązany (**to sb** komuś)

in•deed [ɪn`did] *adv* rzeczywiście, faktycznie, naprawdę; **I am very glad ~** ogromnie się cieszę; **yes, ~!** ależ oczywiście!

in•def•i•nite [ɪn`defnɪt] *adj* nieokreślony, niewyraźny

in•de•pend•ence ['ɪndɪ`pendəns] *s* niezależność, niepodległość

in•de•pend•ent ['ɪndɪ`pendənt] *adj* (*o państwie*) niepodległy; (*o człowieku*) niezależny, samodzielny

In•di•an [`ɪndɪən] *adj* indyjski, hinduski; indiański; **~ summer** babie lato; *s* Indianin; Hindus

in•di•cate [`ɪndɪkeɪt] *vt* wskazywać (**sth** coś, na coś); oznaczać, sygnalizować

in•dif•fer•ent [ɪn`dɪfrənt] *adj* obojętny (**to sb** dla kogoś; **to sth** na coś)

in•di•ges•tion ['ɪndɪ`dʒestʃn] *s* niestrawność

in•dig•nant [ɪn`dɪgnənt] *adj* oburzony (**with sb** na kogoś; **at sth** na coś)

in•di•rect ['ɪndɪ`rekt] *adj* pośredni; wymijający

in•dis•creet ['ɪndɪ`skrit] *adj* niedyskretny

in•dis•pen•sa•ble ['ɪndɪ`spensəbl] *adj* niezbędny, nieodzowny (**to sth** do czegoś)

in•di•vid•u•al ['ɪndɪ`vɪdʒʊəl] *adj* pojedynczy; indywidualny; *s* jednostka

In•do•ne•sian ['ɪndəʊ`niziən] *adj* indonezyjski; *s* Indonezyjczyk

in•doors ['ɪn`dɔz] *adv* wewnątrz; pod dachem; (*wchodzić*) do środka

in•duce [ɪn`djus] *vt* nakłaniać; powodować, wywoływać

in•dulge [ɪn`dʌldʒ] *vt* pobłażać; zaspokajać (*pragnienia, zachcianki*)

in•dul•gent [ɪn`dʌldʒənt] *adj* pobłażliwy

in•dus•try [`ɪndəstrɪ] *s* przemysł; pracowitość

in•ed•i•ble [ɪn`edəbl] *adj* niejadalny

in•ev•i•ta•ble [ɪn`evɪtəbl] *adj* nieunikniony

in•fant [`ɪnfənt] *s* niemowlę; dziecko (*do 7 lat*); ~ **school** przedszkole

in•fan•try [`ɪnfəntrɪ] *s* *wojsk.* piechota

in•fat•u•at•ed [ɪn`fætʃʊeɪtɪd] *adj* zadurzony (**with sb** w kimś)

in•fec•tion [ɪn`fekʃn] *s* infekcja; zakażenie

in•fi•nite [`ɪnfənɪt] *adj* nieograniczony, nieskończony; ogromny

in•fir•ma•ry [ɪn`fɜmərɪ] *s* szpital

in•flam•ma•ble [ɪn`flæməbl] *adj* łatwo palny; *przen.* zapalczywy

in•flam•ma•tion ['ɪnflə`meɪʃn] *s* *med.* zapalenie

in•flate [ɪn`fleɪt] *vt* nadmuchać, napompować; zawyżać (*cenę*)

in•fla•tion [ɪn`fleɪʃn] *s* inflacja; nadmuchiwanie

in•flu•ence [`ɪnflʊəns] *s* wpływ; oddziaływanie; *vt* wpływać (**sb, sth** na kogoś, coś)

in•form [ɪn`fɔm] *vt* informować, zawiadamiać (**sb of sth** kogoś o czymś); ~ **on sb** donosić na kogoś

in•for•ma•tion ['ɪnfə`meɪʃn] *s* informacja; **a piece of** ~ wiadomość

in•gre•di•ent [ɪn`gridɪənt] *s* składnik

in•hab•it [ɪn`hæbɪt] *vt* zamieszkiwać

in•hab•it•ant [ɪn`hæbɪtənt] *s* mieszkaniec

in•her•it [ɪn`herɪt] *vt vi* dziedziczyć (**from sb** po kimś)

in•her•i•tance [ɪn`herɪtəns] *s* spadek; dziedzictwo, spuścizna

in•hib•it [ɪn`hɪbɪt] *vt* hamować, powstrzymywać

in•hu•man [ɪn`hjumən] *adj* nieludzki

in•hu•mane ['ɪnhju`meɪn] *adj* niehumanitarny

in•i•ti•a•tive [ɪ`nɪʃətɪv] *s* inicjatywa; **on one's own** ~ z własnej inicjatywy

in•jec•tion [ɪn`dʒekʃn] *s* zastrzyk

in•jure [`ɪndʒə(r)] *vt* uszkodzić; zranić; szkodzić (*reputacji*)

in•ju•ry [`ɪndʒərɪ] *s* krzywda; uraz, rana

in•jus•tice [ɪn`dʒʌstɪs] *s* niesprawiedliwość
ink [ɪŋk] *s* atrament
inn [ɪn] *s* gospoda, zajazd
in•ner [`ɪnə(r)] *adj attr* wewnętrzny
in•no•cent [`ɪnəsnt] *adj* niewinny
in•no•va•tion ['ɪnə`veɪʃn] *s* innowacja
in•quire [ɪn`kwaɪə(r)] *vi* pytać, dowiadywać się (**about sth** o coś); **~ after sb** pytać o czyjeś zdrowie; **~ into sth** badać coś, przeprowadzać dochodzenie
in•quir•y [ɪn`kwaɪərɪ] *s* pytanie; dochodzenie; **~ office** biuro informacji
in•quis•i•tive [ɪn`kwɪzətɪv] *adj* dociekliwy
in•sane [ɪn`seɪn] *adj* umysłowo chory, obłąkany
in•scrip•tion [ɪn`skrɪpʃn] *s* napis; dedykacja
in•sect [`ɪnsekt] *s* owad
in•sert [ɪn`sɜt] *vt* wstawiać, wkładać, wsuwać
in•side [ɪn`saɪd] *s* wnętrze; **~ out** na lewą stronę; *pl* **~s** wnętrzności; *adj attr* wewnętrzny; *adv praep* wewnątrz, do wnętrza
in•sight [`ɪnsaɪt] *s* intuicja; wgląd (**into sth** w coś)
in•sist [ɪn`sɪst] *vi* nalegać; upierać się; domagać się (**on <upon> sth** czegoś)
in•so•lent [`ɪnsələnt] *adj* bezczelny
in•som•ni•a [ɪn`somnɪə] *s* bezsenność
in•spect [ɪn`spekt] *vt* badać, sprawdzać; robić inspekcję
in•stall [ɪn`stɔl] *vt* instalować; obsadzać stanowisko
in•stal•ment [ɪn`stɔlmənt] *s* odcinek (*powieści, serialu*); rata; **in ~s** w ratach
in•stance [`ɪnstəns] *s* przypadek; **for ~** na przykład
in•stant [`ɪnstənt] *s* chwila; *adj* natychmiastowy; **~ coffee** kawa rozpuszczalna; **the 3rd ~** trzeciego bieżącego miesiąca
in•stead [ɪn`sted] *adv* zamiast tego; *praep*: **~ of** zamiast, w miejsce
in•stinct [`ɪnstɪŋkt] *s* instynkt
in•sti•tu•tion ['ɪnstɪ`tjuʃn] *s* instytucja; towarzystwo; ustanowienie
in•struct [ɪn`strʌkt] *vt* instruować; szkolić (**sb in sth** kogoś w czymś)
in•struc•tion [ɪn`strʌkʃn] *s* szkolenie; *pl* **~s** instrukcje; **~ manual** instrukcja obsługi
in•stru•ment [`ɪnstrumənt] *s*

instrument, przyrząd; *dosł. i przen.* narzędzie

in•sult [ɪn`sʌlt] *vt* znieważać, obrażać; *s* [`ɪnsʌlt] obraza, zniewaga

in•sur•ance [ɪn`ʃuərns] *s* ubezpieczenie; zabezpieczenie; ~ **broker** agent ubezpieczeniowy; ~ **premium** składka ubezpieczeniowa

in•sure [ɪn`ʃuə(r)] *vt vi* ubezpieczać (się) (**against sth** od czegoś)

in•tel•lect [`ɪntəlekt] *s* intelekt; inteligencja

in•tel•lec•tu•al ['ɪntə`lektʃuəl] *adj* intelektualny; *s* intelektualista

in•tel•li•gence [ɪn`telɪdʒəns] *s* inteligencja; wywiad; ~ **service** służba wywiadowcza

in•tel•li•gent [ɪn`telɪdʒənt] *adj* inteligentny

in•tend [ɪn`tend] *vt* zamierzać; przeznaczać

in•ten•si•ty [ɪn`tensətɪ] *s* intensywność

in•ten•tion [ɪn`tenʃn] *s* zamiar, cel

in•ter•course [`ɪntəkɔs] *s* stosunek (*zw. seksualny*); kontakty

in•ter•est [`ɪntrəst] *s* zainteresowanie; interes, zysk, udział (*w zyskach*); odsetki, procent; ~ **rate** stopa procentowa; **take an** ~ interesować się (**in sth** czymś); *vt* interesować; **be** ~**ed** interesować się (**in sth** czymś)

in•ter•est•ing [`ɪntrəstɪŋ] *adj* interesujący, ciekawy

in•ter•fere ['ɪntə`fɪə(r)] *vi* wtrącać się (**in sth** w coś, do czegoś)

in•te•ri•or [ɪn`tɪərɪə(r)] *s* wnętrze domu; środek kraju; *adj* wewnętrzny; ~ **design** architektura wnętrz

in•ter•jec•tion ['ɪntə`dʒekʃn] *s* wtrącenie; *gram.* wykrzyknik

in•ter•me•di•ate ['ɪntə`midɪət] *adj* pośredni; średnio zaawansowany

in•ter•nal [ɪn`tɜnl] *adj* wewnętrzny

in•ter•na•tion•al ['ɪntə`næʃnl] *adj* m

In•ter•net [`ɪntə(r)netl] *s* Internet

in•ter•pret [ɪn`tɜprɪt] *vt* wyjaśniać; interpretować; *vi* tłumaczyć (*ustnie*)

in•ter•pre•ta•tion [ɪn'tɜprɪ`teɪʃn] *s* interpretacja

in•ter•pret•er [ɪn`tɜprɪtə(r)] *s* tłumacz (*np. konferencyjny*)

in•ter•ro•gate [ɪn`terəgeɪt] *vt* indagować, przesłuchiwać

in•ter•rupt ['ɪntə`rʌpt] *vt vi* przerywać

in•ter•vene ['ɪntə`vin] *vi* interweniować; ingerować, przeszkadzać

in•ter•view [`ɪntəvju] *s* rozmowa kwalifikacyjna; wywiad; *vt* przeprowadzić rozmowę kwalifikacyjną <wywiad> (**sb** z kimś)

in•tes•tine [ɪn`testɪn] *s anat.* jelito

in•ti•mate [`ɪntɪmət] *adj* bliski, intymny; (*o wiedzy*) gruntowny; *s* zaufany człowiek

in•to [`ɪntʊ, `ɪntə] *praep* (*oznacza ruch, kierunek*) w, do; **far ~ the night** do późna w nocy; (*oznacza przemianę, wynik czynności*) na, w; **break ~ pieces** rozbić się na kawałki; **turn ~ (sb <sth>)** zmienić się w (kogoś <coś)

in•to•na•tion ['ɪntə`neɪʃn] *s* intonacja

in•tro•duce ['ɪntrə`djus] *vt* przedstawiać (**sb to sb** kogoś komuś); wprowadzać

in•tro•duc•tion ['ɪntrə`dʌkʃn] *s* wprowadzenie (*produktu, technologii*); przedstawienie (*osób*); wstęp

in•tu•i•tion ['ɪntjʊ`ɪʃn] *s* intuicja

in•vade [ɪn`veɪd] *vt* najeżdżać; *dosł. i przen.* (za)atakować

in•va•lid[1] [`ɪnvəlɪd] *s* inwalida; *adj* chory, ułomny

in•va•lid[2] [ɪn`vælɪd] *adj* nieważny, nieprawomocny

in•va•sion [ɪn`veɪʒn] *s* inwazja

in•vent [ɪn`vent] *vt* wynaleźć; wymyślić; zmyślić

in•ven•tion [ɪn`venʃn] *s* wynalezienie; wynalazek; wymysł

in•ven•to•ry [`ɪnvəntrɪ] *s* spis inwentarza

in•ves•ti•gate [ɪn`vestɪgeɪt] *vt* badać; prowadzić śledztwo

in•ves•ti•ga•tion [ɪn'vestɪ`geɪʃn] *s* badanie; śledztwo

in•vest•ment [ɪn`vestmənt] *s* inwestowanie; inwestycja

in•vis•i•ble [ɪn`vɪzəbl] *adj* niewidzialny, niewidoczny

in•vi•ta•tion ['ɪnvɪ`teɪʃn] *s* zaproszenie (**to sth** na coś); **by ~** za okazaniem zaproszenia

in•vite [ɪn`vaɪt] *vt* zapraszać (**to sth** na coś); zachęcać (*zw. do złego*)

in•volve [ɪn`volv] *vt* wmieszać, uwikłać (**sb in sth** kogoś w coś); wymagać, pociągać za sobą; obejmować, włączać

in•ward [ˋɪnwəd] *adj* wewnętrzny; *adv* (*także* **~s**) do wnętrza, w głąb
i•o•dine [ˋaɪədin] *s* jodyna
I•ra•ni•an [ɪˋreɪnɪən] *adj* irański; *s* Irańczyk
I•rish [ˋaɪərɪʃ] *adj* irlandzki
I•rish•man [ˋaɪərɪʃmən] (*pl* **Irishmen** [ˋaɪərɪʃmən]) *s* Irlandczyk
i•ron [ˋaɪən] *s* żelazo; żelazko (*do prasowania*); *vt* prasować
i•rony [ˋaɪərənɪ] *s* ironia
ir•reg•u•lar [ɪˋregjʊlə(r)] *adj* nieregularny; nieprawidłowy; nierówny
ir•rel•e•vant [ɪˋreləvənt] *adj* nieistotny, niezwiązany z tematem
ir•ri•tate [ˋɪrɪteɪt] *vt* irytować, rozdrażniać; podrażniać (*np. skórę*)
is [ɪz] *zob.* **be**
is•land [ˋaɪlənd] *s* wyspa
isn't [ɪznt] = **is not** *zob.* **be**
i•so•late [ˋaɪsəleɪt] *vt* izolować, wyodrębniać (**from sth** od czegoś)
i•so•la•tion [ˈaɪsəˋleɪʃn] *s* izolacja, odosobnienie
Is•rae•li [ɪzˋreɪlɪ] *s* Izraelczyk; *adj* izraelski
is•sue [ˋɪʃu] *s* kwestia sporna; wydanie; emisja; numer (*np. gazety*); *vt* wydawać; emitować
it [ɪt] *pron* ono, to; (*o rzeczownikach nieżywotnych i zwierzętach*) on, ona
I•tal•ian [ɪˋtælɪən] *adj* włoski; *s* Włoch; język włoski
itch [ɪtʃ] *vi* swędzić; *s* swędzenie
i•tem [ˋaɪtəm] *s* przedmiot; punkt, pozycja; **~ of news** wiadomość
i•tem•ize [ˋaɪtəmaɪz] *vt* wyszczególniać
i•tin•er•ar•y [aɪˋtɪnərərɪ] *s* trasa podróży
its [ɪts] *pron* (*o dzieciach, zwierzętach i rzeczach*) jego, jej, swój
it's [ɪts] = **it is** *zob.* **be**
it•self [ɪtˋself] *pron* samo, sobie, siebie, się; **by ~** samo (jedno)
I've [aɪv] = **I have**
i•vo•ry [ˋaɪvrɪ] *s* kość słoniowa

J

jack [dʒæk] *s* podnośnik, lewarek
jack•et [ˋdʒækɪt] *s* marynarka; żakiet; kurtka

jail [dʒeɪl] *s am.* więzienie; *vt* wsadzać do więzienia
jam¹ [dʒæm] *s* dżem
jam² [dʒæm] *vt* wpychać; ściskać; zablokować; zagłuszać (*transmisję radiową*); *vi* (*o urządzeniach, drzwiach*) zacinać się; *s* ścisk, tłok; zator; zacięcie się; **traffic ~** korek drogowy
jan•i•tor [`dʒænɪtə(r)] *s* odźwierny; dozorca
Jan•u•ar•y [`dʒænjʊərɪ] *s* styczeń
Jap•a•nese ['dʒæpə`niz] *adj* japoński; *s* Japończyk; język japoński
jar [dʒɑ(r)] *s* słoik
jaun•dice [`dʒɔndɪs] *s med.* żółtaczka
jave•lin [`dʒævlɪn] *s sport.* oszczep
jaw [dʒɔ] *s anat.* szczęka
jazz [dʒæz] *s muz.* jazz
jeal•ous [`dʒeləs] *adj* zazdrosny (**of sb, sth** o kogoś, coś), zawistny
jel•ly [`dʒelɪ] *s* galaret(k)a
jer•sey [`dʒ3zɪ] *s* sweter; dżersej
jet [dʒet] *s* wytrysk; dysza; odrzutowiec; **~ lag** zmęczenie wywołane różnicą czasu po długiej podróży samolotem; *vt vi* tryskać
Jew [dʒu] *s* Żyd
jew•el [`dʒuəl] *s* klejnot; (*w zegarku*) kamień
jew•el•ler•y [`dʒuəlrɪ] *s* biżuteria
Jew•ess [`dʒuɪs] *s* Żydówka
Jew•ish [`dʒuɪʃ] *adj* żydowski
job [dʒob] *s* praca; zajęcie; **full-time <part-time> ~** praca na cały etat <pół etatu>
jog [dʒog] *vt* potrącać; *vi* uprawiać jogging; *s* potrząśnięcie; szturchnięcie
join [dʒɔɪn] *vt vi* połączyć; dołączyć (**sb** do kogoś); łączyć się; **~ hands** wziąć się za ręce
joint [dʒɔɪnt] *s anat.* staw; połączenie, złącze; sztuka mięsa; **out of ~** zwichnięty; *adj attr* wspólny
joint-stock ['dʒɔɪnt`stok] *adj attr*: **~ company** spółka akcyjna
joke [dʒəʊk] *s* żart, dowcip; **practical ~** kawał; **crack a ~** *pot.* opowiedzieć kawał; *vi* żartować (**about sb, sth** z kogoś, czegoś)
jol•ly [`dʒolɪ] *adj* wesoły; *adv pot.* bardzo, szalenie
jour•nal [`dʒ3nl] *s* czasopismo; dziennik
jour•nal•ist [`dʒ3nlɪst] *s* dziennikarz
jour•ney [`dʒ3nɪ] *s* podróż

(*zw. lądowa*); *vi* podróżować

joy [dʒɔɪ] *s* radość

judge [dʒʌdʒ] *vt vi* sądzić; sędziować; osądzać, oceniać; *s* sędzia; juror

judge•ment [ˋdʒʌdʒmənt] *s* osąd; opinia; wyrok; **pass ~** wyrokować, osądzać (**on sb, sth** kogoś, coś)

jug [dʒʌg] *s* dzbanek

juice [dʒus] *s* sok

Ju•ly [dʒuˋlaɪ] *s* lipiec

jump [dʒʌmp] *vi* skakać; podskakiwać; *vt* przeskakiwać; **~ the queue** wpychać się bez kolejki; *s* skok

June [dʒun] *s* czerwiec

jun•gle [ˋdʒʌŋgl] *s* dżungla

jun•ior [ˋdʒunɪə(r)] *adj* młodszy; niższy rangą (**to sb** od kogoś); *s* junior; uczeń szkoły podstawowej

jury [ˋdʒʊərɪ] *s* ława przysięgłych; jury

just [dʒʌst] *adj* sprawiedliwy; słuszny; *adv* właśnie, dokładnie; tylko, jedynie; dopiero co; po prostu

jus•tice [ˋdʒʌstɪs] *s* sprawiedliwość

jus•ti•fy [ˋdʒʌstɪfaɪ] *vt* usprawiedliwiać; uzasadniać

ju•ve•nile [ˋdʒuvənaɪl] *adj* młodociany, małoletni; dziecinny; *s* nieletni

K

kan•ga•roo [ˈkæŋgəˋru] *s zool.* kangur

keen [kin] *adj* gorliwy, zapalony; *pot.* **be ~ on sb, sth** przepadać za kimś, czymś

***keep** [kip], **kept, kept** [kept] *vt* zatrzymywać; utrzymywać; dotrzymywać (*obietnicy*); przechowywać; przestrzegać (*np. zasad*); prowadzić (*sklep, rachunkowość*); hodować; zachowywać (*pozory, tajemnicę*); chronić (**sb from sth** kogoś przed czymś); *vi* trzymać <mieć> się; **~ sb waiting** kazać komuś czekać; **~ clear** trzymać się z dala (**of sth** od czegoś); **~ to the right** iść <jechać> prawą stroną; **~ smiling** stale się uśmiechać; **~ away** trzymać (się) z dala; **~ on** kontynuować; **he ~s on working** on nadal <w dalszym ciągu> pracuje; **~ out** trzymać (się) z dala; zabraniać wstępu; **~ up** podtrzymywać; utrzymywać (się) na odpowiednim poziomie

keep•sake [ˋkipseɪk] *s* pamiątka

kept *zob.* **keep**
kerb [kɜb] *s* krawężnik
ker•nel [ˋkɜnl] *s* jądro (*orzecha*), ziarno (*owocu*); sedno (*sprawy*)
ket•tle [ˋketl] *s* czajnik
key [ki] *s* klucz; klawisz; *vt*: ~ **in** wpisywać za pomocą klawiatury
key•board [ˋkibɔd] *s* klawiatura; *pl* ~**s** instrumenty klawiszowe
kick [kɪk] *vt* kopać; *vi* wierzgać; *s* kopnięcie, kopniak
kid [kɪd] *s pot.* dziecko; koźlę; skóra koźla; *vt pot.* żartować
kid•nap [ˋkɪdnæp] *vt* porywać (*człowieka*)
kid•ney [ˋkɪdnɪ] *s anat.* nerka
kill [kɪl] *vt* zabijać; ~ **the pain** uśmierzać ból; *s* zdobycz
kil•o•gramme [ˋkɪləgræm] *s* kilogram
kil•o•me•tre [ˋkɪləmitə(r)] *s* kilometr
kind [kɑɪnd] *s* rodzaj, gatunek; **a ~ of** coś w rodzaju; **nothing of the ~** nic podobnego; **what ~ of...?** jakiego rodzaju...?; *adj* miły, uprzejmy; **that's very ~ of you** to bardzo uprzejmie z pańskiej <twojej> strony
kin•der•gar•ten [ˋkɪndəgɑtn] *s* przedszkole
kind•ness [ˋkɑɪndnəs] *s* uprzejmość, życzliwość; przysługa
king [kɪŋ] *s* król
kiss [kɪs] *vt vi* całować (się); ~ **sb goodbye** całować kogoś na pożegnanie; *s* pocałunek
kit [kɪt] *s* zestaw, komplet (*np. narzędzi*); wyposażenie, ekwipunek
kitch•en [ˋkɪtʃɪn] *s* kuchnia; ~ **garden** ogród warzywny
kite [kɑɪt] *s* latawiec; **fly a ~** puszczać latawca
knap•sack [ˋnæpsæk] *s* plecak
knee [ni] *s* kolano
***kneel** [nil], **knelt, knelt** [nelt] *vi* klękać, klęczeć
knew *zob.* **know**
knife [nɑɪf] *s* (*pl* **knives** [nɑɪvz]) nóż; *vt* pchnąć nożem
knight [nɑɪt] *s* rycerz
***knit, knit, knit** [nɪt] *lub* **knitted, knitted** [ˋnɪtɪd] *vt* robić na drutach; ~ **one's brows** ściągać brwi
knives *zob.* **knife**
knock [nok] *vi* pukać, stukać (**at the door** do drzwi); *vt* stukać (**against sth** o coś); uderzać, walić; ~ **down** zburzyć; przejechać; obni-

żać (*cenę*); ~ **off** strącić; obniżać (*cenę*); skończyć (*pracę*); ~ **out** nokautować; ~ **over** przejechać; *s* stukanie, pukanie

knot [not] *s* węzeł, supeł; *vt* wiązać węzeł

***know** [nəʊ], **knew** [nju], **known** [nəʊn] *vt vi* znać; poznawać; wiedzieć (**about sb, sth** o kimś, czymś); ~ **how to do sth** umieć <potrafić> coś zrobić; **as far as I** ~ o ile wiem; **get to** ~ dowiedzieć się; **let me** ~ daj mi znać

knowl•edge [`nolɪdʒ] *s* wiedza; znajomość (*języków*); **to my** ~ o ile mi wiadomo

known *zob.* **know**

knuck•le [`nʌkl] *s* kostka (*palca u ręki*)

L

la•bel [`leɪbl] *s* naklejka, etykieta; *vt* naklejać etykietę

la•bor•a•to•ry [lə`borətrɪ] *s* laboratorium

la•bour [`leɪbə(r)] *s* mozolna praca; siła robocza; *vi* ciężko pracować, mozolić się

lace [leɪs] *s* koronka; sznurowadło; ~ **curtain** firanka; *vt* sznurować

lack [læk] *s* brak, niedostatek; **for ~ of sth** z braku czegoś; *vt* brakować; **I ~ money** brak mi pieniędzy

lad•der [`lædə(r)] *s* drabina; oczko (*w rajstopach*); *przen.* drabina społeczna

la•dy [`leɪdɪ] *s* pani, kobieta; dama

la•dy•bird [`leɪdɪbɜd] *s* biedronka

laid *zob.* **lay**[1]

lain *zob.* **lie**[1]

lake [leɪk] *s* jezioro

lamb [læm] *s* jagnię, baranek; mięso z jagnięcia

lame [leɪm] *adj* chromy, kulawy; (*np. o wyjaśnieniu*) kiepski, słaby; ~ **duck** pechowiec; *vt* okuleć

la•ment [lə`ment] *s* skarga, lament; *vt vi* lamentować, opłakiwać (**sb, sth** kogoś, coś)

lamp [læmp] *s* lampa

land [lænd] *s* ziemia; ląd; kraj; grunty; **by** ~ drogą lądową; *vt* wysadzać <wyładowywać> na ląd; *vi* lądować; wysiadać

land•ing [`lændɪŋ] *s* półpiętro; lądowanie; ~ **stage** pomost

land•la•dy [`lændleɪdɪ] *s* właścicielka (*np. domu, hotelu*); gospodyni

land•lord [`lændlɔd] *s* właściciel (*np. domu, hotelu*); gospodarz

land•scape [`lændskeɪp] *s* krajobraz, pejzaż

lane [leɪn] *s* droga polna; zaułek; pas ruchu drogowego

lan•guage [`læŋgwɪdʒ] *s* język, mowa

lan•tern [`læntən] *s* latarnia; lampion

lap [læp] *s* łono; *sport.* okrążenie; **on one's** ~ na kolanach u kogoś

lap•top [`læptop] *s komp.* przenośny komputer, laptop

large [lɑdʒ] *adj* duży, obszerny; swobodny; **at** ~ na wolności; w całości; **by and** ~ w ogóle, ogólnie biorąc

la•ser [`leɪzə(r)] *s* laser; ~ **printer** drukarka laserowa

last[1] [lɑst] *adj* ostatni; ubiegły; ~ **week** w zeszłym tygodniu; *adv* ostatnio; na końcu; ~ **but one** przedostatni; ~ **but not least** ostatnie, choć nie mniej ważne; *s* ostatni; **at** ~ na koniec, wreszcie

last[2] [lɑst] *vi* (prze)trwać; wystarczać (*na pewien czas*)

latch [lætʃ] *s* zasuwka; (*w drzwiach*) zatrzask; *vt vi* zamykać na zasuwkę <na zatrzask>

late [leɪt] *adj* spóźniony; późny; (*o zmarłym*) świętej pamięci; **be** ~ spóźniać się (**for sth** na coś); *adv* późno; do późna; **of** ~ ostatnimi czasy

late•ly [`leɪtlɪ] *adv* ostatnio

lat•er [`leɪtə(r)] *adj* (*comp od* **late**) późniejszy; *adv* później; ~ **on** później, w dalszym ciągu

lat•est [`leɪtəst] *adj* (*sup od* **late**) *attr* najnowszy, ostatni

Lat•in [`lætɪn] *adj* łaciński; *s* łacina

lat•i•tude [`lætɪtjud] *s* szerokość geograficzna; *przen.* swoboda

lat•ter [`lætə(r)] *adj* drugi (*z dwóch*); późniejszy, nowszy

laugh [lɑf] *vi* śmiać się (**at sb, sth** z kogoś, czegoś); ~ **off** obracać w żart; *s* śmiech

laugh•ter [`lɑftə(r)] *s* śmiech

laun•dry [`lɔndrɪ] *s* pralnia; rzeczy do prania <świeżo uprane>

lav•a•to•ry [`lævətrɪ] *s* toaleta

lav•ish [ˋlævɪʃ] *adj* rozrzutny; szczodry, hojny; obfity
law [lɔ] *s* prawo; ustawa; system prawny; wiedza prawnicza; **against the ~** niezgodny z prawem; **~ court** sąd; **go to ~** wnosić skargę do sądu
lawn [lɔn] *s* trawnik
law•yer [ˋlɔjə(r)] *s* prawnik; adwokat
lax•a•tive [ˋlæksətɪv] *s med.* środek przeczyszczający
***lay**[1] [leɪ], **laid, laid** [leɪd] *vt* kłaść; **~ eggs** znosić <składać> jaja; **~ proposals** przedstawiać propozycje (**before sb** komuś); **~ the table** nakrywać do stołu; **~ aside** odkładać (na bok); **~ off** zwalniać (z pracy); **be laid up** być złożonym chorobą
lay[2] [leɪ] *adj* świecki; **~ person** laik
lay[3] *zob.* **lie**[1]
lay•er [ˋleɪə(r)] *s* warstwa
lay•man [ˋleɪmən] *s* (*pl* **laymen** [ˋleɪmən]) laik; człowiek świecki
lay•out [ˋleɪɑʊt] *s* plan; układ (graficzny)
la•zy [ˋleɪzɪ] *adj* leniwy
***lead**[1] [lid], **led, led** [led] *vt vi* prowadzić; dowodzić, kierować; *s* przewodnictwo; prowadzenie; główna rola; smycz; **be in the ~** prowadzić, wygrywać
lead[2] [led] *s* ołów; grafit (*w ołówku*)
lead•er [ˋlidə(r)] *s* przywódca, lider; (*w gazecie*) artykuł wstępny
leaf [lif] *s* (*pl* **leaves** [livz]) liść; kartka
league [lig] *s* liga
leak [lik] *vi* cieknąć, przeciekać; ulatniać się; *s* (*w rurze*) dziura; wyciek
lean[1] [lin] *adj dosł. i przen.* szczupły, chudy
***lean**[2] [lin], **leant, leant** [lent] *lub* **~ed, ~ed** [lind] *vi* nachylać się; opierać się; *vt* opierać (**against sth** o coś); **~ out** wychylać się
***leap** [lip], **leapt, leapt** [lept] *lub* **~ed, ~ed** [lipt] *vi* skakać; *vt* przeskakiwać; *s dosł. i przen.* skok
***learn** [lɜn], **learnt, learnt** [lɜnt] *lub* **~ed, ~ed** [lɜnt] *vt vi* uczyć się; dowiadywać się
learn•ing [ˋlɜnɪŋ] *s* nauka, wiedza
learnt *zob.* **learn**
lease [lis] *s* umowa o najem <dzierżawę>; *vt* brać w najem <w dzierżawę>
least [list] *adj* (*sup od* **little**) najmniejszy; *adv* najmniej;

at ~ przynajmniej; **not in the** ~ bynajmniej

leath•er [`leðə(r)] *s* skóra (*wyprawiona*)

***leave**[1] [liv], **left, left** [left] *vt vi* wychodzić; wyjeżdżać (**for Paris** do Paryża); odchodzić; odjeżdżać; zostawiać, opuszczać; ~ **sb alone** dać komuś spokój; ~ **off** przestać, zaniechać; ~ **out** pomijać, przeoczyć

leave[2] [liv] *s* urlop; zwolnienie; **on sick** ~ na zwolnieniu lekarskim; **take French** ~ ulotnić się po angielsku, odejść bez pożegnania; **take** ~ pożegnać się (**of sb** z kimś)

leaves *zob.* **leaf**

lec•ture [`lektʃə(r)] *s* wykład; *vi* wygłaszać odczyt, wykładać (**on sth** coś)

led *zob.* **lead**[1]

lee•way [`liweɪ] *s* luz, swoboda

left[1] *zob.* **leave**[1]

left[2] [left] *adj* lewy; *adv* na lewo; *s* lewa strona; **on the** ~ po lewej stronie

leg [leg] *s* noga; nogawka

le•gal [`ligl] *adj* legalny; prawny

leg•end [`ledʒənd] *s* legenda

lei•sure [`leʒə(r)] *s* czas wolny; **at** ~ bez pośpiechu

lem•on [`lemən] *s* cytryna

***lend** [lend], **lent, lent** [lent] *vt* pożyczać (**sth to sb** coś komuś); ~ **an ear** posłuchać; ~ **a hand** przyjść z pomocą (**with sth** w czymś)

length [leŋθ] *s* długość; odległość; **at** ~ obszernie; **ten metres in** ~ dziesięć metrów długości

length•en [`leŋθən] *vt vi* przedłużać (się), wydłużać (się)

le•ni•ent [`lenɪənt] *adj* łagodny, pobłażliwy

lens [lenz] *s* soczewka

lent[1] *zob.* **lend**

Lent[2] [lent] *s rel.* Wielki Post

less [les] *adj* (*comp od* **little**) mniejszy; *adv* mniej; **more or** ~ mniej więcej

les•son [`lesn] *s* lekcja; nauczka

***let, let, let** [let] *vt* pozwalać; puszczać; wynajmować; **to** ~ do wynajęcia; ~ **sb alone** zostawiać kogoś w spokoju; ~ **go** puszczać, wypuszczać (*z ręki*); ~ **sb know** zawiadamiać kogoś; ~ **down** opuszczać; (*ubranie*) podłużać; zawodzić (*kogoś*); ~ **in** wpuszczać; ~ **off** puszczać wolno; ~ **out** (*osobę, powietrze*) wypuszczać; (*dźwięk*) wydawać; (*ubranie*) poszerzać

let•ter [ˋletə(r)] *s* list; litera; **small <capital> ~** mała <wielka> litera
let•ter•box [ˋletəboks] *s* skrzynka na listy
let•tuce [ˋletɪs] *s* sałata
lev•el [ˋlevl] *adj* równy (**with sth** z czymś); *s* poziom; płaszczyzna; *vt* zrównać z ziemią
lev•er [ˋlivə(r)] *s* dźwignia; lewar
li•a•ble [ˋlaɪəbl] *adj* skłonny, podatny (**to sth** na coś); odpowiedzialny (**for sth** za coś); **be ~ to do sth** mieć skłonność do robienia czegoś
li•ar [ˋlaɪə(r)] *s* kłamca
li•bel [ˋlaɪbl] *s* zniesławienie; *vt* zniesławiać
lib•er•al [ˋlɪbrl] *adj* liberalny; hojny; *s* liberał
lib•er•ate [ˋlɪbəreɪt] *vt* uwalniać, wyzwalać
lib•er•ty [ˋlɪbətɪ] *s* wolność; **be at ~** przebywać na wolności; **take the ~ of doing sth** pozwalać sobie na robienie czegoś
li•brar•y [ˋlaɪbrərɪ] *s* biblioteka
lice *zob.* **louse**
li•cence [ˋlaɪsns] *s* (*am.* **license**) pozwolenie; licencja; **under ~** na licencji; **driving ~** prawo jazdy; *vt* dawać licencję, zezwalać
lick [lɪk] *vt* lizać, oblizywać; *pot.* sprawić lanie; *s* liźnięcie
lid [lɪd] *s* wieko, pokrywa; powieka
***lie**[1] [laɪ], **lay** [leɪ], **lain** [leɪn] *vi* leżeć; (*o widoku, dolinie*) rozciągać się; rozpościerać się; **~ idle** być bezczynnym; **~ third** plasować się na trzeciej pozycji; **~ down** położyć się
lie[2] [laɪ], *pp* **lied** [laɪd] *vi* kłamać; okłamywać (**to sb** kogoś); *s* kłamstwo
lieu•ten•ant [lefˋtenənt, *am.* luˋtenənt] *s* porucznik; zastępca
life [laɪf] *s* (*pl* **lives** [laɪvz]) życie; werwa; życiorys; **~ insurance <assurance>** ubezpieczenie na życie
life•boat [ˋlaɪf bəʊt] *s* łódź ratunkowa
life•guard [ˋlaɪfgɑd] *s* (*na plaży*) ratownik
lift [lɪft] *vt vi* podnosić (się); znosić (*np. zakaz*); *pot.* ściągać; kraść (*drobiazgi*); *s* podniesienie; winda; **give sb a ~** podwieźć kogoś (*samochodem*)
light[1] [laɪt], **lit, lit** [lɪt] *lub* **~ed, ~ed** [ˋlaɪtɪd] *vt vi* świecić; zapalić (się); oświetlać; *s* światło, oświe-

tlenie; ogień (*do papierosa*); *adj* jasny, blady
***light**[2] [laɪt] *adj* lekki; *adv* lekko
light•er [`laɪtə(r)] *s* zapalniczka
light•house [`laɪt haʊs] *s* latarnia morska
light•ning [`laɪtnɪŋ] *s* piorun, błyskawica
like[1] [laɪk] *vt* lubić; **I ~ watching TV** lubię oglądać telewizję; **I would ~ to go** chciałbym pójść; **would you ~ a cup of tea?** czy chciałbyś filiżankę herbaty?
like[2] [laɪk] *adj* podobny; **it is just ~ him** to do niego pasuje; **it looks ~ rain** będzie padać; **I don't feel ~ working** nie mam ochoty pracować; **and the ~** i tym podobne (rzeczy)
like•ly [`laɪklɪ] *adj* prawdopodobny; **he is ~ to come** on prawdopodobnie przyjdzie; *adv* prawdopodobnie
lik•ing [`laɪkɪŋ] *s* upodobanie, pociąg (**for sth** do czegoś)
li•ly [`lɪlɪ] *s bot.* lilia; **~ of the valley** konwalia
lime [laɪm] *s* wapno
lim•it [`lɪmɪt] *s* granica; limit; *vt* ograniczać
line [laɪn] *s* linia; rząd, szereg; kolejka; lina, sznur; (*tekstu*) linijka; zmarszczka; *pl* **~s** tory (*np. kolejowe*); *vt* rysować linie; **~ up** ustawiać się w rzędzie
lin•en [`lɪnɪn] *s* płótno; *zbior.* bielizna
lin•er [`laɪnə(r)] *s* liniowiec, statek żeglugi liniowej; samolot regularnej linii pasażerskiej
link [lɪŋk] *s* ogniwo; więź; *vt vi* łączyć (się)
li•on [`laɪən] *s zool.* lew
lip [lɪp] *s* warga; brzeg; *pl* **~s** usta
lip•stick [`lɪp stɪk] *s* szminka
li•queur [lɪ`kjʊə(r)] *s* likier
liq•uid [`lɪkwɪd] *adj* płynny; *s* płyn
liq•uor [`lɪkə(r)] *s* napój alkoholowy
list [lɪst] *s* lista, spis; *vt* umieszczać na liście, spisywać
lis•ten [`lɪsn] *vi* słuchać (**to sb, sth** kogoś, czegoś)
lis•ten•er [`lɪsnə(r)] *s* słuchacz; radiosłuchacz
lit *zob.* **light**[2]
lit•er•al [`lɪtərəl] *adj* dosłowny
lit•er•a•ture [`lɪtrətʃə(r)] *s* literatura
lit•ter [`lɪtə(r)] *s* śmieci, odpadki; miot, młode; *vt* zaśmiecać

li•tre [ˋlitə(r)] *s* litr
lit•tle [ˋlɪtl] *adj* (*comp* **less** [les], *sup* **least** [list]) mały, drobny; *adv* mało; rzadko; *s* mało, niewiele; **a ~** niewiele, trochę; **~ by ~** stopniowo, po trochu
live[1] [lɪv] *vi* żyć; mieszkać; **~ on sth** żyć z czegoś; żywić się czymś; **~ through** przeżyć (**war** wojnę)
live[2] [laɪv] *adj attr* żywy; na żywo
liv•er [ˋlɪvə(r)] *s* wątroba
liv•ing [ˋlɪvɪŋ] *adj* żyjący, żywy; **~ conditions** warunki życia; **~ standard** stopa życiowa; *s*: **earn <make> a ~** zarabiać na życie
load [ləʊd] *s* ładunek; obciążenie; *vt vi* (za)ładować
loaf [ləʊf] *s* (*pl* **loaves** [ləʊvz]) bochenek (chleba)
loan [ləʊn] *s* pożyczka; **on ~** wypożyczany; *vt* pożyczać (**sth to sb** coś komuś)
loaves *zob.* **loaf**
lob•ster [ˋlobstə(r)] *s zool.* homar
lo•cal [ˋləʊkl] *adj* miejscowy; **~ government** samorząd
lo•cate [ləˋkeɪt] *vt* zlokalizować; umieszczać; *am.* **be ~d** znajdować się; mieszkać
lo•ca•tion [ləʊˋkeɪʃn] *s* położenie; **on ~** w plenerach
lock [lok] *s* zamek, zamknięcie; *vt vi* zamykać (się) na klucz
lock•er [ˋlokə(r)] *s* szafka szkolna; schowek na bagaż
lock•smith [ˋloksmɪθ] *s* ślusarz
lodg•er [ˋlodʒə(r)] *s* lokator
lodg•ing [ˋlodʒɪŋ] *s* zakwaterowanie
log•ic [ˋlodʒɪk] *s* logika
loin [lɔɪn] *s* polędwica; *pl* **~s** lędźwie
lone•ly [ˋləʊnlɪ] *adj* samotny; odludny
long[1] [loŋ] *adj* długi; *adv* długo; dawno; **~ ago** dawno temu; *s*: **before ~** wkrótce; **it won't take ~** to nie potrwa długo
long[2] [loŋ] *vi* pragnąć; tęsknić (**for sb, sth** za kimś, czymś)
long•ing [ˋloŋgɪŋ] *s* tęsknota
lon•gi•tude [ˋlondʒɪtjud] *s* długość geograficzna
look [lʊk] *s* spojrzenie; wygląd; **have a ~ at sth** spojrzeć na coś; **good ~s** uroda; *vi* patrzeć; wyglądać; **~ after** opiekować się (**sb, sth** kimś, czymś); **~ ahead** pa-

trzeć przed siebie <w przyszłość>; ~ **at** patrzeć (**sb, sth** na kogoś, coś); ~ **down** pogardzać (**on sb** kimś); ~ **for** szukać (**sb, sth** kogoś, czegoś); ~ **forward** oczekiwać z niecierpliwością (**to sth** czegoś); ~ **like** wyglądać jak (**sb, sth** ktoś, coś); ~ **on** przypatrywać się; ~ **out** uważać, mieć się na baczności; ~ **up** patrzeć w górę; sprawdzać (*w słowniku*); podziwiać (**to sb** kogoś); **it looks ~ rain** zanosi się na deszcz

loop [lup] *s* pętla; *vt* robić pętlę

loose [lus] *adj* luźny, swobodny; (*o włosach*) rozpuszczony; **at a ~ end** bez zajęcia; **break ~** zerwać się; **let ~** uwolnić

lord [lɔd] *s* lord

lor•ry [`lorɪ] *s* ciężarówka

***lose** [luz], **lost, lost** [lost] *vt* stracić; zgubić; *vi* przegrywać; **~ one's temper** stracić panowanie nad sobą; **~ one's way** zabłądzić; **~ sight** stracić z oczu (**of sth** coś)

loss [los] *s* strata; utrata; **be at a ~** nie wiedzieć, co robić

lost *zob.* **lose**

lot [lot] *s* mnóstwo; **a ~ of money** (*także pl* **~s of money**) masa pieniędzy; **a ~ more** znacznie więcej

lo•tion [`ləʊʃn] *s* płyn kosmetyczny

loud [lɑʊd] *adj* głośny; *adv* głośno

loud•speak•er ['lɑʊd`spikə(r)] *s* głośnik

louse [lɑʊs] *s* (*pl* **lice** [lɑɪs]) wesz

love [lʌv] *s* miłość; zamiłowanie; **~ affair** romans; **~ at first sight** miłość od pierwszego wejrzenia; **in ~** zakochany; **fall in ~** zakochać się (**with sb** w kimś); **make ~** kochać się (**to sb** z kimś); *vt vi* kochać, bardzo lubić; **I would ~ to come** bardzo chciałbym przyjść

love•ly [`lʌvlɪ] *adj* śliczny; uroczy

lov•er [`lʌvə(r)] *s* kochanek; miłośnik, wielbiciel

low [ləʊ] *s* niski; przygnębiony; (*o głosie*) cichy; *adv* nisko; cicho

low•er [`ləʊə(r)] *adj attr* dolny; niższy; *vt vi* obniżać (się), opuszczać (się)

luck [lʌk] *s* szczęście; **good ~** szczęście; **bad ~** pech; **good ~!** powodzenia!

luck•y [`lʌkɪ] *adj* szczęśliwy

lug•gage [`lʌgɪdʒ] *s* bagaż; **~ rack** półka bagażowa

luke•warm ['luk`wɔm] *adj* letni, ciepławy
lunch [lʌntʃ] *s* lunch; *vi* spożywać lunch
lung [lʌŋ] *s* płuco
lure [lʊə(r)] *s* powab; przynęta; *vt* nęcić, wabić
lust [lʌst] *s* pożądanie; żądza; *vi* pożądać (**after sth** czegoś)
lux•u•ry [`lʌkʃərɪ] *s* przepych, luksus
lyr•ic [`lɪrɪk] *adj* liryczny; *s* utwór liryczny

M

ma•chine [mə`ʃin] *s* maszyna
ma•chine•gun [mə`ʃin gʌn] *s* karabin maszynowy
mack•er•el [`mækrl] *s* makrela
mack•in•tosh [`mækɪntoʃ] *s* płaszcz nieprzemakalny
mad [mæd] *adj* szalony; zwariowany (**about sth** na punkcie czegoś); wściekły (**with sb, sth** na kogoś, coś); **go ~** zwariować; **drive sb ~** doprowadzić kogoś do szaleństwa
mad•am [`mædəm] *s* (*w zwrotach grzecznościowych*) proszę pani; słucham panią
made *zob.* **make**
maf•i•a [`mæfɪə] *s* mafia
mag•a•zine ['mægə`zin] *s* czasopismo; (*część pistoletu*) magazynek
mag•nif•i•cent [mæg`nɪfɪsnt] *adj* wspaniały
maid [meɪd] *s* służąca; pokojówka
maid•en [`meɪdn] panna; *adj* panieński
mail [meɪl] *s* poczta; *vt* wysyłać pocztą
main [meɪn] *adj* główny
main•tain [meɪn`teɪn] *vt* utrzymywać; konserwować
main•te•nance [`meɪntənəns] *s* utrzymanie; konserwacja; alimenty
ma•jor [`meɪdʒə(r)] *adj* większy; ważny; główny; *s* *wojsk.* major
ma•jor•i•ty [mə`dʒorətɪ] *s* większość
***make** [meɪk], **made**, **made** [meɪd] *vt vi* robić; tworzyć, produkować; zarabiać; posłać (**the bed** łóżko); zawierać (**peace** pokój); wygłaszać (**a speech** mowę); okazać się (**a good soldier** dobrym żołnierzem); **~ be-**

lieve udawać, stwarzać pozory; ~ **friends** zaprzyjaźnić się; ~ **known** podać do wiadomości; ~ **ready** przygotowywać się; ~ **sure** upewnić się; ~ **for** kierować się (**a shelter** w stronę ukrycia); ~ **into** przemienić; ~ **out** wystawiać (*np. rachunek*); zrozumieć, odgadnąć; ~ **up** wymyślać (*np. historię*); robić makijaż; pogodzić się; ~ **up one's mind** postanowić; **he made me laugh** on doprowadził mnie do śmiechu; **he made me sad** on mnie zasmucił; *s* marka

make-be•lieve [`meɪk bɪ'liv] *s* pozory

mak•er [`meɪkə(r)] *s* wytwórca, producent

make•shift [`meɪkʃɪft] *adj* prowizoryczny; *s* środek zastępczy; namiastka

make-up [`meɪk ʌp] *s* makijaż; charakteryzacja

male [meɪl] *adj* męski; *zool.* samczy; *s* mężczyzna; *zool.* samiec

ma•li•cious [mə`lɪʃəs] *adj* złośliwy

mall [mɔl] *s am.* wielkie centrum handlowe

man [mæn] *s* (*pl* **men** [men]) mężczyzna; człowiek; mąż; ~ **in the street** szary <przeciętny> człowiek

man•age [`mænɪdʒ] *vt* zarządzać, kierować; zdołać (**to do sth** coś zrobić); dawać sobie radę (**sb**, **sth** z kimś, czymś)

man•ag•er [`mænɪdʒə(r)] *s* dyrektor; kierownik; menedżer

man•kind ['mæn`kaɪnd] *s* ludzkość, rodzaj ludzki

man•ner [`mænə(r)] *s* sposób; sposób bycia; *pl* **~s** obyczaje, maniery

man•u•al [`mænjʊəl] *adj* ręczny; (*o pracy*) fizyczny; *s* podręcznik

man•u•fac•ture ['mænjʊ`fæktʃə(r)] *vt* produkować; *s* produkcja

man•y [`menɪ] *adj* (*comp* **more** [mɔ(r)], *sup* **most** [məʊst]) dużo, wiele, wielu, liczni; ~ **a** niejeden; ~ **a time** nieraz; **as ~ as** nie mniej niż; aż; **how ~?** ile?

map [mæp] *s* mapa

mar•ble [`mɑbl] *s* marmur

march[1] [mɑtʃ] *vi* maszerować; *s* marsz

March[2] [mɑtʃ] *s* marzec

mar•ga•rine ['mɑdʒə`rin] *s* margaryna

mar•gin [`mɑdʒɪn] *s* margines; krawędź, skraj

ma•rine [mə`rin] *adj* morski; *s* marynarz (*na okręcie wojennym*); *am.* żołnierz piechoty morskiej

mark [mak] *s* znak; ślad; ocena (*szkolna*); cel; *vt* zostawiać ślady; oznaczać; cechować; oceniać; **miss the ~** chybić celu

mar•ket [`makıt] *s* rynek; targ; **black ~** czarny rynek; **on the ~** dostępny na rynku; *vt* sprzedawać

mar•riage [`mærıdʒ] *s* małżeństwo; ślub; **civil ~** ślub cywilny; **~ bureau** biuro matrymonialne

mar•ried [`mærıd] *adj* żonaty, zamężna; małżeński

mar•ry [`mærı] *vt* żenić się (**sb** z kimś), wychodzić za mąż (**sb** za kogoś), żenić się

mar•shal [`maʃl] *s wojsk.* marszałek

mar•tial [`maʃl] *adj* wojenny; wojskowy; **~ law** stan wojenny

mar•tyr [`matə(r)] *s* męczennik; *vt* zamęczać

mar•vel•lous [`mavələs] *adj* cudowny

mas•cu•line [`mæskjulın] *adj* męski; rodzaju męskiego

mash [mæʃ] *vt* tłuc; gnieść; **~ed potatoes** purée ziemniaczane

mask [mask] *s* maska; *vt* maskować

mass[1] [mæs] *s* masa; *adj attr* masowy; **~ media** środki (masowego) przekazu; *vi* gromadzić się licznie

mass[2] [mæs] *s* msza

mast [mast] *s* maszt

mas•ter [`mastə(r)] *s* pan, właściciel; mistrz; majster; *vt* opanować (*np. język*); przezwyciężać

mas•ter•piece [`mastəpis] *s* arcydzieło

match[1] [mætʃ] *s sport.* mecz; **be a good ~** dorównywać (**for sb** komuś); dobrze pasować (**for sth** do czegoś); *vt* pasować (**sth** do czegoś); dorównywać (**sb, sth** komuś, czemuś)

match[2] [mætʃ] *s* zapałka

ma•te•ri•al [mə`tıərıəl] *s* materiał; tkanina; **raw ~** surowiec; *adj* materialny; istotny

ma•ter•ni•ty [mə`tɜnətı] *s* macierzyństwo; oddział położniczy; **~ allowance <benefit>** zasiłek macierzyński; **~ leave** urlop macierzyński

math•e•mat•ics ['mæθə`mætıks] *s* matematyka

mat•ter [`mætə(r)] *s* sprawa; materia, substancja; **as a**

~ **of course** samo przez się; **as a ~ of fact** w istocie rzeczy; **reading ~** lektura; **what's the ~ with you?** o co ci <panu> chodzi?; co ci <panu> dolega?; *vi* mieć znaczenie; **it doesn't ~** to nie ma znaczenia; **no ~ what** cokolwiek się stanie
mat•tress [`mætrəs] *s* materac
ma•ture [mə`tʃʊə(r)] *adj* dojrzały; *vi* dojrzewać
may[1] [meɪ] *v aux* (*p* **might** [maɪt]) móc; **~ I come in?** czy mogę <wolno mi> wejść?; **he ~ be back soon** może szybko wróci; **~ he win!** oby wygrał!
May[2] [meɪ] *s* maj
may•be [`meɪbi] *adv* być może
me [mi] *pron* mi, mnie; **with me** ze mną; *pot.* **it's me** to ja
mead•ow [`medəʊ] *s* łąka
meal [mil] *s* posiłek
mean[1] [min] *adj* skąpy; podły
mean[2] [min] *adj* średni; *s* przeciętna, średnia; *pl* **~s** środek, sposób; środki utrzymania; **by this ~s** tym sposobem; **by ~s of sth** za pomocą czegoś; **by no ~s** wcale; **by all ~s!** jak najbardziej!
***mean**[3] [min], **meant, meant** [ment] *vt vi* znaczyć, oznaczać; mieć na myśli; mieć zamiar; przeznaczać (**sth for sb** coś dla kogoś); **~ business** poważnie traktować sprawę; **~ well** mieć dobrą wolę
mean•ing [`minɪŋ] *s* znaczenie, sens
meant *zob.* **mean**[3]
mean•time [`mintaɪm] *s*: **in the ~** tymczasem; w tym czasie
mean•while ['min`waɪl] = **meantime**
mea•sles [`mizlz] *s med.* odra
meas•ure [`meʒə(r)] *s* środek zaradczy; miara; miarka; **to ~** na miarę; **in large ~** w dużym stopniu; *vt vi* mierzyć
meas•ure•ment [`meʒəmənt] *s* miara, wymiar, rozmiar
meat [mit] *s* mięso; **cold ~s** wędliny
meat•ball [`mitbɔl] *s kulin.* klops (mięsny)
me•chan•ic [mɪ`kænɪk] *s* mechanik
med•al ['medl] *s* medal
med•i•cine [`medsn] *s* lekarstwo; medycyna
me•di•e•val ['medɪ`ivl] *adj* średniowieczny
Med•i•ter•ra•ne•an ['medɪtə-

`reɪnɪən] *adj* śródziemnomorski

me•di•um [`midɪəm] *s* (*pl* **media** [`midɪə] *lub* **~s**) środek <forma> przekazu; środowisko

***meet** [mit], **met**, **met** [met] *vt vi* spotykać (się); zobaczyć się (**with sb** z kimś); natknąć się, natrafić (**sb, sth** na kogoś, coś); poznawać (się); wyjść naprzeciw (komuś); łączyć się

meet•ing [`mitɪŋ] *s* spotkanie; zebranie

mel•o•dy [`melədɪ] *s* melodia

melt [melt] *vt* topić, roztapiać; *vi* topnieć

mem•ber [`membə(r)] *s* członek (*organizacji*); **Member of Parliament** (*skr.* **MP**) poseł

mem•o•ry [`memərɪ] *s* pamięć; wspomnienie

men *zob.* **man**

mend [mend] *vt* naprawiać; cerować

men•tal [`mentl] *adj* umysłowy; (*np. o szpitalu*) psychiatryczny

men•tion [`menʃn] *vt* nadmieniać; wspominać (**sth** o czymś); **don't ~ it!** (*odpowiedź na dziękuję*) nie ma o czym mówić!; *s* wzmianka

mer•chant [`mɜtʃənt] *s* kupiec, handlowiec

mer•cy [`mɜsɪ] *s* litość; łaska; **at the ~ of sth** na łasce czegoś

mer•it [`merɪt] *s* zasługa; zaleta; *vt* zasłużyć (**sth** na coś)

mer•ry [`merɪ] *adj* wesoły; **make ~** weselić <bawić> się; **Merry Christmas!** Wesołych Świąt!

mer•ry-go-round [`merɪgəʊ'raʊnd] *s* karuzela

mess [mes] *s* nieporządek, bałagan; brud; **in a ~** w nieładzie; w kłopotach

mes•sage [`mesɪdʒ] *s* wiadomość; przesłanie

met *zob.* **meet**

met•al [`metl] *s* metal

me•ter [`mitə(r)] *s* licznik; **gas ~** licznik gazowy

meth•od [`meθəd] *s* metoda

me•tre [`mitə(r)] *s* metr

met•ro•pol•i•tan ['metrə`polɪtən] *adj* wielkomiejski

Mex•i•can [`meksɪkən] *adj* meksykański; *s* Meksykanin

mice [maɪs] *zob.* **mouse**

mi•cro•phone [`maɪkrəfəʊn] *s* mikrofon

mi•cro•scope [`maɪkrəskəʊp] *s* mikroskop

mid•day ['mɪd`deɪ] *s* południe

mid•dle [ˋmɪdl] *adj attr* środkowy; pośredni; ~ **class** klasa średnia; ~ **name** drugie imię; *s* środek; połowa
mid•night [ˋmɪdnaɪt] *s* północ; **at** ~ o północy
midst [mɪdst] *s*: **in the ~ of** wśród, pośród
might *zob.* **may**[1]
mild [maɪld] *adj* łagodny
mil•dew [ˋmɪldju] *s* pleśń
mile [maɪl] *s* mila
mile•age [ˋmaɪlɪdʒ] *s* odległość w milach
mil•i•tar•y [ˋmɪlɪtrɪ] *adj* wojskowy, militarny; *s zbior.*: **the** ~ wojsko
milk [mɪlk] *s* mleko; *vt vi* doić (*krowę*)
mill [mɪl] *s* młyn; fabryka; **coffee <pepper>** ~ młynek do kawy <do pieprzu>; *vt* mleć
mil•li•me•tre [ˋmɪlɪmitə(r)] *s* milimetr
mil•lion [ˋmɪlɪən] *s* milion
mind [maɪnd] *s* umysł; myśli; **bear sth in** ~ pamiętać o czymś; **call sth to** ~ przywodzić coś na myśl; **change one's** ~ zmieniać zdanie; **make up one's** ~ postanowić; **speak one's** ~ wypowiedzieć się; wygarnąć prawdę; **to my** ~ moim zdaniem; *vt vi* uważać, zwracać uwagę; mieć coś przeciw (**sth** czemuś); **do you ~ if I smoke?, do you ~ my smoking?** czy masz coś przeciwko temu, żebym zapalił?; **I don't** ~ wszystko mi jedno; **never ~!** mniejsza o to!
mine[1] [maɪn] *pron* mój, moja, moje, moi
mine[2] [maɪn] *s* kopalnia; mina; *vt* wydobywać (*np. węgiel*); (za)minować
min•is•ter [ˋmɪnɪstə(r)] *s* minister; pastor
min•is•try [ˋmɪnɪstrɪ] *s* ministerstwo; stan duchowny
mi•nor [ˋmaɪnə(r)] *adj* mniejszy; drugorzędny; młodszy (*z rodzeństwa*); *s* niepełnoletni
mint [mɪnt] *s bot.* mięta
mi•nus [ˋmaɪnəs] *praep* minus, mniej; *s* (*znak*) minus; *adj* minusowy
min•ute[1] [ˋmɪnɪt] *s* minuta; notatka; *pl* **~s** protokół; **any** ~ lada chwila; **wait a ~!** chwileczkę!
mi•nute[2] [maɪˋnjut] *adj* drobny, nieznaczny; drobiazgowy
mir•a•cle [ˋmɪrəkl] *s* cud
mir•ror [ˋmɪrə(r)] *s* lustro; *vt* odzwierciedlać
mis•chief [ˋmɪstʃɪf] *s* psota; figlarność; szkoda

mis•er•a•ble [`mɪzrəbl] *adj* nieszczęśliwy; żałosny; nędzny, godny pogardy

mis•er•y [`mɪzərɪ] *s* nieszczęście; cierpienie; nędza

mis•for•tune ['mɪs`fɔtʃən] *s* nieszczęście, pech

***mis•lead** ['mɪs`lid], **misled, misled** ['mɪs`led] *vt* wprowadzić w błąd, zmylić

miss[1] [mɪs] *vt* chybiać, nie trafiać; stracić (*okazję*); spóźnić się (**the bus <train>** na autobus <pociąg>); przeoczyć; tęsknić (**sb** za kimś); *s* chybienie

miss[2] [mɪs] *s* (*przed imieniem <nazwiskiem>*) pani, panna

mis•sile [`mɪsaɪl] *s* pocisk

mis•sion [`mɪʃn] *s* misja

mis•sion•a•ry [`mɪʃənrɪ] *s* misjonarz

mist [mɪst] *s* mgła, mgiełka; *vi*: ~ **over** zachodzić mgłą

***mis•take** [mɪ`steɪk], **mistook** [mɪ`stʊk], **mistaken** [mɪ`steɪkn] *vt* pomylić; źle zrozumieć; brać (**sb, sth for sb, sth else** kogoś, coś za kogoś, coś innego); *s* pomyłka, błąd; **make a ~** popełnić błąd; **by ~** przez pomyłkę

mis•tak•en [mɪ`steɪkən] *adj* mylny, błędny; **be ~** mylić się, być w błędzie (**about sb, sth** co do kogoś, czegoś)

mis•ter [`mɪstə(r)] *s* (*w piśmie skr.* **Mr**, *przed nazwiskiem*) pan

mis•took *zob.* **mistake**

mis•tress [`mɪstrəs] *s* pani; pani domu; kochanka

***mis•un•der•stand** ['mɪsʌndə`stænd], **misunderstood, misunderstood** ['mɪs'ʌndə`stʊd] *vt* źle <nie> rozumieć

mis•un•der•stand•ing ['mɪsʌndə`stændɪŋ] *s* nieporozumienie

mis•un•der•stood *zob.* **misunderstand**

mix [mɪks] *vt vi* mieszać (się); utrzymywać kontakty towarzyskie; **~ up** pomylić (**with sb** z kimś); pomieszać (*np. dokumenty*); *s* mieszanka

mix•er [`mɪksə(r)] *s* mikser; **a good ~** człowiek łatwo nawiązujący kontakty

mix•ture [`mɪkstʃə(r)] *s* mieszanina, mieszanka

mock [mok] *vt vi* szydzić (**at sb, sth** z kogoś, czegoś); przedrzeźniać

mode [məʊd] *s* sposób (*bycia*); forma (*np. transportu*); *komp.* tryb

mod•el [`modl] *s* model, wzór; modelka; *vt* modelować; prezentować (*ubrania*); *vi* pozować

mod•ern [`modn] *adj* współczesny; nowoczesny; nowożytny

mod•est [`modɪst] *adj* skromny

moist [mɔɪst] *adj* wilgotny

mois•ture [`mɔɪstʃə(r)] *s* wilgoć

mo•ment [`məʊmənt] *s* moment, chwila; **at the ~** w tej chwili; **for the ~** na razie; **in a ~** za chwilę, po chwili

Mon•day [`mʌndɪ] *s* poniedziałek

mon•ey [`mʌnɪ] *s zbior.* pieniądze; **ready ~** gotówka; **~ order** przekaz pieniężny

mon•grel [`mʌŋgrəl] *s* kundel

mon•i•tor [`monɪtə(r)] *s* monitor; *vi vt* monitorować, kontrolować

monk [mʌŋk] *s* mnich

mon•key [`mʌŋkɪ] *s* małpa

mon•ster [`monstə(r)] *s* potwór

month [mʌnθ] *s* miesiąc

month•ly [`mʌnθlɪ] *adj* miesięczny; *adv* miesięcznie; co miesiąc; *s* miesięcznik

mon•u•ment [`monjʊmənt] *s* pomnik; zabytek

mood [mud] *s* nastrój, humor

moon [mun] *s* księżyc; **full ~** pełnia

mor•al [`morl] *adj* moralny; *s* morał; *pl* **~s** moralność

mo•ral•i•ty [mə`rælətɪ] *s* moralność

more [mɔ(r)] *adj* (*comp od* **much, many**) więcej, bardziej; *adv* więcej, bardziej; *pron* więcej; **~ and ~** coraz więcej; **~ or less** mniej więcej; **~ than** ponad; **never ~** nigdy więcej; dość; **once ~** jeszcze raz; **the ~** tym bardziej; **the ~... the ~** im więcej... tym więcej

more•o•ver [mor`əʊvə(r)] *adv* co więcej, ponadto

morn•ing [`mɔnɪŋ] *s* rano, poranek; przedpołudnie; **good ~!** dzień dobry!; **in the ~** rano; **this ~** dziś rano

mor•tal [`mɔtl] *adj* śmiertelny; *s* śmiertelnik

mort•gage [`mɔgɪdʒ] *s* kredyt hipoteczny; *vt* oddawać w zastaw hipoteczny

Mos•lem [`mozləm] *adj* muzułmański; *s* muzułmanin

mos•qui•to [mə`skitəʊ] *s* (*pl* **~es**) moskit

moss [mos] *s* mech

most [məʊst] *adj* (*sup od* **much, many**) najwięcej, najbardziej; *adv* najbardziej, najwięcej; *pron* większość, maksimum; **at (the) ~** najwyżej, w najlepszym razie; **make the ~ of sth** wykorzystać coś maksymalnie

most•ly [ˋməʊstlɪ] *adv* głównie, przeważnie

mo•tel [məʊˋtel] *s* motel

moth [moθ] *s* ćma; mól

moth•er [ˋmʌðə(r)] *s* matka; **~ country** ojczyzna; **~ tongue** mowa ojczysta; *vt* matkować

mother-in-law [ˋmɑðər in lɔ] *s* (*pl* **mothers-in-law** [ˋmʌðəz ɪn lɔ]) teściowa

mo•tion [ˋməʊʃn] *s* ruch; wniosek; **put <set> sth in ~** wprawiać coś w ruch; *vt vi* skinąć (ręką)

mo•tive [ˋməʊtɪv] *s* motyw; bodziec; *adj* napędowy

mo•tor [ˋməʊtə(r)] *s* silnik

mo•tor•bike [ˋməʊtəbaɪk] *s* motocykl

mo•tor•boat [ˋməʊtəbəʊt] *s* łódź motorowa

mo•tor•cycle [ˋməʊtəsɑɪkl] *s* motocykl

mo•tor•way [ˋməʊtəweɪ] *s* autostrada

mount[1] [mɑʊnt] *vt vi* wsiadać (*na konia, rower*); narastać

moun•tain [ˋmɑʊntɪn] *s* góra; **~ bike** rower górski

moun•tain•eer•ing ['mɑʊntɪˋnɪərɪŋ] *s sport*. wspinaczka górska

mourn•ing [ˋmɔnɪŋ] *s* żałoba; **in ~** w żałobie

mouse [mɑʊs] *s* (*pl* **mice** [mɑɪs]) *zool., komp.* mysz

mous•tache [məˋstɑʃ] *s* wąsy

mouth [mɑʊθ] *s* usta; pysk; (*rzeki*) ujście; otwór, wylot

mov•a•ble [ˋmuvəbl] *adj* ruchomy; *s pl* **~s** ruchomości

move [muv] *vt vi* ruszać (się); posuwać się; przeprowadzać się; wzruszać; **~ in** wprowadzać się; **~ off** odjeżdżać; **~ out** wyprowadzać się; *s* ruch; przeprowadzka; (*w grze*) posunięcie, ruch

move•ment [ˋmuvmənt] *s* ruch; ruch społeczny

movie ['muvi] *am.* film

mov•ies [ˋmuvɪz] *s pl am.* kino

***mow** [məʊ], **mowed** [məʊd], **mown** [məʊn] *vt* kosić

Mr *skr.* **mister**

Mrs [ˋmɪsɪz] *s skr.* (*przed nazwiskiem mężatki*) pani

Ms [mɪz] *s skr.* (*przed nazwiskiem*) pani, panna

much [mʌtʃ] *adj i adv* dużo, wiele; bardzo; **~ the same** mniej więcej taki sam <tak samo>; **as ~ as** tyle samo, co; **so ~** tak bardzo; **so ~**

the better <worse> tym lepiej <gorzej>; **too ~** zbyt dużo; za bardzo; **how ~?** ile?

mud [mʌd] *s* błoto, muł

mug [mʌg] *s* kubek; kufel

mul•ti•pli•ca•tion ['mʌltɪplɪ`keɪʃn] *s* mnożenie (się); **~ table** tabliczka mnożenia

mul•ti•ply [`mʌltɪplɑɪ] *vt vi* mnożyć (się); rozmnażać się; **~ 4 by 6** pomnóż 4 przez 6

mumps [mʌmps] *s med.* świnka

mur•der [`mɜdə(r)] *s* morderstwo; *vt* zamordować

mus•cle [`mʌsl] *s* mięsień

mu•se•um [mju`ziəm] *s* muzeum

mush•room [`mʌʃrʊm] *s* grzyb

mu•sic [`mjuzɪk] *s* muzyka

mu•si•cal [`mjuzɪkl] *adj attr* muzyczny; muzykalny; *s* musical

mu•si•cian [mju`zɪʃn] *s* muzyk

must [mʌst, məst] *v aux nieodm.* musieć; **I ~ leave** muszę wyjść; **I ~ not smoke** nie wolno mi palić; **you ~ be tired** z pewnością jesteś zmęczony

mus•tard [`mʌstəd] *s* musztarda

mute [mjut] *adj* niemy; *s* niemowa

mu•ti•late [`mjutɪleɪt] *vt* okaleczyć; uszkadzać

mut•ton [`mʌtn] *s* baranina

mu•tu•al [`mjutʃʊəl] *adj* wzajemny; wspólny

my [mɑɪ] *pron* mój, moja, moje, moi

my•self [mɑɪ`self] *pron* się; siebie, sobą, sobie; sam sobie; **by ~** samodzielnie

mys•te•ri•ous [mɪ`stɪərɪəs] *adj* tajemniczy

mys•ter•y [`mɪstrɪ] *s* tajemnica

myth [mɪθ] *s* mit

my•thol•o•gy [mɪ`θolədʒɪ] *s* mitologia

N

nail [neɪl] *s* gwóźdź; paznokieć; **~ polish <varnish>** lakier do paznokci; *vt* przybijać gwoździem

na•ive [nɑɪ`iv] *adj* naiwny

na•ked [`neɪkɪd] *adj* nagi, goły; **with the ~ eye** gołym okiem

name [neɪm] *s* imię; nazwisko; nazwa; **family** ~ nazwisko; **first** <**Christian**> ~ imię; **full** ~ imię i nazwisko; **by** ~ po imieniu <nazwisku>; ~ **day** imieniny; **call sb ~s** obrzucać kogoś wyzwiskami; *vt* nazywać; wymieniać imię <nazwę>

name•ly [`neɪmlɪ] *adv* mianowicie

nap [næp] *s* drzemka; **take a** ~ zdrzemnąć się; *vi* drzemać

nap•kin [`næpkɪn] *s* serwetka; pieluszka; *am.* **sanitary** ~ podpaska higieniczna

nap•py [`næpɪ] *s* pieluszka

nar•rate [nə`reɪt] *vt* opowiadać

nar•ra•tive [`nærətɪv] *s* narracja; opowiadanie

nar•row [`nærəʊ] *adj* wąski; (*o poglądach*) ograniczony; *vt vi* zwężać (się); zmniejszać (się); zawężać

nar•row-mind•ed ['nærəʊ `maɪndɪd] *adj* ograniczony (*umysłowo*)

nas•ty [`nastɪ] *adj* wstrętny, paskudny; złośliwy, niemiły

na•tion [`neɪʃn] *s* naród; państwo

na•tion•al [`næʃnl] *adj* narodowy; państwowy; ~ **service** obowiązkowa służba wojskowa; *s* obywatel

na•tion•al•i•ty ['næʃ`nælətɪ] *s* narodowość

na•tive [`neɪtɪv] *adj* rodzimy; ojczysty; rodowity; tubylczy; *s* tubylec; ~ **of Poland** rodowity Polak

nat•u•ral [`nætʃərl] *adj* naturalny; wrodzony; ~ **musician** urodzony muzyk

na•ture [`neɪtʃə(r)] *s* natura, przyroda; charakter; **by** ~ z natury; ~ **reserve** rezerwat przyrody

naugh•ty [`nɔtɪ] *adj* (*o dziecku*) niegrzeczny

nau•sea [`nɔzɪə] *s* nudności, mdłości

na•vy [`neɪvɪ] *s* marynarka wojenna

navy-blue ['neɪvɪ`blu] *adj* granatowy; *s* kolor granatowy

near [nɪə(r)] *adj* bliski, niedaleki; *adv praep* blisko, niedaleko; *vt vi* zbliżać się (**sth** do czegoś)

near•by [`nɪəbaɪ] *adj* bliski, sąsiedni; *adv* blisko

near•ly [`nɪəlɪ] *adv* prawie (że)

neat [nit] *adj* schludny; staranny; porządny

nec•es•sar•y [`nesəsrɪ] *adj* konieczny, niezbędny (**for sth** do czegoś); **if** ~ w razie potrzeby

ne•ces•si•ty [nɪ`sesətɪ] *s* konieczność, potrzeba; artykuł pierwszej potrzeby; **out of ~** z konieczności
neck [nek] *s* szyja; kark; szyjka
neck•lace [`nekləs] *s* naszyjnik
neck•tie [`nektaɪ] *s am.* krawat
need [nid] *s* potrzeba; konieczność; **be in ~ of sth** potrzebować czegoś; *vt* potrzebować, wymagać; *vt* być w potrzebie; **you ~ not worry** nie musisz się martwić
nee•dle [`nidl] *s* igła
need•n't [`nidnt] = **need not**
ne•ga•tion [nɪ`geɪʃn] *s* przeczenie, negacja
neglect [nɪ`glekt] *vt* zaniedbywać; lekceważyć; *s* zaniedbanie
ne•go•ti•a•tion [nɪ'gəʊʃɪ`eɪʃn] *s* negocjacje; **under ~** w fazie negocjacji
Ne•gro [`nigrəʊ] *s* Murzyn
neigh•bour [`neɪbə(r)] *s* sąsiad
neigh•bour•hood [`neɪbəhʊd] *s* sąsiedzi; sąsiedztwo, okolica
nei•ther [`naɪðə(r), *am.* `niðə(r)] *pron* ani jeden, ani drugi, żaden z dwóch; *adv* ani; **~... nor...** ani..., ani...; **he could ~ eat nor drink** nie mógł jeść ani pić; *conj* też nie; **he doesn't like it, ~ do I** on tego nie lubi, ja też nie
neph•ew [`nefju] *s* siostrzeniec; bratanek
nerve [nɜv] *s* nerw; *przen.* odwaga; opanowanie; tupet; **get on sb's ~s** działać komuś na nerwy; **lose one's ~** stracić zimną krew; *vt* dodawać otuchy
nerv•ous [`nɜvəs] *adj* zdenerwowany; nerwowy; **be ~ of sb, sth** obawiać się kogoś, czegoś
nest [nest] *s* gniazdo; *vi* gniazdować
net[1] [net] *s dosł. i przen.* sieć; siatka; *sport.* net; *vt* złapać (jak) w sieć
net[2] [net] *adj attr* (*o zysku*) netto; *vt* zarobić na czysto
net•work [`netwɜk] *s* (*komputerowa, telewizyjna, kolejowa*) sieć
neu•rol•o•gy [njʊ`rolədʒɪ] *s* neurologia
neu•ro•sis [njʊ`rəʊsɪs] *s* (*pl* **neuroses** [njʊ`rəʊsiz]) *med.* nerwica
neu•tral [`njutrl] *adj* bezstronny; neutralny; nieokreślony
nev•er [`nevə(r)] *adv* nigdy
nev•er•the•less ['nevəðə

`les] *adv* pomimo to, niemniej
new [nju] *adj* nowy; młody
new•com•er [`njukʌmə(r)] *s* przybysz
news [njuz] *s* wiadomość; aktualności; **the ~** wiadomości (telewizyjne)
news•pa•per [`njus'peɪpə(r)] *s* gazeta
next [nekst] *adj* najbliższy; następny; **~ year** w przyszłym roku; *adv* następnie, zaraz potem; **~ to** obok
nice [naɪs] *adj* miły; przyjemny
nick•el [`nɪkl] *s* nikiel; *am.* pięciocentówka
nick•name [`nɪkneɪm] *s* przezwisko; *vt* przezywać
niece [nis] *s* siostrzenica; bratanica
night [naɪt] *s* noc; wieczór; **by <at> ~** nocą, w nocy; **last ~** ubiegłej nocy; wczoraj wieczorem; **~ and day** dzień i noc; **first ~** premiera; **~ school** szkoła wieczorowa
night•in•gale [`naɪtɪŋgeɪl] *s* słowik
night•mare [`naɪtmeə(r)] *s* koszmar
nine [naɪn] *num* dziewięć
nine•teen ['naɪn`tin] *num* dziewiętnaście
nine•teenth ['naɪn`tinθ] *adj* dziewiętnasty
nine•ti•eth [`naɪntɪəθ] *adj* dziewięćdziesiąty
nine•ty [`naɪntɪ] *num* dziewięćdziesiąt
ninth [naɪnθ] *adj* dziewiąty
no [nəʊ] *adv* (*przecząca odpowiedź*) nie; *adj* żaden; **no entrance** wstęp wzbronioy; **no end** bez końca; **no smoking** palenie wzbronione; *s* odmowa
no•ble [`nəʊbl] *adj* szlachetny; okazały, imponujący; szlachecki; *s* szlachcic
no•bod•y [`nəʊbədɪ] *pron* nikt
nod [nod] *vt vi* przytakiwać; skinąć (głową); *s* skinienie; przytaknięcie
noise [nɔɪz] *s* odgłos; hałas; szum
nois•y [`nɔɪzɪ] *adj* hałaśliwy
none [nʌn] *pron* nikt, żaden; ani trochę, nic; **~ of my friends** żaden z moich przyjaciół; **there's ~ left** nic nie zostało
non•sense [`nonsns] *s* nonsens; **~!** bzdura!
non•smok•er ['non`sməʊkə(r)] *s* niepalący; wagon <przedział> dla niepalących
non•stop ['non`stop] *adj*

attr bezpośredni, bez postoju, nieprzerwany, non stop
noo•dles [ˋnudlz] *s pl* makaron
noon [nun] *s* (*pora dnia*) południe
nor [nɔ(r)] *adv* ani; także <też> nie; **he doesn't know her, ~ do I** on jej nie zna, ani ja <i ja też nie>
norm [nɔm] *s* norma
nor•mal [ˋnɔml] *adj* normalny
north [nɔθ] *s geogr.* północ; *adj* północny; *adv* na północ, w kierunku północnym; na północy; **~ of London** na północ od Londynu
Nor•we•gian [nɔˋwidʒən] *adj* norweski; *s* Norweg
nose [nəʊz] *s* nos; **runny ~** katar; **blow one's ~** wydmuchiwać nos
not [not] *adv* nie; **~ at all** nie ma za co; **~ a word** ani słowa
note [nəʊt] *s* notatka; przypis; banknot; nuta; **take ~s** notować; *vt* zauważać; **~ down** notować, zapisywać
note•book [ˋnəʊtbʊk] *s* notatnik, notes
noth•ing [ˋnʌθɪŋ] *s* nic; **for ~** za darmo; na próżno; **~ much** nic wielkiego
no•tice [ˋnəʊtɪs] *s* ogłoszenie; wywieszka; wypowiedzenie, wymówienie; **~ board** tablica ogłoszeń; **take ~** zwracać uwagę (**of sth** na coś); *vt* zauważyć, spostrzec
noun [naʊn] *s gram.* rzeczownik
nov•el [ˋnovl] *s* powieść
No•vem•ber [nəʊˋvembə(r)] *s* listopad
now [naʊ] *adv* obecnie, teraz; **~ and again** od czasu do czasu; *s* chwila obecna; **by ~** już; od tego czasu; **from ~ on** od tej pory; **up to <until> ~** dotąd, dotychczas; *conj* **~ (that)** teraz gdy
now•a•days [ˋnaʊədeɪz] *adv* obecnie, w dzisiejszych czasach
no•where [ˋnəʊweə(r)] *adv* nigdzie
nu•cle•ar [ˋnjuklɪə(r)] *adj biol.*, *fiz.* jądrowy, nuklearny
nude [njud] *adj* nagi; *s* (*w malarstwie, rzeźbie*) akt
nui•sance [ˋnjusns] *s* utrapienie; niedogodność
numb [nʌm] *adj* zdrętwiały (**with sth** z powodu czegoś)
num•ber [ˋnʌmbə(r)] *s* liczba; numer; **a ~ of** kilka; **beyond ~** bez liku; **~ plate** tablica rejestracyjna;

vt vi (po)numerować; liczyć (sobie)
nu•mer•al [`njumərl] *s* cyfra; *gram.* liczebnik
nu•mer•ous [`njumərəs] *adj* liczny
nun [nʌn] *s* zakonnica
nurse [nɜs] *s* pielęgniarka; *vt* pielęgnować; karmić piersią
nurs•er•y [`nɜsrɪ] *s* żłobek; pokój dziecinny; **~ school** przedszkole
nut [nʌt] *s* orzech
ny•lon [`naɪlon] *s* nylon

O

oak [əʊk] *s* dąb
oar [ɔ(r)] *s* wiosło
oath [əʊθ] *s* przysięga; przekleństwo; **under ~** pod przysięgą; **take the ~** przysięgać (*w sądzie*)
oat•meal [`əʊtmil] *s* płatki owsiane; *am.* owsianka
o•be•dient [ə`bidɪənt] *adj* posłuszny (**to sb, sth** komuś, czemuś)
o•bey [əʊ`beɪ] *vt vi* słuchać, być posłusznym
ob•ject[1] [`obdʒɪkt] *s* przedmiot; cel; *gram.* dopełnienie
ob•ject[2] [əb`dʒekt] *vi* sprzeciwiać się (**to sth** czemuś)
ob•jec•tion [əb`dʒekʃn] *s* sprzeciw; zarzut
ob•jec•tive [ob`dʒektɪv] *adj* obiektywny
ob•li•ga•tion ['oblɪ`geɪʃn] *s* obowiązek; **be under ~ to do sth** być zobligowanym do zrobienia czegoś
ob•lig•a•to•ry [ə`blɪgətrɪ] *adj* obowiązkowy
o•blige [ə`blaɪdʒ] *vt* zobowiązywać; **~ sb** wyświadczać komuś przysługę
ob•long [`oblоŋ] *adj* prostokątny; *s* prostokąt
ob•scene [əb`sin] *adj* nieprzyzwoity
ob•ser•va•tion ['obzə`veɪʃn] *s* obserwacja; spostrzeżenie
ob•serve [əb`zɜv] *vt* obserwować; spostrzegać; przestrzegać
ob•sta•cle [`obstəkl] *s* przeszkoda; **~ race** bieg z przeszkodami
ob•sti•nate [`obstɪnət] *adj* uparty, zawzięty
ob•struct [əb`strʌkt] *vt* blokować; utrudniać
ob•tain [əb`teɪn] *vt* nabywać; uzyskać

ob•vi•ous [`obvɪəs] *adj* oczywisty

oc•ca•sion [ə`keɪʒn] *s* okazja; sposobność; **on ~** od czasu do czasu

oc•ca•sion•al [ə`keɪʒnl] *adj* sporadyczny; okolicznościowy

oc•cu•pa•tion [`okjʊ`paɪʃn] *s* zawód; zajęcie

occupy [`okjʊpaɪ] *vt* okupować; zajmować

oc•cur [ə`kɜ(r)] *vi* zdarzać się; występować; **it ~red to me** przyszło mi do głowy

o•cean [`əʊʃn] *s* ocean

o'clock [ə`klok]: **it's six ~** jest godzina szósta

Oc•to•ber [ok`təʊbə(r)] *s* październik

odd [od] *adj* dziwny; nie do pary; (*o liczbie*) nieparzysty; przypadkowy; **~ jobs** dorywcze zajęcia

odds [odz] *s pl* prawdopodobieństwo; szanse powodzenia; **be at ~** nie zgadzać się (**with sb** z kimś)

o•dour [`əʊdə(r)] *s* zapach, woń

of [ov, əv] *praep* od, z, ze, na; (*przy tworzeniu dopełniacza*) **author of the book** autor książki; **bag of potatoes** torba ziemniaków; (*miejsce pochodzenia*) **a man of London** londyńczyk; (*przyczyna*) **die of cancer** umrzeć na raka; (*tworzywo*) **made of wood** zrobione z drewna; (*zawartość*) **bottle of milk** butelka mleka

off [of] *praep* od, z, ze; od strony; spoza; z dala; na boku; w odległości; **take the picture ~ the wall** zdjąć obraz ze ściany; **stand ~ the road** stać w pewnej odległości od drogi; **jump ~ the bus** wyskoczyć z autobusu; **borrow a pound ~ sb** pożyczyć funta od kogoś; *adv* daleko od (*środka, celu, tematu*); nie na miejscu; **hands ~!** precz z rękami!; **two miles ~** dwie mile stąd; **go ~** (*o jedzeniu*) zepsuć się; **the button came ~** guzik się urwał; **be well <badly> ~** być dobrze <źle> sytuowanym; **~ and on, on and ~** od czasu do czasu; *adj* gorszy; wyłączony; zakręcony; odwołany; **~ street** boczna ulica; **day ~** dzień wolny od pracy

of•fence [ə`fens] *s* przestępstwo; obraza; **take ~** obrażać się (**at sth** z powodu czegoś); **give ~** obrazić, urazić (**to sb** kogoś)

of•fend [ə`fend] *vt* obrazić, urazić
of•fer [`ofə(r)] *vt* oferować; proponować; ofiarować; *s* propozycja; oferta
of•fice [`ofɪs] *s* biuro; urząd; **~ hours** godziny urzędowania; **be in ~** piastować urząd
of•fi•cer [`ofɪsə(r)] *s* oficer; urzędnik, funkcjonariusz
of•fi•cial [ə`fɪʃl] *adj* oficjalny; *s* urzędnik (*na ważnym stanowisku*)
of•ten [`ofn, `oftn] *adv* często; **how ~?** jak często?
oil [ɔɪl] *s* oliwa; olej; ropa naftowa; *vt* naoliwiać
oil paint•ing [`ɔɪl peɪntɪŋ] *s* malarstwo olejne; obraz olejny
oint•ment [`ɔɪntmənt] *s* maść
okay, OK [əʊ`keɪ] *adv pot.* dobrze, w porządku, okej, OK; *int* dobrze!, okej!; (*pytanie*) zgoda?; *adj praed* (*będący*) w porządku <dobrym stanie, na miejscu>; *vi pot.* wyrażać zgodę
old [əʊld] *adj* stary; dawny; były; **~ age** starość; **how ~ are you?** ile masz lat?
old-fash•ioned ['əʊld`fæʃnd] *adj* staromodny, niemodny
ol•ive [`olɪv] *s* oliwka
Olym•pic [ə`lɪmpɪk] *adj* olimpijski; **the ~ Games** igrzyska olimpijskie
ome•lette [`omlɪt] *s* omlet
o•men [`əʊmen] *s* zły znak, omen
o•mit [əʊ`mɪt] *adj* pomijać, przeoczyć
on [on] *praep* na, nad, u, przy, po, w; **on foot** piechotą; **on horseback** konno; **on Monday** w poniedziałek; **on my arrival** po moim przybyciu; **on a train** pociągiem, w pociągu; **book on India** książka na temat Indii; *adv* bez przerwy; dalej; (*o ubraniu*) na sobie; **and so on** i tak dalej; **from now on** od tej chwili; **read on** czytaj dalej; **with his coat on** w (swoim) płaszczu; *adj* włączony; odkręcony; w toku; **the light is on** światło jest zapalone; **the play is on** sztuka jest grana na scenie
once [wʌns] *adv* raz, jeden raz; kiedyś (*w przeszłości*); **~ upon a time** pewnego razu; niegdyś; **~ again <more>** jeszcze raz; **~ for all** raz na zawsze; **all at ~** nagle; *s* raz; **at ~** natychmiast; **for ~** tylko tym razem; *conj* skoro, gdy tylko
one [wʌn] *num adj* jeden;

jedyny; niejaki, pewien; *pron*: **this ~** ten; **that ~** tamten; **the red ~** ten czerwony; **no ~** nikt; **~ can go** można iść; **~ another** się; **they hit ~ another** uderzyli jeden drugiego; **~ never knows** nigdy nie wiadomo; **I don't want this book, give me another ~** nie chcę tej książki, daj mi inną

one•self ['wʌn`self] *pron* się, siebie, sobie, sobą; sam, sam jeden, samodzielnie

one-sid•ed ['wʌn`saɪdɪd] *adj* jednostronny

on•ion [`ʌnɪən] *s* cebula

on•look•er [`on'lʊkə(r)] *s* widz

on•ly [`əʊnlɪ] *adj* jedyny; *adv* tylko, jedynie; **not ~... but also...** nie tylko..., lecz także...

on•ward [`onwəd] *adj* postępujący naprzód; *adv* dalej

o•pen [`əʊpən] *adj* otwarty; rozpięty; **in the ~ air** na świeżym powietrzu; **be ~ to sth** być narażonym <otwartym> na coś; *vt vi* otwierać (się); ujawniać; rozpoczynać (się)

op•er•a [`oprə] *s* opera; **~ house** (*budynek*) opera

op•er•ate [`opəreɪt] *vt vi* (*maszynę, urządzenie*) obsługiwać; działać; operować (**on sb** kogoś)

op•er•a•tion ['opə`reɪʃn] *s* obsługa; funkcjonowanie; operacja (**on sth** czegoś)

op•er•a•tor [`opəreɪtə(r)] *s* operator (maszyny); telefonista

op•er•et•ta ['opə`retə] *s* operetka

o•pin•ion [ə`pɪnɪən] *s* opinia; zdanie; **in my ~** moim zdaniem; **public ~** opinia publiczna; **~ poll** badanie opinii publicznej

op•por•tu•ni•ty ['opə`tjuːnətɪ] *s* sposobność; **to take the ~** skorzystać ze sposobności (**of doing sth** zrobienia czegoś)

op•pose [ə`pəʊz] *vt* sprzeciwiać się (**sb, sth** komuś, czemuś); **be ~d** sprzeciwiać się (**to sb, sth** komuś, czemuś)

op•po•site [`opəzɪt] *adj* przeciwległy, przeciwny; *praep* naprzeciwko

op•ti•mis•tic ['optɪ`mɪstɪk] *adj* optymistyczny

op•tion [`opʃn] *s* opcja

or [ɔ(r)] *conj* lub, albo; bo inaczej; **coffee or tea?** kawy czy herbaty?

o•ral [`ɔrl] *adj* ustny; *med.* doustny

or•ange [`orındʒ] *s* pomarańcza; *adj* pomarańczowy
or•chard [`ɔtʃəd] *s* sad
or•ches•tra [`ɔkıstrə] *s* orkiestra
or•der [`ɔdə(r)] *s* kolejność; porządek; order; zamówienie; zakon; **it's out of ~** to nie działa <jest zepsute>; **to ~** na zamówienie; **money ~** przekaz pieniężny; **in ~ to, in ~ that** żeby; *vt* rozkazywać; zamawiać; porządkować
or•di•nal [`ɔdınl] *adj* porządkowy; *s gram.* liczebnik porządkowy
or•di•na•ry [`ɔdnrı] *adj* zwyczajny
ore [ɔ(r)] *s* ruda, kruszec
or•gan [`ɔgən] *s* organ; *muz.* organy
or•gan•i•za•tion ['ɔgənaı`zeıʃn] *s* organizacja
or•gan•ize [`ɔgənaız] *vt* organizować
o•ri•en•ta•tion ['ɔrıən`teıʃn] *s* orientacja
or•i•gin [`orıdʒın] *s* pochodzenie; początek
o•rig•i•nal [ə`rıdʒnl] *adj* początkowy, pierwotny; oryginalny; autentyczny; *s* oryginał
or•na•ment [`ɔnəmənt] *s* ornament, ozdoba; *vt* [`ɔnəment] ozdabiać, upiększać
or•phan [`ɔfn] *s* sierota; *vt* osierocić
or•tho•dox [`ɔθədoks] *adj* ortodoksyjny; *rel.* prawosławny
os•trich [`ostrıtʃ] *s zool.* struś
oth•er [`ʌðə(r)] *adj pron* inny, drugi, jeszcze jeden; **each ~** nawzajem; **every ~ day** co drugi dzień; **on the ~ hand** z drugiej strony; **the ~ day** parę dni temu
oth•er•wise [`ʌðəwaız] *adv* inaczej; poza tym; w przeciwnym razie; bo inaczej
ought [ɔt] *v aux* (*powinność*): **I ~ to go** powinienem iść; **it ~ to be done** powinno się <należy> to zrobić
ounce [auns] *s* (*jednostka wagi*) uncja
our [`auə(r)] *pron* nasz
ours [`auəz] *pron* nasz; **this house is ~** ten dom jest nasz
our•selves [a`selvz] *pron* się, siebie, sobie, sobą; sami, samodzielnie
out [aut] *adv* na zewnątrz; poza domem; na dworze; **he is ~** nie ma go; **the fire is ~** ogień zgasł; *praep* **~ of** z; przez; bez; **~ of curi-**

osity przez ciekawość; ~ **of date** przestarzały, niemodny; ~ **of doors** na świeżym powietrzu; ~ **of place** nie na miejscu; ~ **of a job** bez pracy; **three ~ of four people** trzech z czterech ludzi

***out•do** [aʊt`du], **outdid** [aʊt`dɪd], **outdone** [aʊt`dʌn] *vt* przewyższać, prześcigać

out•doors [aʊt`dɔz] *adv* na zewnątrz, na świeżym powietrzu

out•er [`aʊtə(r)] *adj attr* zewnętrzny; odległy

out•fit [`aʊtfɪt] *s* sprzęt, ekwipunek; strój; ekipa

out•ing [`aʊtɪŋ] *s* wycieczka, wypad

out•line [aʊtlaɪn] *s* zarys; *vt* przedstawiać w zarysie

out•look [`aʊtlʊk] *s* widok; prognoza; pogląd

out-of-date ['aʊtəv`deɪt] *adj* przestarzały, niemodny

out•pa•tient [`aʊt'peɪʃnt] *s* pacjent ambulatoryjny

out•side [aʊt`saɪd] *s* zewnętrzna strona; *adv* na zewnątrz; *praep* na zewnątrz; *adj attr* [`aʊtsaɪd] zewnętrzny; leżący poza domem

out•size [aʊt`saɪz] *adj* (*o rozmiarze*) nietypowy

out•skirts [`aʊtskɜts] *s pl* peryferie

out•wards [aʊt`wədz] *adv* na zewnątrz

o•val [`əʊvl] *adj* owalny; *s* owal

o•va•tion [`əʊveɪʃn] *s* owacja

ov•en [`ʌvn] *s* piecyk; **microwave ~** kuchenka mikrofalowa

o•ver[1] [`əʊvə(r)] *praep* nad; przez; po drugiej stronie; ponad, powyżej; podczas; ~ **3 books** ponad 3 książki; ~ **the winter** podczas zimy; ~ **the telephone** przez telefon; ~ **the street** po drugiej stronie ulicy; *adv* na drugą stronę; całkowicie; zbyt, nadmiernie; ponownie; **all ~** wszędzie; ~ **again** raz jeszcze

o•ver-[2] [`əʊvə(r)] *praef* nad-, na-, prze-

o•ver•all ['əʊvər`ɔl] *adj* całkowity; ogólny; *adv* w sumie; ogólnie

o•ver•came *zob.* **overcome**

o•ver•coat [`əʊvəkəʊt] *s* palto, płaszcz

***o•ver•come** ['əʊvə`kʌm], **overcame** ['əʊvə`keɪm], **overcome** *vt* pokonywać, przezwyciężać

***o•ver•do** ['əʊvə`du], **overdid** ['əʊvə`dɪd], **overdone**

['əuvə`dʌn] *vt* przebrać miarę, przesadzać
o•ver•draft [`əuvədrɑft] *s handl.* przekroczenie konta
o•ver•due ['əuvə`dju] *adj* (*o rachunku*) zaległy; opóźniony; (*o terminie*) przekroczony
***o•ver•hear** ['əuvə`hɪə(r)], **overheard, overheard** ['əuvə`hɜd] *vt* usłyszeć przypadkiem
o•ver•look ['əuvə`luk] *vt* (*o oknie*) wychodzić na (coś); górować (**sth** nad czymś); przeoczyć, pominąć
o•ver•seas ['əuvə`siz] *adv* za granicą; *adj attr* zagraniczny
***o•ver•take** ['əuvə`teɪk], **overtook** ['əuvə`tuk], **overtaken** ['əuvə`teɪkən] *vt* wyprzedzać
***o•ver•throw** ['əuvə`θrəu], **overthrew** ['əuvə`θru], **overthrown** ['əuvə`θrəun] *vt* obalić; *s* [`əuvəθrəu] obalenie, przewrót
o•ver•time [`əuvətaɪm] *s* godziny nadliczbowe; *adv* po godzinach
o•ver•took *zob.* **overtake**
o•ver•whelm ['əuvə`welm] *vt* obezwładniać; (*o uczuciach*) przytłaczać
o•ver•work ['əuvə`wɜk] *vt* przeciążać pracą; *vi* przepracowywać się; *s* przepracowanie
owe [əu] *vt* być winnym <dłużnym>; zawdzięczać (**sth to sb** coś komuś)
ow•ing [`əuɪŋ] *adj* dłużny; **~ to** dzięki, na skutek, z powodu
owl [əul] *s zool.* sowa
own[1] [əun] *adj* własny; **on one's ~** samotnie; samodzielnie, bez pomocy
own[2] [əun] *vt* posiadać, mieć
own•er [`əunə(r)] *s* właściciel
ox•y•gen [`oksɪdʒən] *s* tlen
oy•ster [`ɔɪstə(r)] *s* ostryga
oz = ounce
o•zone [`əuzəun] *s chem.* ozon; *pot.* świeże powietrze

P

pace [peɪs] *s* krok; chód; tempo; **keep ~ with sb** dotrzymywać komuś kroku; *vt vi* kroczyć
pa•ci•fic [pæ`sɪfɪk] *adj* spokojny; pokojowy; *s* **the Pacific Ocean** Ocean Spokojny, Pacyfik

pack [pæk] *s* pakiet; paczka; sfora (*psów*), stado; talia (*kart*); *vt vi* (*także* ~ **up**) pakować (się)
pack•age [`pækɪdʒ] *s* paczka, pakunek; *vt* pakować
pack•et [`pækɪt] *s* pakiet, paczka
pad [pæd] *s* tampon; bloczek; *vt* (*np. ściany*) obijać (pluszem)
pad•dle [`pædl] *s* wiosło; *vt vi* wiosłować
pad•lock [`pædlok] *s* kłódka; *vt* zamykać na kłódkę
page [peɪdʒ] *s* stronica
paid *zob.* **pay**
pail [peɪl] *s* wiadro
pain [peɪn] *s* ból; *pot.* utrapienie
paint [`peɪnt] *s* farba; *vt* malować; ~ **sth blue** malować coś na niebiesko
paint•er [`peɪntə(r)] *s* (artysta) malarz
paint•ing [`peɪntɪŋ] *s* malowanie; malarstwo; obraz
pair [peə(r)] *s* para; **in ~s** parami; *vt vi* łączyć (się) w pary
pa•jam•as [pə`dʒɑməz] *s am.* = **pyjamas**
pal [pæl] *s pot.* kumpel
pal•ace [`pælɪs] *s* pałac
pale [peɪl] *adj* blady; **turn ~** zblednąć; *vi* blednąć
palm[1] [pɑm] *s* palma
palm[2] [pɑm] *s* dłoń
pan [pæn] *s* rondel; **frying ~** patelnia
pan•cake [`pænkeɪk] *s* naleśnik
pan•cre•as [`pæŋkrɪəs] *s anat.* trzustka
pane [`peɪn] *s* szyba
pan•ic [`pænɪk] *s* panika; *vi* wpadać w panikę (**at sth** z powodu czegoś); *vt* powodować panikę
pants [pænts] *s pl* kalesony; *am.* spodnie
panty•hose [`pæntɪ həʊz] *s am.* rajstopy
pa•per [`peɪpə(r)] *s* papier; gazeta; praca pisemna, esej; referat; *pl* **~s** papiery, dokumenty
pa•per•back [`peɪpə bæk] *s* książka w papierowej okładce
par•a•chute [`pærəʃut] *s* spadochron
pa•rade [pə`reɪd] *s* parada
par•al•lel [`pærəlel] *adj* równoległy; analogiczny; *s* równoległa; podobieństwo
pa•ral•y•sis [pə`ræləsɪs] *s* paraliż
par•cel [`pɑsl] *s* paczka; przesyłka; parcela
par•don [`pɑdn] *s* ułaskawienie; przebaczenie; ~ **me**, **I beg your ~** przepra-

szam; **~?** słucham, nie dosłyszałem?; *vt* przebaczać

par•ent [`peərnt] *s* ojciec lub matka; *pl* **~s** rodzice

par•ish [`pærɪʃ] *s* parafia; gmina

park [pɑk] *s* park; **car ~** parking; *vt vi* parkować

park•ing [`pɑkɪŋ] *s* parkowanie; **~ place** miejsce do parkowania

par•lia•ment [`pɑləmənt] *s* parlament

par•rot [`pærət] *s* papuga

pars•ley [`pɑslɪ] *s* pietruszka

part [pɑt] *s* część; (*serialu*) odcinek; udział; strona; rola; **for my ~** co do mnie; **for the most ~** przeważnie, w większości przypadków; **in ~** w części; **on my ~** z mojej strony; **take ~** brać udział (**in sth** w czymś); *vt* dzielić, rozdzielać; *vi* rozdzielać się; rozstawać się

par•tic•i•pant [pɑ`tɪsɪpənt] *s* uczestnik

par•tic•i•pate [pɑ`tɪsɪpeɪt] *vi* uczestniczyć (**in sth** w czymś)

par•tic•u•lar [pə`tɪkjulə(r)] *adj* szczególny, specjalny; szczegółowy, dokładny; *s* szczegół; *pl* **~s** dane osobowe; **in ~** w szczególności

part•ner [`pɑtnə(r)] *s* partner; wspólnik; *vt* partnerować

par•tridge [`pɑtrɪdʒ] *s zool.* kuropatwa

part-time ['pɑttaɪm] *adj attr* niepełnoetatowy; *adv* na niepełnym etacie

par•ty [`pɑtɪ] *s* przyjęcie (*towarzyskie*); (*ludzi*) grupa; partia; **be a ~** współuczestniczyć (**to sth** w czymś)

pass [pɑs] *vt vi* przechodzić, przejeżdżać; mijać; przekraczać; podawać; spędzać (*czas*); zdać (*egzamin*); wydawać (*wyrok, opinię*); **~ away** umrzeć; **~ for sb, sth** uchodzić za kogoś, coś; **~ off** przemijać; **~ oneself off** podawać się (**as sb, sth** za kogoś, coś); **~ out** zemdleć; **~ over** pomijać, ignorować; *s* przejście; przepustka; przełęcz

pas•sage [`pæsɪdʒ] *s* korytarz; przejście, przejazd; (*w książce*) ustęp

pas•sen•ger [`pæsndʒə(r)] *s* pasażer

pas•ser•by ['pɑsə`baɪ] *s* (*pl* **passersby** ['pɑsəz `baɪ]) przechodzień

pas•sion [`pæʃn] *s* namiętność, pasja (**for sth** do czegoś)

pas•sive [`pæsɪv] *adj* bierny

pass•port [`paspɔt] *s* paszport; ~ **control** kontrola paszportowa
past [past] *adj* miniony, przeszły; ubiegły; *praep* obok; po; za; **ten ~ two** dziesięć (minut) po drugiej; **she is ~ fifty** ona jest po pięćdziesiątce; *s*: **the ~** przeszłość; *adv* obok, mimo
pas•time [`pastaɪm] *s* rozrywka
pas•tor [`pastə(r)] *s* pastor
pas•try [`peɪstrɪ] *s zbior.* wyroby cukiernicze; ciastko
past•y [`pæstɪ] *s* pasztecik
patch [pætʃ] *s* łata; zagon; plaster; *vt* łatać; ~ **up** załagodzić (*spór*); połatać
path [paθ] *s* (*pl* ~**s** [paðz]) *dosł. i przen.* ścieżka, droga
pa•tience [`peɪʃŋs] *s* cierpliwość
pa•tient [`peɪʃnt] *s* pacjent; *adj* cierpliwy
pa•tri•ot [`peɪtrɪət] *s* patriota
pa•trol [pə`trəʊl] *s* patrol; *vt vi* patrolować
pat•tern [`pætn] *s* wzór; szablon
pause [pɔz] *s* pauza, przerwa; *vi* robić przerwę; zatrzymywać się
pave•ment [`peɪvmənt] *s* chodnik
***pay** [peɪ], **paid, paid** [peɪd] *vt vi* płacić; opłacać (się); ~ **attention** zwracać uwagę (**to sth** na coś); ~ **(in) cash** <**by cheque**> płacić gotówką <czekiem>; ~ **(sb) a compliment** powiedzieć (komuś) komplement; ~ **a visit** złożyć wizytę; ~ **back** zwracać (*pieniądze*); ~ **off** spłacić; (*w pracy*) dawać odprawę; *s* płaca
pay•ment [`peɪmənt] *s* zapłata; wpłata; opłata
pea [pi] *s* groch, groszek
peace [pis] *s* pokój; spokój; **at ~** w spokoju
peace•ful [`pisfʊl] *adj* spokojny; pokojowy
peach [pitʃ] *s* brzoskwinia
pea•cock [`pikok] *s* paw
pea•nut [`pinʌt] *s* orzeszek ziemny
pear [`peə(r)] *s* gruszka; grusza
pearl [pɜl] *s* perła
peas•ant [`peznt] *s* chłop, wieśniak
pe•cul•iar [pɪ`kjulɪə(r)] *adj* osobliwy; właściwy (**to sth** czemuś)
ped•al [`pedl] *s* pedał; *vt vi* naciskać na pedał; pedałować (*na rowerze*)
pe•des•tri•an [pɪ`destrɪən] *s*

pieszy, przechodzień; *adj* pieszy

peel [pil] *vt* obierać (*ze skórki*); *vi* łuszczyć się; *s* łupinka, skórka

peg [peg] *s* wieszak, kołek; (*do namiotu*) śledź; **clothes** ~ klamerka do bielizny

pen [pen] *s* pióro; długopis; **fountain** ~ pióro wieczne

pen•al•ty [`penltɪ] *s* kara; grzywna; **death** ~ kara śmierci

pence *zob.* **penny**

pen•cil [`pensl] *s* ołówek

pen•guin [`peŋgwɪn] *s* pingwin

pe•nin•su•la [pe`nɪnsjʊlə] *s* półwysep

pen•knife [`pennaɪf] *s* (*pl* **penknives** [`pennaɪvz]) scyzoryk

pen•ny [`penɪ] *s* (*pl* **pennies** [`penɪz] *lub* **pence** [pens]) pens

pen•sion [`penʃn] *s* emerytura; renta

peo•ple [`pipl] *s pl* ludzie; *zbior.* naród; **the** ~ lud

pep•per [`pepə(r)] *s* pieprz

per cent, per•cent [pə`sent] *s* procent

per•cent•age [[pə`sentɪdʒ] *s* procent, odsetki

per•cus•sion [pə`kʌʃn] *s muz.* perkusja

per•fect [`pɜfɪkt] *adj* doskonały; *vt* [pə`fekt] udoskonalać

per•fec•tion [pə`fekʃn] *s* doskonałość; perfekcja

per•form [pə`fɔm] *vt* dokonywać; wykonywać; (*w przedstawieniu*) odgrywać (rolę)

per•form•ance [pə`fɔməns] *s* występ; przedstawienie

per•fume [`pɜfjum] *s* perfumy

per•haps [pə`hæps] *adv* może, być może

pe•ri•od [`pɪərɪəd] *s* okres; *med.* miesiączka

pe•ri•od•i•cal ['pɪərɪ`odɪkl] *s* czasopismo, periodyk

per•ish [`perɪʃ] *vi* ginąć; niszczeć

perm [pɜm] *s* trwała ondulacja; *vt* robić trwałą ondulację

per•ma•nent [`pɜmənənt] *adj* stały; ciągły; trwały; ~ **wave** trwała ondulacja

per•mis•sion [pə`mɪʃn] *s* pozwolenie, zezwolenie

per•mit [pə`mɪt] *vt* pozwalać (**sth** na coś); *s* [`pɜmɪt] zezwolenie (pisemne); przepustka

Per•sian [`pɜʃn] *adj* perski; *s* Pers; język perski

per•sist [pə`sɪst] *vi* upierać się <obstawać> (**in sth** przy czymś); (*o pogodzie, bólu*) utrzymywać się

per•son [`pɜsn] *s* osoba; osobnik; **in ~** osobiście

per•son•al [`pɜsnl] *adj* osobisty, prywatny, własny

per•son•a•li•ty ['pɜsə`næləti] *s* osobowość; osobistość

per•son•nel ['pɜsn`el] *s* personel

per•spec•tive [pə`spektɪv] *s* perspektywa; **in ~** z właściwej perspektywy

per•suade [pə`sweɪd] *vt* przekonywać, namawiać (**sb into sth** kogoś do czegoś); **I was ~d that...** byłem przekonany, że...

pes•si•mis•m [`pesɪmɪzm] *s* pesymizm

pest [pest] *s* szkodnik

pet [pet] *s* (*zwierzę*) pieszczoch, ulubieniec; *vt* pieścić

pe•ti•tion [pɪ`tɪʃn] *s* petycja; *vi* składać petycję (**for sth** o coś; **against sth** przeciw czemuś)

pet•rol [`petrl] *s* benzyna; **~ station** stacja benzynowa

pet•ty [`petɪ] *adj* drobny, mało znaczący; małostkowy

phase [feɪz] *s* faza

pheas•ant [`feznt] *s zool.* bażant

phe•nom•e•non [fɪ`nomɪnən] *s* (*pl* **phenomena** [fɪ`nomɪnə]) zjawisko

phi•los•o•phy [fɪ`losəfɪ] *s* filozofia

phone [fəʊn] *s* = **telephone**; *vt vi* dzwonić, telefonować

photo [`fəʊtəʊ] *s skr.* **photograph**

pho•to•graph [`fəʊtəgrɑf] *s* fotografia, zdjęcie; **take a ~** robić zdjęcie (**of sb** komuś); *vt* fotografować

pho•tog•ra•pher [fə`togrəfə(r)] *s* fotograf

pho•tog•ra•phy [fə`togrəfɪ] *s* fotografia (*sztuka fotografowania*)

phrase [freɪz] *s* zwrot, fraza

phys•i•cal [`fɪzɪkl] *adj* fizyczny

phy•si•cian [fɪ`zɪʃn] *s* lekarz

phys•ics [`fɪzɪks] *s* fizyka

pi•an•ist [`pɪənɪst] *s* pianista

pi•an•o [pɪ`ænəʊ] *s* pianino

pick [pɪk] *vt* wybierać; (*kwiaty*) zrywać; (*grzyby*) zbierać; **~ one's nose <teeth>** dłubać w nosie <zębach>; **~ sb's pocket** dobierać się do czyjejś kieszeni; **~ off** zrywać; **~ out** wybierać; dostrzegać; **~ up** podnosić (*z ziemi*); pozbierać; nauczyć się; (*osobę, paczkę*) odbierać; (*o kierow-*

cy) zabierać (**sb** kogoś); (*dziewczynę*) podrywać; *s* wybór

pick•pock•et [ˋpɪk'pokɪt] *s* złodziej kieszonkowy

pic•nic [ˋpɪknɪk] *s* piknik; *vi* urządzać piknik

pic•ture [ˋpɪktʃə(r)] *s* obraz; zdjęcie; film; *vt* wyobrażać, przedstawiać

pic•tur•esque ['pɪktʃəˋresk] *adj* malowniczy

pie [paɪ] *s* pasztecik, pierożek; placek

piece [pis] *s* kawałek; część; **a ~ of furniture** mebel; **~ of music** utwór muzyczny; **in ~s** w kawałkach; **~ by ~** po kawałku; **go to ~s** rozpadać się na kawałki

piece•work [ˋpiswɜk] *s* praca na akord

pier [piə(r)] *s* molo, pomost

pierce [piəs] *vt* przebijać, przekłuwać

pig [pɪg] *s* świnia

pig•eon [ˋpɪdʒən] *s* gołąb

pig•eon•hole [ˋpɪdʒən həʊl] *s* przegródka, szufladka

pile [paɪl] *s* stos, sterta; *vt* układać w stertę

pil•grim [ˋpɪlgrɪm] *s* pielgrzym

pilgrimage [ˋpɪlgrɪmɪdʒ] *s* pielgrzymka

pill [pɪl] *s* pigułka

pil•lar [ˋpɪlə(r)] *s* filar

pil•low [ˋpɪləʊ] *s* poduszka

pi•lot [ˋpaɪlət] *s* pilot; *vt* pilotować

pin [pɪn] *s* szpilka; **safety ~** agrafka; *vt* przypinać szpilką <szpilkami>; **~ down** przyszpilać

pin•cers [ˋpɪnsəz] *s* szczypce; obcążki

pinch [pɪntʃ] *vt vi* szczypać; (*o butach*) uciskać, uwierać; *s* uszczypnięcie; szczypta

pine [paɪn] *s bot.* sosna

pine•ap•ple [ˋpaɪnæpl] *s bot.* ananas

pink [pɪŋk] *adj* różowy; *s* kolor różowy; *bot.* goździk

pint [paɪnt] *s* pół kwarty (*bryt.* 0,568 l, *am.* 0,473 l)

pipe [paɪp] *s* rura; fajka; fujarka; *vt* doprowadzać rurami

pi•rate [ˋpaɪrət] *s* pirat; *vt* nielegalnie kopiować

pis•tol [ˋpɪstl] *s* pistolet

pitch [pɪtʃ] *s* smoła

pit•y [ˋpɪtɪ] *s* współczucie; szkoda; **take <have> ~** litować się (**on sb** nad kimś); **what a ~!** jaka szkoda!; *vt* współczuć

piz•za [ˋpitsə] *s* pizza

place [pleɪs] *s* miejsce; posada; **give ~** ustąpić; **take ~** mieć miejsce, wydarzyć się; **take the ~ of** zastępować; **in ~** na miejscu; **in ~ of**

zamiast; **out of ~** nie na miejscu, nieodpowiedni; **in the first ~** po pierwsze; *vt* umieszczać; stawiać; umiejscowić; **~ an order** składać zamówienie

plain [pleɪn] *adj* prosty; gładki; wyraźny; otwarty, szczery

plan [plæn] *s* plan, projekt, zamiar; *vt* planować, zamierzać; projektować

plane [pleɪn] *s* samolot; płaszczyzna

plan•et [`plænɪt] *s* planeta

plant [plɑnt] *s* roślina; fabryka; *vt* sadzić; siać

plas•ter [`plastə(r)] *s* tynk; gips; plaster; *vt* tynkować

plas•tic [`plæstɪk] *s* plastik; *adj* plastyczny; plastikowy

plate [pleɪt] *s* talerz; płyt(k)a

plat•form [`plætfɔm] *s* peron; platforma; trybuna

play [pleɪ] *s* gra, zabawa; sztuka sceniczna; *sport.* gra; *vt vi* bawić się (**with sth** czymś); (*na scenie, instrumencie*) grać; odgrywać rolę; *sport.* grać; **~ cards <football>** grać w karty <w piłkę nożną>; **~ the piano** grać na pianinie; **~ a joke** zrobić kawał (**on sb** komuś)

play•er [`pleɪə(r)] *s* gracz; muzyk

play•ground [`pleɪgraʊnd] *s* plac zabaw

play•ing field [`pleɪɪŋ fild] *s* boisko

play•thing [`pleɪθɪŋ] *s* zabawka

pleas•ant [`pleznt] *adj* przyjemny, miły

please [pliz] *int* proszę; **~ come in!** proszę wejść!; *vt vi* zadowalać; sprawiać przyjemność; **if you ~** proszę bardzo; **be ~d** być zadowolonym (**with sth** z czegoś); **I am ~d to say** z przyjemnością stwierdzam; **do as you ~** rób, jak chcesz

pleas•ing [`plizɪŋ] *adj* przyjemny

pleas•ure [`pleʒə(r)] *s* przyjemność; **take ~ in doing sth** znajdować przyjemność w czymś; **my ~** cała przyjemność po mojej stronie

plen•ty [`plentɪ] *s* obfitość, duża ilość; **~ of** dużo

pli•ers [`plɑɪəz] *s pl* szczypce, kombinerki

plight [plɑɪt] *s* trudna sytuacja

plot [plot] *s* (*powieści, dramatu*) fabuła, akcja; spisek, intryga; kawałek gruntu; działka; *vt vi* spiskować, intrygować

plough [plaʊ] *s* pług; *vt* orać

plug [plʌg] *s* korek, zatyczka; wtyczka (*do kontaktu*); świeca (*w silniku*); *vt* zatykać; ~ **in** wetknąć wtyczkę (*do kontaktu*)

plum [plʌm] *s* śliwka

plumb•er [ˋplʌmə(r)] *s* hydraulik

plu•ral [ˋplʊərl] *adj gram.* mnogi; *s gram.* liczba mnoga

plus [plʌs] *praep* plus; *adj attr* dodatni; *s* plus

pneu•mo•ni•a [njuˋməʊnɪə] *s med.* zapalenie płuc

pock•et [ˋpokɪt] *s* kieszeń; *vt* wkładać do kieszeni; przywłaszczać sobie

pock•et mon•ey [ˋpokɪt mʌnɪ] *s* kieszonkowe

po•em [ˋpəʊɪm] *s* wiersz

po•et [ˋpəʊɪt] *s* poeta

po•et•ry [ˋpəʊɪtrɪ] *s* poezja

point [pɔɪnt] *s* czubek, ostry koniec; punkt; cecha; sedno sprawy; sens; kwestia; **this is not the** ~ nie o to chodzi; **to the** ~ do rzeczy; **off the** ~ nie na temat; **be on the** ~ **of doing sth** mieć właśnie coś zrobić; **I see your** ~ rozumiem, o co ci chodzi; ~ **of view** punkt widzenia; *vi* wskazywać (**at sb, sth** na kogoś, coś); *vt* celować (**at sb** do kogoś); ~ **out** wskazywać

poi•son [ˋpɔɪzn] *s* trucizna; *vt* truć

pok•er [ˋpəʊkə(r)] *s* poker

pole[1] [pəʊl] *s geogr.* biegun

pole[2] [pəʊl] *s* drąg; słup; *sport.* ~ **jump** skok o tyczce

Pole[3] [pəʊl] *s* Polak, Polka

po•lice [pəˋlis] *s* policja; *vt* patrolować

po•lice•man [pəˋlismən] *s* (*pl* **policemen** [pəˋlismən]) policjant

po•lice station [pəˋlis steɪʃn] *s* komisariat policji

pol•i•cy [ˋpolɪsɪ] *s* polityka; polisa; **insurance** ~ polisa ubezpieczeniowa

pol•ish[1] [ˋpolɪʃ] *vt* polerować; czyścić (*np. buty*); *s* pasta; połysk; polerowanie

Pol•ish[2] [ˋpəʊlɪʃ] *adj* polski; *s* język polski

po•lite [pəˋlaɪt] *adj* grzeczny, uprzejmy

pol•i•ti•cian ['poləˋtɪʃn] *s* polityk

pol•i•tics [ˋpolɪtɪks] *s* polityka; poglądy polityczne

pol•lute [pəˋlut] *vt* zanieczyszczać

pol•y•tech•nic ['polɪˋteknɪk] *s* politechnika

pond [pond] *s* staw

pon•y [ˋpəʊnɪ] *s* kucyk

poo•dle [ˋpudl] *s* pudel

pool [pul] *s* sadzawka; kału-

ża; **swimming ~** basen (pływacki)
poor [puə(r)] *adj* biedny, nędzny
pope [pəup] *s* papież
pop•u•lar [`popjulə(r)] *adj* popularny
pop•u•la•tion ['popju`leɪʃn] *s* zaludnienie; ludność; populacja
porce•lain [`pɔslɪn] *s* porcelana
pork [pɔk] *s* wieprzowina; **~ chop** kotlet schabowy
por•ridge [`porɪdʒ] *s* owsianka
port [pɔt] *s mors.* port
port•a•ble [`pɔtəbl] *adj* przenośny
por•ter [`pɔtə(r)] *s* bagażowy; portier
por•tion [`pɔʃn] *s* część; udział; porcja
por•trait [`pɔtrɪt] *s* portret
Por•tu•guese ['pɔtʃu`giz] *adj* portugalski; *s* Portugalczyk
po•si•tion [pз`zɪʃn] *s* pozycja, położenie; pozycja społeczna; stanowisko; *vt* umieszczać
pos•i•tive [`pozətɪv] *adj* pewny, przekonany; pozytywny; *s fot.* pozytyw
pos•sess [pə`zes] *vt* posiadać; opętać (kogoś)
pos•si•bil•i•ty ['posə`bɪlətɪ] *s* możliwość
pos•sible [`posəbl] *adj* możliwy; ewentualny; **as soon as ~** jak najszybciej
post [pəust] *s* poczta; **by ~** pocztą; **by return of ~** odwrotną pocztą; *vt* wysyłać pocztą
post•age [`pəustɪdʒ] *s* opłata pocztowa
post•box [`pəustboks] *s* skrzynka pocztowa
post•card [`pəustkɑd] *s* pocztówka; **picture ~** widokówka
post•er [`pəustə(r)] *s* plakat, afisz
post•man [`pəustmən] *s* (*pl* **postmen** [`pəustmən]) listonosz
post of•fice [`pəust ofɪs] *s* urząd pocztowy
post•pone [pə`spəun] *vt* odraczać, odwlekać
pot [pot] *s* garnek; doniczka; dzbanek; nocnik
po•ta•to [pə`teɪtəu] *s* ziemniak
po•ten•tial [pə`tenʃl] *adj* potencjalny; *s* potencjał
pound[1] [pɑund] *s* funt; funt szterling
pound[2] [pɑund] *vt vi* tłuc, walić (**sth** coś; **at sth** w coś)
pour [pɔ(r)] *vt* nalewać, roz-

lewać, lać; *vi* lać się; *s* ulewa

pov•er•ty [`povətɪ] *s* ubóstwo, bieda

pow•der [`paudə(r)] *s* proszek; puder; proch; *vt* posypywać (proszkiem); pudrować

pow•er [`pauə(r)] *s* władza; uprawnienie; zdolność; siła, moc; *elektr.* energia; *mat.* potęga

pow•er sta•tion [`pauə steɪʃn] *s* elektrownia

prac•ti•cal [`præktɪkl] *adj* praktyczny

prac•tice [`præktɪs] *s* praktyka, ćwiczenie; zwyczaj; **be out of ~** wyjść z wprawy; **put into ~** zrealizować

prac•tise [`præktɪs] *vt* praktykować, ćwiczyć; *vi* prowadzić praktykę

praise [preɪz] *vt* chwalić; *s* pochwała

pram [præm] *s* wózek dziecięcy

pray [preɪ] *vt vi* modlić się (**for sth** o coś); błagać

prayer [`preə(r)] *s* modlitwa

pre•cede [prɪ`sid] *vt vi* (*w czasie*) poprzedzać; mieć pierwszeństwo (**sb, sth** przed kimś, czymś)

pre•ced•ing [prɪ`sidɪŋ] *adj* poprzedzający, poprzedni

pre•cious [`preʃəs] *adj* cenny, wartościowy; (*o kamieniu*) szlachetny

pre•cise [prɪ`saɪs] *adj* dokładny, precyzyjny; (*o człowieku*) skrupulatny

pre•ci•sion [prɪ`sɪʒn] *s* precyzja

pre•de•ces•sor [`pridisesə(r)] *s* poprzednik

pre•dict [prɪ`dɪkt] *vt* przewidywać

pref•ace [`prefɪs] *s* przedmowa; *vt* poprzedzać przedmową

pre•fer [prɪ`fɜ(r)] *vt* woleć (**sb, sth to sb, sth** kogoś, coś od kogoś, czegoś)

preg•nant [`pregnənt] *adj* w ciąży

prem•ise [`preməs] *s* przesłanka; *pl* **~s** teren, siedziba; **on the ~s** na miejscu

pre•mi•um [`primɪəm] *s* składka ubezpieczeniowa; premia

pre•oc•cu•pied [pri'okjʊ`peɪd] *adj* zaabsorbowany

prep•a•ra•tion ['prepə`reɪʃn] *s* przygotowanie

pre•pare [prɪ`peə(r)] *vt vi* przygotowywać (się)

pre•scrip•tion [prɪ`skrɪpʃn] *s* recepta (**for sth** na coś)

pres•ence [`prezns] *s* obecność; prezencja

pres•ent[1] [`preznt] *s* prezent; *vt* **pre•sent** [prɪ`zent] dawać prezent, podarować (**sb with sth** komuś coś); stanowić (*np. problem*); przedstawiać; (*program, audycję*) prowadzić

pres•ent[2] [`preznt] *adj* obecny; *s*: **the ~** teraźniejszość; **at ~** teraz, obecnie; **for the ~** na razie

pres•ent•ly [`prezntlı] *adv* wkrótce; obecnie

pre•serve [prı`zɜv] *vt* zachowywać; (*jedzenie*) konserwować

pres•i•dent [`prezıdənt] *s* prezydent; prezes, przewodniczący

press [pres] *vt vi* przyciskać; naciskać; ściskać; prasować; nalegać; **~ for sth** domagać się czegoś; *s* prasa (*także drukarska*); **in ~** w druku; **go to ~** iść do druku; **a good ~** dobra recenzja (*w prasie*)

pres•sure [`preʃə(r)] *s* ciśnienie; nacisk; **high <low> ~** wysokie <niskie> ciśnienie

pre•tend [prı`tend] *vt vi* udawać

pre•text [`pritekst] *s* pretekst

pret•ty [`prıtı] *adj* ładny; *adv pot.* sporo, dość

pre•vent [prı`vent] *vt* zapobiegać; uniemożliwiać (**sb from doing sth** komuś zrobienie czegoś)

pre•vi•ous [`priviəs] *adj* poprzedni; poprzedzający (**to sth** coś)

price [praıs] *s* cena; **~ tag** metka; *vt* wyceniać, oceniać

prick [prık] *s* ukłucie; kolec; **~s of conscience** wyrzuty sumienia; *vt* ukłuć; **~ up one's ears** nadstawiać uszu

pride [praıd] *s* duma; **take ~** być dumnym (**in sth** z czegoś); *vr*: **~ oneself on sth** szczycić się

priest [prist] *s* ksiądz; kapłan

pri•ma•ry [`praımrı] *adj* główny; początkowy; **~ school** szkoła podstawowa

prime [praım] *adj* pierwszy, najważniejszy; pierwszorzędny; **Prime Minister** premier

prim•i•tive [`prımıtıv] *adj* pierwotny; prymitywny

prince [prıns] *s* książę

prin•cess ['prın`ses] *s* księżna, księżniczka

prin•ci•pal [`prınsəpl] *adj* główny; *s* kierownik; odtwórca głównej roli

prin•ci•ple [`prınsəpl] *s* zasada

print [prınt] *s* druk; ślad;

(*zdjęcie*) odbitka; (*o książce*) **in ~** będący w sprzedaży; **out of ~** nakład wyczerpany; *vt* drukować; napisać drukowanymi literami
print•ing house [`prɪntɪŋ haʊs] *s* drukarnia
pri•or [`praɪə(r)] *adj attr* uprzedni, wcześniejszy; ważniejszy; **~ to sth** przed czymś
pris•on [`prɪzn] *s* więzienie
pris•on•er [`prɪznə(r)] *s* więzień
pri•va•cy [`prɪvəsɪ] *s* samotność
pri•vate [`praɪvɪt] *adj* osobisty; prywatny; **keep sth ~** trzymać coś w tajemnicy; *s wojsk.* szeregowy
priv•i•lege [`prɪvɪlɪdʒ] *s* przywilej; zaszczyt
prize [praɪz] *s* nagroda; wygrana (*na loterii*); *vt* wysoko cenić
prob•a•ble [`probəbl] *adj* prawdopodobny
prob•lem [`probləm] *s* problem; zadanie (matematyczne)
pro•ceed [prə`sid] *vi* kontynuować (**with sth** coś); przystępować, zabierać się (**to sth** do czegoś); podążać, udawać się (*dokądś*)
pro•cess [`prəʊses] *s* przebieg, tok; **in ~ of doing sth** w trakcie robienia czegoś; *vt* (*np. żywność*) przetwarzać; rozpatrywać
pro•ces•sion [prə`seʃn] *s* procesja; pochód
pro•duce [prə`djus] *vt* produkować; wytwarzać; (*o zwierzętach*) rodzić; wystawiać (*sztukę*); powodować
pro•duc•er [prə`djusə(r)] *s* producent
prod•uct [`prodʌkt] *s* produkt; wytwór
pro•duc•tion [prə`dʌkʃn] *s* produkcja; wystawienie (sztuki)
pro•fes•sion [prə`feʃn] *s* zawód; **by ~** z zawodu
pro•fes•sion•al [prə`feʃnl] *adj* zawodowy; fachowy; *s* zawodowiec; *pot.* fachowiec
pro•fes•sor [prə`fesə(r)] *s* profesor
pro•fi•cien•cy [prə`fɪʃnsɪ] *s* biegłość, sprawność
pro•fi•cient [prə`fɪʃnt] *adj* biegły (**at <in> sth** w czymś)
pro•file [`prəʊfaɪl] *s* profil
prof•it [`profɪt] *s* zysk; korzyść; **make a ~** osiągać zysk; *vi* przynosić korzyść (**by sth** z czegoś)
pro•gram [`proʊgræm] *s komp.* program; *vt* programować
pro•gramme [`proʊgræm] *s*

program; *vt* zaprogramować; zaplanować

prog•ress [`prəʊgres] *s* postęp; rozwój; *vi* [prə`gres] posuwać się naprzód; robić postępy

pro•hib•it [prə`hɪbɪt] *vt* zakazywać; powstrzymywać

pro•ject [`prodʒekt] *s* projekt; *vt* [prə`dʒekt] projektować

pro•long [prə`loŋ] *vt* przedłużać

prom•i•nent [`promɪnənt] *adj* wystający; widoczny; wybitny

prom•ise [`promɪs] *s* obietnica; **keep a ~** dotrzymać obietnicy; **show ~** dobrze się zapowiadać; *vt vi* obiecywać (**sb sth <sth to sb>** komuś coś)

pro•mote [prə`məʊt] *vt* dawać awans; popierać; promować; **be ~d** awansować

pro•mo•tion [prə`məʊʃn] *s* awans; promocja

prompt [prompt] *vt vi* spowodować; podpowiadać; *adj* natychmiastowy; punktualny

pro•noun [`prəʊnaʊn] *s gram.* zaimek

pro•nounce [prə`naʊns] *vt* wymawiać; uznawać; ogłaszać (*np. werdykt*)

pro•nun•ci•a•tion [prə'nʌnsɪ`eɪʃn] *s* wymowa

proof [pruf] *s* dowód; korekta; *adj* odporny (**against sth** na coś)

prop•er [`propə(r)] *adj* właściwy, odpowiedni; stosowny

prop•er•ty [`propətɪ] *s* własność, mienie; posiadłość, nieruchomość; własność, cecha

pro•por•tion [prə`pɔʃn] *s* proporcja, stosunek; **in ~** proporcjonalny; **out of ~** nieproporcjonalny

pro•pos•al [prə`pəʊzl] *s* propozycja; oświadczyny

pro•pose [prə`pəʊz] *vt* proponować; (*wniosek, kandydaturę*) wysuwać; zamierzać; *vi* oświadczać się (**to sb** komuś)

prose [prəʊz] *s* proza

pro•sper•i•ty [prə`sperətɪ] *s* dobrobyt; dobra koniunktura

pros•ti•tute [`prostɪtjut] *s* prostytutka

pro•tect [prə`tekt] *vt* chronić, ochraniać (**from <against> sb, sth** przed kimś, czymś)

pro•tec•tion [prə`tekʃn] *s* ochrona, zabezpieczenie (**against sth** przed czymś)

pro•test [`prəʊtest] *s* pro-

test; *vi* [prə`test] protestować; *vt* zapewniać (**sth** o czymś)
Prot•es•tant [`protɪstənt] *s* protestant; *adj* protestancki
proud [praʊd] *adj* dumny (**of sth** z czegoś)
prove [pruv] *vt* udowadniać; *vi* okazywać się
pro•vide [prə`vaɪd] *vt vi* dostarczać (**sb with sth <sth for sb>** komuś coś); zaspokajać potrzeby, utrzymywać; uwzględniać
pro•vid•ed [prə`vaɪdɪd] *conj* o ile; pod warunkiem
prov•ince [`provɪns] *s* prowincja; dziedzina
pro•voke [prə`vəʊk] *vt* prowokować; (*reakcję*) wywoływać
psy•chi•a•try [saɪ`kaɪətrɪ] *s* psychiatria
psy•cho•a•nal•y•sis ['saɪkəʊə`næləsɪs] *s* psychoanaliza
psy•cho•lo•gy [saɪ`kolədʒɪ] *s* psychologia
pub [pʌb] *s pot.* pub
pub•lic [`pʌblɪk] *adj* publiczny; jawny; ~ **school** ekskluzywna szkoła średnia (*z internatem*); *am.* państwowa szkoła średnia; ~ **service** komunikacja miejska; służba państwowa; ~ **house** = **pub**; *s*: **the ~** publiczność; **in ~** publicznie
pub•lish [`pʌblɪʃ] *vt* publikować, wydawać; **~ing house** wydawnictwo
pud•ding [`pʊdɪŋ] *s* pudding
pull [pʊl] *vt vi* ciągnąć; pociągnąć; wyciągać; ~ **down** rozbierać (*dom*); ~ **out** odjeżdżać; wyrywać (*np. ząb*); ~ **up** zatrzymywać (się); podciągać
pull•o•ver [`pʊləʊvə(r)] *s* pulower
pulse [pʌls] *s* puls, tętno; **feel sb's ~** badać komuś puls; *vi* pulsować
pump [pʌmp] *s* pompa; **bicycle ~** pompka rowerowa; *vt* pompować
pump•kin [`pʌmpkɪn] *s bot.* dynia
punch[1] [pʌntʃ] *vt* uderzać pięścią; *s* uderzenie pięścią
punch[2] [pʌntʃ] *vt* dziurkować; (*bilet*) kasować; *s* dziurkacz; **ticket ~** kasownik
punc•tu•al [`pʌŋktʃʊəl] *adj* punktualny
punc•ture [`pʌŋktʃə(r)] *s* przekłucie; przebicie dętki; *vt* przekłuwać; złapać gumę
pun•ish [`pʌnɪʃ] *vt* karać (**for sth** za coś)

pun•ish•ment [ˋpʌnɪʃmənt] *s* kara; **capital ~** kara śmierci
pu•pil[1] [ˋpjupl] *s* uczeń
pu•pil[2] [ˋpjupl] *s* źrenica
pur•chase [ˋpɜtʃəs] *vt* zakupywać; *s* kupno; zakup
pure [pjʊə(r)] *adj* czysty
pur•ga•tive [ˋpɜgətɪv] *adj* przeczyszczający; *s* środek przeczyszczający
pur•pose [ˋpɜpəs] *s* cel; **on ~** umyślnie, celowo
purse [pɜs] *s* portmonetka; *am.* torebka damska
pur•sue [pəˋsju] *vt* ścigać; kontynuować
pur•suit [pəˋsjut] *s* pościg; **in ~ of sth** w pościgu za czymś
push [pʊʃ] *vt vi* pchać; przepychać się; naciskać (**sb** na kogoś); **~ through** przepychać; *s* naciśnięcie; pchnięcie
***put, put, put** [pʊt] *vt vi* stawiać, kłaść, umieszczać; zadawać (*pytania*); zapisywać; zaprzęgać (**sb to work** kogoś do pracy); **~ in order** doprowadzić do porządku; **~ right** poprawiać; **~ a stop** położyć kres (**to sth** czemuś); **~ away** schować; odkładać (*pieniądze*); **~ down** stłumić (*np. powstanie*); zapisywać; **~ off** odkładać na później; zniechęcać; **~ on** wkładać (*ubranie*); nakładać; włączać; przybierać (*na wadze*); wystawiać (*sztukę*); **~ out** gasić; wyciągać (*np. rękę*); **~ through** łaczyć telefonicznie (**to sb** z kimś); **~ together** składać; montować; **~ up** stawiać (*np. namiot*); wywieszać (*np. ogłoszenie*); podnosić (*cenę, rękę*); przenocować (**sb** kogoś); stawiać (*np. opór*); wystawiać (*na sprzedaż*)
puz•zle [ˋpʌzl] *vt* zaintrygować; *vi* głowić się (**over sth** nad czymś); *s* zagadka
py•ja•mas [pəˋdʒɑməz] *s pl* piżama
pyr•a•mid [ˋpɪrəmɪd] *s* piramida

Q

quake [kweɪk] *vi* trząść się, drżeć; *s* drżenie; *pot.* trzęsienie ziemi
qual•i•fy [ˋkwolɪfɑɪ] *vt vi* kwalifikować (się); upo-

ważniać; zdobywać kwalifikacje
qual•i•ty [ˋkwolətɪ] *s* jakość; cecha, właściwość
qualm [kwɑm] *s* niepokój; *pl* **~s** skrupuły
quan•ti•ty [ˋkwontətɪ] *s* ilość
quar•rel [ˋkworl] *s* kłótnia; *vi* kłócić się
quar•ter [ˋkwɔtə(r)] *s* ćwierć; kwadrans; kwartał; strona świata; dzielnica; *am.* moneta 25-centowa
quay [ki] *s* nabrzeże
queen [kwin] *s* królowa; (*w kartach*) dama
queer [kwɪə(r)] *adj* dziwaczny
ques•tion [ˋkwestʃn] *s* pytanie; kwestia; **ask a ~** zadawać pytanie; **call into ~** podawać w wątpliwość; **beyond ~** bez wątpienia; **it's out of the ~** to wykluczone; *vt* zadawać pytania; kwestionować
ques•tion mark [ˋkwestʃən mɑk] *s* znak zapytania
ques•tion•naire ['kwestʃəˋneə(r)] *s* kwestionarusz
queue [kju] *s* (*np. ludzi*) kolejka; **jump the ~** wpychać się bez kolejki; *vi* stać w kolejce
quick [kwɪk] *adj* szybki, bystry; *adv* szybko
qui•et [ˋkwɑɪət] *adj* cichy; spokojny; *s* cisza; spokój
quit [kwɪt] *vt vi* porzucić (*np. posadę*)
quite [kwɑɪt] *adv* zupełnie; całkiem; **~ so!** no właśnie!
quo•ta•tion [kwəʊˋteɪʃn] *s* cytat; cytowanie
quo•ta•tion marks [kwəʊˋteɪʃn mɑks] *s pl* cudzysłów
quote [kwəʊt] *vt* cytować; powoływać się (**sth** na coś)

R

rab•bit [ˋræbɪt] *s* królik
race[1] [reɪs] *s* bieg, wyścig; *vt vi* ścigać się; pędzić; brać udział w wyścigach
race[2] [reɪs] *s* rasa
rack [ræk] *s* półka (*na bagaż*); suszarka do naczyń
rack•et [ˋrækɪt] *s sport.* rakieta
ra•di•a•tor [ˋreɪdɪeɪtə(r)] *s* kaloryfer, grzejnik; *techn.* chłodnica
ra•di•o [ˋreɪdɪəʊ] *s* radio
rad•ish [ˋrædɪʃ] *s bot.* rzodkiewka

rag [ræg] *s* szmata; szmatka
rage [reɪdʒ] *s* wściekłość; *pot.* ostatni krzyk mody; *vi* wściekać się (**at <against> sb** na kogoś); szaleć
raid [reɪd] *s* najazd, napad; **air ~** nalot; *vt vi* najeżdżać, napadać
rail [reɪl] *s* poręcz; szyna; kolej żelazna
rail•road [ˋreɪlrəʊd] *am.* = **railway**
rail•way [ˋreɪlweɪ] *s* linia kolejowa; kolej żelazna
rain [reɪn] *s* deszcz; *vi* (*o deszczu*) padać
rain•bow [ˋreɪnbeʊ] *s* tęcza
rain•coat [ˋreɪnkəʊt] *s* płaszcz przeciwdeszczowy
raise [reɪz] *vt* podnosić; zbierać (*np. pieniądze*); hodować; wychowywać (*dzieci*); wnosić (*np. sprzeciw*); wznosić (*np. budynek*)
rai•sin [ˋreɪzn] *s* rodzynek
ral•ly [ˋrælɪ] *s* wiec, zlot; rajd; *vt vi* mobilizować (się)
ram•ble [ˋræmbl] *s* wędrówka; *vi* wędrować
ran *zob.* **run**
ranch [rɑntʃ] *s* ranczo
ran•dom [ˋrændəm] *s*: **at ~** na chybił trafił; *adj* przypadkowy, pierwszy lepszy
rang *zob.* **ring**
range [reɪndʒ] *s* zasięg; zakres (*np. badań*); łańcuch (*górski*); *vt vi* rozciągać się (**from sth to sth** od czegoś do czegoś)
rank [rɑŋk] *s* ranga, stopień; warstwa społeczna; szereg; *vt* klasyfikować; **he is ~ed third** on jest klasyfikowany na trzecim miejscu
ran•som [ˋrænsəm] *s* okup
rape [reɪp] *vt* zgwałcić; *s* gwałt
rap•id [ˋræpɪd] *adj* szybki; gwałtowny
rare [reə(r)] *adj* rzadki
rasp•ber•ry [ˋrɑzbrɪ] *s bot.* malina
rat [ræt] *s zool. i przen.* szczur
rate [reɪt] *s* stosunek (*ilościowy*), proporcja; współczynnik; **at any ~** w każdym razie; za każdą cenę; **birth ~** wskaźnik urodzeń; **exchange ~** kurs walutowy; **interest ~** stopa procentowa; *vt* szacować, oceniać; zasługiwać (**sth** na coś)
ra•ther [ˋrɑðə(r)] *adv* raczej; **I would ~ go** wolałbym pójść
ra•ti•o [ˋreɪʃɪəʊ] *s* stosunek (*liczbowy, ilościowy*), proporcja
ra•ven [ˋreɪvn] *s zool.* kruk
raw [rɔ] *adj* surowy; nierafi-

nowany; (*o człowieku*) niedoświadczony; ~ **material** surowiec

ray [reɪ] *s* promień

ra•zor [`reɪzə(r)] *s* brzytwa; ~ **blade** żyletka; **safety** ~ maszynka do golenia; **electric** ~ elektryczna maszynka do golenia

reach [ritʃ] *vt vi* docierać; sięgać; dosięgnąć; *s* zasięg; **within** ~ w zasięgu; **out of** ~ poza zasięgiem

re•ac•tion [ri`ækʃn] *s* reakcja

***read** [rid], **read, read** [red] *vt vi* czytać; ~ **out** odczytać na głos; **this book ~s well** tę książkę dobrze się czyta

read•er [`ridə(r)] *s* czytelnik; wykładowca; wypisy szkolne

read•y [`redɪ] *adj* gotowy; chętny; szybki; ~ **money** gotówka; **to get <make>** ~ przygotować się; *vt* przygotowywać

re•al [rɪəl] *adj* rzeczywisty, prawdziwy; ~ **estate <property>** nieruchomość

re•al•i•ty [ri`ælətɪ] *s* rzeczywistość; **in** ~ w rzeczywistości

rea•li•za•tion ['rɪəlɑɪ`zeɪʃn] *s* uświadomienie sobie, zrozumienie; realizacja, urzeczywistnienie

rea•lize [`rɪəlɑɪz] *vt* uświadomić sobie, zdawać sobie sprawę; urzeczywistnić

real•ly [`rɪəlɪ] *adv* naprawdę, rzeczywiście

rear[1] [rɪə(r)] *vt* hodować; wychowywać

rear[2] [rɪə(r)] *s* tył, tylna strona; **in the** ~ w tylnej części

rea•son [`rizn] *s* powód (**of sth** czegoś; **for sth** do czegoś); rozum; rozwaga; **by ~ of sth** z powodu czegoś; **with** ~ słusznie; **within** ~ w granicach zdrowego rozsądku; *vt vi* rozumować, rozważać; wyperswadować (**sb out of sth** komuś coś); przekonać, namówić (**sb into sth** kogoś do czegoś)

rea•son•a•ble [`riznəbl] *adj* rozsądny; (*o cenach*) umiarkowany

re•call [rɪ`kɔl] *vt* przypominać sobie; odwoływać (*np. ambasadora*); wycofywać (*np. produkt*)

re•ceipt [rɪ`sit] *s* pokwitowanie; paragon; **on ~ of sth** po otrzymaniu czegoś

re•ceive [rɪ`siv] *vt* otrzymywać; doznawać

re•ceiv•er [rɪ`sivə(r)] *s* słuchawka (*telefoniczna*); odbiornik (*radiowy, telewizyjny*); paser

re•cent [`risnt] *adj* niedawny, ostatni
re•cent•ly [`risntlı] *adv* niedawno, ostatnio
re•cep•tion [rı`sepʃn] *s* przyjęcie; recepcja, portiernia; odbiór (*np. fal radiowych*)
re•ci•pe [`resəpı] *s* przepis (**for sth** na coś)
reck•on [`rekən] *vt vi* obliczać (*w przybliżeniu*); uznawać (**sb a great actress** kogoś za wielką aktorkę)
rec•og•nize [`rekəgnɑız] *vt* rozpoznawać; uznawać
rec•ol•lect ['rekə`lekt] *vt* przypominać sobie
rec•om•mend ['rekə`mend] *vt* polecać; zalecać
rec•om•men•da•tion ['rekəmen`deıʃn] *s* rekomendacja
rec•on•cile [`rekənsɑıl] *vt* pogodzić
re•con•struct ['rikən`strʌkt] *vt* odtworzyć, zrekonstruować
re•cord [`rekɔd] *s* zapis; rejestr; akta; rekord; płyta (*gramofonowa*); **break the ~** pobić rekord; *vt* [rı`kɔd] zapisywać, rejestrować; nagrywać
re•cord•ing [rı`kɔdıŋ] *s* nagranie
re•cov•er ['rı`kʌvə(r)] *vt* odzyskać; wydobywać; *vi* przyjść do siebie; wyzdrowieć
rec•tan•gle [`rektæŋgl] *s* prostokąt
re•cy•cle ['ri`saıkl] *vt* przerabiać (*na surowce wtórne*)
red [red] *adj* czerwony; rudy
re•duce [rı`djus] *vt* zmniejszać, redukować; obniżać (*np. cenę*)
re•duc•tion [rı`dʌkʃn] *s* redukcja; zmniejszenie; obniżka (*np. cen*)
re•dun•dant [rı`dʌndənt] *adj* zbędny, zbyteczny; **make ~** zwolnić z pracy
reel [ril] *s* szpulka; rolka; *vi* (*o osobie*) zataczać się
re•fer [rı`fɜ(r)] *vt vi* odsyłać; odnosić (się) (**to sth** do czegoś)
ref•er•ee ['refə`ri] *s sport.* sędzia; arbiter; *vt vi* sędziować
ref•er•ence [`refrəns] *s* wzmianka; odniesienie (**to sth** do czegoś); *pl* **~s** referencje; bibliografia; **~ book** książka podręczna (*np. słownik*); **with <in> ~ to** odnośnie do, co się tyczy
re•fill ['ri`fıl] *vt vi* ponownie napełnić (się); *s* [`rifıl] wkład (*np. do długopisu*)

re•flect [rɪˋflekt] *vt* odbijać (*np. fale, światło*); odzwierciedlać; *vi* zastanawiać się (**on sth** nad czymś)
re•flec•tion [rɪˋflekʃn] *s* odbicie; refleksja
re•form [rɪˋfɔm] *vt vi* reformować; poprawiać (się); *s* reforma
re•fresh [rɪˋfreʃ] *vt* odświeżać; pokrzepiać
re•fresh•ment [rɪˋfreʃmənt] *s* odświeżenie; pokrzepienie; *pl* **~s** przekąski
re•frig•er•a•tor [rɪˋfrɪdʒəreɪtə(r)] *s* chłodnia; lodówka
ref•uge [ˋrefjudʒ] *s* schronienie; azyl; **take ~** chronić się
ref•u•gee ['refjuˋdʒi] *s* uchodźca
re•fund [rɪˋfʌnd] *vt* zwracać pieniądze; *s* [ˋrifʌnd] zwrot (pieniędzy)
re•fus•al [rɪˋfjuzl] *s* odmowa
re•fuse [rɪˋfjuz] *vt vi* odmawiać; odrzucać (*propozycję*)
re•gard [rɪˋgɑd] *s* szacunek; uwaga; **with ~ to sth** przez wzgląd na coś; *pl* **~s** pozdrowienia; *vt* uważać (**sb, sth as...** kogoś, coś za...); patrzeć (**sb, sth** na kogoś, coś); **~ing, as ~s** co się tyczy, co do
re•gion [ˋridʒən] *s* rejon, okolica; region
reg•is•ter [ˋredʒɪstə(r)] *s* rejestr; wykaz; **~ office** urząd stanu cywilnego; *vt vi* rejestrować (się); meldować się; (*list, bagaż*) nadawać jako polecony
re•gis•tra•tion ['redʒɪˋstreɪʃn] *s* rejestracja
re•gret [rɪˋgret] *vt* żałować; opłakiwać; *s* żal
reg•u•lar [ˋregjulə(r)] *adj* regularny, prawidłowy; zawodowy
reg•u•late [ˋregjəleɪt] *vt* kontrolować; regulować
reg•u•la•tion ['regjəˋleɪʃn] *s* kontrola; przepis, zarządzenie
re•ject [rɪˋdʒekt] *vt* odrzucać
re•joice [rɪˋdʒɔɪs] *vi* radować się (**at <over> sth** czymś)
re•late [rɪˋleɪt] *vt* relacjonować; (*fakty*) powiązać; *vt* odnosić się (**to sb, sth** do kogoś, czegoś)
re•lat•ed [rɪˋleɪtɪd] *adj* spokrewniony (**to sb** z kimś); powiązany (**to sth** z czymś)
re•la•tion [rɪˋleɪʃn] *s* krewny; pokrewieństwo; relacja, związek; *pl* **~s** stosunki
rel•a•tive [ˋrelətɪv] *adj* względny; dotyczący (**to sth** czegoś); *s* krewny
re•lax [rɪˋlæks] *vr vt* odprężyć się, rozluźnić (się)

re•lax•a•tion ['rilæk`seɪʃən] *s* relaks, odpoczynek; rozluźnienie, złagodzenie

re•lease [rɪ`lis] *vt* uwalniać; zwalniać (*np. sprzęgło*); (*film, płytę*) wypuszczać na rynek; opublikować; *s* uwolnienie; (*o filmie, płycie*) nowość

rel•e•vant [`reləvənt] *adj* dotyczący (**to sth** czegoś), związany (**to sth** z czymś); istotny

rel•ic [`relɪk] *s* relikt; relikwia

re•lief [rɪ`lif] *s* ulga; pomoc, zapomoga; płaskorzeźba

re•lieve [rɪ`liv] *vt* łagodzić, przynosić ulgę; zmieniać, zluzować (*np. wartownika*)

re•li•gion [rɪ`lɪdʒən] *s* religia

re•luc•tant [rɪ`lʌktənt] *adj* niechętny

re•ly [rɪ`lɑɪ] *vi* polegać (**on sb, sth** na kimś, na czymś); zależeć

re•main [rɪ`meɪn] *vi* pozostawać; *s pl* **~s** resztki; szczątki

re•mark [rɪ`mɑk] *vt* zauważyć; zrobić uwagę (**on sb, sth** na temat kogoś, czegoś); *s* uwaga, spostrzeżenie

re•mark•a•ble [rɪ`mɑkəbl] *adj* godny uwagi, niepospolity

rem•e•dy [`remədɪ] *s* lekarstwo, środek; *vt* zaradzić; naprawić

re•mem•ber [rɪ`membə(r)] *vt* pamiętać; przypominać (sobie); **~ me to your sister** pozdrów ode mnie siostrę

re•mind [rɪ`mɑɪnd] *vt* przypominać (**sb of sth** komuś o czymś)

re•mind•er [rɪ`mɑɪndə(r)] *s* przypomnienie; upomnienie

re•mit•tance [rɪ`mɪtns] *s* przekaz pocztowy

re•mote [rɪ`məʊt] *adj* odległy

re•mov•al [rɪ`muvl] *s* usunięcie; przewóz mebli; przeprowadzka

re•move [rɪ`muv] *vt vi* usuwać; zwalniać (*np. ze służby*); przenosić się

Re•nais•sance [rɪ`nesns] *s* Odrodzenie, Renesans

rent [rent] *s* czynsz; opłata; *vt* wynajmować

re•pair [rɪ`peə(r)] *vt* naprawiać, reperować; *s* naprawa; **in good <bad> ~** w dobrym <złym> stanie; **beyond ~** nie do naprawy; **under ~** w naprawie

re•peat [rɪ`pit] *vt* powtarzać

re•pent [rɪ`pent] *vt* żałować

(**sth** czegoś); *vi* odczuwać żal (**of sth** z powodu czegoś)

re•place [rɪ`pleɪs] *vt* zastępować (**sb, sth with <by> sb, sth** kogoś, coś kimś, czymś); odkładać na swoje miejsce

re•ply [rɪ`plaɪ] *vi* odpowiadać (**to a question** na pytanie); *s* odpowiedź

re•port [rɪ`pɔt] *s* raport, sprawozdanie; doniesienie; świadectwo szkolne; *vt vi* składać raport; relacjonować; donosić

rep•re•sent ['reprɪ`zent] *vt* reprezentować; występować w (*czyimś*) imieniu; przedstawiać, wyobrażać; symbolizować

rep•re•sen•ta•tive ['reprɪ`zentətɪv] *adj* reprezentatywny; *s* przedstawiciel

rep•ri•mand [`reprɪmand] *vt* udzielać nagany, ganić; *s* nagana, reprymenda

re•proach [rɪ`prəʊtʃ] *vt* wyrzucać (**sb for sth** komuś coś); zarzucać (**sb with sth** komuś coś); *s* wyrzut; zarzut

re•pub•lic [rɪ`pʌblɪk] *s* republika

re•pul•sion [rɪ`pʌlʃn] *s* wstręt, odraza

re•pul•sive [rɪ`pʌlsɪv] *adj* odrażający

re•quest [rɪ`kwest] *s* prośba; życzenie; ~ **stop** przystanek na żądanie; **on** ~ na życzenie; *vt* prosić (**sth** o coś)

re•quire [rɪ`kwaɪə(r)] *vt* potrzebować (**sth of sb** czegoś od kogoś); wymagać

re•quire•ment [rɪ`kwaɪəmənt] *s* potrzeba; wymaganie

res•cue [`reskju] *vt* uratować, ocalić; *s* ratunek

re•search [rɪ`sɜtʃ] *s* badanie (*naukowe*); *vi* prowadzić badania; *vt* badać

re•sem•ble [rɪ`zembl] *vt* być podobnym, przypominać

res•er•va•tion ['rezə`veɪʃn] *s* zastrzeżenie; rezerwacja; rezerwat

re•serve [rɪ`zɜv] *vt* rezerwować; *s* rezerwa; rezerwat przyrody; gracz rezerwowy; **in** ~ w rezerwie

re•served [rɪ`zɜvd] *adj* powściągliwy; zarezerwowany

res•i•dence [`rezɪdəns] *s* rezydencja; miejsce stałego pobytu

res•i•dent [`rezɪdənt] *adj* zamieszkały; *s* mieszkaniec

re•sign [rɪ`zaɪn] *vt vi* rezygnować; ustępować; *vr* ~

oneself pogodzić się (**to sth** z czymś)
res•ig•na•tion ['rezɪ`gneɪʃn] *s* rezygnacja
re•sist [rɪ`zɪst] *vt* opierać się (**sth** czemuś), przeciwstawiać się
re•sist•ance [rɪ`zɪstəns] *s* opór; odporność; *elektr.* oporność; **the ~** ruch oporu
res•o•lu•tion ['rezə`luʃn] *s* rezolucja; mocne postanowienie; stanowczość, zdecydowanie; rozwiązanie (*problemu*)
re•solve [rɪ`zolv] *vt* rozwiązać; zdecydować, postanowić
re•sort [rɪ`zɔt] *s* kurort; uciekanie się; **health ~** uzdrowisko; *vi* uciekać się (**to sth** do czegoś)
re•source [rɪ`zɔs] *s* surowiec; *pl* **~s** zasoby; **natural ~s** bogactwa naturalne
re•spect [rɪ`spekt] *s* szacunek; *pl* **~s** wyrazy uszanowania; **with ~ to sth** w odniesieniu do czegoś; **in ~ of sth** pod względem czegoś; *vt* szanować
re•spond [rɪ`spond] *vi* odpowiadać; reagować (**to sth** na coś)
re•sponse [rɪ`spons] *s* odpowiedź; reakcja
re•spon•si•bil•i•ty [rɪ'sponsə`bɪlətɪ] *s* odpowiedzialność; **take ~** ponosić odpowiedzialność (**for sth** za coś)
re•spon•si•ble [rɪ`sponsəbl] *adj* odpowiedzialny (**to sb for sth** przed kimś za coś)
rest[1] [rest] *s* odpoczynek; **have <take> a ~** wypoczywać; *vi* odpoczywać; opierać się (**on sth** na czymś)
rest[2] [rest] *s* reszta; **for the ~** co do reszty, poza tym
res•tau•rant [`restəront] *s* restauracja
re•store [rɪ`stɔ(r)] *vt* przywracać (*np. porządek*); odnawiać, odrestaurować
re•strain [rɪ`streɪn] *vt* powstrzymywać, hamować
re•strict [rɪ`strɪkt] *vt* ograniczać
re•stric•tion [rɪ`strɪkʃn] *s* ograniczenie
rest room [`restrum] *s am.* toaleta
re•sult [rɪ`zʌlt] *vt* wynikać (**from sth** z czegoś); kończyć się (**in sth** czymś); *s* wynik; **as a ~** w wyniku
re•sume [rɪ`zjum] *vt vi* na nowo rozpoczynać (się)
re•tail [`riteɪl] *s* sprzedaż detaliczna; *adv* detalicznie; *vt* [rɪ`teɪl] sprzedawać detalicznie
re•tire [rɪ`taɪə(r)] *vt vi* prze-

chodzić na emeryturę; oddalać się; wycofywać się
re•treat [rɪˋtrit] *s* odwrót; ustronie; *rel.* rekolekcje; *vi* wycofywać się
re•turn [rɪˋtɜn] *vt vi* wracać; zwracać; odwzajemniać; *s* powrót; zwrot; *pl* **~s** wpływy (*pieniężne*); **by ~ (of post)** odwrotną pocztą; **in ~** w zamian (**for sth** za coś); **many happy ~s (of the day)!** wszystkiego najlepszego (w dniu urodzin)!; *adj attr* powrotny; **~ ticket** bilet powrotny
re•venge [rɪˋvendʒ] *s* zemsta; **take ~** zemścić się; *vt* mścić; *vr* **~ oneself** mścić się (**on sb** na kimś)
rev•e•rend [ˋrevərənd] *adj* czcigodny; (*o duchownym*) **the Reverend** wielebny
re•verse [rɪˋvɜs] *adj* odwrotny, przeciwny; *vt vi* cofać (się); odwracać; unieważniać; *s* odwrotna strona; **~ gear** wsteczny bieg
re•view [rɪˋvju] *s* przegląd; recenzja; *vt* rewidować; recenzować
re•view•er [rɪˋvjuə(r)] *s* recenzent
re•voke [rɪˋvəʊk] *vt* odwoływać; unieważniać
rev•o•lu•tion ['revəˋluʃn] *s* rewolucja; pełny obrót
re•volve [rɪˋvolv] *vt vi* obracać (się)
re•volv•er [rɪˋvolvə(r)] *s* rewolwer
re•vue [rɪˋvju] *s teatr.* rewia
re•ward [rɪˋwɔd] *s* nagroda; *vt* nagradzać
rheu•ma•tis•m [ˋrumətɪzəm] *s* reumatyzm
rhi•no•ce•ros [raɪˋnosərəs] *s zool.* nosorożec
rhyth•m [ˋrɪðm] *s* rytm
rib [rɪb] *s* żebro
rib•bon [ˋrɪbən] *s* wstążka, tasiemka
rice [raɪs] *s* ryż
rich [rɪtʃ] *adj* bogaty; obfity; żyzny
***rid, rid, rid** [rɪd] *vt* uwolnić, oczyścić (**of sth** z czegoś); **get ~** uwolnić się, pozbyć się (**of sth** czegoś)
rid•den *zob.* **ride**
rid•dle [ˋrɪdl] *s* zagadka
***ride** [raɪd], **rode** [rəʊd], **ridden** [ˋrɪdn] *vt vi* (*konno, rowerem*) jeździć; jechać; *s* jazda; przejażdżka
rid•er [ˋraɪdə(r)] *s* jeździec
ri•dic•u•lous [rɪˋdɪkjələs] *adj* śmieszny
right[1] [raɪt] *adj attr* (*o stronie*) prawy; **on the ~ side** po prawej stronie; *adv* na prawo, w prawo; *s* prawa strona; **to the ~** na prawo
right[2] [raɪt] *adj* prawidłowy,

słuszny; właściwy, odpowiedni; ~ **angle** kąt prosty; **be** ~ mieć rację; **all** ~ wszystko w porządku; *int* dobrze!; zgoda!; *adv* słusznie, prawidłowo; ~ **away** natychmiast; *s*: ~ **of way** pierwszeństwo przejazdu

ri•gid [`rɪdʒɪd] *adj* sztywny; (*o człowieku*) nieugięty

rim [rɪm] *s* brzeg (*np. szklanki*); obwódka; oprawa (*np. okularów*)

ring[1] [rɪŋ] *s* pierścionek; pierścień; koło; *sport.* ring; *vt* zakreślać

***ring**[2] [rɪŋ], **rang** [ræŋ], **rung** [rʌŋ] *vt vi* dzwonić; telefonować (**sb** do kogoś); ~ **back** oddzwaniać; ~ **off** odkładać słuchawkę; ~ **up** telefonować (**sb** do kogoś); *s* dzwonek (*np. telefonu*)

rinse [rɪns] *vt* (*także* ~ **out**) płukać, przemywać; *s* płukanie

ripe [raɪp] *adj* dojrzały

***rise** [raɪz], **rose** [rəʊz], **risen** [`rɪzn] *vi* podnosić się; wstawać; wzrastać; (*o słońcu*) wschodzić; *s* wzrost; podwyżka; wzniesienie; wschód (słońca); **give** ~ dać początek (**to sth** czemuś)

risk [rɪsk] *s* ryzyko; **run** <**take**> **a** ~ podejmować ryzyko; *vt* ryzykować

riv•er [`rɪvə(r)] *s* rzeka

road [rəʊd] *s* droga; szosa; ulica; **on the** ~ w drodze, w podróży; ~ **works** roboty drogowe

road•side [`rəʊdsaɪd] *s* pobocze; **by the** ~ na poboczu

road•way [`rəʊdweɪ] *s* szosa, jezdnia

roam [rəʊm] *vt vi* wędrować, włóczyć się

roar [rɔ(r)] *s* ryk; *vi* ryczeć

roast [rəʊst] *vt vi* piec (się); *s* pieczeń; *adj* pieczony

rob [rob] *vt* obrabować; okradać (**sb of sth** kogoś z czegoś)

ro•bot [`rəʊbot] *s* robot

rock[1] [rok] *s* skała; kamień

rock[2] [rok] *vt vi* kołysać (się)

rock•et [`rokɪt] *s* rakieta (*np. pocisk*); *vi* gwałtownie skoczyć w górę

rode *zob.* **ride**

role [rəʊl] *s* rola

roll [rəʊl] *vt vi* zwijać; toczyć (się); (*rękawy*) podwijać; ~ **out** rozwałkować; rozwijać; *s* rolka; zwój; walec; bułka (*okrągła*); lista

roll•er skates [`rəʊlə skeɪts] *s pl* wrotki

ro•mance [rə`mæns] *s* romans; urok, czar

ro•man•tic [rəʊ`mæntɪk] *adj* romantyczny

ro•man•ti•cis•m [rəʊ`mæntɪsɪzm] *s* romantyzm

roof [ruf] *s* dach

room [rum] *s* pokój; miejsce, przestrzeń; **single <double>** ~ pokój jednoosobowy <dwuosobowy>; **make ~ for sb, sth** zrobić miejsce dla kogoś, czegoś

room•mate [`rummeɪt] *s* współlokator

root [rut] *s* korzeń; *mat.* pierwiastek; *vi* ukorzeniać się

rope [rəʊp] *s* lina, sznur; *vt* przywiązywać

ro•sa•ry [`rəʊzərɪ] *s rel.* różaniec

rose[1] *zob.* **rise**

rose[2] [rəʊz] *s bot.* róża

rot [rot] *vi* gnić; *vt* powodować gnicie; *s* gnicie

rough [rʌf] *adj* szorstki, chropowaty; (*o morzu*) wzburzony; grubiański; przybliżony

round [rɑʊnd] *adj* okrągły; *s* runda; objazd; (*przy częstowaniu*) kolejka; *adv* naokoło, dookoła; **all (the) year ~** przez cały rok; **all ~** dookoła; *praep* wokół, dookoła; **~ the corner** za rogiem; *vt* okrążać

round•a•bout [`rɑʊndəbɑʊt] *s* rondo; karuzela; *adj* okrężny

round-the-clock ['rɑʊndðə`klok] *adj attr* całodobowy

rouse [rɑʊz] *vi* pobudzić

route [rut] *s* droga, trasa

row[1] [rəʊ] *s* rząd, szereg

row[2] [rəʊ] *vt vi* wiosłować

row[3] [rɑʊ] *s pot.* awantura, kłótnia; *vi pot.* kłócić się

roy•al [`rɔɪəl] *adj* królewski; wspaniały; *s pot.* członek rodziny królewskiej

rub [rʌb] *vt vi* pocierać; zacierać; wcierać; **~ out** wycierać, wymazywać

rub•ber [`rʌbə(r)] *s* guma; gumka

rub•bish [`rʌbɪʃ] *s* śmieci; bzdury; **talk ~** pleść bzdury

ruck•sack [`rʌksæk] *s* plecak

rude [rud] *adj* niegrzeczny, ordynarny; **be ~** być niegrzecznym (**to sb** dla kogoś)

rug [rʌg] *s* dywanik

rug•by [`rʌgbɪ] *s sport.* rugby

ruin [`ruɪn] *s* ruina; *vt* rujnować

rule [rul] *s* reguła, zasada; rządy; **as a ~** z reguły; *vt vi* rządzić, panować; **~ out** wykluczać

rul•er [ˋrulə(r)] *s* władca; linijka

rum [rʌm] *s* rum

ru•mour [ˋrumə(r)] *s* pogłoska

***run** [rʌn], **ran** [ræn], **run** [rʌn] *vi* biec; (*o pojazdach*) jechać; kursować; (*o płynie*) ciec; działać, funkcjonować; *vt* prowadzić (*np. interes*); uruchamiać; ~ **after** gonić, ścigać; ~ **away** uciekać; ~ **down** potrącać, przejechać; (*o bateriach*) wyczerpywać się; ~ **out** kończyć <wyczerpywać> się; ~ **over** przejechać; *s* bieg; przejażdżka; seria; trasa; **in the long <short> ~** na dłuższą <krótszą> metę; **at a ~** biegiem; **the play had a ~ of three months** sztuka szła przez trzy miesiące

rung[1] *zob.* **ring**

rung[2] [rʌŋ] *s* szczebel

run•ning [ˋrʌnɪŋ] *s* bieganie; kierowanie, kontrola; *adj attr* (*o wodzie*) bieżący; *adv*: **six months ~** sześć miesięcy z rzędu

run•way [ˋrʌnweɪ] *s* pas startowy

ru•ral [ˋrʊərl] *adj* wiejski; rolny

rush [rʌʃ] *vi* pędzić; *vt* popędzać, ponaglać; *s* pęd; pośpiech; nagły popyt; **gold ~** gorączka złota; **~ hours** godziny szczytu; **be in a ~** bardzo się śpieszyć

Rus•sian [ˋrʌʃn] *adj* rosyjski; *s* Rosjanin; język rosyjski

rye [rɑɪ] *s* żyto

S

sack [sæk] *s* worek; *pot.* **give sb the ~** wyrzucić kogoś z pracy

sac•ra•ment [ˋsækrəmənt] *s* sakrament

sac•ri•fice [ˋsækrɪfɑɪs] *s* ofiara; poświęcenie; *vt* składać ofiarę; *przen.* poświęcać

sad [sæd] *adj* smutny

sad•dle [ˋsædl] *s* siodło; *vt* siodłać

safe [seɪf] *adj* bezpieczny; pewny; **~ and sound** zdrów i cały; **on the ~ side** na wszelki wypadek; *s* sejf

safe•ty [ˋseɪftɪ] *s* bezpieczeństwo

safe•ty belt [ˋseɪftɪ belt] *s* pas bezpieczeństwa

safe•ty pin [`seɪftɪ pɪn] *s* agrafka
safe•ty razor [`seɪftɪ reɪzə(r)] *s* maszynka do golenia
said *zob.* **say**
sail [seɪl] *s* żagiel; *vt vi* żeglować; (*statkiem*) płynąć
sail•board [`seɪlbɔd] *s* deska z żaglem (*do pływania*)
sail•ing boat [`seɪlɪŋ bəʊt] *s* żaglówka
sail•or [`seɪlə(r)] *s* marynarz; żeglarz
saint [seɪnt] *adj* (*skr.* **St.** [snt]) święty; *s* święty
sake [seɪk] *s*: **for the ~ of sb, sth** ze względu na kogoś, coś; **for heaven's ~!** na miłość boską!
sal•ad [`sæləd] *s* sałatka; **~ dressing** sos do sałatek
sal•a•ry [`sælərɪ] *s* uposażenie, pensja
sale [seɪl] *s* sprzedaż; **for ~** na sprzedaż; **on ~** w sprzedaży
sales•man [`seɪlzmən] *s* (*pl* **salesmen** [`seɪlzmən]) sprzedawca, ekspedient; akwizytor
salm•on [`sæmən] *s zool.* łosoś
salt [sɔlt] *s* sól; *adj* słony; *vt* solić
same [seɪm] *adj pron* taki sam; ten sam; *adv* tak samo; **all the ~** niemniej
san•a•to•ri•um ['sænə`tɔrɪəm] *s* (*pl* **sanatoria** ['sænə`tɔrɪə]) sanatorium
sand [sænd] *s* piasek
san•dal [`sændl] *s* sandał
sand•wich [`sænwɪdʒ] *s* kanapka; **cheese ~** kanapka z serem
sane [seɪn] *adj* zdrowy na umyśle; rozumny, rozsądny
sang *zob.* **sing**
san•i•ta•ry [`sænɪtrɪ] *adj* sanitarny, higieniczny; **~ towel** podpaska higieniczna
sank *zob.* **sink**
San•ta Claus [`sæntə klɔz] *s* Święty Mikołaj
sar•dine ['sɑ`din] *s zool.* sardynka
sat *zob.* **sit**
satch•el [`sætʃl] *s* tornister (szkolny)
sat•el•lite [`sætəlɑɪt] *s* satelita; **~ dish** antena satelitarna; **~ television** telewizja satelitarna
sat•is•fac•tion ['sætɪs`fækʃn] *s* zadowolenie, satysfakcja
sat•is•fy [`sætɪsfɑɪ] *vt* zadowalać; spełniać
Sat•ur•day [`sætədɪ] *s* sobota
sauce [sɔs] *s* sos; *pot.* bezczelność, tupet
sau•cer [`sɔsə(r)] *s* spodek

sau•er•kraut [`sauəkraut] *s* kiszona kapusta
sau•sage [`sosɪdʒ] *s* kiełbasa
sav•age [`sævɪdʒ] *adj* dziki; *s* dzikus
save [seɪv] *vt* ratować; oszczędzać; *vi* robić oszczędności (*także* ~ **up**)
***saw**[1] [sɔ], **sawed** [sɔd], **sawn** [sɔn] *vt vi* piłować, przepiłowywać; *s* piła
saw[2] *zob.* **see**
sawn *zob.* **saw**[1]
sax•o•phone [`sæksəfəun] *s* saksofon
***say** [seɪ], **said, said** [sed] *vt vi* mówić, powiedzieć (**to sb** komuś); (*o zegarku*) wskazywać; **I ~!** słuchaj!; **so to ~** że tak powiem; **that is to ~** to znaczy; **~ nothing of** nie mówiąc (już) o
scald [skɔld] *vt* sparzyć; *s* oparzenie
scale[1] [skeɪl] *s* skala; *muz.* gama
scale[2] [skeɪl] *s* łuska (*np. rybia*)
scales [skeɪlz] *s pl* waga
scan•dal [`skændl] *s* skandal; obmowa
scar [skɑ(r)] *s* blizna
scarce [skeəs] *adj* skąpy, niedostateczny; rzadki
scarce•ly [`skeəslɪ] *adv* ledwo, zaledwie
scare [skeə(r)] *vt* straszyć, napędzić strachu; **~ away <off>** odstraszać, wypłoszyć; *s* strach; panika
scarf [skɑf] *s* (*pl* **scarves** [skɑvz]) szalik, szal
scat•ter [`skætə(r)] *vt* rozrzucać, rozsypać; rozpraszać się
scene [sin] *s* scena; miejsce (*zdarzenia*); **behind the ~s** za kulisami
sched•ule [`ʃedjul, `skedʒul] *s* spis, tabela, plan; rozkład jazdy; **on ~** według planu; **behind ~** z opóźnieniem; *vt* planować
scheme [skim] *s* schemat, plan
schol•ar [`skolə(r)] *s* uczony; stypendysta
schol•ar•ship [`skoləʃɪp] *s* stypendium
school [skul] *s* szkoła; *vt* szkolić
school•boy [`skulbɔɪ] *s* uczeń
school•girl [`skulgɜl] *s* uczennica
sci•ence [`saɪəns] *s* wiedza, nauka; **natural ~** nauki przyrodnicze; **~ fiction** literatura fantastycznonaukowa
scis•sors [`sɪzəz] *s pl* nożyce

scoot•er [`skutə(r)] *s* hulajnoga; skuter
score [skɔ(r)] *s* wynik, liczba zdobytych punktów; *muz.* partytura; muzyka (*np. do filmu*); **keep (the) ~** notować punkty w grze; *vt vi* zdobywać (*np. punkty*); notować punkty; odnosić (*np. zwycięstwo*); *muz.* aranżować
scorn [skɔn] *s* pogarda; *vt* pogardzać
Scot [skot] *s* Szkot
Scotch [skotʃ] *adj* szkocki; *s* szkocka whisky
Scots•man [`skotsmən] *s* (*pl* **Scotsmen** [`skotsmən]) Szkot
Scot•tish [`skotiʃ] *adj* szkocki
scoun•drel [`skaʊndrəl] *s* łajdak
scrape [skreɪp] *vt* zeskrobywać, zdrapywać; *s* zadrapanie
scratch [skrætʃ] *vt* zadrapać, zarysować; wydrapać; *s* rysa, zadrapanie
scream [skrim] *vi* piszczeć, wrzeszczeć; *s* pisk, wrzask
screen [skrin] *s* parawan; ekran; *vt* zasłaniać; osłaniać
screw [skru] *s* śruba; *vt* przykręcać
screw•driv•er [`skru 'draɪvə(r)] *s* śrubokręt
scru•pu•lous [`skrupjələs] *adj* skrupulatny; pełen skrupułów
sculp•ture [`skʌlptʃə(r)] *s* rzeźba; rzeźbiarstwo; *vt* rzeźbić
sea [si] *s* morze; **at ~** na morzu; **by ~** morzem
sea•food [`sifud] *s* owoce morza
sea•gull [`si gʌl] *s* *zool.* mewa
seal[1] [sil] *s* *zool.* foka
seal[2] [sil] *s* pieczęć; *vt* pieczętować
search [sɜtʃ] *vt vi* szukać; przeszukiwać; poszukiwać (**for sth** czegoś); *s* poszukiwanie; szukanie
sea•sick [`si'sɪk] *adj* cierpiący na chorobę morską
sea•side [`sisaɪd] *s* wybrzeże morskie; **at <by> the ~** nad morzem
sea•son [`sizn] *s* pora (roku); sezon; **~ ticket** bilet sezonowy; abonament (teatralny)
seat [sit] *s* miejsce siedzące; siedzenie; siedziba; **take a ~** zajmować miejsce; *vt* posadzić, usadowić; **be ~ed** siedzieć
sec•ond [`sekənd] *num adj* drugi; **every ~ day** co dru-

gi dzień; ~ **floor** drugie piętro, *am.* pierwsze piętro; *adv* po drugie; *s* sekunda

sec•ond•a•ry [`sekəndrı] *adj* (*o szkole*) średni; drugorzędny

sec•ond-hand ['sekənd `hænd] *adj attr* pochodzący z drugiej ręki, używany

sec•ond•ly [`sekəndlı] *adv* po drugie

se•cret [`sikrət] *adj* tajny; tajemny; *s* sekret

sec•re•ta•ry [`sekrətrı] *s* sekretarz, sekretarka; sekretarz (*np. stanu*)

sec•tion [`sekʃn] *s* sekcja; przekrój; część; **cross ~** przekrój poprzeczny

sec•u•lar [`sekjʊlə(r)] *adj* świecki

se•cure [sə`kjʊə(r)] *adj* bezpieczny; pewny; *vt* zabezpieczyć

se•cu•ri•ty [sı`kjʊərətı] *s* bezpieczeństwo; pewność; *pl* **securities** papiery wartościowe

***see** [si], **saw** [sɔ], **seen** [sin] *vt vi* widzieć, zobaczyć; zauważać; rozumieć; **I ~** rozumiem; **~ that...** dopilnować, żeby...; **~ about sth** zajmować się czymś; **~ off** odprowadzać; **~ to sth** zajmować się czymś; dopilnować czegoś

seed [sid] *s* nasienie; *vt* wyjmować pestki; *vi* (*o roślinie*) wytwarzać nasiona

***seek** [sik], **sought, sought** [sɔt] *vt* szukać

seem [sim] *vi* wydawać się, robić wrażenie; **it ~s to me** wydaje mi się; **he ~s (to be) ill** wygląda na chorego

seen *zob.* **see**

seize [siz] *vt* (*władzę, własność*) przejąć; chwytać; **~ the opportunity** skorzystać z okazji

sel•dom [`seldəm] *adv* rzadko

se•lect [sı`lekt] *vt* wybierać

se•lec•tion [sı`lekʃn] *s* wybór

self [self] *s* (*pl* **selves** [selvz]) (swoje) ja, osobowość

self-con•trol ['self kən`trəʊl] *s* opanowanie

self-de•fence ['self dı`fens] *s* samoobrona

self-gov•ern•ment ['self `gʌvnmənt] *s* samorząd

self•ish [`selfıʃ] *adj* samolubny

self-made ['self`meıd] *adj*: **~ man** człowiek zawdzięczający wszystko samemu sobie

self-ser•vice ['self`sɜvıs] *adj* samoobsługowy

self-suf•fi•cient ['self sə`fıʃnt] *adj* samowystarczalny

***sell** [sel], **sold**, **sold** [səuld] *vt* sprzedawać; *vi* sprzedawać się, mieć zbyt; **~ off** wyprzedawać
sell•er [ˋselə(r)] *s* sprzedawca
selves *zob.* **self**
sem•i•cir•cle [ˋsemɪ'sɜkl] *s* półkole
semi•fi•nal ['semɪˋfɑɪnl] *s sport.* półfinał
sen•ate [ˋsenət] *s* senat
sen•a•tor [ˋsenətə(r)] *s* senator
***send** [send], **sent**, **sent** [sent] *vt* wysyłać; *vi* posyłać (**for sb** po kogoś); **~ back** odsyłać (*z powrotem*); **~ sb mad** doprowadzać kogoś do szaleństwa; **~ off** wysyłać (*list*); **~ out** rozsyłać, wysyłać
sen•ior [ˋsinɪə(r)] *adj* starszy (*np. rangą*)
sen•sa•tion [senˋseɪʃn] *s* uczucie, wrażenie; sensacja
sense [sens] *s* rozsądek; zmysł; poczucie, uczucie; znaczenie, sens; **common ~** zdrowy rozsądek; **in a ~** w pewnym sensie; **make ~** mieć sens; *vt* wyczuwać; (*o urządzeniach*) wykrywać
sen•si•ble [ˋsensəbl] *adj* rozsądny; zauważalny
sen•si•tive [ˋsensətɪv] *adj* wrażliwy (**to sth** na coś); czuły
sen•su•al [ˋsenʃuəl] *adj* zmysłowy
sent *zob.* **send**
sen•tence [ˋsentəns] *s gram.* zdanie; wyrok; **death ~** kara śmierci; **life ~** dożywocie; **pass ~** wydać wyrok (**on sb** na kogoś); *vt* skazywać (**to sth** na coś)
sep•a•rate [ˋsepəreɪt] *vt vi* oddzielać (się); rozdzielać (się); rozłączać (się); *adj* [ˋsepərət] oddzielny, osobny
Sep•tem•ber [sepˋtembə(r)] *s* wrzesień
se•quence [ˋsikwəns] *s* kolejność; (*np. filmu*) sekwencja; **in ~** w kolejności
ser•geant [ˋsɑdʒənt] *s wojsk.* sierżant
se•ri•al [ˋsɪərɪəl] *s* serial; *adj* seryjny, kolejny
se•ries [ˋsɪəriz] *s* (*pl* **~**) seria; serial
se•ri•ous [ˋsɪərɪəs] *adj* poważny
ser•pent [ˋsɜpənt] *s zool.* wąż
serv•ant [ˋsɜvənt] *s* służący, sługa; **civil ~** urzędnik państwowy
serve [sɜv] *vt vi* służyć; obsługiwać; (*jedzenie*) podawać, serwować; odpowia-

dać (*celowi*); (*karę, praktykę*) odbywać; *sport.* serwować; **it ~s you right** dobrze ci tak; *s sport.* serwis, serw

ser•vice [`sɜvɪs] *s* obsługa; usługa; służba; przegląd, serwis; przysługa; nabożeństwo; *sport.* serwis; **civil ~** służba państwowa; **public ~s** instytucje użyteczności publicznej; **social ~s** świadczenia społeczne; **~ station** stacja obsługi; *vt* dokonywać przeglądu (i napraw)

ses•sion [`seʃn] *s* posiedzenie; sesja

***set, set, set** [set] *vt vi* stawiać, kłaść, umieszczać; przygotowywać; nastawiać; ustalać; (*o słońcu*) zachodzić; regulować (*np. zegarek*); **~ an example** dać przykład; **~ fire** podłożyć ogień, podpalić (**to sth** coś); **~ sth on fire** podpalić coś; **~ sb free** uwolnić kogoś; **~ sth in motion** uruchamiać coś; **~ the table** nakrywać do stołu; **~ about sth** zabierać się do czegoś; **~ aside** odkładać (*pieniądze*); zignorować; **~ back** opóźniać; **~ off** wyruszyć w drogę; detonować; wywołać, powodować; **~ on** nasyłać; **~ out** rozpoczynać, przedsiębrać; wyruszać w drogę; **~ up** ustawiać; ustanawiać; stwarzać, powodować; *adj* ustalony, stały; *s* komplet; odbiornik (*np. telewizyjny*); dekoracje; plan (*filmowy*); ułożenie (*włosów*); *sport.* set

set•tle [`setl] *vt vi* usadowić (się); siadać; osiadać; uspokajać (się); ustalać, postanawiać; osiedlać się; **~ down** usadowić (się); ustabilizować się; **~ for sth** zadowalać się czymś; **~ on sth** decydować się na coś

sev•en [`sevn] *num* siedem

sev•en•teen ['sevn`tin] *num* siedemnaście

sev•en•teenth ['sevn`tinθ] *adj* siedemnasty

sev•enth [`sevnθ] *adj* siódmy

sev•en•ti•eth [`sevntɪəθ] *adj* siedemdziesiąty

sev•en•ty [`sevntɪ] *num* siedemdziesiąt

sev•er•al [`sevrl] *pron* kilka

se•vere [sə`vɪə(r)] *adj* poważny; surowy, srogi

***sew** [səu], **sewed** [səud], **sewn** [səun] *vt vi* szyć; **~ on** naszywać, przyszywać; **~ up** zszywać, łatać

sew•ing ma•chine [`səuɪŋ məʃin] *s* maszyna do szycia

sewn *zob.* **sew**
sex [seks] *s* płeć; seks; ~ **appeal** seksapil
sex•u•al [`sekʃʊəl] *adj* płciowy
sex•y [`seksɪ] *adj* seksowny
shab•by [`ʃæbɪ] *adj* wytarty, wyświechtany; obdarty
shade [ʃeɪd] *s* cień; abażur; odcień
shad•ow [`ʃædəʊ] *s* cień; *vt* śledzić
***shake** [ʃeɪk], **shook** [ʃʊk], **shaken** [`ʃeɪkn] *vt vi* trząść (się); drżeć; ~ **hands with sb** uścisnąć czyjąś dłoń; ~ **one's head** kręcić głową; ~ **up** wstrząsać; mieszać; *s* potrząsanie; drżenie; *pl* ~**s** dreszcze
shall [ʃæl, ʃl] *v aux służy do tworzenia czasu przyszłego*: **I <we> ~ be there** będę <będziemy> tam; ~ **I open the window?** czy mam otworzyć okno?
shal•low [`ʃæləʊ] *adj* płytki; *przen.* powierzchowny
shame [ʃeɪm] *s* wstyd; *vt* zawstydzać; ~ **on you!** jak ci nie wstyd!
sham•poo [ʃæm`pu] *s* szampon; *vt* myć szamponem
shan't [ʃɑnt] = **shall not**
shape [ʃeɪp] *s* kształt, wygląd; **in the ~ of** w postaci, w kształcie; **in good <bad> ~** w dobrej <złej> formie; *vt vi* kształtować <formować> (się)
share [ʃeə(r)] *s* część; udział; *handl.* akcja; *vt vi* (po)dzielić; uczestniczyć; ~ **out** rozdzielać
shark [ʃɑk] *s* rekin
sharp [ʃɑp] *adj* ostry; spiczasty; bystry; *adv*: **at 3 o'clock ~** punktualnie o trzeciej
sharp•en [`ʃɑpn] *vt vi* ostrzyć (się)
shat•ter [`ʃætə(r)] *vt vi* roztrzaskać (się)
shave [ʃeɪv] *vt vi* golić (się); *s* golenie; **have a ~** golić się
shawl [ʃɔl] *s* szal
she [ʃi, ʃɪ] *pron* ona
she'd [ʃid, ʃɪd] *skr.* = **she had, she would**
sheep [ʃip] *s* (*pl* ~) *zool.* owca
sheer [ʃɪə(r)] *adj* czysty, istny; stromy; *adv* stromo, pionowo
sheet [ʃit] *s* prześcieradło; arkusz; kartka (*papieru*)
shelf [ʃelf] *s* (*pl* **shelves** [ʃelvz]) półka
shell [ʃel] *s* muszla; skorup(k)a; łupina; pocisk
she'll [ʃil, ʃɪl] *skr.* = **she will**
shel•ter [`ʃeltə(r)] *s* schronienie; wiata; *vt vi* chronić (się)

shelves *zob.* **shelf**
she's [ʃiz, ʃɪz] = **she is, she has**
shift [ʃɪft] *vt vi* przesuwać (się); *s* zmiana; przesunięcie
***shine** [ʃɑɪn], **shone, shone** [ʃon] *vi* świecić, lśnić; błyszczeć
ship [ʃɪp] *s* statek; okręt; *vt* przewozić statkiem
ship•ping [`ʃɪpɪŋ] *s* żegluga; flota handlowa; transport statkiem
ship•wreck [`ʃɪprek] *s* rozbicie okrętu; *vt* ocaleć z katastrofy morskiej
shirt [ʃɜt] *s* koszula męska; bluzka damska
shiv•er [`ʃɪvə(r)] *vi* drżeć; *s* drżenie, dreszcz
shock [ʃok] *s* wstrząs, szok; **electric ~** porażenie prądem; *vt* wstrząsać, szokować
shock ab•sorb•er [`ʃok əb'sɔbə(r)] *s* amortyzator
shoe [ʃu] *s* but; podkowa
shoe•lace [`ʃuleɪs] *s* sznurowadło
shoe•mak•er [`ʃumeɪkə(r)] *s* szewc
shone *zob.* **shine**
shook *zob.* **shake**
***shoot** [ʃut], **shot, shot** [ʃot] *vt vi* strzelać (**at sb** do kogoś); zastrzelić; polować; przemykać, pędzić; fotografować, kręcić (*film*); **~ past** przemknąć obok
shop [ʃop] *s* sklep; warsztat; **~ assistant** sprzedawca; **~ window** witryna sklepowa; *vi* robić zakupy; **go ~ping** chodzić po zakupy; **~ around** rozglądać się (*po sklepach*)
shop•lift•ing [`ʃoplɪftɪŋ] *s* kradzież (w sklepie)
shop•ping cen•tre [`ʃopɪŋ sentə] *s* centrum handlowe
shore [ʃɔ(r)] *s* brzeg (*morza, jeziora*), wybrzeże
short [ʃɔt] *adj* krótki; niski; **~ circuit** krótkie spięcie; **~ cut** skrót; **~ story** opowiadanie; nowela; **~ of breath** bez tchu; **be ~ of sth** brakować czegoś; *s*: **in ~** krótko mówiąc
short•age [`ʃɔtɪdʒ] *s* niedobór, brak
short•com•ing [`ʃɔtkʌmɪŋ] *s* wada, uchybienie
shorts [ʃɔts] *s pl* szorty
short•sight•ed ['ʃɔt `sɑɪtɪd] *adj* krótkowzroczny
shot[1] *zob.* **shoot**
shot[2] [ʃot] *s* strzał; śrut; *fot.* zdjęcie; *pot.* zastrzyk, dawka
should [ʃʊd] *aux* (*warunek*): **I ~ go** poszedłbym; (*powinność*): **you ~ work** powinie-

neś pracować; (*przypuszczenie*): **I ~ say so** chyba tak

shoul•der [`ʃəʊldə(r)] *s* ramię, bark; **~ to ~** ramię w ramię; **shrug one's ~s** wzruszać ramionami; *vt* brać na swoje barki

shouldn't [`ʃʊdnt] *skr.* = **should not**

shout [ʃaʊt] *vi* krzyczeć (**at sb** na kogoś); *s* krzyk

***show** [ʃəʊ], **showed** [ʃəʊd], **shown** [ʃəʊn] *vt vi* pokazywać (się); wystawiać; **~ around** oprowadzać; **~ in** wprowadzić; **~ off** popisywać się; **~ up** pojawiać się; *s* przedstawienie; pokaz; **~ business** przemysł rozrywkowy

show•er [`ʃaʊə(r)] *s* przelotny deszcz; prysznic; *vi* brać prysznic

shown *zob.* **show**

shrank *zob.* **shrink**

shriek [ʃrik] *vt vi* krzyczeć, piszczeć; *s* krzyk, pisk

shrimp [ʃrɪmp] *s* krewetka

shrine [ʃraɪn] *s* sanktuarium; relikwiarz

***shrink** [ʃrɪŋk], **shrank** [ʃræŋk], **shrunk** [ʃrʌŋk] *vt vi* kurczyć (się); wzdragać się (**from sth** przed czymś)

shud•der [`ʃʌdə(r)] *vi* drżeć, dygotać; wzdrygać się

***shut, shut, shut** [ʃʌt] *vt vi* zamykać (się); **~ down** zamykać, likwidować; *pot.* **~ up!** cicho bądź!; zamknij się!

shut•ter [`ʃʌtə(r)] *s* okiennica; *fot.* przesłona

shy [ʃaɪ] *adj* nieśmiały; płochliwy; **be ~ of sth** unikać czegoś

sick [sɪk] *adj* chory; **be ~** mieć mdłości

sick leave [`sɪk liv] *s* zwolnienie lekarskie

sick•ness [`sɪknəs] *s* choroba; mdłości

side [saɪd] *s* strona; bok; **~ by ~** jeden przy drugim; **by the ~ of sth** przy czymś; *sport.* **off ~** na pozycji spalonej; **on my ~** po mojej stronie, z mojej strony; *adj attr* boczny

side•board [`saɪdbɔd] *s* niski kredens

side•walk [`saɪdwɔk] *s am.* chodnik

sigh [saɪ] *vi* wzdychać; *s* westchnienie

sight [saɪt] *s* wzrok; widok; *pot.* masa; **at first ~** na pierwszy rzut oka; **at <on> ~** natychmiast, bez uprzedzenia; **by ~** z widzenia; **in ~** w polu widzenia; **out of ~** poza zasięgiem wzroku; **see ~s** oglądać osobliwości (*miasta*); *vt* zobaczyć

sight•see•ing [ˋsaɪtsiːɪŋ] *s* zwiedzanie

sight•seer [ˋsaɪt'siə(r)] *s* zwiedzający

sign [saɪn] *s* znak; objaw; **road ~** znak drogowy; *vt vi* podpisywać; **~ up** zapisywać się (**for sth** na coś); werbować; **~ one's name** podpisywać się

sig•nal [ˋsɪgnl] *s* sygnał; *vt vi* dawać sygnały, sygnalizować

sig•na•ture [ˋsɪgnətʃə(r)] *s* podpis

sig•nif•i•cant [sɪgˋnɪfɪkənt] *adj* znaczący, ważny

sign•post [ˋsaɪnpəʊst] *s* drogowskaz

si•lence [ˋsaɪləns] *s* milczenie, cisza; **in ~** w milczeniu; **keep ~** zachowywać ciszę; *vt* uciszać; **~!** spokój!; cisza!

si•lenc•er [ˋsaɪlənsə(r)] *s mot.* tłumik

si•lent [ˋsaɪlənt] *adj* cichy; milczący

silk [sɪlk] *s* jedwab

sil•ly [ˋsɪlɪ] *adj* głupi, niemądry

sil•ver [ˋsɪlvə(r)] *s* srebro; *adj* srebrny; srebrzysty

sim•i•lar [ˋsɪmɪlə(r)] *adj* podobny (**to sb, sth** do kogoś, czegoś)

sim•ple [ˋsɪmpl] *adj* prosty

sim•ply [ˋsɪmplɪ] *adv* prosto; po prostu

sim•u•late [ˋsɪmjʊleɪt] *vt* naśladować; symulować

sim•ul•ta•ne•ous ['sɪmlˋteɪnɪəs] *adj* równoczesny

sin [sɪn] *s* grzech; *vi* grzeszyć

since [sɪns] *adv* od tego czasu; **long ~** dawno temu; *praep* od (*określonego czasu*); **~ Sunday** od niedzieli; **~ when?** od kiedy?; *conj* odkąd; ponieważ, skoro

sin•cere [sɪnˋsɪə(r)] *adj* szczery

***sing** [sɪŋ], **sang** [sæŋ], **sung** [sʌŋ] *vt vi* śpiewać

sing•er [ˋsɪŋə(r)] *s* śpiewak

sin•gle [ˋsɪŋgl] *adj* pojedynczy; jedyny; nieżonaty, niezamężna; *s* bilet w jedną stronę; (*płyta*) singel; *vt*: **~ out** wyróżniać, wybierać

sin•gu•lar [ˋsɪŋgjʊlə(r)] *adj* wyjątkowy; *s gram.* liczba pojedyncza

***sink** [sɪŋk], **sank** [sæŋk], **sunk** [sʌŋk] *vt vi* zanurzać (się); topić (się); tonąć; opadać; *s* zlew

sir [sɜ(r)] *s*: (*forma grzecznościowa*) **Yes, ~** tak, proszę pana; (*w listach*) **Dear Sir!** Szanowny Panie!; (*tytuł*

szlachecki) **Sir James (Wilson)**
sis•ter [`sɪstə(r)] *s* siostra
sis•ter-in-law [`sɪstər ɪn 'lɔ] *s* szwagierka, bratowa
***sit** [sɪt], **sat, sat** [sæt] *vi* siedzieć; zasiadać; obradować; przystępować *(do egzaminu)*; wysiadywać; **~ down** siadać; **~ for sth** przystępować do czegoś; **~ up** podnieść się *(do pozycji siedzącej)*
site [sɑɪt] *s* miejsce; **construction ~** plac budowy
sit•ting room [`sɪtɪŋ rʊm] *s* duży pokój, salonik
sit•u•ate [`sɪtʃʊeɪt] *vt* umieszczać; **be ~d** być położonym, mieścić się
sit•u•a•tion ['sɪtʃʊ`eɪʃn] *s* sytuacja; stanowisko; położenie
six [sɪks] *num* sześć
six•teen ['sɪk`stin] *num* szesnaście
six•teenth ['sɪk`stinθ] *adj* szesnasty
sixth [`sɪksθ] *adj* szósty
six•ti•eth [`sɪkstɪəθ] *adj* sześćdziesiąty
six•ty [`sɪkstɪ] *num* sześćdziesiąt
size [sɑɪz] *s* rozmiar, wielkość; **take ~ 8** nosić rozmiar 8
skate [skeɪt] *vi* ślizgać się (na łyżwach); *s* łyżwa; **roller ~** wrotka
skel•e•ton [`skelətn] *s* szkielet
sketch [sketʃ] *s* szkic; skecz; *vt* szkicować
ski [ski] *s* narta; *vi* jeździć na nartach
ski•ing [`skiɪŋ] *s* narciarstwo
skil•ful [`skɪlfl] *adj* zręczny, wprawny
skill [skɪl] *s* umiejętność, zręczność
skilled [skɪld] *adj* wprawny; *(o robotniku)* wykwalifikowany
skin [skɪn] *s (u ludzi, zwierząt)* skóra; *(u roślin)* skórka; *vt* zdejmować skórę; obetrzeć *(np. kolano)*
skip [skɪp] *vt vi* podskakiwać; skakać *(na skakance)*; przeskakiwać, pomijać; *s* podskok
skirt [skɜt] *s* spódnica
skull [skʌl] *s* czaszka
sky [skɑɪ] *s* niebo
sky•scrap•er [`skɑɪ'skreɪpə(r)] *s* drapacz chmur, wieżowiec
slack [slæk] *adj* luźny; rozluźniony; wiotki; ospały
slan•der [`slɑndə(r)] *s* oszczerstwo, potwarz; *vt* rzucać oszczerstwa
slang [slæŋ] *s* slang, żargon

slaugh•ter [`slɔtə(r)] *s* rzeź; *vt* dokonywać rzezi
Slav [slɑv] *s* Słowianin; *adj* słowiański
slave [sleɪv] *s* niewolnik; *vi* harować
Slav•ic [`slɑvɪk], **Sla•von•ic** [slə`vɔnɪk] *adj* słowiański
sled [sled] *am.* = **sledge**
sledge [sledʒ] *s* sanie; sanki; *vi* jechać saniami
***sleep** [slip], **slept, slept** [slept] *vi* spać; *s* sen
sleep•er [`slipə(r)] *s* człowiek śpiący; wagon sypialny; miejsce w wagonie sypialnym
sleep•ing bag [`slipɪŋ bæg] *s* śpiwór
sleep•ing car [`slipɪŋ kɑ(r)] *s* wagon sypialny
sleep•y [`slipɪ] *adj* senny, śpiący; ospały
sleep•y•head [`slipɪ hed] *s pot.* śpioch
sleet [slit] *s* deszcz ze śniegiem; *v imp* **it ~s** pada deszcz ze śniegiem
sleeve [sliv] *s* rękaw
sleigh [sleɪ] *s* sanie
slen•der [`slendə(r)] *adj* smukły, szczupły
slept *zob.* **sleep**
slice [slɑɪs] *s* kromka, kawałek; plasterek (*np. szynki*); *vt* kroić w plasterki
***slide** [slɑɪd], **slid, slid** [slɪd] *vi* ślizgać się; wyślizgnąć się; *vt* przesuwać; *s* obniżanie się; zjeżdżalnia; *fot.* przeźrocze; **hair ~** spinka (*do włosów*)
slight [slɑɪt] *adj* nieznaczny, drobny
slim [slɪm] *adj* szczupły; nikły; *vt vi* odchudzać (się)
slip [slɪp] *vi* poślizgnąć się; wślizgnąć się (**into the room** do pokoju); wymknąć się (**out of the house** z domu); **~ out** wyślizgnąć się; *vt* (*ubranie*) narzucić; *s* poślizgnięcie się; omyłka; halka
slip•per [`slɪpə(r)] *s* pantofel (*domowy*)
slip•per•y [`slɪpərɪ] *adj* śliski; chwiejny
***slit, slit, slit** [slɪt] *vt* rozcinać; podrzynać; *s* szczelina, szpara; nacięcie
slot [slot] *s* otwór
slot ma•chine [`slot məʃin] *s* automat (*ze słodyczami, napojami*)
slow [sləʊ] *adj* wolny, powolny; **be ~** wolno działać; (*o zegarku*) spóźniać się; *vt vi* (*zw.* **~ down <up>**) zwalniać, zmniejszać szybkość; *adv* wolno, powoli
slush [slʌʃ] *s* śnieg z błotem, chlapa

sly [slaɪ] *adj* przebiegły, sprytny

small [smɔl] *adj* mały; **~ change** drobne (pieniądze); **~ hours** wczesne godziny ranne; **~ talk** rozmowa towarzyska

small•pox [`smɔlpoks] *s med.* ospa

smart [smɑt] *adj* elegancki; (*o człowieku*) bystry; *vi* piec, szczypać; *s* ostry ból

smash [smæʃ] *vt vi* rozbijać, roztrzaskiwać; *s* trzask; silny cios; kraksa

smear [smɪə(r)] *s* plama, smuga; *vt* usmarować, umazać; rozmazywać

***smell** [smel], **smelt, smelt** [smelt] *vi* pachnieć; śmierdzieć (**of sth** czymś); *vt* wąchać, węszyć; *s* węch; zapach; smród

smile [smɑɪl] *s* uśmiech; *vi* uśmiechać się (**at sb** do kogoś)

smith [smɪθ] *s* kowal

smog [smog] *s* smog

smoke [sməʊk] *s* dym; palenie (*papierosa*); **have a ~** zapalić (*np. papierosa*); *vt vi* palić (*papierosa*); dymić; wędzić

smok•er [`sməʊkə(r)] *s* palacz; *kolej.* przedział dla palących

smooth [smuð] *adj* gładki; równy; *vt* wygładzać

smug•gle [`smʌgl] *vt* przemycać

snack [snæk] *s* zakąska, przekąska; **~ bar** bar szybkiej obsługi; **have a ~** przekąsić coś

snail [sneɪl] *s zool.* ślimak

snake [sneɪk] *s zool.* wąż

snap [snæp] *vi* pękać; *vt* łamać; **~ one's fingers** pstrykać palcami; *s* trzask; zdjęcie; **~ fastener** zatrzask (*przy ubraniu*)

snap•shot [`snæpʃot] *s fot.* zdjęcie

snarl [snɑl] *vi* warczeć; *s* warczenie

snatch [snætʃ] *vt* porywać, schwycić; *vi* chwytać się (**at sth** czegoś); **~ a look** rzucić ukradkowe spojrzenie

sneeze [sniz] *vi* kichać; *s* kichnięcie

sniff [snɪf] *vi* pociągać nosem; *vt* wąchać, węszyć; *s* pociągnięcie nosem; obwąchanie

snore [snɔ(r)] *vi* chrapać; *s* chrapanie

snow [snəʊ] *s* śnieg; *vi* (*o śniegu*) padać

snow•ball [`snəʊbɔl] *s* kula śniegowa; *vi* rosnąć w szybkim tempie

snow•man [`snəʊmæn] *s* (*pl*

snowmen [`snəumən]) bałwan śniegowy
snow•storm [`snəustɔm] *s* burza śnieżna, śnieżyca
so [səu] *adv* tak, w ten sposób; **he is so fat** on jest tak gruby; **I hope so** mam nadzieję, że tak; **so as to** ażeby, żeby; **so far** jak dotąd, na razie; **so long as** jeśli; **so many** tak wiele; **so much** tak dużo; **so so** tak sobie; **so to say** że tak powiem; **ten or so** z dziesięć; **so long!** tymczasem!; do widzenia!; *conj* więc, a więc
soak [səuk] *vt* zmoczyć, przemoczyć; ~ **up** wchłaniać
soap [səup] *s* mydło; **bar of** ~ kostka mydła; *vt vi* mydlić (się)
so•ber [`səubə(r)] *adj* trzeźwy; trzeźwo myślący; *vt* otrzeźwić; *vi* wytrzeźwieć
soc•cer [`sokə(r)] *s sport.* piłka nożna
so•cia•ble [`səuʃəbl] *adj* towarzyski
so•cial [`səuʃl] *adj* społeczny; socjalny; towarzyski; ~ **security** ubezpieczenia społeczne
so•cial•is•m [`səuʃəlızm] *s* socjalizm
so•ci•e•ty [sə`saıətı] *s* społeczeństwo; społeczność; towarzystwo
so•ci•ol•o•gy ['səusı`olədʒı] *s* socjologia
sock [sok] *s* skarpetka
sock•et [`sokıt] *s elektr.* gniazdko; wgłębienie, jama
so•da ['səudə] *s* soda; (*także* ~ **water**) woda sodowa
soft [soft] *adj* miękki; delikatny; cichy; ~ **drink** napój bezalkoholowy
soft•en [`sofn] *vt* zmiękczać; *vi* mięknąć
soft•ware [`softweə(r)] *s komp.* software
soil[1] [sɔıl] *s* gleba, ziemia
soil[2] [sɔıl] *vt* plamić, brudzić
sold *zob.* **sell**
sol•dier [`səuldʒə(r)] *s* żołnierz
sole[1] [səul] *s* podeszwa, zelówka; *vt* zelować
sole[2] [səul] *adj* jedyny; wyłączny
sol•emn [`soləm] *adj* uroczysty
sol•id [`solıd] *adj* stały; lity; solidny; pewny, niezawodny; *s* ciało stałe; *pl* pokarmy stałe
sol•i•dar•i•ty ['solı`dærətı] *s* solidarność
sol•i•tude [`solıtjud] *s* samotność
so•lu•tion [sə`luʃn] *s* rozwią-

zanie (*np. problemu*); roztwór
solve [solv] *vt* rozwiązywać (*np. zagadkę*)
some [sʌm] *adj pron* pewien, jakiś; trochę; kilka; *adv* około, mniej więcej
some•bod•y [`sʌmbədɪ] *pron* ktoś
some•how [`sʌmhaʊ] *adv* jakoś
some•one [`sʌmwʌn] *pron* ktoś
some•thing [`sʌmθɪŋ] *pron* coś; **~ old <new>** coś nowego <starego>
some•time [`sʌmtɑɪm] *adv* kiedyś; *adj attr* były
some•times [`sʌmtɑɪmz] *adv* czasem, niekiedy
some•way [`sʌmweɪ] *adv* jakoś
some•what [`sʌmwot] *adv* nieco, w pewnym stopniu
some•where [`sʌmweə(r)] *adv* gdzieś; **~ else** gdzieś indziej
son [sʌn] *s* syn
song [soŋ] *s* pieśń; śpiew
son-in-law [`sʌn ɪn lɔ] *s* zięć
soon [sun] *adv* wkrótce; wcześnie; **as ~ as** skoro tylko; **as ~ as possible** możliwie najwcześniej; **I would ~er die than marry you** wolałabym umrzeć niż ciebie poślubić; **no ~er had we sat than...** ledwie usiedliśmy, gdy...
sore [sɔ(r)] *adj* bolesny, obolały; drażliwy; **he has a ~ throat <foot>** boli go gardło <stopa>; *s* owrzodzenie; rana
sor•row [`sorəʊ] *s* smutek
sor•ry [`sorɪ] *adj* smutny; zmartwiony; **be ~** współczuć (**for sb** komuś); **be ~** martwić się (**about sth** czymś); **(I am) ~** przykro mi; przepraszam; **I am ~ for you** żal mi ciebie; **I am ~ to tell you that...** z przykrością muszę ci powiedzieć, że...
sort [sɔt] *s* rodzaj; gatunek; **nothing of the ~** nic podobnego; *pot.* **~ of** jakiś taki; **nothing of the ~** nic podobnego; **what ~ of...?** jaki to...?; *vt* sortować
sought *zob.* **seek**
soul [səʊl] *s* dusza; **poor ~** biedactwo
sound¹ [sɑʊnd] *s* dźwięk; *vi* dzwonić; wydawać się; brzmieć; *vt* włączać (*np. alarm*); dawać sygnał
sound² [sɑʊnd] *adj* zdrowy; rozsądny; solidny, dogłębny; (*o śnie*) głęboki
soup [sup] *s* zupa
sour [`sɑʊə(r)] *adj* kwaśny;

skwaśniały; cierpki; ~ **cream** śmietana
source [sɔs] *s dosł. i przen.* źródło; pochodzenie
south [saυθ] *s geogr.* południe; *adj attr* południowy; *adv* na południe; ~ **of sth** na południe od czegoś
south•ern [`sʌðən] *adj* południowy
sou•ve•nir ['suvə`nɪə(r)] *s* pamiątka
***sow** [səυ], **sowed** [səυd], **sown** [səυn] *vt* siać, zasiewać
space [speɪs] *s* przestrzeń, obszar; przestrzeń kosmiczna; okres; *druk.* spacja; **within the ~ of two years** w ciągu dwóch lat
space•ship [`speɪs'ʃɪp] *s* statek kosmiczny
spa•cious [`speɪʃəs] *adj* obszerny
spade [speɪd] *s* łopata; (*w kartach*) pik
span *zob.* **spin**
Span•iard [`spænjəd] *s* Hiszpan
Span•ish [`spænɪʃ] *adj* hiszpański; *s* język hiszpański
spare [speə(r)] *vt* oszczędzać; mieć na zbyciu; **I have no time to ~** nie mam ani chwili wolnego czasu; *adj* zapasowy; wolny; ~ **room** pokój gościnny; ~ **parts** części zapasowe; ~ **time** wolny czas; *s* część zapasowa
spark [spɑk] *s* iskra; *przen.* przebłysk; *vi* iskrzyć (się)
spark•ing plug [`spɑkɪŋ 'plʌg] *s techn.* świeca zapłonowa
spar•row [`spærəυ] *s* wróbel
spat *zob.* **spit**
***speak** [spik], **spoke** [spəυk], **spoken** [`spəυkn] *vt vi* mówić (**about <of> sb, sth** o kimś, o czymś); rozmawiać; przemawiać; ~ **one's mind** wyrażać swoje myśli; ~ **for sb** przemawiać w czyimś imieniu; ~ **out** otwarcie wypowiedzieć się; ~ **up** głośno powiedzieć
speak•er [`spikə(r)] *s* mówca; głośnik
speak•ing [`spikɪŋ] *adj* mówiący; ~ **clock** zegarynka
spe•cial [`speʃl] *adj* specjalny, szczególny
spe•cial•ist [`speʃəlɪst] *s* specjalista
spe•ci•al•i•ty ['speʃɪ`ælətɪ] *s* specjalność
spec•ta•cle [`spektəkl] *s dosł. i przen.* widowisko; niezwykły widok; *pl* **~s** okulary
spec•ta•tor [spek`teɪtə(r)] *s* widz
sped *zob.* **speed**

speech [spitʃ] *s* mowa; przemówienie; **deliver <make> a ~** wygłosić mowę

***speed** [spid], **sped, sped** [sped] *vi* pędzić; jechać ze zbyt dużą prędkością; *vt* popędzać; **~ up** przyśpieszać; *s* prędkość, szybkość; **at ~** z dużą prędkością; **~ limit** ograniczenie prędkości

speed•y [ˋspidɪ] *adj* szybki

***spell**[1] [spel], **spelt, spelt** [spelt] *vt vi* literować; **~ out** przeliterować; wyjaśniać

spell[2] [spel] *s* urok, czar; **cast a ~** rzucać urok

spell•ing [ˋspelɪŋ] *s* pisownia; ortografia

spelt *zob.* **spell**[1]

***spend** [spend], **spent, spent** [spent] *vt* wydawać (*pieniądze*); spędzać (*czas*)

sphere [ˋsfɪə(r)] *s* kula; sfera, zakres

spice [spɑɪs] *s* przyprawa; pikanteria; *vt* przyprawiać (*korzeniami*)

spi•der [ˋspɑɪdə(r)] *s zool.* pająk

***spill** [spɪl], **spilt, spilt** [spɪlt] *vt vi* rozlewać (się), wylewać (się); rozsypywać (się)

***spin** [spɪn], **span** [spæn], **spun** [spʌn] *vt vi* obracać (się), kręcić (się); prząść; *s* obrót (*koła*); *pot.* przejażdżka

spin•ach [ˋspɪnɪdʒ] *s bot.* szpinak

spine [spɑɪn] *s anat.* kręgosłup; kolec; (*książki*) grzbiet

spir•it [ˋspɪrɪt] *s* duch; nastrój; spirytus; *pl* **~s** napoje alkoholowe; **in high <low> ~s** w doskonałym <złym> nastroju

***spit** [spɪt], **spat, spat** [spæt] *vt vi* pluć; *pot.* **~ it out!** gadaj, co myślisz!; *s* plwocina

spite [spɑɪt] *s* złośliwość; **in ~ of sth** pomimo czegoś; **out of ~** ze złośliwości

splash [splæʃ] *vt vi* pluskać (się), chlapać (się); *s* plusk; *pot.* sensacja; **make a ~** wzbudzić sensację

spleen [splin] *s anat.* śledziona; *przen.* chandra

splen•did [ˋsplendɪd] *adj* wspaniały, doskonały

***split, split, split** [splɪt] *vt vi* dzielić (się); rozdzierać (się); *s* pęknięcie; podział

***spoil** [spɔɪl], **spoilt, spoilt** [spɔɪlt] *vt* psuć, niszczyć; rozpieszczać (*np. dziecko*); *vi* psuć się, niszczeć

spoke[1] *zob.* **speak**

spoke[2] [spəʊk] *s* szprycha; szczebel

spo•ken *zob.* **speak**
spokes•man [ˋspəʊksmən] *s* (*pl* **spokesmen** [ˋspəʊksmən]) rzecznik
sponge [spʌndʒ] *s* gąbka; *vt* wycierać gąbką
spon•sor [ˋsponsə(r)] *s* sponsor
spon•ta•ne•ous [sponˋteɪnɪəs] *adj* spontaniczny
spoon [spun] *s* łyżka
spoon•ful [ˋspunfl] *s* zawartość łyżki, pełna łyżka (**of sth** czegoś)
sport [spɔt] *s* sport; *pot.* fajny gość
sports•man [ˋspɔtsmən] *s* (*pl* **sportsmen** [ˋspɔtsmən]) sportowiec
spot [spot] *s* plama; kropka; cętka; krosta; miejsce; **on the ~** natychmiast; na miejscu; *vt* zauważać; nakrapiać
sprain [spreɪn] *vt* zwichnąć; *s* zwichnięcie
sprang *zob.* **spring**[1]
spray [spreɪ] *s* pył wodny; rozpylacz; *vt vi* rozpylać (się); opryskiwać
***spread, spread, spread** [spred] *vt vi* rozpościerać (się); rozciągać się; rozprzestrzeniać się; smarować (się); *s* rozprzestrzenianie się; zasięg; pasta (*do smarowania pieczywa*)
***spring**[1] [sprɪŋ], **sprang** [spræŋ], **sprung** [sprʌŋ] *vi* skakać; **~ up** pojawić się znikąd
spring[2] [sprɪŋ] *s* wiosna; źródło; sprężyna; skok
sprung *zob.* **spring**[1]
spun *zob.* **spin**
spy [spaɪ] *s* szpieg; *vi* szpiegować (**on sb** kogoś)
square [skweə(r)] *s* kwadrat; (kwadratowy) plac; *mat.* **~ root** pierwiastek; *adj* kwadratowy; solidny; **six ~ metres** sześć metrów kwadratowych
squash [skwoʃ] *vt vi* rozgniatać; wciskać (się); *s* ścisk; napój owocowy; *sport.* squash
squeak [skwik] *vi* piszczeć; *s* pisk
squeeze [skwiz] *vt vi* ściskać; wciskać (się); **~ out** wyciskać; *s* uścisk
squir•rel [ˋskwɪrəl] *s zool.* wiewiórka
sta•bil•i•ty [stəˋbɪlətɪ] *s* stabilność
sta•ble [ˋsteɪbl] *adj* stały, trwały
sta•di•um [ˋsteɪdɪəm] *s* (*pl* **~s, stadia** [ˋsteɪdɪə]) *sport.* stadion
staff [stɑf] *s* personel; pracownicy; laska, kij
stage [steɪdʒ] *s* scena; sta-

dium, okres; etap; ~ **manager** reżyser (*teatralny*); *vt* wystawiać (*na scenie*)

stain [steɪn] *vt vi* plamić (się); bejcować; *s* plama; bejca; ~ **remover** wywabiacz plam

stair [steə(r)] *s* stopień (*schodów*); *pl* ~**s** schody

stair•case [ˋsteəkeɪs] *s* klatka schodowa

stale [steɪl] *adj* nieświeży; (*o chlebie*) czerstwy

stamp [stæmp] *vt vi* tupać; stemplować; nalepić znaczek pocztowy; *s* znaczek pocztowy; pieczątka, stempel

***stand** [stænd], **stood, stood** [stʊd] *vi* stać; wstawać; *vt* stawiać; znosić, wytrzymywać; zachowywać ważność; ~ **sb a drink** stawiać komuś drinka; ~ **by** być w gotowości; ~ **for** oznaczać; reprezentować; ~ **out** rzucać się w oczy; wyróżniać się; ~ **up** wstawać; ~ **up to sth** wytrzymywać <znosić> coś; *s* stoisko; stojak; *pl* ~**s** trybuny; **bring to a** ~ zatrzymać, unieruchomić; **come to a** ~ zatrzymać się; **take a** ~ zajmować stanowisko (**on sth** w jakiejś sprawie)

stan•dard [ˋstændəd] *s* norma; poziom, standard; sztandar; **living** ~ stopa życiowa; *adj* standardowy

stand•point [ˋstænd pɔɪnt] *s* punkt widzenia, stanowisko

stand•still [ˋstænd stɪl] *s* zastój; *przen.* martwy punkt

stank *zob.* **stink**

stan•za [ˋstænzə] *s* zwrotka

star [stɑ(r)] *s* gwiazda; **the Stars and Stripes** flaga Stanów Zjednoczonych; *vi teatr.*, *film.* występować w głównej roli

start [stɑt] *vt vi* rozpoczynać <zaczynać> (się); uruchamiać (się); startować; ~ **off** <**out**> wyruszyć (**for a journey** w podróż); ~ **up** rozpoczynać (się); zakładać (*np. firmę*); uruchamiać (*samochód*); ~ **over** zaczynać od nowa; **to** ~ **with** na początek; po pierwsze; *s* start; początek

start•er [ˋstatə(r)] *s mot.* rozrusznik

starve [stɑv] *vi* głodować, umierać z głodu; *vt* głodzić; pozbawiać (**sb of sth** kogoś czegoś)

state [steɪt] *s* stan; państwo; **in** ~ uroczyście; ~ **of affairs** stan rzeczy; ~ **of emergency** stan wyjątkowy; **the United States**

Stany Zjednoczone; *vt* stwierdzać; oświadczać

state•ment [`steɪtmənt] *s* stwierdzenie; oświadczenie

states•man [`steɪtsmən] *s* (*pl* **statesmen** [`steɪtsmən]) mąż stanu

sta•tion [`steɪʃn] *s* stacja; dworzec; posterunek; *vt* wystawiać (*straż*)

sta•tion•er•y [`steɪʃənrɪ] *s zbior.* artykuły piśmienne

sta•tis•tics [stə`tɪstɪks] *s* statystyka

stat•ue [`stætʃu] *s* statua

sta•tus [`steɪtəs] *s* status

stay [steɪ] *vi* pozostawać; przebywać, mieszkać (**at a hotel** w hotelu; **with friends** u przyjaciół); **~ in** pozostawać w domu; **~ out** pozostawać poza domem; *s* pobyt

stay-at-home [`steɪ ət 'həʊm] *s* domator

stead•y [`stedɪ] *adj* stały; równomierny; solidny; *vt vi* stabilizować (się); uspokajać (się)

***steal** [stil], **stole** [stəʊl], **stolen** [`stəʊln] *vt* kraść; *vi* skradać się; **~ away** wykradać się

steam [stim] *s* para (wodna); *vi* parować; *vt* gotować na parze

steel [stil] *s* stal; **stainless ~** stal nierdzewna

steep [stip] *adj* stromy; *pot.* (*o wymaganiach, cenach*) wygórowany

steer [`stɪə(r)] *vt vi* sterować; kierować się (**for sth** w stronę czegoś)

steer•ing wheel [`stɪərɪŋ wil] *s* kierownica

step [step] *s* krok; stopień; próg; **~ by ~** krok za krokiem; stopniowo; **take ~s** poczynić kroki; podjąć działania; *vi* kroczyć

ster•e•o [`sterɪəʊ] *s* zestaw stereo; *adj* stereofoniczny

stew•ard [`stjuəd] *s* steward

stew•ard•ess [`stjuədes] *s* stewardesa

***stick** [stɪk], **stuck, stuck** [stʌk] *vt* wbijać; przyklejać; przymocować; *vi* kleić <lepić> się; utkwić; zacinać się; *s* patyk, kijek; kij; laska

stick•er [`stɪkə(r)] *s* naklejka, nalepka

stick•y [`stɪkɪ] *adj* lepki; klejący

stiff [stɪf] *adj* sztywny; (*o rywalizacji*) zacięty

sti•fle [`staɪfl] *vt vi* dusić (się); dławić (się)

still [stɪl] *adv* nadal, ciągle; mimo to; jeszcze; *adj* nieruchomy; cichy, spokojny; **~ life** martwa natura

***sting** [stɪŋ], **stung, stung** [stʌŋ] *vt vi* żądlić; kłuć; (*o oczach*) szczypać; *s* żądło; żądlenie, ukąszenie
stin•gy [`stɪndʒɪ] *adj* skąpy
***stink** [stɪŋk], **stank** [stæŋk], **stunk** [stʌŋk] *vi* śmierdzieć (**of sth** czymś); *s* smród
stir [stɜ(r)] *vt* mieszać; poruszać; *vi* poruszać się; *s* poruszenie
stock [stok] *s* zapas; inwentarz; wywar; żywy inwentarz; *pl* **~s** papiery wartościowe; **in ~** na składzie; **out of ~** wyprzedany; *vt* mieć na składzie; robić zapasy
stock•brok•er [`stok 'brəʊkə(r)] *s* makler giełdowy
stock ex•change [`stok iks'tʃeɪndʒ] *s* giełda papierów wartościowych
stock•ing [`stokɪŋ] *s* pończocha
stole, sto•len *zob.* **steal**
stom•ach [`stʌmək] *s anat.* żołądek; *pot.* brzuch; **on an empty ~** na czczo
stom•ach-ache [`stʌmək eɪk] *s* ból brzucha
stone [stəʊn] *s* kamień; pestka; *vt* kamienować; drylować
stood *zob.* **stand**
stool [stul] *s* stołek; *med.* stolec
stop [stop] *vt* zatrzymać; zaprzestać; powstrzymywać; *vi* zatrzymywać się; przestać; **~ by** wpadać (*z wizytą*); **~ up** zatykać (*dziurę*); *s* zatrzymanie (się); przystanek; przerwa; **come to a ~** zatrzymywać się; **put a ~ to sth** kłaść kres czemuś
stop•lights [`stop lɑɪts] *s pl* światła stopu
store [stɔ(r)] *s* zapasy; skład; magazyn; dom towarowy; *am.* sklep; *pl* **~s** zapasy (*żywności, odzieży*); **in ~** na przechowaniu; *vt* przechowywać; magazynować
store•house [`stɔ hɑʊs] *s* magazyn
sto•rey, sto•ry [`stɔrɪ] *s* piętro
stork [stɔk] *s* bocian
storm [stɔm] *s* burza; sztorm; **take by ~** brać szturmem
sto•ry[1] [`stɔrɪ] *s* historia; opowiadanie; historyjka, pogłoska; (*w gazecie*) artykuł; **short ~** nowela; opowiadanie
sto•ry[2] *zob.* **storey**
stout [stɑʊt] *adj* korpulentny; niezłomny
stove [stəʊv] *s* piec; kuchenka
straight [streɪt] *adj* prosty;

uczciwy; (*o alkoholu*) czysty; *adv* prosto; *s* prosta
strain [streɪn] *vt* nadwerężać; odcedzać; (*fakty, prawdę*) naginać; *vi* wytężać się; *s* napięcie, stres; nadwerężenie
strange [streɪndʒ] *adj* dziwny, niezwykły; obcy; **feel ~** czuć się nieswojo <obco>
strang•er [ˋstreɪndʒə(r)] *s* obcy człowiek; nieznajomy
strap [stræp] *s* pasek (*np. od zegarka*); ramiączko (*sukienki*)
strat•e•gy [ˋstrætədʒɪ] *s* strategia
straw [strɔ] *s* słoma; słomka
straw•ber•ry [ˋstrɔbrɪ] *s* truskawka
stream [strim] *s* strumień (*także ludzi*); prąd (*wodny*); *vi* wypływać
street [strit] *s* ulica; **~ map** plan miasta; **man in the ~** szary <przeciętny> człowiek
streetcar [ˋstrit kɑ(r)] *s am.* tramwaj
strength [streŋθ] *s* siła, moc
strength•en [ˋstreŋθn] *vt vi* wzmacniać (się), umacniać (się)
stress [stres] *s* stres; presja; nacisk; *gram.* akcent; *vt* podkreślać, kłaść nacisk; *gram.* akcentować
stretch [stretʃ] *vt vi* wyciągać (się); rozciągać (się); przeciągać się; *s* przeciągnięcie się; rozciągliwość; obszar; okres; rozpostarcie; rozpiętość; **at a ~** jednym ciągiem
strict [strɪkt] *adj* surowy; ścisły, dokładny
***strike** [strɑɪk], **struck, struck** [strʌk] *vt vi* uderzać; atakować; (*o zegarze*) bić; strajkować; **~ camp** zwinąć obóz; **~ a match** zapalać zapałkę; **be struck dumb** oniemieć; **~ down** powalić; **~ out** skreślać; *s* strajk; uderzenie, atak; **to be on ~** strajkować
***string** [strɪŋ], **strung, strung** [strʌŋ] *vt* nawlekać; związywać; *s* sznurek; struna; sznur (*np. pereł*); seria
strip [strɪp] *vt* zrywać, zdzierać (**sth of sth** coś z czegoś); *vi* rozbierać się; *s* pasek
striped [strɑɪpt] *adj* pasiasty, w paski
strong [strɔŋ] *adj* silny, mocny; **~ drink** napój alkoholowy; **~ language** przekleństwa
struck *zob.* **strike**
struc•ture [ˋstrʌktʃə(r)] *s* struktura; konstrukcja; *vt* nadawać strukturę

strug•gle [`strʌgl] *vi* walczyć; zmagać się; *s* walka
strung *zob.* **string**
stub•born [`stʌbən] *adj* uparty; uporczywy
stuck *zob.* **stick**
stu•dent [`stjudnt] *s* student; uczeń
stu•di•o [`stjudɪəʊ] *s* studio; pracownia, atelier
stud•y [`stʌdɪ] *s* nauka; badanie; gabinet; *vt* studiować; przestudiować (*np. fakty*); *vi* studiować, uczyć się
stuff [stʌf] *s pot.* coś, substancja, tworzywo; rzeczy; *pl* **food ~s** artykuły żywnościowe; **green ~** warzywa; *vt* wypychać; faszerować
stuff•y [`stʌfɪ] *adj* duszny; staroświecki
stum•ble [`stʌmbl] *vi* potykać się; *przen.* robić błędy; **~ across <on> sth** natknąć się na coś; *s* potknięcie się; błąd
stung *zob.* **sting**
stu•pid [`stjupɪd] *adj* głupi
stu•pid•i•ty [stju`pɪdətɪ] *s* głupota
style [staɪl] *s* styl; fason; moda; szyk; **out of ~** niemodny
sub•ject [`sʌbdʒɪkt] *s* temat; przedmiot (*np. nauki*); podmiot; poddany; *adj* podlegający; narażony (**to sth** na coś); *vt* [səb`dʒekt] podporządkować; poddawać (**sb to sth** kogoś czemuś)
sub•jec•tive [səb`dʒektɪv] *adj* subiektywny
sub•ma•rine [`sʌbmərin] *adj* podwodny; *s* łódź podwodna
sub•merge [səb`mɜdʒ] *vt vi* zanurzać (się)
sub•mit [səb`mɪt] *vt* poddawać pod rozwagę; przedkładać (*np. propozycję*); *vi* poddawać się (**to sth** czemuś)
sub•or•di•nate [sə`bɔdɪnət] *adj* podporządkowany; *s* podwładny; *vt* [sə`bɔdɪneɪt] podporządkować (**sth to sth** coś czemuś)
sub•scribe [səb`skraɪb] *vi* wspierać finansowo (**to sth** coś); prenumerować (**to sth** coś)
sub•scrip•tion [səb`skrɪpʃn] *s* składka członkowska; prenumerata; abonament
sub•stance [`sʌbstəns] *s* substancja; istota, znaczenie
sub•sti•tute [`sʌbstɪtjut] *s* zastępca; substytut; *vt* zastępować (**sth for sth** coś czymś)
sub•ti•tles [`sʌb' taɪtlz] *s pl* napisy (*na filmie*)

sub•tle [`sʌtl] *adj* subtelny
sub•tract [səb`trækt] *vt mat.* odejmować
sub•trac•tion [səb`trækʃn] *s mat.* odejmowanie
sub•urb [`sʌbɜb] *s* przedmieście; *pl* **~s** peryferie
sub•way [`sʌbweɪ] *s* przejście podziemne; *am.* metro
suc•ceed [sək`sid] *vi* odnieść sukces; *vt* następować (**sb, sth** po kimś, czymś); **I ~ed in finishing my work** udało mi się skończyć pracę
suc•cess [sək`ses] *s* sukces, powodzenie
suc•cess•ful [sək`sesfl] *adj* udany, pomyślny; **I was ~ in doing that** udało mi się to zrobić
suc•ces•sion [sək`seʃn] *s* następstwo; seria; sukcesja; **in ~** kolejno
such [sʌtʃ] *adj pron* taki; **~ a nice day** taki piękny dzień; **~ as...** taki, jak...; **~ that...** taki <tego rodzaju>, że...; **as ~** jako taki
such•like [`sʌtʃlaɪk] *adj attr* podobny (do tego), tego rodzaju
suck [sʌk] *vt* ssać, wsysać; *s* ssanie
sud•den [`sʌdn] *adj* nagły; **all of a ~** nagle
sue [sju] *vt* zaskarżać do sądu (**sb for sth** kogoś za coś); *vi* błagać (**for sth** o coś)
suede [sweɪd] *s* zamsz
suf•fer [`sʌfə(r)] *vi* cierpieć (**from sth** na coś, **for sth** z powodu czegoś); *vt* ponosić (*np. konsekwencje*); cierpieć; doświadczać; **~ hunger** cierpieć głód
suf•fice [sə`faɪs] *vt vi* wystarczać; zadowalać; **~ it to say** wystarczy powiedzieć
suf•fi•cient [sə`fɪʃnt] *adj* wystarczający, dostateczny
sug•ar [`ʃʊgə(r)] *s* cukier; *vt* słodzić
sug•gest [sə`dʒest] *vt* proponować; sugerować; wskazywać (**sth** na coś)
sug•ges•tion [sə`dʒestʃən] *s* propozycja; oznaka, ślad; sugestia
su•i•cide [`suɪsaɪd] *s* samobójstwo; samobójca; **commit ~** popełnić samobójstwo
suit [sut] *s* garnitur; kostium (*damski*); (*w kartach*) kolor; *vt vi* odpowiadać, nadawać się; pasować; dostosowywać (**to sth** do czegoś); **~ yourself!** rób, co chcesz!
suit•a•ble [`sutəbl] *adj* odpowiedni
suit•case [`sutkeɪs] *s* walizka
sum [sʌm] *s* suma, kwota;

wynik; **in ~** krótko mówiąc; *vt*: **~ up** podsumowywać
sum•ma•ry [`sʌmərɪ] *s* streszczenie; *adj* natychmiastowy
sum•mer [`sʌmə(r)] *s* lato; **Indian ~** babie lato; **~ camp** obóz, kolonie letnie; **~ school** kurs wakacyjny
sum•mon [`sʌmən] *vt* wzywać; zwoływać; **~ up** zebrać (*siły*)
sum•mons [`sʌmənz] *s* wezwanie; *vt* wzywać (*do sądu*)
sun [sʌn] *s* słońce; **in the ~** na słońcu
sun•bathe [`sʌnbeɪð] *vi* opalać się
sun•burn [`sʌnbɜn] *s* oparzenie słoneczne
sun•burnt [`sʌnbɜnt] *adj* spalony, poparzony (*słońcem*)
sun•dae [`sʌndeɪ] *s* lody z owocami, orzechami itp.
Sun•day [`sʌndɪ] *s* niedziela
sun•flow•er [sʌn`flɑʊə(r)] *s bot.* słonecznik
sung *zob.* **sing**
sunk *zob.* **sink**
sun•ny [`sʌnɪ] *adj* słoneczny; (*o usposobieniu*) pogodny
sun•rise [`sʌnrɑɪz] *s* wschód słońca; **at ~** o wschodzie słońca
sun•set [`sʌnset] *s* zachód słońca; **at ~** o zachodzie słońca
sun•shine [`sʌnʃɑɪn] *s* światło słoneczne; słoneczna pogoda
sun•stroke [`sʌnstrəʊk] *s* udar słoneczny
sun•tan [`sʌntæn] *s* opalenizna; **~ cream** krem do opalania
su•per [`supə(r)] *adj pot.* wspaniały, super
su•perb [su`pɜb] *adj* znakomity, pierwszorzędny
su•pe•ri•or [sə`pɪərɪə(r)] *adj* lepszy (**to sb, sth** od kogoś, czegoś); starszy rangą; wyniosły; *s* zwierzchnik, przełożony
su•per•mar•ket [`supə 'mɑkət] *s* supermarket
su•per•nat•u•ral ['supə `nætʃərəl] *adj* nadprzyrodzony; *s*: **the ~** siły nadprzyrodzone
su•per•sti•tious ['supə `stɪʃəs] *adj* przesądny, zabobonny
su•per•vise [`supəvɑɪz] *vi* nadzorować, kontrolować
sup•per [`sʌpə(r)] *s* kolacja
sup•ple•ment [`sʌplɪmənt] *s* uzupełnienie, dodatek; suplement; *vt* uzupełniać

sup•ply [sə`plaɪ] *vt* dostarczać (**sb with sth** komuś czegoś); zaspokajać (*potrzeby*); **~ the demand** zaspokoić popyt; *s* zapas; dostawa; podaż; **water <gas> ~** dostawy wody <gazu>

sup•port [sə`pɔt] *vt* podpierać, podtrzymywać; utrzymywać; popierać; kibicować; potwierdzać (*np. teorię*); *s* podpora; poparcie; wsparcie; utrzymanie; **in ~** na znak poparcia (**of sth** czegoś)

sup•pose [sə`pəʊz] *vt vi* przypuszczać, zakładać; **he is ~d to go there** on ma <powinien> tam pójść; **I ~ so <not>** myślę, że tak <nie>; *conj* (*także* **supposing**) jeśli

sure [ʃʊə(r)] *adj* pewny; niezawodny; **be ~ to come** przyjdź koniecznie; **he is ~ to do it** on z pewnością to zrobi; **make ~ of sth** upewnić się co do czegoś; *adv* na pewno; **for ~** na pewno tak, oczywiście

surf [s3f] *s* spieniona fala (*przy brzegu*); *vi* pływać na desce (surfingowej)

sur•face [`s3fɪs] *s* powierzchnia; *vi* wypływać na powierzchnię

surf•ing [`s3fɪŋ] *s* surfing, pływanie na desce

sur•geon [`s3dʒən] *s* chirurg

sur•ger•y [`s3dʒərɪ] *s* chirurgia; zabieg chirurgiczny; gabinet przyjęć pacjentów; **plastic ~** chirurgia plastyczna

sur•name [`s3neɪm] *s* nazwisko

sur•prise [sə`praɪz] *s* zdziwienie, zaskoczenie; niespodzianka; **by ~** niespodziewanie; *vt* zaskoczyć; zdziwić

sur•ren•der [sə`rendə(r)] *vt* zrzekać się; *vi* poddawać się; *s* poddanie się

sur•round [sə`raʊnd] *vt* otaczać

sur•round•ings [sə`raʊndɪŋz] *s pl* otoczenie; okolica

sur•vive [sə`vaɪv] *vt vi* przeżyć; przetrwać

sus•pect [sə`spekt] *vt vi* podejrzewać (**sb of sth** kogoś o coś); powątpiewać; *s* [`sʌspekt] podejrzany; *adj* podejrzany

sus•pend [sə`spend] *vt dosł. i przen.* zawieszać

sus•pense [sə`spens] *s* niepewność; napięcie (*np. w filmie*); **keep sb in ~** trzymać kogoś w niepewności

sus•pen•sion [sə`spenʃn] *s*

zawieszenie; zawiesina; ~ **bridge** most wiszący
sus•pi•cious [sə`spɪʃəs] *adj* podejrzliwy; podejrzany
swal•low[1] [`swoləʊ] *s zool.* jaskółka
swal•low[2] [`swoləʊ] *vt* połykać; przełykać; *s* łyk
swam *zob.* **swim**
swamp [swomp] *s* bagno; mokradło
swan [swon] *s zool.* łabędź
***swear** [sweə(r)], **swore** [swɔ(r)], **sworn** [swɔn] *vi* kląć (**at sb, sth** na kogoś, coś); *vt* przysięgać; ~ **an oath** składać przysięgę
sweat [swet] *vi* pocić się; trudzić się; *s* pot; trud; znój
sweat•er [`swetə(r)] *s* sweter
sweat•shirt [`swetʃ3t] *s* bluza (bawełniana)
Swede [swid] *s* Szwed
Swed•ish [`swidɪʃ] *adj* szwedzki; *s* język szwedzki
***sweep** [swip], **swept, swept** [swept] *vt* zamiatać; przesuwać; ~ **away** znosić; zniszczyć; *s* zamiatanie; machnięcie
sweet [swit] *adj* słodki; delikatny; miły; *s* cukierek; deser; *pl* ~**s** słodycze
sweet•ener [`switnə(r)] *s* słodzik
sweet•heart [`swithɑt] *s* ukochany; kochanie
***swell** [swel], **swelled** [sweld], **swollen** [`swəʊlən] *vi* puchnąć; nabrzmiewać; *vt* powiększać; ~ **out** wypełniać
swell•ing [`swelɪŋ] *s* nabrzmienie, obrzęk
swept *zob.* **sweep**
swift [swɪft] *adj* szybki, prędki
***swim** [swɪm], **swam** [swæm], **swum** [swʌm] *vi* pływać; *vt* przepływać; *s* pływanie; **go for a** ~ iść sobie popływać
swim•ming pool [`swɪmɪŋ pul] *s* basen pływacki, pływalnia
swine [swɑɪn] *s* świnia
***swing** [swɪŋ], **swung, swung** [swʌŋ] *vt vi* kołysać (się), huśtać (się); obracać (się); *s* kołysanie; huśtawka; *muz.* swing; zwrot, zmiana (*opinii*)
Swiss [swɪs] *adj* szwajcarski; *s* Szwajcar
switch [swɪtʃ] *s* wyłącznik, przełącznik; zmiana, zwrot; *vt vi* zmieniać (się); przełączać; ~ **off** wyłączać (*np. światło*); ~ **on** włączać (*np. światło*)
switch•board [`swɪtʃbɔd] *s* centrala telefoniczna

swol•len [`swəʊlən] *zob.* **swell**; *adj* spuchnięty
swoon [swun] *s* omdlenie; *vi* zemdleć
sword [sɔd] *s* miecz
swore, sworn *zob.* **swear**
swum *zob.* **swim**
swung *zob.* **swing**
syl•la•ble [`sɪləbl] *s* sylaba
syl•la•bus [`sɪləbəs] *s* (*pl* **syllabi** [`sɪləbaɪ] *lub* **~es**) program, plan zajęć; spis (obowiązkowych) lektur
sym•bol [`sɪml] *s* symbol
sym•me•try [`sɪmɪtrɪ] *s* symetria
sym•pa•thize [`sɪmpəθaɪz] *vi* współczuć; sympatyzować
sym•pa•thy [`sɪmpəθɪ] *s* współczucie; sympatia; **letter of ~** list kondolencyjny
sym•pho•ny [`sɪmfənɪ] *s* symfonia
symp•tom [`sɪmptəm] *s* symptom, objaw; oznaka
syn•a•gogue [`sɪnəgog] *s* synagoga
syr•inge [sɪ`rɪndʒ] *s* strzykawka
syr•up [`sɪrəp] *s* syrop
sys•tem [`sɪstəm] *s* system; ustrój; organizm
sys•tem•at•ic ['sɪstə`mætɪk] *adj* systematyczny

T

ta•ble [`teɪbl] *s* stół; tabela; płyta; **at ~** przy stole; *mat.* **multiplication ~** tabliczka mnożenia; **~ of contents** spis rzeczy
ta•ble•cloth [`teɪbl kloθ] *s* obrus
tab•let [`tæblət] *s* tabletka; tabliczka; tablica (*np. pamiątkowa*)
tack [tæk] *s* pinezka; fastryga; *vt* przypinać pinezkami; fastrygować
tact•ful [`tæktfl] *adj* taktowny
tac•tic [`tæktɪk] *s* taktyka
tag [tæg] *s* metka; nalepka; **name ~** identyfikator; *vt* naklejać etykietę
tail [teɪl] *s* ogon
tai•lor [`teɪlə(r)] *s* krawiec
***take** [teɪk], **took** [tʊk], **taken** [`teɪkən] *vt* brać; zabierać; zajmować; przyjmować (*np. ofertę*); podejmować (*np. decyzję*); mieścić, pomieścić; zażywać (*lekarstwo*); zdawać (*egzamin*); wsiadać (*do pociągu, tramwaju*); robić (*zdjęcie*); *vi* działać; **~ sth into account** brać coś pod uwagę; **~ ad-**

vantage wykorzystać (**of sth** coś); ~ **care** troszczyć się (**of sth** o coś); ~ **a fancy** znaleźć upodobanie, polubić (**to sth** coś); ~ **hold** pochwycić (**of sth** coś); **be ~n ill** zachorować; ~ **interest** zainteresować się (**in sth** czymś); ~ **it easy!** nie przejmuj się!; ~ **part** brać udział (**in sth** w czymś); ~ **place** odbywać się; ~ **sb for a doctor** brać kogoś za lekarza; **it ~s time** to wymaga czasu; ~ **trouble** zadawać sobie trud; ~ **after** przypominać (*kogoś*); ~ **apart** rozbierać na części; ~ **away** zabierać; ~ **down** zapisać; zdemontować; ~ **in** przygarniać; zwężać (*ubranie*); przyjmować do wiadomości; oszukiwać; ~ **off** zdejmować (*ubranie*); naśladować; *lotn.* wystartować; ~ **on** zatrudniać; brać na siebie (*np. obowiązki*); ~ **out** zabierać (*np. do teatru, restauracji*); ~ **to sb, sth** polubić kogoś, coś; *s* ujęcie (*filmowe*)

take•a•way [`teɪkəweɪ] *s* danie na wynos; restauracja z daniami na wynos

take•off [`teɪk of] *s lotn.* start; naśladowanie

tale [teɪl] *s* opowieść; bajka; **fairy** ~ baśń

tal•ent [`tælənt] *s* talent

talk [tɔk] *vi* mówić, rozmawiać; *vt* omawiać; ~ **nonsense** gadać bzdury; ~ **sb into sth** namówić kogoś do czegoś; ~ **over** omawiać; *s* rozmowa; pogadanka; wykład; **small** ~ rozmowa o niczym; **give a** ~ wygłaszać wykład <pogadankę>

tall [tɔl] *adj* wysoki; **be six feet** ~ mieć sześć stóp wzrostu

tame [teɪm] *adj* oswojony; *vt* oswajać

tan [tæn] *s* opalenizna; *vt vi* opalać (się)

tank [tæŋk] *s* zbiornik; *wojsk.* czołg; **fish** ~ akwarium

tap [tæp] *s* kran; kurek, zawór; *vt* zakładać podsłuch (*na telefon*)

tape [teɪp] *s* taśma; ~ **deck** magnetofon bez wzmacniacza; **sticky** ~ taśma samoprzylepna; **magnetic** ~ taśma magnetyczna; *przen.* **red** ~ biurokracja; *vt* nagrywać; przyklejać taśmą

tape re•cord•er [`teɪp rɪ'kɔdə(r)] *s* magnetofon

tar [tɑ(r)] *s* smoła; *vt* smołować

tar•get [`tɑgɪt] *s* tarcza; cel

tar•iff [`tærɪf] *s* taryfa celna; cennik
tart [tɑt] *s* ciastko z owocami
task [tɑsk] *s* zadanie; **set sb a ~** dać komuś zadanie; **take sb to ~** udzielać komuś nagany
taste [teɪst] *s* smak; zmysł smaku; **in good <bad> ~** w dobrym <złym> guście; **to ~** do smaku; *vt* próbować, kosztować; *vi* mieć smak (**of sth** czegoś)
tat•too [tə`tu] *s* tatuaż; *vt* tatuować
taught *zob.* **teach**
tav•ern [`tævn] *s* tawerna, karczma
tax [tæks] *s* podatek (*państwowy*); cło; *vt* obciążać (*podatkiem, cłem*)
tax•i [`tæksɪ] *s* taksówka; **~ rank <stand>** postój taksówek
tax•i•cab [`tæksɪkæb] *s* taksówka
tea [ti] *s* herbata; herbatka, podwieczorek
***teach** [titʃ], **taught, taught** [tɔt] *vt* uczyć (**sb sth, sth to sb** kogoś czegoś)
teach•er [`titʃə(r)] *s* nauczyciel
team [tim] *s* zespół, drużyna; **~ game** gra zespołowa
tea•pot [`tipot] *s* imbryk, czajniczek
tear[1] [tɪə(r)] *s* łza; **burst into ~s** wybuchnąć płaczem
***tear**[2] [teə(r)], **tore** [tɔ(r)], **torn** [tɔn] *vt vi* rwać (się), drzeć (się); **~ apart** rozrywać; rozdzierać; **~ out** wyrywać; **~ up** porwać, podrzeć; *s* rozdarcie, dziura
tease [tiz] *vt* dokuczać; drażnić
tech•ni•cal [`teknɪkl] *adj* techniczny; **~ college** technikum
tech•nique [tek`nik] *s* technika, sposób wykonywania
tech•nol•o•gy [tek`nolədʒɪ] *s* technologia; technika
ted•dy bear [`tedɪ beə(r)] *s* pluszowy miś
te•di•ous [`tidɪəs] *adj* nudny, nużący
teen•ag•er [`tineɪdʒə(r)] *s* nastolatek
teens [tinz] *s pl*: **be in one's ~** mieć naście lat
teeth *zob.* **tooth**
tel•e•gram [`telɪgræm] *s* telegram
tel•e•graph [`telɪgrɑf] *s* telegraf; *vt vi* telegrafować
tel•e•phone [`teləfəʊn] *s* telefon; **cellular ~** telefon komórkowy; **by ~** telefonicznie; **~ box <booth>** budka telefoniczna; **~ exchange** centrala telefoniczna; **be on the ~** rozma-

wiać przez telefon; *vt vi* telefonować (**sb** do kogoś)
tel•e•text [`telıtekst] *s* telegazeta
tel•e•vi•sion [`telı'vıʒn] *s* telewizor; telewizja; **cable ~** telewizja kablowa; **on (the) ~** w telewizji
tel•ex [`teləks] *s* dalekopis, teleks; *vt vi* przesyłać teleksem
***tell** [tel], **told, told** [təʊld] *vt vi* mówić; opowiadać; kazać (**sb to do sth** komuś coś zrobić); odróżniać (**sth from sth** coś od czegoś); **~ the time** podawać godzinę; **~ the way** wskazywać drogę; **~ sb off** zbesztać kogoś
tel•ly [`telı] *s pot.* telewizja
tem•per [`tempə(r)] *s* usposobienie; nastrój; **in a bad ~** w złym humorze; **lose one's ~** stracić panowanie nad sobą
tem•pe•ra•ture [`temprətʃə(r)] *s* temperatura; **take sb's ~** zmierzyć komuś temperaturę
tem•ple[1] [`templ] *s* świątynia
tem•ple[2] [`templ] *s anat.* skroń
tem•po [`tempəʊ] *s* tempo
tem•po•ra•ry [`temprərı] *adj* tymczasowy, przejściowy
tempt [tempt] *vt* kusić, wabić; **to be ~ed** być skłonnym, mieć ochotę (**to do sth** coś zrobić)
ten [ten] *num* dziesięć
ten•ant [`tenənt] *s* lokator; dzierżawca
tend [tend] *vi* mieć w zwyczaju; zmierzać, dążyć
tend•en•cy [`tendənsı] *s* tendencja, skłonność; trend
ten•der [`tendə(r)] *adj* czuły; obolały; (*o mięsie*) miękki, kruchy
ten•nis [`tenıs] *s sport.* tenis; **table ~** tenis stołowy
tense[1] [tens] *adj* napięty; *vt vi* napinać (się)
tense[2] [tens] *s gram.* czas
ten•sion [`tenʃn] *s* napięcie, naprężenie
tent [tent] *s* namiot
tenth [tenθ] *num adj* dziesiąty; *s* dziesiąta (część)
term [tɜm] *s* kadencja; termin; trymestr; semestr; termin, fachowe określenie; *pl* **~s** warunki; **be on good ~s** być w dobrych stosunkach (**with sb** z kimś); **be on speaking ~s** znać powierzchownie (**with sb** kogoś); **in ~s of** pod względem; *vt* określać, nazywać
ter•mi•nal [`tɜmınl] *adj* (*o chorobie*) nieuleczalny; końcowy; *s* dworzec lotniczy; *komp.* terminal

ter•ri•ble [ˋterəbl] *adj* straszny, okropny
ter•rif•ic [təˋrɪfɪk] *adj pot.* cudowny, wspaniały; ogromny
ter•ri•fy [ˋterɪfaɪ] *vt* przerażać
ter•ri•to•ry [ˋterɪtrɪ] *s* terytorium
ter•ror [ˋterə(r)] *s* terror, groza, przerażenie
ter•ror•ist [ˋterərɪst] *s* terrorysta
test [test] *s* test; egzamin; badanie; próba; *vt* testować; badać; sprawdzać
tes•ta•ment [ˋtestəmənt] *s* testament
tes•ti•fy [ˋtestɪfaɪ] *vt vi* zeznawać; świadczyć (**to sth** o czymś)
text [tekst] *s* tekst
text•book [ˋtekstbʊk] *s* podręcznik; *adj* podręcznikowy
tex•tile [ˋtekstaɪl] *s* wyrób tekstylny <włókienniczy>
tex•ture [ˋtekstʃə(r)] *s* faktura, struktura
than [ðæn, ðən] *conj* niż, aniżeli; **I'd rather stay ~ go** wolałbym zostać niż iść
thank [θæŋk] *vt* dziękować (**for sth** za coś); **~ you** dziękuję; **~ God!** dzięki Bogu!; *s pl* **~s** dzięki; podziękowanie; **~s to sb, sth** dzięki komuś, czemuś
thank•ful [ˋθæŋkfl] *adj* wdzięczny
that [ðæt] *adj pron* (*pl* **those** [ðəʊz]) tamten; to, tamto; który, którzy; **who's ~?** kto to?; *conj* że; ażeby
thaw [θɔ] *vi* tajać, topnieć; *vt* topić, roztapiać; *s* odwilż
the [ðə, ðɪ] *rodzajnik <przedimek> określony*: **what was ~ result?** jaki był wynik?; **~ best way** najlepszy sposób; (*zaimek wskazujący*) **call ~ man** zawołaj tego człowieka; *adv*: (*w porównaniach*) **all ~ better** tym lepiej; **~ sooner ~ better** im wcześniej, tym lepiej
thea•tre [ˋθɪətə(r)] *s* teatr; **operating ~** sala operacyjna
theft [θeft] *s* kradzież
their [ðeə(r)] *adj* ich
theirs [ðeəz] *pron* ich; **it's ~** to jest ich
them [ðem, ðəm, əm] *pron* (*przypadek zależny*) im; ich, je
them•selves [ðəmˋselvz] *pron* się; sobie, siebie, sobą; oni sami
then [ðen] *adv* wtedy; następnie, potem; zresztą; *conj* a więc, zatem; **but ~** ale przecież; **by ~** do tego

czasu; **from ~ on** od tego czasu; *adj attr* ówczesny
the•ol•o•gy [ðɪ`olədʒɪ] *s* teologia
theo•ry [`θɪərɪ] *s* teoria; **in ~** teoretycznie
ther•a•py [`θerəpɪ] s terapia
there [ðeə(r), ðə(r)] *adv* tam; **~ is** jest; istnieje; **~ are** są; istnieją; **from ~** stamtąd; **over ~** tam, po drugiej stronie; *int* no już dobrze!
there•fore [`ðeəfɔ(r)] *adv* dlatego (też)
ther•mom•e•ter [θə`momɪtə(r)] *s* termometr
ther•mos [`θɜməs] *s* termos
these *zob.* **this**
they [ðeɪ] *pron* oni, one
they'd [ðeɪd] = **they had**, **they should**, **they would**
they'll [ðeɪl] = **they shall**, **they will**
they're [ðeə(r)] = **they are**
they've [ðeɪv] = **they have**
thick [θɪk] *adj* gruby; gęsty; *adv* grubo; gęsto
thief [θif] *s* (*pl* **thieves** [θivz]) złodziej
thigh [θaɪ] *s anat.* udo
thin [θɪn] *adj* cienki; chudy; rzadki; *adv* cienko; *vt* rozcieńczać; *vi* przerzedzać się
thing [θɪŋ] *s* rzecz; sprawa; istota; *pl* **~s** rzeczy (*osobiste*); **poor (little) ~!** biedactwo!; **first ~ in the morning** z samego rana; **how are ~s (going)?** co słychać?; **the ~ is...** chodzi o to, że...; **for one ~** po pierwsze, przede wszystkim
***think** [θɪŋk], **thought**, **thought** [θɔt] *vt vi* myśleć (**about <of> sth** o czymś); sądzić; **~ sb silly** uważać kogoś za głupca; **~ over** przemyśleć; rozważyć ponownie; **~ up** wymyślić
think•ing [`θɪŋkɪŋ] *s* myślenie; opinia
third [θɜd] *adj* trzeci
third•ly [`θɜdlɪ] *adv* po trzecie
thirst•y [`θɜstɪ] *adj* spragniony
thir•teen ['θɜ`tin] *num* trzynaście
thir•teenth ['θɜ`tinθ] *adj* trzynasty
thir•ti•eth [`θɜtɪəθ] *adj* trzydziesty
thir•ty [`θɜtɪ] *num* trzydzieści; **the thirties** lata trzydzieste
this [ðɪs] *adj pron* (*pl* **these** [ðiz]) ten, ta, to; **~ morning <evening>** dziś rano <wieczór>; **~ way** tędy
thorn [θɔn] *s* cierń, kolec
thor•ough [`θʌrə] *adj* gruntowny; (*o człowieku*) skrupulatny
those *zob.* **that**

though [ðəʊ] *conj* chociaż; **as ~** jak gdyby; *adv* jednak
thought[1] *zob.* **think**
thought[2] [θɔt] *s* myśl; namysł; *pl* **~s** zdanie, opinia; **on second ~s** po namyśle; **he had no ~ of doing it** on nie miał zamiaru tego zrobić
thou•sand [`θaʊznd] *num* tysiąc
thou•sandth [`θaʊznθ] *adj* tysięczny; *s* tysięczna część
thread [θred] *s* nić; wątek (*np. opowiadania*); gwint; *vt* nawlekać
threat [θret] *s* groźba; zagrożenie
threat•en [`θretn] *vt* grozić; *vi* zagrażać
three [θri] *num* trzy; *s* trójka
threw *zob.* **throw**
thrift•y [`θrɪftɪ] *adj* oszczędny, gospodarny
thrill [θrɪl] *s* dreszcz; dreszczyk emocji; *vt* przejmować dreszczem, ekscytować; *vi* drżeć, dygotać
thrill•er [`θrɪlə(r)] *s* dreszczowiec
throat [θrəʊt] *s* gardło; **sore ~** ból gardła; **clear one's ~** odchrząknąć
through [θru] *praep* przez, poprzez; z powodu, dzięki; *adv* bezpośrednio, prosto; dokładnie; **~ and ~** całkowicie; **be ~** mieć połączenie (*telefoniczne*); skończyć (**with sb, sth** z kimś, czymś); **let sb ~** przepuszczać kogoś; **put sb ~** połączyć kogoś (*telefonicznie*) (**to sb** z kimś); *adj* bezpośredni; **a ~ train** pociąg bezpośredni
through•out [θru`aʊt] *praep* w całym (*np. kraju*); **~ his life** przez całe jego życie; *adv* wszędzie; pod każdym względem; przez cały czas
***throw** [θrəʊ], **threw** [θru], **thrown** [θrəʊn] *vt* rzucać; zrzucać; **~ a glance** rzucić okiem (**at sb** na kogoś); **~ open** otwierać na rozcież; **~ away** odrzucać; trwonić; **~ off** zrzucać; pozbywać się (**sth** czegoś); **~ out** wyrzucać, wypędzać; odrzucać; (*pomysły*) rzucać; **~ up** *pot.* porzucić; wymiotować; *s* rzut
thru [θru] *am.* = **through**
thumb [θʌm] *s* kciuk; *vt*: **~ a lift** zatrzymywać samochód (na autostopie); **~ through** przekartkować
thun•der [`θʌndə(r)] *s* grzmot; *vi* grzmieć
thun•der•bolt [`θʌndə bəʊlt] *s* piorun, grom
Thurs•day [`θɜzdɪ] *s* czwartek

thus [ðʌs] *adv* tak, w ten sposób; ~ **far** dotąd; do tego stopnia

tick•et [ˋtɪkɪt] *s* bilet; etykieta, metka; mandat drogowy; **single <return>** ~ bilet w jedną stronę <powrotny>

tide [taɪd] *s* przypływ i odpływ morza; fala

ti•dy [ˋtaɪdɪ] *adj* czysty, schludny, porządny; *vt* (*także* ~ **up**) porządkować

tie [taɪ] *s* krawat; wiązadło; *przen.* więź; *sport.* remis; *vt* (*ppraes* **tying**) wiązać, łączyć; zawiązywać; ~ **up** ograniczać, krępować

ti•ger [ˋtaɪgə(r)] *s zool.* tygrys

tight [taɪt] *adj* napięty; obcisły; ciasny; *adv* ciasno; szczelnie; mocno; *s pl* ~**s** rajstopy

tile [taɪl] *s* dachówka; kafelek; *vt* wykładać kafelkami

till [tɪl] *praep* do, aż do; *conj* aż, dopóki nie

time [taɪm] *s* czas; raz; chwila; *pl* ~**s** czasy, epoka; **spare <free>** ~ czas wolny; **all the** ~ cały czas; **a long** ~ **ago** dawno temu; **at** ~**s** czasami; **at the same** ~ równocześnie; **for the** ~ **being** na razie, chwilowo; **in** ~ na czas; z czasem; **many** ~**s** wielokrotnie, często; **most of the** ~ przeważnie; najczęściej; **once upon a** ~ pewnego razu; **one at a** ~ pojedynczo; **on time** na czas; ~ **is up** czas upłynął; **have a good** ~ dobrze się bawić; **take one's** ~ nie śpieszyć się; **what** ~ **is it?, what is the** ~**?** która godzina?; *vt* wyznaczać czas; mierzyć czas

time•ta•ble [ˋtaɪm teɪbl] *s* rozkład jazdy; rozkład zajęć; program, plan

tim•id [ˋtɪmɪd] *adj* bojaźliwy, nieśmiały

tin [tɪn] *s* cyna; puszka

tin•ned [tɪnd] *adj* konserwowy

tin o•pen•er [ˋtɪn 'əʊpnə(r)] *s* otwieracz do konserw

ti•ny [ˋtaɪnɪ] *adj* drobny, malutki

tip[1] [tɪp] *s* koniuszek, czubek; **on the** ~ **of one's tongue** na końcu języka

tip[2] [tɪp] *s* rada; wskazówka; napiwek; *vt vi* dawać napiwek

tire[1] [ˋtaɪə(r)] *vt vi* męczyć (się); **be** ~**d of sth** mieć czegoś dosyć

tire[2] [ˋtaɪə(r)] *s am.* koło; opona

tire•some [ˋtaɪəsm] *adj* męczący, dokuczliwy

'tis [tɪz] = **it is** *zob.* **be**

ti•tle [`taɪtl] *s* tytuł; ~ **page <role>** strona <rola> tytułowa

to [tu, tə] *praep* (*kierunek*) do, ku; (*granica przestrzeni lub czasu*) aż, do, po; (*zgodność*) ku, według; **to me** według mnie; **to this day** po dzień dzisiejszy; **to the right** na prawo; (*stosunek*) dla, na, wobec; ku; **he is good to me** on jest dla mnie dobry; **to my surprise** ku memu zdziwieniu; (*cel*) **man eats to live** człowiek je, aby żyć; (*kwalifikator bezokolicznika*) **to see** widzieć; **I want to eat** chcę jeść

toast [təʊst] *s* grzanka, tost; toast; *vt* opiekać; wznosić toast (**sb** na czyjąś cześć)

to•bac•co [tə`bækəʊ] *s* tytoń

to•day [tə`deɪ] *adv s* dziś, dzisiaj; dzisiejsze czasy

toe [təʊ] *s* palec (*u nogi*)

to•geth•er [tə`geðə(r)] *adv* razem; **get** ~ gromadzić się; ~ **with sth** razem z czymś

toil•et [`tɔɪlət] *s* toaleta; ~ **paper <tissue>** papier toaletowy

to•ken [`təʊkən] *s* znak; pamiątka; żeton; *adj* symboliczny

told *zob.* **tell**

tol•e•rate [`toləreɪt] *vt* tolerować, znosić

toll [təʊl] *s* myto, opłata za przejazd; ~ **road** droga z płatnym przejazdem

to•ma•to [tə`mɑtəʊ] *s* pomidor

tomb [tum] *s* grobowiec; grób

to•mor•row [tə`morəʊ] *adv s* jutro; **the day after** ~ pojutrze

tongs [toŋz] *s pl* szczypce

tongue [tʌŋ] *s* język; ozór; **mother** ~ język ojczysty; **slip of the** ~ przejęzyczenie; **hold one's** ~ trzymać język za zębami

ton•ic [`tonɪk] *adj* wzmacniający; *s* tonik; środek tonizujący

to•night [tə`naɪt] *adv* dziś w nocy <wieczorem>; *s* dzisiejsza noc, dzisiejszy wieczór

ton•sil [`tonsɪl] *s anat.* migdał

too [tu] *adv* zbyt, za; wielce, bardzo; także, w dodatku; **it's** ~ **small** to jest za małe; **you're** ~ **kind** jesteś bardzo uprzejmy; **I like it** ~ ja też to lubię

took *zob.* **take**

tool [tul] *s* narzędzie

toot [tut] *vt vi* trąbić; *s* trąbienie (*rogu, klaksonu*)
tooth [tuθ] *s* (*pl* **teeth** [tiθ]) ząb
tooth•ache [`tuθeɪk] *s* ból zęba
tooth•brush [`tuθbrʌʃ] *s* szczoteczka do zębów
tooth•paste [`tuθpeɪst] *s* pasta do zębów
tooth•pick [`tuθ 'pɪk] *s* wykałaczka
top [top] *s* szczyt; wierzchołek; zakrętka; wieczko; (*o ubraniu*) góra; **be at the ~** być najlepszym (**in the class** w klasie); *adj* najwyższy; *vt vi* wznosić się; przewyższać; pokrywać od góry
top•ic [`topɪk] *s* przedmiot, temat
torch [tɔtʃ] *s* latarka elektryczna; pochodnia
tore, torn *zob.* **tear**[2]
tor•na•do [tɔ`neɪdəʊ] *s* tornado
tor•toise [`tɔtəs] *s zool.* żółw
tor•ture [`tɔtʃə(r)] *adj* tortury; męczarnia; *vt* torturować, dręczyć
toss [tos] *vt* rzucać w górę; rzucać (*monetą*); przewracać się (*z boku na bok*); potrząsać; *s* rzut; potrząsanie
to•tal [`təʊtl] *adj* całkowity, totalny; *s* suma globalna; **in ~** w sumie; *vt vi* sumować; wynosić (w sumie)
touch [tʌtʃ] *vt vi* dotykać (się); poruszać; wzruszać; **~ down** lądować; **~ on** poruszać (*np. temat*); *s* dotyk; dotknięcie; **get in ~** skontaktować się; **keep in ~** utrzymywać kontakt (**with sb** z kimś)
tough [tʌf] *adj* twardy, mocny; wytrzymały; trudny
tour [tʊə(r)] *s* podróż (**round Europe** dokoła Europy); wycieczka (*objazdowa*); tournée; **on ~** w trasie; na tournée; *vt vi* objeżdżać; zwiedzać
tour•is•m [`tʊərɪzm] *s* turystyka
tour•ist [`tʊərɪst] *s* turysta; **~ class** klasa turystyczna; **~ office** biuro turystyczne
tow [təʊ] *vt* holować; *s* holowanie; **take sth in ~** brać coś na hol
to•ward(s) [tʊ`wɔd(z)] *praep* ku, w kierunku; wobec, w stosunku do; (*o czasie*) około
tow•el [`taʊəl] *s* ręcznik; **sanitary ~** podpaska higieniczna
tow•er [`taʊə(r)] *s* wieża; *vi* wznosić się (**over sth** nad czymś)
town [taʊn] *s* miasto; **out of**

~ na prowincji; **the** ~ centrum handlowe (*miasta*)

toy [tɔɪ] *s* zabawka; *vt* bawić się (**with sth** czymś)

trace [treɪs] *s* ślad; *vt* odnaleźć (*po śladach*); śledzić, iść śladem; kalkować, odrysowywać

track [træk] *s* ślad; szlak, ścieżka; tor (*np. wyścigowy*); bieżnia; *pl* **~s** tory kolejowe; **keep ~** śledzić bieg wydarzeń (**of sth** czegoś); **lose ~** stracić kontakt (**of sb, sth** z kimś, czymś); *vt* tropić; **~ down** wytropić

trade [treɪd] *s* handel; branża; rzemiosło; zawód; **by ~** z zawodu; **home <foreign> ~** handel wewnętrzny <zagraniczny>; **~ name** nazwa firmowa; **~ union** związek zawodowy; *vi* handlować (**in sth** czymś; **with sb** z kimś); wymieniać (**sth for sth** coś za coś)

trade•mark [`treɪdmɑk] *s* znak fabryczny

tra•di•tion [trə`dɪʃn] *s* tradycja

traf•fic [`træfɪk] *s* komunikacja; ruch uliczny; transport; handel (*np. narkotykami*); **~ jam** korek uliczny; **~ lights** światła drogowe; **~ regulations** przepisy drogowe

trag•e•dy [`trædʒədɪ] *s* tragedia

train [treɪn] *s* pociąg; sznur (*ludzi, wozów*); tren; **go by ~** jechać pociągiem; **slow <fast> ~** pociąg osobowy <pośpieszny>; *vt vi* szkolić (się); trenować; tresować

train•er [`treɪnə(r)] *s* trener; treser; but sportowy, adidas

train•ing [`treɪnɪŋ] *s* szkolenie; trening, ćwiczenia; tresura

trai•tor [`treɪtə(r)] *s* zdrajca

tram [træm] *s* tramwaj

tramp [træmp] *vt vi* włóczyć się; przemierzać; *s* włóczęga

trans•ac•tion [træn`zækʃn] *s* transakcja

trans•fer [træns`fɜ(r)] *vt vi* przenosić (się); przesiadać się; (*prawo własności*) przekazywać; *s* [`træns fɜ(r)] przeniesienie; przelew (*pieniężny*)

trans•form [træns`fɔm] *vt* przekształcać

tran•sit [`trænsɪt] *s* tranzyt; przejazd; **~ visa** wiza tranzytowa

tran•si•tion [træn`zɪʃn] *s* przejście

trans•late [træns`leɪt] *vt* tłumaczyć (**from Polish** z polskiego; **into English** na angielski)

trans•la•tion [træns`leɪʃn] *s* tłumaczenie

trans•la•tor [træns`leɪtə(r)] *s* tłumacz

trans•mit [trænz`mɪt] *s* przesyłać, transmitować; nadawać; (*chorobę*) przenosić

trans•par•ent [træn`spærnt] *adj* przezroczysty; przejrzysty

trans•plant [træns`plɑnt] *vt* (*rośliny*) przesadzać; (*organy*) przeszczepiać; *s* [`trænsplɑnt] przeszczep

trans•port [`trænspɔt] *s* transport; **public ~** komunikacja miejska; *vt* [træn`spɔt] przewozić

trans•por•ta•tion ['trænspɔ`teɪʃn] *s am.* transport, przewóz

trap [træp] *s* pułapka; zasadzka; *vt* łapać w pułapkę

trap•per [`træpə(r)] *s* traper

trav•el [`trævl] *vi* podróżować; jechać; poruszać się; rozchodzić się; *vt* (*odległość*) przejeżdżać; *s* podróżowanie, podróż; **~ agency <bureau>** biuro podróży

trav•el•ler, *am.* **trav•el•er** [`træv lə(r)] *s* podróżny; podróżnik; **~'s cheque** <*am.* **check**> czek podróżny

tray [treɪ] *s* taca

treach•e•ry [`tretʃərɪ] *s* zdrada

trea•son [`trizn] *s* zdrada stanu

treas•ure [`treʒə(r)] *s dosł. i przen.* skarb; *vt* wysoko cenić

treat [trit] *vt* traktować; obchodzić się (**sth** z czymś); uważać (**sth as sth** coś za coś); leczyć (**sb for sth** kogoś na coś); stawiać (**sb to sth** komuś coś); *s* przyjemność; poczęstunek

treat•ment [`tritmənt] *s* traktowanie, obchodzenie się; leczenie; **under ~** w leczeniu

trea•ty [`tritɪ] *s* traktat; umowa

tree [tri] *s* drzewo

tre•men•dous [trɪ`mendəs] *adj* ogromny, kolosalny; *pot.* wspaniały

trend [trend] *s* trend, tendencja

tres•pass [`trespəs] *vi* wkraczać na teren prywatny (*bez zgody właściciela*)

tres•pass•er [`trespəsə(r)] *s* osoba wkraczająca na teren prywatny (*bez zgody właściciela*)

tri•al [`traɪl] *s* rozprawa sądowa; próba; utrapienie; **on ~** na próbę; **~ period** okres próbny; **put to ~** poddawać próbie

tri•an•gle [`traɪæŋgl] *s* trójkąt

trick [trɪk] *s* sztuczka; figiel; lewa (*w kartach*); **play a ~** spłatać figla (**on sb** komuś); **do ~s** pokazywać sztuczki; *vt* oszukiwać

tri•fle [`traɪfl] *s* drobnostka, błahostka; *vt* traktować niepoważnie (**with sb, sth** kogoś, coś)

trim [trɪm] *vt* przycinać, przystrzygać; ozdabiać (**with sth** czymś); *s* podcięcie, przystrzyżenie; *adj* schludny, porządny

trip [trɪp] *vi* potykać się (**over sth** o coś); iść lekkim krokiem; *s* wycieczka; potknięcie się; **business ~** podróż służbowa

tri•umph [`traɪəmf] *s* triumf; *vi* triumfować

trol•ley [`trolɪ] *s* wózek (*sklepowy*); stolik na kółkach; trolejbus

trom•bone [trom`bəʊn] *s* *muz.* puzon

troop [trup] *s* grupa, gromada; stado; oddział wojskowy; *teatr.* trupa; *pl* **~s** wojsko

trop•ic [`tropɪk] *s* zwrotnik

trou•ble [`trʌbl] *s* kłopot; *pl* **~s** zamieszki; **be in ~** mieć kłopoty; **get into ~** popaść w tarapaty; *vt* niepokoić; przeszkadzać; *vi* kłopotać się (**about sth** czymś)

trou•ble•some [`trʌblsəm] *adj* kłopotliwy, uciążliwy

trou•sers [`traʊzəz] *s pl* spodnie

trout [traʊt] *s zool.* pstrąg

tru•ant [`truənt] *s* wagarowicz; **play ~** iść na wagary

truck [trʌk] *s* samochód ciężarowy; wózek ręczny

true [tru] *adj* prawdziwy; wierny (**to sb, sth** komuś, czemuś); zgodny (*np. z rzeczywistością*); **come ~** sprawdzić się; spełniać się

tru•ly [`trulɪ] *adv* prawdziwie, wiernie; naprawdę

trump [trʌmp] *s* atut; *vt* przebić atutem

trum•pet [`trʌmpɪt] *s* trąbka

trunk [trʌŋk] *s* pień; kufer; trąba słonia; tułów; *am.* bagażnik; *pl* **~s** kąpielówki

trunk call [`trʌŋk kɔl] *s* rozmowa międzymiastowa

trust [trʌst] *s* zaufanie; wiara, ufność; trust; *vi* ufać, wierzyć (**sb** komuś)

truth [truθ] *s* prawda; **in ~**

w rzeczywistości; **tell the ~** mówić prawdę
truth•ful [`truθfl] *adj* prawdziwy; prawdomówny
try [trɑɪ] *vt* próbować; sądzić (**sb** kogoś; **for sth** za coś); *vi* usiłować; starać się; **~ on** przymierzać; **~ out** wypróbować; *s* próba; usiłowanie
tub [tʌb] *s* wanna
tube [tjub] *s* rur(k)a; dętka; tubka; przewód; *pot. bryt.* metro
tu•ber•cu•lo•sis [tju'bɜkjʊ`ləʊsɪs] *s med.* gruźlica
Tues•day [`tjuzdɪ] *s* wtorek
tu•i•tion [tju`ɪʃn] *s* nauka; *am.* czesne
tu•lip [`tjulɪp] *s bot.* tulipan
tu•mour [`tjumə(r)] *s med.* guz, nowotwór
tu•na [`tjunə] *s zool.* tuńczyk
tune [tjun] *s* ton; melodia; **be in ~** (*o instrumencie*) być nastrojonym; śpiewać czysto; **be out of ~** (*o instrumencie*) być rozstrojonym; fałszować; *vt vi* stroić; (*silnik*) regulować; **~ in** nastawiać odbiornik (**to Channel 1** na Kanał 1); **~ up** stroić
tun•nel [`tʌnl] *s* tunel; *vt* przekopywać tunel
Turk [tɜk] *s* Turek
tur•key [`tɜkɪ] *s zool.* indyk
Turk•ish [`tɜkɪʃ] *adj* turecki; *s* język turecki
turn [tɜn] *vt vi* obracać (się); odwracać (się); przewracać (się); zwracać (się); skręcać; **~ the corner** skręcić na rogu (*ulicy*); **~ pale** zblednąć; **~ soldier** zostać żołnierzem; **~ forty** skończyć czterdzieści lat; **~ right <left>** skręcać w prawo <lewo>; **~ back** odwracać się (tyłem); zawracać; **~ down** przyciszać (*np. radio*); odrzucać (*np. ofertę*); **~ off** zakręcać (*np. kran*); wyłączać (*np. światło, radio*); skręcać (*w drogę podporządkowaną*); **~ on** odkręcać (*np. kran*); włączać (*np. światło, radio*); nastawić; **~ out** wyłączać (*np. światło*); wyrzucać, wypędzać; opróżniać (*np. kieszenie*); okazać się; **he ~ed out (to be) a nice boy** okazał się miłym chłopcem; **~ up** nastawiać głośniej; podkręcać; pojawiać się; *s* obrót, zwrot; zakręt; kolej, tura; napad (*choroby*); **it is my ~** teraz na mnie kolej; **at every ~** przy każdej sposobności; **in ~, by ~s** po kolei
turn•ing [`tɜnɪŋ] *s* zakręt; **take the first ~ on the left**

skręcić w pierwszą (ulicę) w lewo; ~ **point** punkt zwrotny
turn•pike [`tɜnpɑɪk] *s am.* płatna autostrada
turn•stile [`tɜnstɑɪl] *s* kołowrót (*przy wejściu*)
tur•tle [`tɜtl] *s* żółw wodny
'twas [twəz] = **it was**
tweed [twid] *s* tweed
twelfth [twelfθ] *adj* dwunasty
twelve [twelv] *num* dwanaście
twen•ti•eth [`twentɪəθ] *adj* dwudziesty
twen•ty [`twentɪ] *num* dwadzieścia
twice [twɑɪs] *adv* dwa razy, dwukrotnie; ~ **as much** dwa razy tyle
twi•light [`twɑɪlɑɪt] *s* zmierzch, półmrok
twin [twɪn] *s* bliźniak; *adj attr* bliźniaczy
twin•kle [`twɪŋkl] *vi* migotać; błyszczeć; *s* migotanie; błysk
twist [twɪst] *vt vi* skręcać (się); kręcić (się); wykręcać; (*znaczenie*) przekręcać; ~ **off** odkręcać; *s* skręt, skręcenie; ostry zakręt; zwrot; (*taniec*) twist
two [tu] *num* dwa; *s* dwójka; **in ~s** dwójkami, parami
two•fold [`tufəʊld] *adj* dwukrotny; podwójny; *adv* dwukrotnie
type [tɑɪp] *s* typ; czcionka; **in bold ~** tłustym drukiem; *vt* pisać na maszynie
type•writ•er [`tɑɪp 'rɑɪtə(r)] *s* maszyna do pisania
ty•phoon [tɑɪ`fun] *s* tajfun
ty•phus [`tɑɪfəs] *s med.* tyfus plamisty
typ•i•cal [`tɪpɪkl] *adj* typowy (**of sth** dla czegoś)
typ•ist [`tɑɪpɪst] *s* maszynistka, osoba pisząca na maszynie
tyre [tɑɪə(r)] *s* opona

U

UFO [`jufəʊ] *s* (*skr.* **unidentified flying object**) UFO
ug•ly [`ʌglɪ] *adj* brzydki
U•krain•i•an [jʊ`kreɪnɪən] *adj* ukraiński; *s* język ukraiński
ul•cer [`ʌlsə(r)] *s med.* wrzód
um•brel•la [ʌm`brelə] *s* parasol, parasolka; *przen.* parasol (ochronny)
um•pire [`ʌmpɑɪə(r)] *s* arbi-

ter; *sport*. sędzia; *vt vi* sędziować; rozsądzać

un•a•ble [ʌn`eɪbl] *adj* niezdolny; **be ~ to do sth** nie być w stanie czegoś zrobić

un•a•ware ['ʌnə`weə(r)] *adj* nieświadomy (**of sth** czegoś)

un•bear•a•ble [ʌn`beərəbl] *adj* nieznośny; nie do wytrzymania

un•be•lie•va•ble ['ʌnbɪ`livəbl] *s* niewiarygodny

un•can•ny [ʌn`kænɪ] *adj* niesamowity

un•cer•tain [ʌn`sɜtn] *adj* niepewny, wątpliwy

un•cle [`ʌŋkl] *s* wuj; stryj

un•clear ['ʌn`klɪə(r)] *adj* niejasny

un•com•for•ta•ble [ʌn`kʌmftəbl] *adj* niewygodny; (*o człowieku*) nieswój, zażenowany

un•con•cerned ['ʌnkən`sɜnd] *adj* niezainteresowany

un•con•di•tion•al ['ʌnkən`dɪʃənl] *adj* bezwarunkowy

un•con•scious [ʌn`konʃəs] *adj* nieprzytomny; nieświadomy

un•de•cid•ed ['ʌndɪ`saɪdɪd] *adj* niezdecydowany

un•der [`ʌndə(r)] *praep* pod, poniżej; pod rządami; w myśl, według (*np. umowy*); w trakcie (*np. leczenia*); *adv* poniżej

un•der•car•riage [`ʌndəkærɪdʒ] *s* podwozie samolotu

un•der•clothes [`ʌndəkləʊðz] *s pl* bielizna

un•der•done ['ʌndə`dʌn] *adj* (*o mięsie*) niedogotowany

un•der•es•ti•mate ['ʌndər`estɪmeɪt] *vt* nie doceniać

un•der•go ['ʌndə`gəʊ] *vt* (*formy zob.* **go**) ulegać; być poddanym (*czemuś*); przechodzić

un•der•grad•u•ate ['ʌndə`grædʒʊət] *s* student

un•der•ground ['ʌndə`graʊnd] *adv* pod ziemią; *adj* podziemny; *s* [`ʌndəgraʊnd] metro; podziemie

un•der•line ['ʌndə`laɪn] *vt* podkreślać

un•der•neath ['ʌndə`niθ] *praep* pod; *adv* poniżej, pod spodem

un•der•paid *zob.* **underpay**

un•der•pants [`ʌndəpænts] *s pl* slipy

un•der•pay ['ʌndə`peɪ] *vt* (*formy zob.* **pay**) niedostatecznie płacić, źle wynagradzać

un•der•signed ['ʌndə-

`saɪnd] *adj attr* niżej podpisany; *s*: **the ~** niżej podpisany

un•der•stand ['ʌndə`stænd] *vt vi* (*formy zob.* **stand**) rozumieć; **make oneself understood** porozumieć się; **give sb to ~ that ...** dawać komuś do zrozumienia, że ...

un•der•stand•ing ['ʌndə`stændɪŋ] *s* rozumienie; znajomość (*np. tematu*); porozumienie; wyrozumiałość; *adj* wyrozumiały

un•der•stood *zob.* **understand**

un•der•take ['ʌndə`teɪk] *vt vi* (*formy zob.* **take**) brać na siebie, podejmować się

un•der•tak•er [`ʌndəteɪkə(r)] *s* przedsiębiorca pogrzebowy

un•der•tak•ing ['ʌndə`teɪkɪŋ] *s* przedsięwzięcie; zobowiązanie

un•der•took *zob.* **undertake**

un•der•wear [`ʌndəweə(r)] *s* bielizna

un•der•weight ['ʌndə`weɪt] *s* niedowaga; **be ~** mieć niedowagę

un•der•went *zob.* **undergo**

un•der•world [`ʌndəwɜld] *s* półświatek

un•dies [`ʌndɪz] *pot.* bielizna

un•did *zob.* **undo**

un•do ['ʌnd`du] *vt* (*formy zob.* **do**) rozwiązywać (*np. sznurowadła*); rozpinać (*guziki*); rozpakowywać; niweczyć

un•dress [ʌn`dres] *vt vi* rozbierać (się)

un•eas•y [ʌn`izɪ] *adj* zaniepokojony; niespokojny

un•em•ployed ['ʌnɪm`plɔɪd] *adj* bezrobotny; niewykorzystany

un•em•ploy•ment ['ʌnɪm`plɔɪmənt] *s* bezrobocie

un•e•ven [ʌn`ivən] *adj* nierówny; nieparzysty

un•fair [ʌn`feə(r)] *adj* nieuczciwy; niesprawiedliwy; (*o grze*) nieprzepisowy

un•fit ['ʌn`fɪt] *adj* w słabej kondycji; nieodpowiedni, nienadający się (**for sth** do czegoś)

un•for•get•ta•ble ['ʌnfə`getəbl] *adj* niezapomniany

un•for•giv•a•ble ['ʌnfə`gɪvəbl] *adj* niewybaczalny

un•for•tu•nate [ʌn`fɔtʃʊnət] *adj* pechowy; niefortunny, nieszczęśliwy

un•grate•ful [ʌn`greɪtfl] *adj* niewdzięczny

un•hap•py [ʌn`hæpɪ] *adj* nieszczęśliwy; niezadowolony

un•health•y [ʌn`helθɪ] *adj* niezdrowy
u•ni•form [`junɪfɔm] *s* mundur; *adj* jednolity
u•ni•fy [`junɪfaɪ] *vt* jednoczyć się; ujednolicać
un•ion [`junjən] *s* unia, związek, zjednoczenie; **the Union Jack** flaga brytyjska
u•nique [ju`nik] *adj* unikatowy, jedyny (*w swoim rodzaju*); wyjątkowy
u•nit [`junɪt] *s* jednostka; **kitchen ~** szafka kuchenna
u•nite [ju`naɪt] *vt vi* jednoczyć (się)
u•ni•ty [`junətɪ] *s* jedność
u•ni•ver•sal ['junɪ`vɜsl] *adj* uniwersalny, powszechny
u•ni•verse [`junɪvɜs] *s* wszechświat
u•ni•ver•si•ty ['junɪ`vɜsətɪ] *s* uniwersytet
un•just ['ʌn`dʒʌst] *adj* niesprawiedliwy
un•kind ['ʌn`kaɪnd] *adj* nieuprzejmy; nieżyczliwy
un•less [ən`les] *conj* jeśli nie; chyba, że; **~ he agrees** jeśli się nie zgodzi
un•like ['ʌn`laɪk] *praep* w odróżnieniu od; niepodobny do; *adj* niepodobny
un•like•ly [ʌn`laɪklɪ] *adj* nieprawdopodobny; nieoczekiwany; **he is ~ to come** on prawdopodobnie nie przyjdzie
un•nec•es•sa•ry [ʌn`nesəsrɪ] *adj* niepotrzebny, zbyteczny
un•pleas•ant [ʌn`pleznt] *adj* nieprzyjemny
un•plug [ʌn`plʌg] *vt* wyłączać z gniazdka <z sieci>
un•rest [ʌn`rest] *s* niepokój
un•spea•ka•ble [ʌn`spikəbl] *adj* niewymowny, niewypowiedziany; okropny
un•suc•cess•ful ['ʌnsək`sesfʊl] *adj* niemający powodzenia; nieudany
un•ti•dy [ʌn`taɪdɪ] *adj* nieporządny; niechlujny
un•tie [ʌn`taɪ] *vt* rozwiązywać, odwiązywać
un•til [ʌn`tɪl] = **till**
un•u•su•al [ʌn`juʒʊəl] *adj* niezwykły
un•wel•come [ʌn`welkəm] *adj* niepożądany, niemile widziany
un•well [ʌn`wel] *adj praed* niezdrowy
up [ʌp] *adv* w górze; na górze; do góry, w górę; w pozycji stojącej; **up and down** w górę i w dół; **up to** aż do, po (*np. kolana*); do (*np. południa*); **up to date** na czasie; w modzie; **be up** być na nogach; **there is sth up** coś się szykuje; **it's up to you**

to zależy od ciebie; **he is not up to that job** on nie podoła tej pracy; **go up the road** iść wzdłuż drogi; **up (with) Tom!** niech żyje Tom!; (*zakończenie czynności*) **burn up** spalić doszczętnie; **your time is up** twój czas minął; *praep* w górę (*po czymś*); **up the stairs** w górę po schodach; **live up the road** mieszkać przy końcu drogi; *adj*: **road up** naprawa drogi; **up train** pociąg w kierunku stolicy; **what's up ?** *pot.* co się dzieje?; *s*: **ups and downs** wzloty i upadki

up•bring•ing [`ʌp'brɪŋɪŋ] *s* wychowanie

up•heav•al [ʌp`hivl] *s* wstrząs; *polit.* przewrót

up•hol•ster•y [ʌp`həʊlstərɪ] *s* tapicerka

up•keep [`ʌpkip] *s* utrzymanie, koszty utrzymania

up•on [ə`pon] = **on**

up•per [`ʌpə(r)] *adj attr* górny, wyższy; **~ classes** klasy wyższe; **get the ~ hand** zdobywać przewagę

up•per•most [`ʌpəməʊst] *adj* najwyższy, górujący; *adv* na (samej) górze, na górę

up•right [`ʌprɑɪt] *adj* wyprostowany, pionowy; uczciwy, prawy; *adv* pionowo

up•ris•ing [`ʌp'rɑɪzɪŋ] *s* powstanie

up•roar [`ʌprɔ(r)] *s* wrzawa, poruszenie

up•set [ʌp`set] *vt* (*formy zob.* **set**) przewracać; udaremniać; denerwować; martwić; *adj* zaniepokojony; zdenerwowany; **become <get> ~** zdenerwować się; *s* [`ʌpset] *pot.* rozstrój (żołądka); **have a stomach ~** mieć rozstrój żołądka

up•side [`ʌpsɑɪd] *s*; *adv*: **~ down** do góry nogami

up•stairs ['ʌp`steəz] *adv* na piętro (*po schodach*); na górze, na piętrze; *s*: **the ~** piętro, góra

up-to-date ['ʌp tə `deɪt] *adj* nowoczesny; aktualny

up•ward [`ʌpwəd] *adj attr* zwrócony ku górze; *adv* = **upwards**

up•wards [`ʌpwədz] *adv* w górę, ku górze; **~ of** ponad, powyżej

ur•ban [`ɜbən] *adj attr* miejski

urge [ɜdʒ] *vt* nalegać; ponaglać, popędzać; *s* chęć; popęd

ur•gent [`ɜdʒənt] *adj* nagły, naglący; natarczywy

u•rine [`jʊərɪn] *s* mocz

us [ʌs, əs] *pron* nas; nam; nami
us•age [`juzɪdʒ] *s* używanie, stosowanie (*np. wyrazu*)
use [juz] *vt* używać, stosować; wykorzystywać (*kogoś*); **~ up** zużywać, wyczerpywać; *s* [jus] użycie, stosowanie; użytek, zastosowanie; **in ~** w użyciu; **out of ~** nie używany, przestarzały; **be of ~** być użytecznym, przydawać się; **go out of ~** wychodzić z użycia; **have no ~ for a thing** nie potrzebować czegoś; **make ~ of sth** używać czegoś; wykorzystywać coś; **it's no ~ going there** nie ma sensu tam chodzić; **what's the ~ of worrying?** po co się martwić?
used to [`jus tə] *v aux* (*powtarzanie się czynności*) **I used to play tennis** kiedyś grywałem <zwykłem grać> w tenisa; **he used to say** mawiał, zwykł mawiać; **be used to...** być przyzwyczajonym do...; **get used to** przyzwyczajać się do...; **I am used to getting up early** jestem przyzwyczajony wcześnie wstawać
use•ful [`jusfl] *adj* użyteczny
use•less [`jusləs] *adj* bezużyteczny
ush•er [`ʌʃə(r)] *s* bileter (*w teatrze, kinie*)
u•su•al [`juʒuəl] *adj* zwyczajny, zwykły; **as ~** jak zwykle
u•ten•sil [ju`tensl] *s* naczynie; narzędzie; *pl* **~s** naczynia; przybory
u•til•i•ty [ju`tɪlətɪ] *s* użyteczność; *pl* **utilities** usługi komunalne
ut•most [`ʌtməʊst] *adj* krańcowy, najwyższy; *s*: **I'll do my ~** uczynię wszystko, co w mojej mocy
ut•ter[1] [`ʌtə(r)] *adj* kompletny; całkowity
ut•ter[2] [`ʌtə(r)] *vt* wydawać (*np. okrzyk*); wypowiadać
ut•ter•ance [`ʌtərəns] *s* wypowiedź
ut•ter•most [`ʌtəməʊst] = **utmost**
U-turn [`ju tɜn] *s mot.* zawracanie; *przen.* zwrot o 180 stopni

V

va•can•cy [`veɪkənsɪ] *s* (*w hotelu*) wolny pokój; wakat; wolny etat

va•ca•tion [vəˋkeɪʃn] *s am.* wakacje; urlop
vac•cin•ation ['væksɪˋneɪʃn] *s med.* szczepienie (**against sth** przeciwko czemuś)
vac•cine [ˋvæksin] *s med.* szczepionka
vac•u•um [ˋvækjʊəm] *s* próżnia; ~ **cleaner** odkurzacz; ~ **flask** termos
vag•a•bond [ˋvægəbond] *s* włóczęga
vague [veɪg] *adj* nieokreślony, niejasny; ogólnikowy
vain [veɪn] *adj* próżny; daremny; **in** ~ na próżno
val•id [ˋvælɪd] *adj* uzasadniony, wiarygodny; (*np. o paszporcie*) ważny
va•lid•i•ty [vəˋlɪdətɪ] *s* wiarygodność; ważność; moc prawna
val•ley [ˋvælɪ] *s* dolina
val•u•a•ble [ˋvæljʊəbl] *adj* cenny, wartościowy; *s pl* ~**s** kosztowności
val•ue [ˋvælju] *s* wartość, cena; **of great <little>** ~ dużej <małej> wartości; **of no** ~ bezwartościowy; *vt* wyceniać; cenić; *s pl* ~**s** wartości, zasady
vam•pire [ˋvæmpaɪə(r)] *s* wampir
van [væn] *s* furgonetka
van•ish [ˋvænɪʃ] *vi* znikać
va•pour [ˋveɪpə(r)] *s* para (wodna), opary
var•i•a•ble [ˋveərɪəbl] *adj* zmienny; regulowany; *s* zmienna
var•i•ant [ˋveərɪənt] *s* odmiana, wariant; *adj attr* różny
var•i•ces *zob.* **varix**
va•ri•e•ty [vəˋraɪətɪ] *s* urozmaicenie; wybór; rodzaj, odmiana
var•i•ous [ˋveərɪəs] *adj* różny, rozmaity; *attr* kilka; **at** ~ **times** o różnych porach
var•ix [ˋværɪks] *s* (*pl* **varices** [ˋværɪsiz]) *med.* żylak
var•nish [ˋvɑnɪʃ] *s* lakier; politura; *vt* lakierować (*np. paznokcie*); politurować
var•y [ˋveərɪ] *vi* różnić się (**in sth** czymś); *vt* urozmaicać
vase [veɪz] *s* wazon
vast [vɑst] *adj* obszerny, rozległy
've [v] = **have**
veal [vil] *s* cielęcina
vege•ta•ble [ˋvedʒtəbl] *s* warzywo; *adj attr* roślinny
ve•ge•tar•i•an ['vedʒɪˋteərɪən] *s* wegetarianin; *adj* wegetariański
ve•hi•cle [ˋviɪkl] *s* pojazd; *przen.* narzędzie
vein [veɪn] *s* żyła; żyłka
vel•vet [ˋvelvɪt] *s* aksamit

vend•ing ma•chine [`vendɪŋ mə'ʃɪn] *s* automat do sprzedaży (*np. papierosów, napojów*)

ven•i•son [`venɪzn] *s* dziczyzna

ven•ti•late [`ventɪleɪt] *vt* wietrzyć

ven•ti•la•tor [`ventɪleɪtə(r)] *s* wentylator; *med.* respirator

ven•ture [`ventʃə(r)] *s* przedsięwzięcie; **joint ~** wspólne przedsięwzięcie; *vi* odważyć się; *vt* zaryzykować; **~ an opinion** ośmielić się wyrazić opinię

verb [vɜb] *s gram.* czasownik

ver•dict [`vɜdɪkt] *s* werdykt, orzeczenie

ver•sa•tile [`vɜsətaɪl] *adj* wszechstronny; mający różnorodne zastosowanie

ver•sion [`vɜʃn] *s* wersja

ver•sus [`vɜsəs] *praep* przeciw

ver•ti•cal [`vɜtɪkl] *adj* pionowy

ver•y [`verɪ] *adv* bardzo; **in the ~ same place** dokładnie w tym samym miejscu; **the ~ last time** naprawdę ostatni raz; *adj attr*: **to the ~ end** do samego końca; **he used this ~ pen** on używał tego właśnie długopisu

ves•sel [`vesl] *s* statek; naczynie

vest [vest] *s* podkoszulek; kamizelka

vet[1] [vet] *s* weterynarz; *vt pot.* badać (*zwierzę*)

vet[2] [vet] *s pot.* weteran; *zob.* **veteran**

vet•e•ran [`vetərən] *s* weteran, kombatant

vex [veks] *vt* drażnić

via [`vaɪə] *praep* przez, via (*np. przejeżdżać przez daną miejscowość*)

vice [vaɪs] *s* rozpusta; przywara; nałóg

vi•ce ver•sa ['vaɪs `vɜsə] *adv łac.* na odwrót, vice versa

vi•cin•i•ty [vɪ`sɪnətɪ] *s* sąsiedztwo, najbliższa okolica; **in the ~** w pobliżu (**of sth** czegoś)

vi•cious [`vɪʃəs] *adj* wściekły; niebezpieczny

vic•tim [`vɪktɪm] *s* ofiara; **fall ~ to sth** ucierpieć z powodu czegoś

vic•to•ry [`vɪktrɪ] *s* zwycięstwo; **win a ~** odnosić zwycięstwo (**over sb** nad kimś)

vid•e•o [`vɪdiəʊ] *s* film wideo; **~ cassette** kaseta wideo; **~ cassette recorder** magnetowid; **~ game** gra wideo

vid•e•o•tape [`vɪdiəʊteɪp] *s* wideokaseta

Viet•na•mese ['vjetnə`miz] *adj* wietnamski *s*; Wietnamczyk; język wietnamski

view [vju] *s* widok; pogląd; **be in ~** być widocznym; **have sth in ~** mieć coś na oku; **point of ~** punkt widzenia; **on ~** (*o obrazie*) wystawiony (*np. w galerii*); **in ~ of sth** zważywszy; **in my ~** moim zdaniem; *vt* oglądać; uważać (**sth as sth** coś za coś)

view•er [`vjuə(r)] *s* widz

view•point [`vju pɔɪnt] *s* punkt widzenia; punkt widokowy

vig•our [`vɪgə(r)] *s* wigor, energia

vile [vaɪl] *adj* podły; *pot.* wstrętny

vil•la [`vɪlə] *s* willa

vil•lage [`vɪlɪdʒ] s wieś

vil•lag•er [`vɪlɪdʒə(r)] *s* mieszkaniec wsi

vil•lain [`vɪlən] *s* łajdak, nikczemnik; czarny charakter

vine [vaɪn] *s* winorośl

vin•e•gar [`vɪnɪgə(r)] *s* ocet

vi•o•late [`vaɪəleɪt] *vt* naruszyć, pogwałcić; bezcześcić

vi•o•lence [`vaɪələns] *s* gwałtowność; przemoc

vi•o•lent [`vaɪələnt] *adj* gwałtowny

vi•o•let [`vaɪələt] *s bot.* fiołek; *adj* fioletowy

vi•o•lin ['vaɪə`lɪn] *s muz.* skrzypce

vi•per [`vaɪpə(r)] *s zool.* żmija

vir•gin [`vɜdʒɪn] *s* dziewica; *adj attr* dziewiczy

vir•tue [`vɜtʃu] *s* cnota; zaleta; **by ~ of** z racji

vi•rus [`vaɪərəs] *s* wirus

vi•sa [`vizə] *s* wiza; **entry <exit> ~** wiza wjazdowa <wyjazdowa>; *vt* wizować

vis•i•ble [`vɪzəbl] *adj* widzialny; widoczny

vi•sion [`vɪʒn] *s* wzrok; zdolność przewidywania; wizja

vis•it [`vɪzɪt] *vt* zwiedzać; odwiedzać; wizytować; *s* wizyta; **be on a ~** być z wizytą; **pay a ~ to sb** złożyć komuś wizytę

vis•i•tor [`vɪzɪtə(r)] *s* gość

vi•su•al [`vɪʒʊəl] *adj* wizualny

vi•tal [`vaɪtl] *adj* istotny; żywotny

vit•a•min [`vɪtəmɪn] *s* witamina

viv•id [`vɪvɪd] *adj* (*o kolorze*) jaskrawy; żywy

vo•cab•u•la•ry [və`kæbjʊlərɪ] *s* słownictwo

vo•ca•tion [vəʊ`keɪʃn] *s* powołanie

vodka [`vodkə] *s* wódka

voice [vɔɪs] *s* głos (*także w dyskusji*); *vt* głosić, wyrażać

void [vɔɪd] *adj* pusty; *prawn.* nieważny; pozbawiony (**of sth** czegoś); *s* próżnia, pustka

vol•ca•no [vol`keɪnəʊ] *s* wulkan

vol•ley•ball [`volɪbɔl] *s sport.* siatkówka

vol•tage [`vəʊltɪdʒ] *s elektr.* napięcie

vol•ume [`voljum] *s* głośność; objętość; natężenie (*np. ruchu*); tom

vol•un•ta•ry [`voləntrɪ] *adj* dobrowolny

vol•un•teer ['volən`tɪə(r)] *s* ochotnik; *vi* zgłaszać się na ochotnika (**for sth** do czegoś); ofiarować się (**to do sth** coś zrobić)

vom•it [`vomɪt] *vt vi* wymiotować; *s* wymiociny

vote [vəʊt] *s* głosowanie; głos; *pl* **~s** prawo do głosowania; *vi* głosować (**for sb** na kogoś; **on sth** za czymś; **against sb, sth** przeciwko komuś, czemuś); *vt* uchwalać

vouch•er [`vaʊtʃə(r)] *s* kupon, talon; kwit

vow•el [`vaʊəl] *s gram.* samogłoska

voy•age [`voɪɪdʒ] *s* podróż (*zw. morska*); **go on a ~** wyruszyć w podróż

vul•gar [`vʌlgə(r)] *adj* ordynarny; wulgarny

W

wa•fer [`weɪfə(r)] *s* wafel; opłatek

wag [wæg] *vt* merdać (ogonem); *vi* kiwać się

wage [weɪdʒ] *s* (*także pl* **~s**) zarobek, płaca (*tygodniowa*)

wag•on, wag•gon [`wægən] *s* wóz (*zaprzęgowy*); platforma (*towarowa*)

waist [weɪst] *s* talia, pas

waist•coat [`weɪstkəʊt] *s* kamizelka

wait [weɪt] *vi* czekać (**for sb, sth** na kogoś, coś); *vt* **~ on** (*w restauracji*) obsługiwać; *s* oczekiwanie

wait•er [`weɪtə(r)] *s* kelner

wait•ing room [`weɪtɪŋ rʊm] *s* poczekalnia

wait•ress [`weɪtrəs] *s* kelnerka

***wake** [weɪk], **woke** [wəʊk],

woken [`wəukən] lub **waked, waked** [weɪkt] *vt vi* (*także* ~ **up**) budzić (się)
walk [wɔk] *vi* chodzić; przechadzać się; *vt* odprowadzać; (*psa*) wyprowadzać; przechodzić; ~ **away** wyjść bez szwanku (**from the accident** z wypadku); ~ **out** wychodzić (*nagle*); *am.* strajkować; ~ **over** wygrać walkowerem; ~ **through** przećwiczyć; *s* spacer; chód; alejka, ścieżka; **go for a** ~ iść na spacer
wall [wɔl] *s* mur; ściana; *vt* otaczać murem
wal•let [`wolɪt] *s* portfel
wall•pa•per [`wɔlpeɪpə(r)] *s* tapeta; *vt* tapetować
wal•nut [`wɔlnʌt] *s bot.* orzech włoski
waltz [wɔls] *s* walc; *vi* tańczyć walca
wan•der [`wondə(r)] *vi* wędrować; *vt* przemierzać; *przen.* (*o myślach*) błądzić
want [wont] *vt* chcieć; potrzebować; **be ~ed** być poszukiwanym (*przez policję*); **he ~s you to wait here** on chce, żebyś tu poczekała; **the car ~s repairing** samochód wymaga naprawy; *s* potrzeba; brak; **be in ~ of sth** potrzebować czegoś
want ad [`wont æd] *s am.* drobne ogłoszenie (*w gazecie*)
war [wɔ(r)] *s* wojna; **be at ~** być w stanie wojny; **go to ~** wszczynać wojnę
ward [wɔd] *s* oddział (*szpitalny*); okręg, dzielnica; **casualty ~** oddział urazowy
war•drobe [`wɔdrəub] *s* szafa (*na ubranie*); garderoba
ware•house [`weəhaus] *s* magazyn; hurtownia
warm [wɔm] *adj* ciepły; *vt vi* ogrzewać (się); ~ **up** odgrzewać; rozgrzewać (się)
warn [wɔn] *vt* ostrzegać (**sb of <against> sth** kogoś przed czymś); uprzedzać
warn•ing [`wɔnɪŋ] *s* ostrzeżenie; uprzedzenie
war•rant [`worənt] *s* nakaz (*np. rewizji*); *vt* usprawiedliwiać; gwarantować
war•ship [`wɔ 'ʃɪp] *s* okręt wojenny
wart [wɔt] *s med.* brodawka
was [woz, wəz] *p sing od* **be**
wash [woʃ] *vt vi* myć (się); prać; ~ **away** zmywać; ~ **down** spłukiwać; ~ **out** spierać; ~ **up** zmywać naczynia; wyrzucać na brzeg; *s* mycie (się); pranie
wash•ba•sin [`woʃ beɪsn] *s* umywalka
wash•ing [`woʃɪŋ] *s* mycie,

pranie; bielizna do prania; **~ machine** pralka; **~ powder** proszek do prania

wasn't [`woznt] = **was not**

wasp [wosp] *s zool.* osa

waste [weɪst] *s* marnowanie; strata; marnotrawstwo; odpady; *pl* **~s** nieużytki; **~ of time** strata czasu; *vt* tracić; marnować; **~ away** (*o człowieku*) marnieć; *adj* odpadowy; niewykorzystany; pusty; jałowy; **~ paper** makulatura; **~ products** odpady produkcyjne

watch [wotʃ] *vt vi* przyglądać się; oglądać; obserwować; uważać na (*coś*); **~ for** oczekiwać; **~ out for sb, sth** uważać na kogoś, coś; **~ over** pilnować, chronić; **~ it!** uważaj!; *s* zegarek; obserwacja; warta; wachta; **be on the ~** uważać (**for sb, sth** na kogoś, coś); **keep ~** obserwować, pilnować (**on sb, sth** kogoś, czegoś)

watch•mak•er [`wotʃ 'meɪkə(r)] *s* zegarmistrz

wa•ter [`wɔtə(r)] *s* woda; *pl* **~s** fale; wody lecznicze; **by ~** drogą wodną; **running ~** bieżąca woda; **~ skiing** narciarstwo wodne; *vt* podlewać; poić; *vi* łzawić; **~ down** rozwadniać; **my mouth is ~ing** cieknie mi ślinka

wa•ter clos•et [`wɔtə klozɪt] *s* WC, ubikacja

wa•ter•col•our [`wɔtə 'kʌlə(r)] *s* akwarela

wa•ter•fall [`wɔtəfɔl] *s* wodospad

wa•ter•mel•on [`wɔtə 'melən] *s bot.* arbuz

wa•ter•proof [`wɔtəpruf] *adj* wodoszczelny, nieprzemakalny; *vt* uszczelnić

wa•ter•way [`wɔtəweɪ] *s* droga wodna

wave [weɪv] *vt vi* machać; wymachiwać; powiewać; skinąć ręką (**to sb** do kogoś); *vi* falować, powiewać; *s* fala; machnięcie; **~ band** (*w radiu*) zakres częstotliwości

wax [wæks] *s* wosk; *vt* woskować

way [weɪ] *s* droga; kierunek; sposób; zwyczaj; **~ in** wejście; **~ out** wyjście; **on the ~** po drodze; **by ~ of London** przez Londyn; **by ~ of** zamiast; w celu; **by the ~** à propos, nawiasem mówiąc; **in a ~** w pewnym sensie; **in some ~s** pod pewnymi względami; **this ~** tędy; w ten sposób; **be on one's ~** być w drodze; **be in the ~** przeszkadzać, zawadzać; **get one's own ~** stawiać na swoim; **give ~** ustępować (*także pierwszeństwa przejazdu*); **lose one's ~** zabłądzić; **make ~** robić miejsce (**for sb, sth** dla kogoś, czegoś); **which ~?** którędy?; **no ~!** nie ma mowy!

we [wi] *pron pl* my

weak [wik] *adj* słaby

weak•ness [`wiknəs] *s* słabość

wealth [welθ] *s* bogactwo

wealth•y [`welθɪ] *adj* bogaty

weap•on [`wepən] *s* broń; **nuclear ~** broń nuklearna

***wear** [weə(r)], **wore** [wɔ(r)], **worn** [wɔn] *vt vi* mieć na sobie (*ubranie*); nosić (*np. okulary, brodę*); zużywać (się); **~ off** mijać, przechodzić; **~ out** zdzierać (się), niszczyć (się); wyczerpywać; *s* noszenie; zużycie; **men's <women's> ~** odzież męska <damska>

wear•y [`wɪərɪ] *adj* zmęczony, znużony; męczący, nużący; *vt vi* męczyć (się), nużyć (się)

weath•er [`weðə(r)] *s* pogoda

weath•er fore•cast [`weðə 'fɔkɑst] *s* prognoza pogody

we'd [wid] = **we had, we should, we would**

wed•ding [`wedɪŋ] *s* ślub; wesele; **~ ring** obrączka ślubna

Wednes•day [`wenzdɪ] *s* środa

weed [wid] *s* chwast; *pot.* wymoczek; *vt* odchwaszczać

week [wik] *s* tydzień

week•day [`wik deɪ] *s* dzień powszedni

week•end ['wik `end] *s* koniec tygodnia, weekend

week•ly [`wiklɪ] *adj* cotygodniowy; *adv* co tydzień; *s* tygodnik

***weep** [wip], **wept, wept** [wept] *vi* płakać; *vt* opłakiwać

weigh [weɪ] *vt vi* ważyć; rozważać; **~ down** obciążać, przygniatać; **~ out** odważać

weight [weɪt] *s dosł. i przen.* waga; ciężar; odważnik; **put on <lose> ~** przybierać <tracić> na wadze; *vt* obciążać

weird [wɪəd] *adj* dziwaczny; niesamowity, tajemniczy

wel•come [`welkəm] *vt* powitać, gościnnie przyjąć; *adj* mile widziany; **make sb ~** życzliwie kogoś przyjmować; **you are ~** *am.* proszę bardzo; nie ma za co

(dziękować); **you are ~ to do it** możesz to zrobić; *s* powitanie, gościnne przyjęcie; *int* witaj!, witajcie!
wel•fare [`welfeə(r)] *s* dobrobyt, powodzenie; opieka społeczna
well[1] [wel] *adv* (*comp* **better**, *sup* **best**) dobrze; odpowiednio; chętnie; **as ~** również dobrze, również; **as ~ as** zarówno jak, jak również; **~ done!** brawo!, doskonale!; *adj praed* zdrowy; w porządku; **be ~** być zdrowym; mieć się dobrze; **get ~** wyzdrowieć; *int* **~ then?** no więc?
well[2] [wel] *s* studnia
we'll [wil] = **we shall, we will**
well-off ['wel `ɔf] *adj* dobrze sytuowany, zamożny
Welsh [welʃ] *adj* walijski; *s* język walijski
Welsh•man [`welʃmən] *s* (*pl* **Welshmen** [`welʃmən]) Walijczyk
went *zob.* **go**
wept *zob.* **weep**
were *zob.* **be**
we're [wɪə(r)] = **we are**
weren't [wɜnt] = **were not**
west [west] *s* zachód; *adj* zachodni; *adv* na zachód; **~ of Paris** na zachód od Paryża
west•ern [`westən] *adj* zachodni; *s* (*film*) western
wet [wet] *adj* mokry; dżdżysty; *s* słota, niepogoda; *vt* moczyć
we've [wiv] = **we have**
whale [weɪl] *s zool.* wieloryb
what [wot] *pron* co; *adj* jaki; **~ for?** po co?; **~ is he like?** jak on wygląda?, jaki on jest?; **~ a pity!** jaka szkoda!; **~'s up?** *pot.* co się dzieje?
what•ev•er [wot`evə(r)] *pron* cokolwiek; *adj* jakikolwiek
what's [wots] = **what is**
wheat [wit] *s bot.* pszenica
wheel [wil] *s* koło; kierownica; **at the ~** za kierownicą; *vt* (*wózek*) pchać
when [wen] *adv conj pron* kiedy, gdy; **since ~** odkąd; **till ~** dokąd, do czasu, gdy
where [weə(r)] *adv conj pron* gdzie, dokąd; **from ~** skąd
where•as [weər`æz] *conj* podczas gdy
wher•ev•er [weər`evə(r)] *adv* gdziekolwiek, dokądkolwiek
wheth•er [`weðə(r)] *conj* czy
which [wɪtʃ] *pron* który; co; **after ~** po czym; **he said she was dead, ~ was true** powiedział, że ona nie żyje, co było prawdą; **~ of the**

books is yours? która z książek jest twoja?

which•ev•er [wɪtʃ`evə(r)] *adj pron* którykolwiek

while [waɪl] *s* chwila; **for <in> a ~** na <za> chwilę; **it's worth ~** warto, opłaci się; *conj* gdy, podczas gdy; chociaż

whirl [wɜl] *vt vi* wirować, kręcić (się); *s* wir

whirl•pool [`wɜlpul] *s* wir (*wodny*)

whirl•wind [`wɜl 'wɪnd] *s* trąba powietrzna

whis•per [`wɪspə(r)] *vt vi* szeptać; *s* szept

whis•tle [`wɪsl] *s* gwizdek; gwizd; *vt vi* gwizdać

white [waɪt] *adj* biały; **~ coffee** kawa z mlekiem; *s* biel; biały człowiek; białko

who [hu] *pron* (*w pytaniach*) kto; **~ is she dancing with?** z kim ona tańczy?; (*w zdaniach podrzędnych – o ludziach*) który, która, którzy, które

who•ev•er [hu`evə(r)] *pron* ktokolwiek

whole [həʊl] *adj attr* cały; *s* całość; **as a ~** w całości; **on the ~** ogólnie biorąc

whole•sale [`həʊlseɪl] *s* hurt; *adj* hurtowy; masowy; *adv* hurtem

whol'll [hul] = **who will**

whol•ly [`həʊlɪ] *adv* całkowicie

whom [hum] *pron* (*w pytaniach*) kogo, komu; **with ~ is she dancing?** z kim ona tańczy?; (*w zdaniach podrzędnych – o ludziach*) którego, którym, której, którą, których, którymi; **people ~ I trust** ludzie, którym ufam

who's [huz] = **who is**, **who has**

whose [huz] *adj pron* (*w pytaniach*) czyj; **~ are these shoes?**, **~ shoes are these?** czyje są te buty?; (*w zdaniach podrzędnych*) którego, której, których; **children ~ house was burned down** dzieci, których dom został spalony; **a computer, ~ price is attractive** komputer, który ma atrakcyjną cenę

who've [huv] = **who have**

why [waɪ] *adv conj* dlaczego; **~ not?** czemu nie?

wick•ed [`wɪkɪd] *adj* podły, niegodziwy

wide [waɪd] *adj* szeroki; obszerny; *adv* szeroko; **~ of sth** daleko od czegoś

wide•spread [`waɪdspred] *adj* rozpowszechniony

wid•ow [ˋwɪdəʊ] *s* wdowa
wid•ow•er [ˋwɪdəʊə(r)] *s* wdowiec
wife [waɪf] *s* (*pl* **wives** [waɪvz]) żona
wig [wɪg] *s* peruka
wild [waɪld] *adj* dziki; szalony; burzliwy; **make a ~ guess** zgadywać na chybił trafił; *s*: **in the ~** (*o zwierzętach*) na wolności, w swoim naturalnym środowisku
wil•der•ness [ˋwɪldənəs] *s* dzicz
will[1] [wɪl] *v aux* (*p* **would**) (*służy do tworzenia czasu przyszłego*): **he ~ do it** on to zrobi; (*prośba, polecenie*): **~ you open the door?, open the door, ~ you?** czy możesz otworzyć drzwi?
will[2] [wɪl] *s* wola; testament
will•ing [ˋwɪlɪŋ] *adj* chętny
wil•low [ˋwɪləʊ] *s bot.* wierzba
will•pow•er [ˋwɪl ˈpaʊə(r)] *s* siła woli
***win** [wɪn], **won, won** [wʌn] *vt vi* wygrywać; zwyciężać; zdobywać; **~ back** odzyskiwać; **~ over** pozyskiwać sobie (*kogoś*); *s* wygrana
wind[1] [wɪnd] *s* wiatr; dech; *med.* wzdęcie; **get ~** zwęszyć (**of sth** coś); *vt* pozbawiać tchu
***wind**[2] [waɪnd], **wound, wound** [waʊnd] *vt* kręcić, obracać; owijać; nawijać; (*zegarek*) nakręcać; *vi* wić się; **~ up** nakręcać; zakończyć (*np. spotkanie*); zlikwidować (*np. spółkę*)
wind•cheat•er [ˋwɪndˈtʃitə(r)], *am.* **wind•break•er** [ˋwɪndbreɪkə(r)] *s* wiatrówka
wind•mill [ˋwɪnd ˈmɪl] *s* wiatrak
win•dow [ˋwɪndəʊ] *s* okno
win•dow-shop [ˋwɪndəʊ ʃɔp] *vi* oglądać wystawy sklepowe
wind•screen [ˋwɪndskrin] *s mot.* przednia szyba
wind-surf•ing [ˋwɪnd ˈsɜfɪŋ] *s sport.* windsurfing
wine [waɪn] *s* wino
wing [wɪŋ] *s* skrzydło; *mot.* błotnik; *vi* lecieć
wink [wɪŋk] *vt vi* mrugać (**at sb** do kogoś); *s* mrugnięcie
win•ner [ˋwɪnə(r)] *s* zwycięzca
win•ter [ˋwɪntə(r)] *s* zima; *vi* zimować
wipe [waɪp] *vt* ścierać, wycierać; **~ off** wycierać; **~ up** ścierać (*szmatką*)
wire [waɪə(r)] *s* drut; *elektr.* przewód; *am.* depesza; *vt*

podłączać (*do sieci*); *am.* depeszować
wis•dom [`wızdəm] *s* mądrość
wise [waız] *adj* mądry
wish [wıʃ] *vt vi* życzyć (sobie), pragnąć (**for sth** czegoś); **~ sb well** życzyć komuś dobrze; **I ~ I were a bird** chciałbym być ptakiem, szkoda, że nie jestem ptakiem; *s* życzenie; **best ~es** najlepsze życzenia (**for sb's birthday** z okazji urodzin)
wish•ful [`wıʃfl] *adj*: **~ thinking** pobożne życzenia
wit [wıt] *s* dowcip; humorysta; (*także pl* **~s**) inteligencja; **be at one's ~'s end** nie wiedzieć, co począć
witch [wıtʃ] *s* czarownica
with [wıð] *praep* (razem) z; (*określa sposoby, przyczyny*) za pomocą, przy pomocy; **eat ~ a spoon** jeść łyżką
***with•draw** [wıð`drɔ] *vt vi* (*formy zob.* **draw**) wycofywać (się); odwoływać; podejmować (*pieniądze z banku*)
with•in [wıð`ın] *praep* wewnątrz; w obrębie; w zasięgu; w przeciągu (*np. godziny*); *adv* wewnątrz, w środku; w domu
with•out [wıð`aʊt] *adv praep* bez; na zewnątrz; **do ~ sth** obywać się bez czegoś
***with•stand** [wıð`stænd] *vt vi* (*formy zob.* **stand**) stawiać opór, wytrzymywać
wit•ness [`wıtnəs] *s* świadek; *vt* być świadkiem (**sth** czegoś); świadczyć (**sth** o czymś); **~ to sth** zaświadczać o czymś
wit•ty [`wıtı] *adj* dowcipny
wives *zob.* **wife**
woke, woken *zob.* **wake**
wolf [wʊlf] *s* (*pl* **wolves** [wʊlvz]) wilk
wom•an [`wʊmən] *s* (*pl* **women** [`wımın]) kobieta; **~ doctor** lekarka
wom•an•hood [`wʊmənhʊd] *s* kobiecość
womb [wum] *s anat.* macica; (*także przen.*) łono
wom•en *zob.* **woman**
won *zob.* **win**
won•der [`wʌndə(r)] *vt vi* być ciekawym, chcieć wiedzieć; dziwić się (**at sth** czemuś); zastanawiać się (**about sth** nad czymś); **I ~ where he is** ciekaw jestem, gdzie on jest; *s* zdumienie; cud; **work ~s** czynić cuda; **no ~** nic dziwnego
won•der•ful [`wʌndəfl] *adj* cudowny
won't [wəʊnt] = **will not**

wood [wʊd] *s* drewno; (*także* **~s**) las
wood•en [`wʊdn] *adj* drewniany; *przen.* sztywny
wood•peck•er [`wʊd 'pekə(r)] *s zool.* dzięcioł
wool [wʊl] *s* wełna
wool•len [`wʊlən] *adj* wełniany
word [wɜd] *s* wyraz, słowo; wiadomość; **the ~** hasło; **by ~ of mouth** ustnie; **play on ~s** gra słów; **in other ~s** innymi słowy; **have a ~ with sb** rozmówić się z kimś; **keep <break> one's ~** dotrzymywać <nie dotrzymywać> słowa; **put sth into ~s** wyrażać coś słowami; *vt* wyrażać słowami
word pro•cess•or [`wɜd ' prəʊsesə(r)] *s komp.* edytor tekstu
wore *zob.* **wear**
work [wɜk] *s* praca; dzieło; utwór; *pl* **~s** mechanizm; fabryka, zakład (*przemysłowy*); **at ~** przy pracy; **in ~** mający zatrudnienie; **out of ~** bezrobotny; **set to ~** zabierać się do roboty; *vt vi* pracować; (*o urządzeniu*) działać; **~ out** wypracować; dopracować; ćwiczyć, trenować; (*o planie*) powieść się
work•day [`wɜkdeɪ] *s* dzień powszedni
work•er [`wɜkə(r)] *s* pracownik; robotnik
work•ing [`wɜkɪŋ] *adj* pracujący; czynny; **in ~ order** sprawny, na chodzie; **~ knowledge of sth** praktyczna znajomość czegoś; **~ capital** kapitał obrotowy; **~ hours** godziny pracy
work•shop [`wɜkʃop] *s* warsztat
world [wɜld] *s* świat; **~ war** wojna światowa; **all over the ~** na całym świecie; **be all the ~ to sb** być bardzo ważnym dla kogoś; **not for all the ~** za nic w świecie; **what in the ~ are you doing?** co ty u licha robisz?
worm [wɜm] *s* robak
worn *zob.* **wear**
wor•ry [`wʌrɪ] *vt vi* niepokoić (się), martwić (się) (**over <about> sb, sth** o kogoś, coś); *s* zmartwienie, troska
worse [wɜs] *adj* (*comp od* **bad, badly**) gorszy; bardziej chory; **be ~** czuć się gorzej; *adv* gorzej
wor•ship [`wɜʃɪp] *s* kult, oddawanie czci, nabożeństwo; *vt* czcić, wielbić; uwielbiać
worst [wɜst] *adj* (*sup od* **bad, badly**) najgorszy; **at**

(the) ~ w najgorszym razie; *adv* najgorzej
worth [wɜθ] *adj* wart, zasługujący; **it is ~ reading** warto to przeczytać; **it isn't ~ while** to niewarte zachodu; *s* wartość; **thousands of pounds' ~ of damage** straty wartości tysięcy funtów
would [wʊd] *p od* **will**; (*wyrażanie prośby, propozycji*) **~ you open the door?** czy mógłbyś otworzyć drzwi?; **~ you like a cake?** może ciasteczko?
would-be [`wʊd bi] *attr* niedoszły
wound[1] *zob.* **wind**[2]
wound[2] [wund] *s* rana; *vt* ranić
wrap [ræp] *vt* (*także* **~ up**) pakować, owijać; *s am.* narzutka, pelerynka
wreck [rek] *s* (*statek, człowiek*) wrak; *vt* rozbić (się)
wretch•ed [`retʃɪd] *adj* nieszczęśliwy, godny pożałowania; *przen.* przeklęty
wring [rɪŋ], **wrung, wrung** [rʌŋ] *vt* wyżymać, wykręcać; **~ one's hands** załamywać ręce
wrin•kle [`rɪŋkl] *s* zmarszczka; *vt vi* marszczyć (się)
wrist [rɪst] *s* przegub
wrist•watch [`rɪst wotʃ] *s* zegarek na rękę
***write** [raɪt], **wrote** [rəʊt], **written** [`rɪtn] *vt vi* pisać, wypisywać; **~ back** odpisywać; **~ down** zapisywać; **~ up** przepisywać (*na czysto*)
writ•er [`raɪtə(r)] *s* pisarz
writ•ten *zob.* **write**
wrong [roŋ] *adj* niesłuszny; niewłaściwy; niesprawiedliwy; zły; **be ~** nie mieć racji, mylić się; **sth is ~** coś jest nie w porządku; **what's ~?** co się stało?; *adv* źle; niesłusznie; **go ~** pomylić się; popsuć się; *s* krzywda, niesprawiedliwość; zło; **be in the ~** nie mieć racji; być winnym; *vt* skrzywdzić
wrote *zob.* **write**
wrung *zob.* **wring**

X

xe•rox [`zɪəroks] *vt* kserować; *s* kserokopiarka, ksero
X•mas [`krɪsməs] = **Christmas**
X-ray [`eks reɪ] *vt* prześwie-

tlać (*promieniami Roentgena*); *s* promień Roentgena; rentgen, prześwietlenie

Y

yacht [jot] *s* jacht

yard[1] [jɑd] *s* jard (*91,4 cm*)

yard[2] [jɑd] *s* dziedziniec; podwórze

yawn [jɔn] *vi* ziewać; *s* ziewnięcie

year [jɜ(r)] *s* rok; **all the ~ round** przez cały rok; **~ after ~** rok za rokiem; **per <a> ~** na rok, rocznie; **~ in ~ out** rokrocznie

year•ly [`jɜlɪ] *adj* roczny; coroczny; *adj* corocznie; raz w roku

yearn [jɜn] *vi* tęsknić (**for sb, sth** za kimś, za czymś)

yeast [jist] *s* drożdże

yell [jel] *vt vi* wrzeszczeć; wykrzykiwać; *s* wrzask

yel•low [`jeləʊ] *adj* żółty; *s* kolor żółty; *vi* żółknąć; *vt* zażółcić

yes [jes] *adv* tak

yes•ter•day [`jestədɪ] *adv s* wczoraj; **the day before ~** przedwczoraj

yet [jet] *adv* jeszcze; (*w przeczeniach*) jeszcze; (*w pytaniach*) już; mimo to, lecz jednak; nadal; **as ~** jak dotąd; *conj* ale

yield [jild] *vt* wytwarzać; przynosić (*np. rezultaty*); *vi* poddawać się, ustępować; uginać się (*pod naciskiem*); *mot. am.* ustępować pierwszeństwa; *s* plon; zysk

yog•hurt, yogurt [`jogət] *s* jogurt

yolk [jəʊk] *s* żółtko

you [ju] *pron* ty, wy; cię, ciebie, was; ci, tobie, wam; (*forma grzecznościowa*): **can I help ~?** czym mogę panu <pani, państwu> służyć?; (*zdania bezosobowe*) **~ can never tell** nigdy nie wiadomo

you'd [jud] = **you had, you would**

you'll [jul] = **you will**

young [jʌŋ] *adj* młody; *s pl* **the ~** młodzież; (*o zwierzętach*) młode

your [jɔ(r), jʊə(r)] *pron* twój, wasz; pański

you're [jɔ(r), jʊə(r)] = **you are**

yours [jɔz, jʊəz] *pron* twój, wasz; pański

your•self [jɔ`self] *pron* siebie, sobie, się; ty sam, pan sam; *pl* **yourselves** [jɔ-`selvz] siebie, sobie, się; wy sami, państwo sami

youth [juθ] *s* młodość; młodzieniec; *pl* **~s** [juðz] młodzi; **the** ~ młodzież

you've [juv] = **you have**

Z

zeal [zil] *s* gorliwość, zapał

zeal•ous [`zeləs] *adj* gorliwy

ze•bra [`zibrə] *s zool.* zebra; ~ **crossing** przejście dla pieszych

ze•ro [`zɪərəʊ] *s* zero; *fiz.* **absolute** ~ zero bezwzględne

zest [zest] *s* pikanteria; zapał, entuzjazm; skórka pomarańczowa

zig•zag [`zɪgzæg] *s* zygzak; *vi* iść zygzakiem

zinc [zɪŋk] *s* cynk

zip [zɪp] *s* suwak, zamek błyskawiczny; *vt*: ~ **sth up** zapinać coś na suwak

zip fas•ten•er [`zɪp 'fɑsnə(r)] *s* zamek błyskawiczny

zo•di•ac [`zəʊdɪæk] *s* zodiak; *także* ~ **signs** znaki zodiaku

zone [zəʊn] *s* strefa, zona

zoo [zu] *s* zoo, ogród zoologiczny

zo•ol•o•gy [zu`olədʒɪ] *s* zoologia

SŁOWNIK POLSKO-ANGIELSKI

ALFABET POLSKI

a	m
ą	n
b	ń
c	o
ć	ó
d	p
e	r
ę	s
f	ś
g	t
h	u
i	w
j	y
k	z
l	ź
ł	ż

A

absolwent *m* graduate, school-leaver

abstrakcja *f* abstraction

absurd *m* absurdity; **sprowadzić do ~u** reduce to absurdity

aby *conj* that, in order that; (*przed bezokolicznikiem*) to, in order to

adidasy *s pl* training shoes, trainers

administracja *f* administration, management

adoptować *v imperf* adopt

adres *m* address; **pod ~em** to <at> the address

adresować *v imperf* address

adwokat *m* lawyer, barrister, solicitor; *przen.* advocate

aerobik *m* aerobics

afera *f* affair, scandal; (*przedsięwzięcie*) illegal enterprise; **~ gospodarcza** racket

afisz *m* poster; placard; bill

Afrykanin *m* African

afrykański *adj* African

agencja *f* agency; **~ prasowa** news agency

agenda *f* (*filia*) branch; (*terminarz*) agenda

agent *m* agent, representative; (*giełdowy*) broker; (*ubezpieczeniowy*) insurance broker

agrafka *f* safety-pin

agresja *f* aggression

agrest *m* gooseberry

agresywny *adj* aggressive

akademia *f* academy

akademicki *adj* academic(al); **dom ~** students' hostel, *am.* dormitory

akcent *m* accent, stress

akcentować *v imperf* accent, accentuate; stress; *przen.* stress, emphasize

akceptować *v imperf* accept

akcja *f* action; *handl.* share; stock; **~ ratunkowa** rescue action; **~ powieści <sztuki>** plot, action

aklimatyzować *v imperf* acclimatize (**do czegoś** to sth); **~ się** become acclimatized

akord *m muz.* chord; harmony; **praca na ~** piecework

akt *m* act, deed; (*w malarstwie, rzeźbie*) nude
aktor *m* actor
aktorka *f* actress
aktualności *s pl* current events
aktualny *adj* current, topical, present-day
aktywny *adj* active
akumulator *m elektr.* accumulator, (storage) battery; **naładować ~** recharge the battery
akurat *adv* just, exactly, precisely
alarm *m* alarm; **~ lotniczy** alert; **~ antywłamaniowy** burglar alarm; **podnieść ~** sound <raise> the alarm
albo *conj* or; **~..., ~...** either... or...; **~ ten, ~ tamten** either of them <of the two>
album *m* album; **~ do znaczków pocztowych** stamp album
ale *conj* but; however, yet
aleja *f* avenue, alley; (*w parku*) park alley, *am.* parkway
alergia *f med.* allergy (**na coś** to sth)
alfabet *m* alphabet
alibi *n nieodm.* alibi
alimenty *s pl* alimony; maintenance
alkohol *m* alcohol
alt *m muz.* alto
alternator *m elektr.* alternator
aluzj|a *f* allusion, hint; **robić ~e** allude (**do czegoś** to sth), hint (**do czegoś** at sth)
amator *m* (*dyletant*) amateur, layman; (*miłośnik*) amateur, lover, fan
ambasada *f* embassy
ambasador *m* ambassador; **~ Wielkiej Brytanii w Polsce** the British ambassador to Poland
ambicja *f* ambition
ambulatorium *n* out-patients' clinic, dispensary, infirmary
Amerykanin *m* American
amerykański *adj* American
amortyzator *m techn.* shock absorber
analiza *f* analysis
ananas *m bot.* pineapple
anemia *f* anaemia
angażować *v imperf* engage; **~ się** engage (**w coś** in sth), be engaged (**w coś** in sth)
Angielka *f* Englishwoman
angielsk|i *adj* English; **mówić po ~u** speak English; **wyjść po ~u** take French leave
angina *f* angina
Anglik *m* Englishman

anglikański *adj* Anglican; **kościół ~** Church of England

ani *conj* not even, neither; **~ nawet** not even; **~ razu** not even once; **~ jeden człowiek** not a single man; **~ to, ~ tamto** neither this nor that

anioł *m* angel

ankieta *f* questionnaire; (public) opinion poll

anonimowy *adj* anonymous

antena *f* (*zewnętrzna*) aerial; **~ pokojowa** indoor antenna; **~ satelitarna** satellite dish

antybiotyk *m* antibiotic

antyk *m* antique, antiquity

antykoncepcyjn|y *adj* contraceptive; **środki ~e** contraceptives

antykwariat *m* antique shop; (*książkowy*) second-hand bookshop

anulować *v imperf* annul, cancel

aparat *m* apparatus; appliance; **~ fotograficzny** camera; **~ telefoniczny** telephone (set); **~ do mierzenia ciśnienia** pressure gauge

apartament *m* suite

apelować *v imperf* appeal (**do kogoś** to sb; **w sprawie czegoś** for sth)

apetyt *m* appetite

aprobować *v imperf* approve (**coś** sth, of sth)

aprowizacja *f* provision, supplying; food supply

apteczka *f* first-aid kit

apteka *f* chemist's (shop), pharmacy; *am.* drugstore, druggist's (shop)

Arab *m* Arab

arabski *adj* Arabian, Arabic

arbuz *m bot.* watermelon

archeologia *f* archeology

architekt *m* architect

architektura *f* architecture; **~ wnętrz** interior design <decoration>

archiwum *m* archives, registry

arcydzieło *n* masterpiece

aresztować *v imperf* arrest

argument *m* argument; **wysuwać ~y** put forward arguments (**na coś** for sth; **przeciw czemuś** against sth)

aria *f muz.* aria

arkusz *m* sheet (of paper)

armata *f* cannon

armia *f* army

arogancja *f* arrogance

artykuł *m* article; commodity; **~ wstępny** (*w gazecie*) leader, editorial; **~y spożywcze** food articles; **~y pierwszej potrzeby** articles of daily use

artysta *m* artist
artystyczn|y *adj* artistic; **rzemiosło ~e** artistic handicraft
arytmetyka *f* arithmetic
as *m* ace; (*w kartach*) ace
asekurować *v imperf* insure; **~ się** insure (oneself)
asfalt *m* asphalt
aspekt *m* aspect
aspiryna *f* aspirin
astma *f med.* asthma
astrologia *f* astrology
astronomia *f* astronomy
asymilować *v imperf* assimilate; **~ się** assimilate, be <become> assimilated
asystent *m* assistant
atak *m* attack; *sport.* (*zawodnicy*) the forwards; (*choroby*) fit; *med.* **~ serca** heart attack
atakować *v imperf* attack
atlas *m* atlas; **~ samochodowy** road atlas
atomow|y *adj* atomic; **bomba ~a** atom(ic) bomb, A-bomb
atrakcja *f* attraction
atrakcyjny *adj* attractive
atut *m* trump
audiencj|a *f* audience; **udzielić ~i** grant an audience (**komuś** to sb)
audycja *f* broadcast, programme
aukcja *f* auction
Australijczyk *m* Australian
australijski *adj* Australian
austriacki *adj* Austrian
Austriak *m* Austrian
autentyczny *adj* authentic
autobus *m* bus; coach; **jechać ~em** go by bus
autograf *m* autograph
autokar *m* coach
automat *m* (*do sprzedaży biletów itp.*) slot-machine, vending-machine; (*broń*) machine-gun; **~ telefoniczny** payphone
automatyczny *adj* automatic
autor *m* author
autoserwis *m* car service, service station
autostop *m* hitch-hike, hitch-hiking; **podróżować ~em** hitch-hike
autostopowicz *m* hitch-hiker
autostrada *f* motorway; *am.* highway, expressway
awans *m* promotion, advancement
awantur|a *f* brawl, row; **zrobić ~ę** make a scene, *pot.* kick up a row
awaria *f* damage (**czegoś** to sth)
awaryjn|y *adj*: **wyjście ~e** emergency exit
awizo *n* advice note
Azjata *m* Asian

aż till, until; as late as; **aż dotąd <do tej chwili>** till now, up to now; (*o przestrzeni*) **aż do** as far as; **aż do Warszawy** as far as Warsaw

B

babka *f* grandmother; (*ciasto*) brioche

bać się *v imperf* be afraid (**kogoś, czegoś** of sb, of sth), fear (**kogoś, czegoś** sb, sth; **o kogoś, o coś** for sb, sth); (*bardzo się bać*) dread

badać *v imperf* investigate, look <go> into, explore, study; (*chorego, świadka*) examine

badani|e *n* investigation, exploration; **~a naukowe** research, study; (*chorego*) examination, check-up; (*świadka*) examination

badminton *m sport.* badminton

bagaż *m* luggage, *am.* baggage; **nadać na ~** register one's luggage; **oddać na ~** (*np. na lotnisku*) check in <deposit> one's luggage; **odebrać ~** reclaim one's luggage; **przechowalnia ~u** left-luggage office

bagażnik *m* (luggage-)compartment <container>; (*w samochodzie*) boot, *am.* trunk

bagażowy *adj* **wagon ~** luggage van, *am.* baggage car; *s m* porter

bajka *f* fairy-tale

bak *m* (petrol) tank

bakteria *f* grem, bacterium

bal *m* (*zabawa*) ball; **~ kostiumowy** fancy-dress ball; **~ maskowy** masked ball

balet *m* ballet

balkon *m* balcony; (*w teatrze*) circle

balon *m* balloon

bałagan *m* mess, muddle; **robić ~** make a mess (**w czymś** of sth)

bałwan *m* (*ze śniegu*) snowman; (*fala*) billow; (*głupiec*) blockhead, bonehead

banalny *adj* hackneyed, banal, commonplace, trite

banan *m bot.* banana

banda *f* (*grupa*) gang, band; *sport.* (*krawędź*) border

bandaż *m* bandage, dressing

bandażować *v imperf* bandage, dress, bind (up)

bandyta *m* bandit, robber, plunderer

bank *m* bank; ~ **handlowy** commercial bank

banknot *m* (bank) note, *am.* bill

bankrutować *v imperf* go bankrupt, fail

bańka *f* (*naczynie*) can; (*mydlana*) bubble

bar *m* bar; ~ **kawowy** coffee bar; ~ **samoobsługowy** self-service restaurant

barak *m* barrack

baran *m* ram; **wziąć na ~a** give pick-a-back <piggy-back>

baranina *f* mutton

barbarzyński *adj* barbarian, barbarous, barbaric

bardziej *adv* more, better; **coraz** ~ more and more; **tym** ~ all the more

bardzo *adv* very; (*z czasownikiem*) much, greatly; **nie** ~ not quite, hardly

bariera *f* barrier

bark *m anat.* shoulder, pectoral girdle

barman *m* barman, bartender

barmanka *f* barmaid

barok *m* baroque

barometr *m* barometer

barwa *f* colour, *am.* color; hue

basen *m* basin; tank; ~ **pływacki** swimming pool

baśń *f* fable, fairy-tale

bateria *f* battery

bawełn|a *f* cotton; *przen.* **owijać w ~ę** beat about the bush

bawić *v imperf* amuse; entertain; ~ **się** amuse <enjoy> oneself; play (**w coś** at sth); **dobrze się** ~ have fun <a good time>

baza *f* basis, base

bazar *m* bazaar; market (place)

bazylika *f* basilica

bażant *m zool.* pheasant

bąbel *m* bubble; *med.* blister

beczk|a *f* barrel, cask; **piwo z ~i** beer on draught

befsztyk *m* beefsteak

Belg *m* Belgian

belgijski *adj* Belgian

belka *f* beam; *pot. wojsk.* (*naszywka*) bar

benzyna *f* (*czysta*) benzine; (*paliwo*) petrol, *am.* gasoline, gas; ~ **bezołowiowa** unleaded <lead-free> petrol

benzynow|y *adj* benzine; petrol, *am.* gasoline; **stacja ~a** filling <petrol> station, *am.* gas station

beret *m* beret

beton *m* concrete

bez[1] *m bot.* lilac

bez[2] *praep* without; ~ **butów <kapelusza>** with no shoes <hat> on; ~ **grosza** penniless; ~ **ogródek** without mincing words; ~ **wątpienia** doubtless; ~ **względu na coś** irrespective <regardless> of sth

bezalkoholowy *adj* non-alcoholic; (*o napoju*) soft

bezbarwny *adj* colourless, *am.* colorless

bezbolesny *adj* painless, pain-free

bezcelowy *adj* aimless, purposeless, pointless; (*nadaremny*) useless, of no use

bezcen, za ~ *adv* dirt-cheap, for a song

bezcenny *adj* priceless, invaluable, inestimable

bezczelny *adj* insolent, impertinent, impudent, *pot.* cheeky

bezczynny *adj* inactive, idle

bezdomny *adj* homeless; ~ **pies** stray dog

bezdzietny *adj* childless

bezinteresowny *adj* disinterested, free from self-interest

bezkarnie *adv* with impunity; **ujść** ~ go unpunished, *pot.* get away with doing it

bezkształtny *adj* shapeless

bezlitosny *adj* merciless, pitiless, ruthless

bezludny *adj* desolate, uninhabited, deserted

bezładny *adj* confused, disorderly, disorganized; (*np. o mowie*) disconnected, incoherent

bezmyślny *adj* thoughtless, careless

beznadziejny *adj* hopeless, desperate

bezpieczeństwo *n* safety, security

bezpiecznik *m elektr.* fuse

bezpieczny *adj* safe, secure

bezpłatny *adj* gratuitous, free; ~ **bilet** free ticket

bezpodstawny *adj* groundless, baseless, unfounded

bezpośredni *adj* direct, immediate; (*o człowieku*) straightforward

bezprawny *adj* lawless, unlawful, illegal, illicit

bezradny *adj* helpless

bezrobocie *n* unemployment

bezrobotn|y *adj* unemployed, out of work, jobless; *s pl* ~**i** the unemployed

bezsenność *f* sleeplessness, insomnia

bezsenny *adj* sleepless

bezsens *m* nonsense, absurdity

bezstronny *adj* impartial; unbiased; fair
beztroski *adj* unconcerned; careless, carefree
bezużyteczny *adj* useless, (of) no use
bezwartościowy *adj* worthless
bezwarunkowy *adj* unconditional; absolute, total
bezwiednie *adv* unknowingly; involuntarily, unconsciously
bezwładny *adj* inert; (*np. o inwalidzie*) immobile
bezwstydny *adj* shameless, immodest
bezwzględny *adj* absolute; peremptory, categorical; dictatorial
bezzwłocznie *adv* immediately, instantly, without delay
beżowy *adj* beige
bęben *m* drum
białaczka *f med.* leukaemia
białko *n* (*oka, jajka*) white; *chem.* protein, albumen
biały *adj* white; **w ~ dzień** (in) broad daylight
Biblia *f* Bible
biblioteka *f* library
bić *v imperf* beat, strike; **~ brawo** applaud (**komuś** sb); **~ kogoś po twarzy** slap sb's face; **~ rekordy** break records; **~ się** fight
biec *v imperf* run; **~ na pomoc** run to help (**komuś** sb)
bieda *f* poverty, misery; (*zły los*) adversity, hardship; (*kłopot*) embarrassment
biedny *adj* poor, miserable; *s m* poor man
bieg *m* run, race; (*życia, czasu, rzeki*) course; *techn.* gear; **pierwszy ~** first gear; **najwyższy ~** top gear; **skrzynia ~ów** gearbox; *sport.* **krótki ~** sprint; **~ sztafetowy** relay-race; **~ przez płotki** hurdle-race; **~i narciarskie** cross-country skiing; **z ~iem czasu** in the course of time
biegacz *m* runner, racer
biegać *v imperf* run (**za czymś** after sth)
biegły *adj* skilful, skilled, expert, proficient (**w czymś** in sth); *s m* expert
biegnąć *zob.* **biec**
biegun *m fiz., geogr.* pole; **koń na ~ach** rocking-horse
biegunka *f med.* diarrhoea
bielizna *f* underwear, underclothes; **~ pościelowa** bed-linen
bierny *adj* passive
bieżący *adj* running, current; **rachunek ~** current account, *am.* checking account

bilans *m* balance
bilard *m* billiards
bilet *m* ticket; (*wizytowy*) visiting card, *am.* calling card; ~ **ulgowy** reduced-price ticket; ~ **w jedną stronę** single <one-way> ticket; ~ **powrotny** return ticket
bileter *m* ticket-collector
bilon *m* coins; small change
biodro *n* hip
biografia *f* biography
biologia *f* biology
bis *int, s m* encore
biskup *m* bishop
bisować *v imperf* give an encore
bitw|a *f* battle; **pole ~y** battle-field
biuletyn *m* bulletin; ~ **informacyjny** news bulletin
biurko *n* desk, writing-table
biuro *n* office; ~ **informacyjne** information office <bureau>; ~ **podróży** travel agency
biurokracja *f* bureaucracy, *przen.* red tape
biust *m* breast; bust
biustonosz *m* brassière, *pot.* bra
biwak *m* bivouac
biżuteria *f* jewellery
blacha *f* sheet iron; plate
blady *adj* pale, pallid
blankiet *m* (blank) form
blask *m* brilliance, brightness, blaze; (*np. słońca*) glare
bliski *adj* near, close; (*zbliżający się, np. o nieszczęściu*) imminent; **być ~m śmierci** be at the point <on the verge> of death; ~ **znajomy** close acquaintance
blisko *adv* near (**czegoś** to sth)
blizna *f* scar, mark
bliźni *m* fellow creature, neighbour, *am.* neighbor
bliźniak *m* twin
blok *m* block; *techn.* pulley; ~ **mieszkalny** block of flats
blond *adj nieodm.* blonde, fair(-haired)
blondyn *m* blonde
blondynka *f* blonde
bluzka *f* blouse
błagać *v imperf* beg, implore, beseech
błahy *adj* petty, trivial, insignificant
błąd *m* mistake, error, fault; ~ **drukarski** misprint, printing error; **popełnić ~** make a mistake
błądzić *v imperf* err, blunder
błędn|y *adj* faulty, incorrect, fallacious, erroneous; **~e koło** vicious circle

błękitny *adj* sky-blue, azure
błogosławić *v imperf* bless
błotnik *m* mudguard, *am.* fender
błoto *n* mud, dirt
błyskawica *f* lightning
błyskawicznie *adv* like lightning, in a flash, in no time at all; *pot.* like a streak of lightning
błyskawiczny *adj* rapid, swift, hasty, express
błyszczeć *v imperf* shine, glitter
bo *conj* because, for
boazeria *f* panelling, wainscot
bochen *m* loaf
bocian *m zool.* stork
boczek *m* bacon
boczn|y *adj* lateral, side *attr*; **~a ulica** side-street, by-street, by-road
bodziec *m* stimulus, incentive
bogactwo *n* wealth, riches
bogaty *adj* rich, wealthy
bohater *m* hero
bohaterka *f* heroine
boisko *n sport.* sports field, playground; (*piłkarskie*) football field <pitch>
boja *f* buoy
bojaźliwy *adj* shy, timid, bashful
bok *m* side, flank; **~iem** sidelong; **na ~** aside, apart; **z ~u** from a side; **widok z ~u** side-view
boks *m* (*pięściarstwo*) boxing
bokser *m* boxer
bol|eć *v imperf* ache, hurt; (*żałować*) regret, grieve; **~i mnie głowa <ząb>** I have a headache <a toothache>; **~i mnie palec** my finger hurts; **~i mnie gardło** I have a sore throat; **co cię ~i?** what hurts <ails> you?
bolesny *adj* painful, sore; (*moralnie*) grievous, distressing
bomba *f* bomb; (*sensacja*) sensation, *pot.* crowd-puller
boso *adv* barefoot
botki *s pl* boots
boży *adj* divine; **Boże Ciało** Corpus Christi; **Boże Narodzenie** Christmas
Bóg *m* God; **mój Boże!** good God!, dear me!; **chwała Bogu!** thank God!
ból *m* pain, ache; **~ głowy** headache; **~ gardła** sore throat; **~ zębów** toothache
brać *v imperf* take; **~ udział** take part; **~ pod uwagę** take into consideration; **~ do wojska** enlist; **~ górę** get <gain> the upper hand (**nad kimś, czymś** over sb,

sth); ~ **na serio** take seriously; ~ **na siebie obowiązek** take on duty; ~ **ślub** get married (**z kimś** to sb); ~ **w rachubę** take into account

brak *m* lack, deficiency, absence, want; (*wada*) fault, shortcoming; ~ **mi pieniędzy** I am short of money; ~ **mi ciebie** I miss you; ~ **mi słów** words fail me

brakować *v imperf* lack, be lacking in, be short of, be deficient in, want; miss

brama *f* gate; ~ **wjazdowa** gateway

bramk|a *f sport.* goal; **zdobyć ~ę** score a goal

bramkarz *m sport.* goalkeeper

bransoletka *f* bracelet

brat *m* brother; ~ **cioteczny** first cousin; ~ **przyrodni** stepbrother

bratanek *m* nephew

bratanica *f* niece

bratek *m bot.* pansy

braterski *adj* brotherly, fraternal

bratowa *f* sister-in-law

braw|o *int* bravo; *m* applause, **gromkie ~a** rapturous <enthusiastic> applause; **bić ~o** applaud (**komuś** sb)

brązowy *adj* bronze; (*o kolorze*) brown

brew *f* brow

brod|a *f* chin; (*zarost*) beard; **zapuścić ~ę** grow a beard

bronchit *m med.* bronchitis

bronić *v imperf* defend (**przed kimś**, **czymś** against <from> sb, sth); (*pokoju*, *kraju*) guard, protect; ~ **się** defend oneself

broń *f* weapon, arms; ~ **palna** fire-arms; ~ **nuklearna** nuclear weapon; **mieć ~** be in <under> arms; **chwycić za ~** take (up) arms

broszka *f* brooch

broszura *f* brochure, leaflet

brud *m* dirt, filth

brudny *adj* dirty, filthy

brunet *m* dark-haired man

brunetka *f* brunette

brutalny *adj* brutal; (*o grze*) rough

brydż *m* bridge; **grać w ~a** play bridge

brylant *m* diamond

Brytyjczyk *m* British subject, *am.* Britisher

brytyjski *adj* British

brzeg *m* (*krawędź*) edge, border, brim; **pierwszy z ~u** anyone; (*rzeki*) bank, riverside; (*morza*, *jeziora*) shore, coast, coastline; (*wybrzeże*) seaside, seashore

brzęk *m* ring, clink, jingle
brzmi|eć *v imperf* (re)sound, ring, resonate; **tekst ~ jak następuje** the text runs as follows
brzoskwinia *f bot.* peach
brzoza *f* birch
brzuch *m* belly, stomach
brzydki *adj* ugly
budka *f* box; **~ telefoniczna** telephone box; telephone booth
budowa *f* construction, structure; building; **~ ciała** structure of the body, build
budować *v imperf* build, construct
budownictwo *n* architecture, construction
budynek *m* building
budzić *v imperf* wake (up), awake, rouse, call; (*uczucie*) inspire, arouse; **~ się** wake (up)
budzik *m* alarm-clock
budżet *m* budget
bufet *m* (*przekąski*) buffet; (*lokal*) bar; (*w teatrze*) refreshment room
bukiet *m* bouquet; bunch (of flowers)
bułka *f* roll; (*słodka*) bun; **~ tarta** bread crumbs
buntować *v imperf* stir (up), rouse to revolt; **~ się** revolt, rebel, rise
burak *m* beet (root)
burmistrz *m* mayor
bursztyn *m* amber
burza *f* storm, tempest; *przen.* **~ w szklance wody** a storm in a teacup
burzyć *v imperf* destroy, demolish; **~ dom** pull down a house
but *m* boot, shoe
butelka *f* bottle
by *part warunkowa*: **on by to zrobił** he would do it; *zob.* **aby**
być *v imperf* be; **~ dobrej myśli** be cheerful; **~ może** perhaps, maybe; **niech będzie, co chce** come what may; **niech i tak będzie** let it be so; **co z nim będzie?** what will become of him?
bydło *n* cattle
byk *m* bull
byle *adv*: **~ co** anything; **~ kto** anybody; **~ gdzie** anywhere; **~ jaki** any; **~ jak** anyhow, carelessly
były *adj* former, past, old, ex-; **~ mąż** ex-husband
bynajmniej *adv* not at all, by no means, not in the least; (*z oburzeniem*) I should say <think> not
bystry *adj* (*szybki*) rapid, quick; (*o umyśle*) bright,

keen, acute; (*o wzroku, słuchu*) sharp, keen

byt *m* existence

bywa|ć *v imperf* frequent (**gdzieś** some place); to be <to go> often...; frequently call (**u kogoś** on sb); (*zdarzyć się*) happen; **~j zdrów!** farewell!

bzdur|a *f* nonsense, absurdity, rubbish; **pleść ~y** talk nonsense <gibberish>

C

całkiem *adv* quite, rather, fairly

całkowity *adj* entire, total, complete, whole

całodobowy *adj* round-the--clock

całoś|ć *f* totality, entirety; whole, unit; **w ~ci** on the whole

całować *v imperf* kiss; **~ się** kiss

całus *m* kiss

cały *adj* whole, all, entire; **~ rok** all the year (round); **przez ~ dzień** all day long

cebula *f* onion

cecha *f* feature, characteric, quality, trait

cechować *v imperf* characterize, mark

cedzić *v imperf* filter, sieve; *przen.* **~ słówka** drawl one's words

cegła *f* brick

cel *m* aim, purpose, goal; (*tarcza strzelnicza i przen.*) target; **mieć na ~u** have in view; **osiągnąć swój ~** gain one's end; **trafić do ~u** hit the mark; **chybić ~u** miss the mark; **strzelać do ~u** shoot at the target

celnik *m* customs officer

celny[1] *adj* (*trafny*) accurate, unerring, well-aimed

celn|y[2] *adj* customs; **opłata ~a** (customs) duty; **komora ~a** customs house; **odprawa ~a** customs clearance

celować *v imperf* aim, take aim (**do czegoś** at sth)

celowo *adv* on purpose, purposefully, intentionally

cement *m* cement

cen|a *f* price, value; **~a stała** fixed price; **~a obniżona** reduced price; **po tej ~ie** at that price; **~a detaliczna** retail price; **~a hurtowa** wholesale price;

za wszelką ~ę at any price
cennik *m* price-list
cenny *adj* valuable, precious
cent *m* cent, penny
centrala *f* headquarters, head-office; **~ telefoniczna** (telephone) exchange
centralny *adj* central
centrum *n sing nieodm.* centre, *am.* center; **~ handlowe miasta** shopping centre
centymetr *m* centimetre
cera *f* (*twarzy*) complexion
ceremonia *f* ceremony
cętkowany *adj* spotted, dappled, pied
cham *m* churl, boor, lout
chaotyczny *adj* chaotic
charakter *m* character; **silny ~** strong personality; (*rola, funkcja*) capacity; **~ pisma** handwriting
charakterystyczny *adj* characteristic (**dla kogoś, czegoś** of sb, sth)
charytatywny *adj* charitable
chata *f* hut, cabin
chcieć *v imperf* want, be willing, wish; **nie chce mi się** I do not want, I do not have a mind (**czegoś** to do sth); **chce mi się pić** I am thirsty; **chciałbym** I would like
chciwy *adj* greedy, covetous
chemia *f* chemistry
chęć *f* (*życzenie*) will, willingness; (*zamiar*) intention
chętny *adj* willing, ready; **~ do nauki** eager to learn
Chińczyk *m* Chinese
chiński *adj* Chinese
chipsy *s pl* crisps, *am.* chips
chirurg *m* surgeon
chlapać *v imperf* splash, spatter
chleb *m* bread; **~ z masłem** bread and butter; **~ powszedni** daily bread; **~ razowy <pszenny>** brown <white> bread
chlubić się *v imperf* boast (**czymś** of sth), *pot.* blow one's own trumpet
chłodnia *f* freezer, refrigerator
chłodnica *f* radiator
chłodny *adj* cool; (*oschły*) reserved
chłodzić *v imperf* chill, cool; (*zamrażać*) refrigerate; **~ się** cool (down), become cool
chłop *m* peasant; *pot.* fellow, chap, bloke
chłopak, chłopiec *m* boy, lad

chłód *m* chill
chmura *f* cloud
chociaż, choć *conj* though, although, as; *adv* even so; at least; ~ **trochę** even a little; ~ **5 pensów** five pence at least
choćby *conj* even if; *adv* at the very last; ~ **jeden fakt** just a single fact
chodnik *m* pavement, footpath, *am.* sidewalk; (*dywan*) carpet, rug
chodzić *v imperf* walk, go; ~ **do szkoły** go to school; ~ **na wykłady** attend lectures; ~ **za kimś** follow sb; **o co chodzi?** what is the matter?; **chodźmy do kina** let's go to the cinema
choinka *f* Christmas tree
cholera *f med.* cholera; *pot.* **niech cię ~!** damn you!
cholesterol *m* cholesterol
chomik *m zool.* hamster
chorągiew *f* flag, banner
choroba *f* illness, sickness, malady, disease; ~ **zakaźna** infectious disease; ~ **morska** seasickness; ~ **umysłowa** mental disorder <illness>; insanity
chorować *v imperf* be ill (**na coś** with sth), suffer (**na coś** from sth)
chory *adj* ill (**na coś** with sth), sick, unwell
chować *v imperf* (*ukrywać*) hide, conceal; (*przechowywać*) keep; (*wkładać, np. do szuflady*) put; (*grzebać zwłoki*) bury; (*hodować*) breed, rear; (*wychowywać*) bring up, educate; ~ **do kieszeni** pocket, to put into one's pocket; ~ **się** hide (**przed kimś** from sb)
chór *m* chorus; (*zespół śpiewaczy i chór kościelny*) choir; **~em** in chorus
chrapać *v imperf* snore
chronić *v imperf* protect, preserve, shelter (**przed czymś** from sth), guard (**przed czymś** against sth)
chrupiący *adj* crisp
chrypka *f* hoarseness; hoarse voice, sore throat
chrzan *m* horse-radish
chrząszcz *m* beetle, chafer
chrzcić *v imperf* baptize, christen
chrzest *m* baptism, christening
chrzestn|y *adj*: **ojciec ~y** godfather; **matka ~a** godmother
chrześcijanin *m* Christian
chrześcijański *adj* Christian
chrześcijaństwo *n* (*religia*) Christianity; (*ogół chrześcijan*) Christendom

chud|y *adj* thin, lean, skinny; **~e mleko** low-fat milk
chuligan *m* hooligan, rowdy
chusta *f* wrap, shawl
chustka *f* kerchief; **~ do nosa** handkerchief
chwalić *v imperf* praise, extol, exalt; **~ się** boast (**czymś** of sth)
chwil|a *f* moment, instant, while; **co ~a** every moment, every now and then; **lada ~a, w każdej ~i** any moment <minute>; **na ~ę** for a moment; **przed ~ą** a while <moment> ago; **w ostatniej ~i** at the last moment; **w wolnych ~ach** at one's leisure, in one's free time; **nie mieć wolnej ~i** not to have a moment to spare; **za ~ę** in a moment; *int* **~a!** just a moment!
chwytać *v imperf* catch, seize; (*mocno*) grasp, grip; **~ za broń** take up arms; *przen.* **~ za serce** go to sb's heart; **~ się** catch (**czegoś** at sth)
chyba *part*, *adv* probably, maybe; **~ tak** I think so; **~ tego nie zrobił** he can hardly have done it; *conj* **~ że** unless
chybi|ć *v imperf* miss, fail; **na ~ł trafił** at random, randomly
chytry *adj* cunning, sly, crafty
ci *pron. zob.* **ten**
ciało *n* body; (*tkanka*) flesh; *przen.* (*grono osób*) staff
ciasny *adj* narrow, tight; (*o mieszkaniu*) cramped; (*o butach*) tight; (*o umyśle*) narrow
ciastko *n* cake; (*z nadzieniem*) tart, pie
ciast|o *n* dough, paste; *pl* **~a** pastry
ciąć *v imperf* cut (**na kawałki** into pieces)
ciąg *m* draught; **~ dalszy** continuation; **~ dalszy nastąpi** to be continued; **jednym ~iem** at a stretch; **w ~u roku** in (the) course of the year; **w dalszym ~u coś robić** continue to do sth
ciągle *adv* continually, constantly
ciągły *adj* continuous, continued; undivided
ciągnąć *v imperf* draw; pull; (*wlec*) drag, haul; **~ się** (*rozciągać się*) extend, stretch; (*w czasie*) continue, last
ciągnik *m* tractor
ciąż|a *f* pregnancy; **być w ~y** be pregnant

cicho *adv* quietly, silently, in a low voice; **bądź ~!** silence!; *pot.* hush!; **~ mówić** speak in a low voice; **~ siedzieć** sit still

cichy *adj* quiet, silent, still

ciec *v imperf* flow; (*kapać*) drip; (*przeciekać*) leak

ciecz *f* liquid, fluid

ciekawy *adj* curious, inquisitive; (*interesujący*) interesting; **jestem ~ ...** I wonder ...

cieknąć *zob.* **ciec**

cielę *n* calf; *pot.* (*głuptas*) fool, mooncalf

cielęcina *f* veal

cielęc|y *adj* calf, calf's; **pieczeń ~a** roast veal; **skóra ~a** calf skin

ciemno *adv* dark, murky; **jest ~** it's dark; **robi się ~** it's getting dark

ciemność *f* darkness, dark

ciemny *adj* dark; obscure; (*o chlebie*) brown

cienki *adj* thin, slender; (*o tkaninie*) fine

cie|ń *m* (*zasłonięty obszar*) shade; (*odbicie*) shadow; **pozostawać w ~niu** stay <keep> in the background

ciepło *n* warmth, warmness; **trzymać w cieple** keep warm; *adv* warmly; **jest mi ~** I am warm

ciepły *adj* warm

cierpi|eć *v imperf* suffer (**coś** sth; **na coś, z powodu czegoś** from sth); (*znosić*) bear; **~eć głód** starve; **nie ~ę tego** I can't stand <bear> it

cierpienie *n* suffering

cierpliwość *f* patience

cierpliwy *adj* patient

cieszyć *v imperf* gladden, delight, give pleasure; **~ się** enjoy, be glad (**czymś** of sth), rejoice (**czymś** at sth); **~ się dobrym zdrowiem** enjoy good health

cieśnina *f* strait

ciężar *m* burden, load, weight; **być ~em** be a burden (**dla kogoś** to sb)

ciężarowy *adj*: **samochód ~** lorry, *am.* truck

ciężki *adj* heavy, weighty; (*o pracy, sytuacji*) hard, grave; (*o chorobie*) serious

ciężko *adv* hard; **jest mi ~** I have a hard time

cios *m* blow, stroke; **zadać ~** strike <deal> a blow

ciotka *f* aunt

cisz|a *f* silence, quietness, stillness, calm; **głęboka ~a** dead silence; **proszę o ~ę!** silence, please!

ciśnienie *n* pressure; **~ krwi** blood pressure

cło *n* duty, customs; **wolny**

od cła duty-free; **obłożony cłem** dutiable
cmentarz *m* cemetery, graveyard, churchyard
co *pron* what; **co do** as regards; **co do mnie** as for me; **co miesiąc** every month; **dopiero co** just now; **co za człowiek!** what a man!
codziennie *adv* everyday, daily
cofać *v imperf* withdraw, retire, retreat; (*odwoływać*) repeal, recall; (*zegarek*) put back; ~ **się** withdraw, draw back; ~ **słowo** go back on one's word
cokolwiek *pron* anything; whatever; (*nieco*) some, something; ~ **bądź** no matter what
coraz *adv*: ~ **lepiej** better and better; ~ **więcej** more and more
coś *pron* something, anything; ~ **w tym rodzaju** something like that; ~ **niecoś** a little, somewhat
córka *f* daughter
cud *m* miracle, wonder; prodigy; **dokazywać ~ów** do <work> wonders; **~em** by a miracle, miraculously
cudowny *adj* wonderful, marvellous, miraculous
cudzoziemiec *m* foreigner, stranger, outlander, alien
cudzy *adj* somebody else's; other's, another's, others'
cudzysłów *m* inverted commas *pl*, quotation marks *pl*
cukier *m* sugar; ~ **w kostkach** lump sugar
cukierek *m* sweet, *am.* candy
cukiernia *f* confectioner's (shop), confectionery
cukrzyca *f med.* diabetes
cyfra *f* cipher, digit
Cygan *m* gipsy
cygaro *n* cigar
cykl *m* cycle
cykoria *f* chicory
cyniczny *adj* cynical
cyrk *m* circus
cytat *m* quotation, citation
cytryna *f* lemon
cywilizacja *f* civilization
cywiln|y *adj* civil; civilian; **stan ~y** marital status; **urząd stanu ~ego** registry office
czajnik *m* (tea) kettle; (*imbryk*) teapot
czapka *f* cap, hat
czar *m* charm
czarn|y *adj* black; *przen.* **~y rynek** black market; **na ~ą godzinę** for a rainy day

czarujący *adj* charming, winsome, bewitching

czas *m* time; *gram.* tense; **~ miejscowy <lokalny>** local time; **wolny ~** leisure <spare> time; **do ~u aż** till, until; **na ~** on time; **od ~u do ~u** from time to time; **od ~u jak...** since...; **od jakiegoś ~u** for some time now; **po pewnym ~ie** after a while; **przez cały ten ~** all the time

czasem *adv* sometimes

czasopismo *n* magazine, periodical

czaszka *f* skull

czcić *v imperf* adore, worship, praise; (*obchodzić*) celebrate, commemorate

czcionk|a *f* type; *pl* **~i** letters, *zbior.* type, fount, *am.* font

czczo, na ~ *adv* on an empty stomach; **jestem na ~** I have not had my breakfast

Czech *m* Czech

czek *m* cheque, *am.* check; **~iem** by cheque; **~i podróżne** traveller's cheques; **~ na okaziciela** cheque to bearer

czekać *v imperf* wait (**na kogoś** for sb), expect (**na kogoś** sb)

czekolad|a *f* chocolate; **tabliczka ~y** a bar of chocolate

czekow|y *adj*: **książeczka ~a** chequebook; **konto ~e** current account, *am.* checking account

czepiać się *v imperf* cling, hang on (**czegoś** to sth), catch (**czegoś** at sth); (*szykanować, zaczepiać*) pick (**kogoś** at sb)

czereśnia *f* cherry; (*drzewo*) cherry-tree

czerwiec *m* June

czerwony *adj* red

czesać *v imperf* comb; **~ się** comb one's hair

czeski *adj* Czech

cześć *f* honour, reverence; **oddawać ~** do honour, pay one's respects (**komuś** to sb); **~!** hi!, hello!

często *adv* often, frequently

częstować *v imperf* treat (**kogoś czymś** sb to sth); **~ się** treat oneself (**czymś** to sth); help oneself (**czymś** to sth)

częsty *adj* frequent

część *f* part, portion, piece; (*udział*) share; **~ zamienna** spare (part)

czkawka *f* hiccup
członek *m* member; *anat.* penis
człowiek *m* (*pl* **ludzie**) man (*pl* people), human being, individual
czoło *n* forehead; (*pochodu, oddziału*) head
czosnek *m* garlic
czterdziesty *num* fortieth
czterdzieści *num* forty
czternasty *num* fourteenth
czternaście *num* fourteen
cztery *num* four
czterysta *num* four hundred
czuć *v imperf* feel; smell (**czymś** of sth); **~ do kogoś urazę** bear sb a grudge; **~ czosnkiem** it smells of garlic; **~ się** feel; **~ się dobrze** feel well <all right>
czuły *adj* tender, affectionate; sensitive (**na coś** to sth)
czuwać *v imperf* (*nie spać*) wake, sit up (**przy chorym** by a sick person)
czwartek *m* Thursday
czwart|y *num* fourth; **jedna ~a** one fourth; **wpół do ~ej** half past three; **o ~ej** at four
czy *conj w zdaniach podrzędnych*: if, whether; *w zdaniach pytających nie tłumaczy się*: **~ wierzysz w to?** do you believe that?; **nie wiem, ~ to prawda** I don't know if it's true; **~ tu, ~ tam** whether here or there; **kawa ~ herbata?** coffe or tea?
czyj *pron* whose
czyjś *pron* somebody's, anybody's
czyli *conj* that is ...
czyn *m* deed, act, action
czynnoś|ć *f* activity, action; operation; **codzienne ~ci** daily routines, the daily round
czynny *adj* active; (*o maszynie, automacie*) in operation; **sklep jest ~ od 7.00 do 20.00** the shop is open from 7 a.m. to 8 p.m.
czynsz *m* rent
czyst|y *adj* clean, pure, neat; (*schludny*) tidy; (*moralnie*) chaste, immaculate; **~a prawda** plain truth; **~e sumienie** clear conscience
czyścić *v imperf* clean, cleanse; purify; **~ szczotką** brush; **~ buty** polish shoes
czytać *v imperf* read (**coś** sth; **o czymś** of <about> sth); **~ po angielsku** read English
czytelnia *f* reading-room
czytelnik *m* reader

Ć

ćma *f zool.* moth
ćwiczeni|e *n* exercise, drill; (*trening*) training; (*na fortepianie, skrzypcach itp.*) practice, practising; **~a gimnastyczne** exercises
ćwiczyć *v imperf* exercise, drill, train; (*na fortepianie, skrzypcach itp.*) practise
ćwierć *f* quarter, one fourth (part)

D

dach *m* roof
dać *v perf* give (**coś komuś** sb sth); **~ komuś spokój** let <leave> sb alone; **~ komuś w twarz** slap sb's face; **~ znać** let know, inform
dalej *adv* farther, further; **i tak ~** and so on (and so forth)
daleki *adj* far, distant, far-off *attr*, faraway *attr*
dalekobieżny *adj* long-distance *attr*
dalekowidz *m* far-sighted person
dalszy *adj comp* farther, further; (*następny*) next, following
dama *f* lady; dame; (*w kartach*) queen
damski *adj* ladies'
dane *s pl* data *pl*, input, evidence; **~ personalne** personal details
danie *n* dish, course
dar *m* gift, present; **w darze** as a gift
daremny *adj* futile, vain
darować *v imperf* give; present (**komuś coś** sb with sth); (*przebaczyć*) pardon, forgive; **~ komuś życie** spare sb's life
data *f* date
dawać *zob.* **dać**
dawno *adv* long ago, a long time ago; **~ temu** a long time ago, in old days <times>; **jak ~ tu jesteś?** how long have you been here?
dawn|y *adj* old, old-time *attr*; **od ~a** for a long time
dąb *m* oak
dążyć *v imperf* aspire (**do**

czegoś to <after> sth), strive (**do czegoś** after sth), aim (**do czegoś** at sth)
dbać *v imperf* care (**o coś** for sth), take care (**o coś** of sth), be concerned (**o coś** for <about> sth)
decydować *v imperf* decide, determine (**o czymś** sth); **~ się** decide (**na coś** on sth)
decyzj|a *f* decision; **powziąć ~ę** arrive at <make> a decision
defekt *m* defect, fault
deklaracja *f* declaration; **~ podatkowa** declaration of income; **~ celna** customs declaration
deklarować *v imperf* declare
dekoracja *f* decoration; **~ teatralna** scenery; (*wystawy sklepowej*) window-dressing
delegacja *f* delegation; (*z pełnomocnictwem*) commission; *pot.* (*wyjazd służbowy*) business trip
delfin *m zool.* dolphin
delikatny *adj* delicate, subtle
demokracja *f* democracy
demokratyczny *adj* democratic
demonstracja *f* demonstration
demontować *v imperf* dismantle, disassemble
demoralizacja *f* demoralization, depravation
denerwować *v imperf* get on sb's nerves, irritate; **~ się** get nervous
dentysta *m* dentist
departament *m* department
depozyt *m* deposit
deser *m* dessert; **na ~** for dessert
deska *f* board, plank; **~ do prasowania** ironing board
deszcz *m* rain; **pada ~** it rains
dezodorant *m* deodorant
dezynfekować *v imperf* disinfect
dętka *f* inner tube
diabeł *m* devil
diagnoz|a *f* diagnosis; **postawić ~ę** make a diagnosis
diament *m* diamond
die|ta *f* diet; **~ta odchudzająca** a slimming diet; **być na ~cie** be on a diet; *pl* **~ty** expense <travelling> allowance
dla *praep* for, in favour of, for the sake of
dlaczego *adv* why, what for
dlatego *adv* therefore, for

that reason, that's why; ~ **że** *conj* because, for
dłoń *f* palm
dług *m* debt; **spłacić ~** pay off a debt; **mieć ~i** be in debt
długi *adj* long
długo *adv* long, for a long time; **tak ~ jak** as long as; **jak ~?** how long?
długopis *m* (ball-point) pen
długoś|ć *f* length; **mieć x metrów ~ci** be x meters long
dłużnik *m* debtor
dmuchać *v imperf* blow, puff
dno *n* bottom
do *praep* to, into; (*o czasie*) till, until; **do piątku** till <until> Friday
doba *f* day (and night), twenty-four hours
dobranoc *int* good night
dobr|o *n* good; **dla twojego ~a** for your good
dobrobyt *m* well-being, prosperity, affluence
dobroć *f* goodness
dobrowolny *adj* voluntary
dobry *adj* good, kind; **dzień ~** good morning <afternoon>; **~ wieczór** good evening
dobrze *adv* well, all right
dochód *m* income; **~ narodowy** revenue
dodać *zob.* **dodawać**
dodat|ek *m* addition; supplement; *pl* **~ki** accessories; **na ~ek** in addition (**do czegoś** to sth), besides
dodawać *v imperf* add; (*sumować*) add (up), sum up; *przen.* **~ ducha** cheer up; **~ odwagi** encourage
dogodny *adj* convenient; **na ~ch warunkach** (*spłaty*) on easy terms
dogonić *v perf* catch up (**kogoś** sb, with sb)
dojazd *m* approach, access
dojechać *v perf* arrive (**dokądś** at <in> a place), reach (**dokądś** a place)
dojeżdżać *v imperf*: **~ do pracy** commute
dojrzały *adj* ripe, mature
dojść *v perf* arrive (**dokądś** at <in> a place), reach (**dokądś** a place)
dokąd *adv* where (to)
dokładny *adj* exact, precise
dokoła *zob.* **dookoła**
dokonać *v perf* achieve, accomplish, bring about
doktor *m* doctor
dokuczać *v imperf* annoy, bother, nag
dokument *m* document; record
dolar *m* dollar
dolina *f* valley
dołączyć *v perf* annex, at-

tach; (*np. zaświadczenie*) enclose; ~ **się** join (**do kogoś** sb)

dom *m* house; home; **do ~u** home; **poza ~em** away from home, out of doors, outdoors; **w ~u** at home

domagać się *v imperf* demand, claim, call for

domow|y *adj* domestic, home <house, indoor> *attr*; **wojna ~a** civil war; **zwierzęta ~e** domestic animals

doniczka *f* flowerpot

dookoła *adv praep* round, around

dopasować *v perf* fit, adapt, adjust; (*części*) fit, match

dopiero *adv* only; ~ **co** (only) just, just now

dopiln|ować *v perf* see (**czegoś** to sth); **~uj, żeby to było zrobione** see to it that it is done

dopłata *f* additional <extra> charge; (*do biletu*) excess fare

dopóki *conj* as long as

doprowadzić *v perf* lead; (*spowodować*) bring on, conduce; ~ **do końca** bring to an end; ~ **do porządku** put in order; ~ **do szału** drive <make> (sb) mad

doradca *m* adviser, advisor, counsellor

doręczać *v imperf* hand, deliver

dorosły *adj m* adult, grown--up

dorównywać *v imperf* equal (**komuś** to sb)

dosięgać *v imperf* reach

doskonały *adj* perfect, excellent

dostać *v perf* get, receive, obtain; ~ **się** (*dokądś*) get; ~ **się do środka** get in

dostarczać *v imperf* supply, provide (**komuś coś** sb with sth)

dostateczny *adj* sufficient; satisfactory

dostawa *f* delivery

dostęp *m* access, approach

dostosować *v perf* adapt, adjust, fit; ~ **się** adapt oneself, conform

dostrzec *v perf* catch sight (**coś** of sth), perceive

dosyć *adv* enough, sufficiently; ~ **tego** enough of it, that's enough, that will do

dość *zob.* **dosyć**

doświadczenie *n* (*życiowe*) experience; (*naukowe*) experiment; **robić ~** experiment

doświadczony *adj* experienced, expert

dotąd *adv* (*o miejscu*) up to

here; thus far; (*o czasie*) up to now, so far

dotknąć *v perf* touch, feel; (*urazić*) hurt

dotrzymywać *v perf*: **~ obietnicy <tajemnicy>** keep a promise <a secret>; **~ słowa** keep one's word

dotychczas *adv* up to now, so far

dotyczy|ć *v imperf* concern (**kogoś, czegoś** sb, sth), relate (**kogoś, czegoś** to sb, sth); **co ~** with regard to; as far as (sth) is concerned

dotykać *zob.* **dotknąć**

dowcip *m* joke, jest, pun; witticism; (*humor, bystrość*) wit

dowcipny *adj* witty

do widzenia *int* goodbye

dowiedzieć się *v perf* get to know, learn, find out

dowód *m* proof, evidence; **~ osobisty** identity card; **~ wpłaty <doręczenia>** receipt

dowódca *m* commander

dozorca *m* guard, watchman; (*domu*) caretaker, concierge, janitor; (*więzienny*) jailer

dół *m* pit, hole; bottom; **na dole** below, down; **na ~, w ~** downwards

drabina *f* ladder

drapać *v imperf* scratch; **~ się** scratch

drażnić *v imperf* tease, irritate, annoy

drewniany *adj* wooden, of wood

drewno *n* wood, timber; (*kłoda*) log; (*szczapa*) piece of wood

dręczyć *v imperf* torment, harass; **~ się** worry

drobiazg *m* trifle, detail

drobn|y *adj* tiny, minute; **~e** *s pl* small change

drog|a *f* way, road, route; **~a dla pieszych** footpath; **krótsza ~a** (*na przełaj*) short cut; **zejść z ~i** (*ustąpić*) give way; **~ą lądową** by land; **~ą wodną <morską>** by water <sea>

drogeria *f* chemist's (shop), *am.* drugstore

drogi *adj* (*kosztowny*) expensive, costly; (*kochany*) dear

drogowskaz *m* signpost, guidepost

drogow|y *adj* road *attr;* **przepisy ~e** the Highway Code, traffic regulations; **znaki ~e** road signs

drób *m* poultry

drugi *num* second, other; **kupować z ~ej ręki** buy second-hand; **co ~** every other <second>; **~e tyle**

twice as much; **jeden po ~m** one after another; **po ~e** secondly, second; **z ~ej strony...** on the other hand...
drugorzędny *adj* second-class *attr*, second-rate *attr*, secondary
druk *m* print(ing); **w ~u** in press
drukarka *f* printer
drukarnia *f* print shop, printing firm
drukować *v imperf* print
drut *m* wire; **robić na ~ach** knit
drużyna *f* team, squad
drzazga *f* splinter
drzeć *v imperf* (*rwać*) tear; (*ubranie, buty*) wear out, use up; **~ się** (*o ubraniu, butach*) wear out; (*krzyczeć*) scream
drzemać *v imperf* doze, nap
drzewo *n* tree; (*drewno*) wood, timber
drzwi *s pl* door
drżeć *v imperf* tremble, shiver; **~ ze strachu <z zimna>** tremble <shiver> with fear <with cold>
duch *m* spirit; (*zjawa*) ghost, phantom; **podnieść na ~u** cheer up
duchowny *m* clergyman
duchowy *adj* spiritual, mental, psychic(al)
dumny *adj* proud (**z czegoś** of sth)
Duńczyk *m* Dane
duński *adj* Danish
dureń *m* fool, dunce
dusić *v imperf* strangle; (*mięso, jarzyny*) stew; **~ się** suffocate
dusza *f* soul
duszny *adj* (*o powietrzu*) sultry, close; (*o pomieszczeniu*) stuffy
dużo *adv* much, many
duży *adj* great, big, large
dwa *num* two
dwadzieścia *num* twenty
dwanaście *num* twelve
dwieście *num* two hundred
dworzec *m*: **~ kolejowy** railway station; **~ autobusowy** coach station
dwór *m* (*podwórze*) yard; (*wiejski, szlachecki*) manor house; **na dworze** out, outside, out of doors
dwudziesty *num* twentieth
dwukrotnie *adv* twice
dwunasty *num* twelfth
dwustronny *adj* bilateral
dym *m* smoke
dymisja *f* (*zwolnienie z urzędu*) dismissal; (*rezygnacja*) resignation
dyplom *m* diploma
dyrekcja *f* management, board of directors

dyrektor *m* manager, director
dyrygent *m* conductor
dysk *m sport.* discus; *komp.* **twardy ~** hard disk
dyskoteka *f* disco, discotheque
dyskusja *f* discussion
dyskutować *v imperf* discuss (**o czymś** sth)
dywan *m* carpet, rug
dyżur *m* duty; **mieć ~** be on duty
dzban *m* jug, pitcher
dziać się *v imperf* happen, take place, occur, go on; **co się dzieje?** *pot.* what's up?
dziadek *m* grandfather
dział *m* section, department, division
działa|ć *v imperf* act, be active, operate; (*o leku*) be effective; **to ~!** it works!; **telefon nie ~** the telephone is out of order
działanie *n* activity; operation
działka *f* (*ogródek*) allotment; (*ziemi*) plot
dziąsło *n* gum
dziczyzna *f* venison
dzieciństwo *n* childhood
dziecko *n* child; (*niemowlę*) baby, infant; *pl* **dzieci** children
dziedziczyć *v imperf* inherit (**coś po kimś** sth from sb)
dzielić *v imperf* divide; separate; **~ między wszystkich** distribute to <among> all; **~ się** share
dzielnica *f* quarter; district
dzielny *adj* brave
dzieło *n* work, creation
dziennie *adv* daily, a day; **dwa razy ~** twice a day
dziennik *m* (*gazeta*) daily paper, newspaper; (*pamiętnik*) diary; (*telewizyjny*) TV news
dziennikarz *m* journalist
dzień *m* day; **~ po dniu** day by day; **~ powszedni** workday, weekday; **cały ~** all day long; **co drugi ~** every other day; **na drugi ~** on the next day; **raz na ~** once a day; **z dnia na ~** from day to day; **za dnia** by day, in the daytime; **pewnego dnia** one day; (*w przeszłości*) the other day; **któregoś dnia** some day
dziesiąty *num* tenth
dziesięć *num* ten
dziewczyna *f* girl
dziewiąty *num* ninth
dziewięć *num* nine
dziewięćdziesiąt *num* ninety
dziewięćdziesiąty *num* ninetieth

dziewięćset *num* nine hundred

dziewiętnasty *num* nineteenth

dziewiętnaście *num* nineteen

dzięki *s pl* thanks; *praep* thanks to, owing to (**komuś, czemuś** sb, sth)

dziękować *v imperf* thank; **dziękuję bardzo** thank you very much

dziki *adj* wild, savage; *s m* savage

dziób *m* beak, bill; (*statku*) prow, bow

dzisiaj, dziś *adv* today; **~ rano** this morning; **~ wieczór** this evening; **od ~ za tydzień** this day week

dziura *f* (*w ubraniu, w zębie*) hole; (*w ścianie*) opening, gap

dziwić *v imperf* astonish, astound; **~ się** wonder, be astonished (**komuś, czemuś** at sb, sth)

dziwn|y *adj* strange, queer; **nic ~ego, że...** no wonder that...

dzwon *m* bell

dzwonić *v imperf* ring; (*telefonować*) ring up (**do kogoś** sb); **~ do drzwi** ring at the door

dźwięk *m* sound

dźwig *m* crane

dźwigać *v imperf* (*nosić*) carry; (*podnosić*) lift, heave

dżem *m* jam

dżentelmen *m* gentleman

dżinsy *s pl* jeans

dżungla *f* jungle

E

ech|o *n* echo; *pl* **~a** (*sprawy*) repercussions

efekt *m* effect

efektowny *adj* spectacular, impressive

Egipcjanin *m* Egyptian

egipski *adj* Egyptian

egzamin *m* exam(ination); **zdawać ~** take <sit> an examination; **zdać <oblać> ~** pass <fail> an examination

egzemplarz *m* copy

ekipa *f* crew, team

ekologia *f* ecology

ekonomia *f* economy; (*nauka*) economics

ekonomiczny *adj* economic(al)

ekran *m* screen

ekspedient *m* shop-assistant, salesman

ekspert *m* expert (**w czymś** at, in sth)
eksperyment *m* experiment
eksplozja *f* explosion
eksponat *m* exhibit
eksport *m* export
eksportować *v imperf, perf* export
ekspres *m* (*pociąg*) express (train); (*list*) express letter; ~ **do kawy** coffee maker, percolator
ekwipunek *m* equipment, outfit
elastyczny *adj* elastic; flexible
elegancki *adj* elegant, smart
elektrokardiogram *m* electrocardiogram
elektroniczny *adj* electronic
elektrownia *f* power station <plant>; ~ **jądrowa** nuclear power station
elektryczny *adj* electric(al)
elektryk *m* electrician
element *m* element
eliminować *v imperf* eliminate
e-mail *m komp.* e-mail
emeryt *m* pensioner, retired person
emerytur|a *f* pension; **przejść na ~ę** retire
emigrant *m* emigrant
emigrować *v imperf* emigrate
encyklopedia *f* encyclopaedia
energia *f* energy; (*elektryczna*) power
energiczny *adj* energetic, active, vigorous
entuzjazm *m* enthusiasm
epidemia *f* epidemic
epoka *f* epoch
estetyczny *adj* aesthetic
eta|t *m* permanency, permanent post; **być na ~cie** hold a permanent <regular> post
etyczny *adj* ethical
etykieta *f* etiquette; (*nalepka*) label, tag
euro *n* (*waluta*) euro
Europejczyk *m* European
europejski *adj* European
ewakuować *v imperf, perf* evacuate
ewangelicki *adj* Protestant
ewangelik *m* Protestant
ewentualnie *adv* possibly

F

fabryka *f* factory, works
fachowiec *m* expert, specialist, professional

fajka *f* pipe
fakt *m* fact
faktycznie *adv* in fact, actually
faktyczny *adj* actual, real; factual
fakultatywny *adj* optional, facultative
fal|a *f* wave; (*bałwan*) billow; **zakres ~ (radiowych)** wave-band
fałszywy *adj* false, (*podrobiony*) spurious, forged, fake
fantastyczny *adj* fantastic
fantazja *f* fantasy; fancy
farba *f* dye, paint, colour
farbować *v imperf* dye, paint; **~ włosy na czarno** dye one's hair black
fartuch *m* apron
fasola *f* bean; **~ szparagowa** French bean
fason *m* fashion, style; (*krój*) cut
fatalny *adj* fatal, disastrous
ferie *s pl* holiday, vacation, break; **~ zimowe** winter holiday
ferma *f* farm; **kurza ~** chicken farm
festiwal *m* festival; **~ filmowy** film festival
fiask|o *n* fiasco, failure; **skończyć się ~iem** fizzle out
figa *f* fig
figura *f* figure; statue
filatelista *m* stamp-collector, philatelist
filharmonia *f* Philharmonic Hall
filiżanka *f* cup
film *m* film, movie; **~ dokumentalny** documentary; **~ fabularny** feature film; **~ animowany** cartoon film; **nakręcić ~** make a film
filmow|y *adj* film *attr*; **gwiazda ~a** film star; **kronika ~a** news-reel
Fin *m* Finn
finał *m* final
finanse *s pl* finances
finansowy *adj* financial
fiński *adj* Finnish
fioletowy *adj* violet
fiołek *m bot.* violet
firanka *f* (lace) curtain
firma *f* firm, company
fizyczny *adj* physical; **pracownik ~** manual <blue-collar> worker
fizyka *f* physics
flaga *f* flag, banner
flamaster *m* (colour) marker
flek *m* heel-tap
flet *m muz.* flute
flirtować *v imperf* flirt
flota *f* fleet; **~ wojenna** navy; **~ handlowa** merchant marine

foka *f zool.* seal
folklor *m* folklore
fontanna *f* fountain
forma *f* form, shape; (*do ciastek*) mould, *am.* mold
formaln|y *adj* formal; **kwestia ~a** point of order
formularz *m* form
forsa *f pot.* dough
fortepian *m* (grand) piano
fotel *m* armchair
fotograf *m* photographer
fotografia *f* (*technika*) photography; (*zdjęcie*) photo(graph), picture
fotografować *v imperf* photograph, take pictures
fotokopia *f* photocopy
fotoreporter *m* press photographer
fragment *m* fragment
francuski *adj* French
Francuz *m* Frenchman
Francuzka *f* Frenchwoman
fresk *m* fresco
front *m* front; *wojsk.* the front
fruwać *v imperf* fly
fryzjer *m* (*damski*) hairdresser; (*męski*) barber
fryzura *f* hair-do, haircut, hair-style
fundacja *f* foundation
fundusz *m* fund
funkcja *f* function
funt *m* pound; **~ szterling** pound sterling
futbol *m* football, soccer
futro *n* (*sierść, ubranie*) fur

G

gabinet *m* study; (*lekarski*) consulting room; (*Rada Ministrów*) cabinet
gafa *f* bloomer, blunder; *am.* goof
galareta *f* jelly
galeria *f* gallery; **~ obrazów** picture-gallery
gałąź *f* branch
gang *m* gang, band
ganić *v imperf* criticize, condemn
gapić się *v imperf* gape (**na coś** at sth)
garaż *m* garage
gardł|o *n* throat; **ból ~a** a sore throat
gardzić *v imperf* despise, scorn (**czymś** sth)
garnek *m* pot
garnitur *m* (*ubranie*) suit
garść *f* handful (**czegoś** of sth); *przen.* **wziąć się w ~** pull oneself together

gasić *v imperf* extinguish, put out; ~ **pragnienie** quench one's thirst (**czymś** with sth)
gasnąć *v imperf* go out
gaśnica *f* fire-extinguisher
gatunek *m* kind, sort, brand; *biol.* species
gaz *m* gas; ~ **trujący** poison gas; ~ **ziemny** natural gas
gazeta *f* (news)paper
gaźnik *m* carburettor
gąbka *f* sponge
gąsienica *f zool.* caterpillar
gdy *conj* when, as
gdyby *conj* if; **jak** ~ as if; ~ **nie** unless
gdyż *conj* for, because, since
gdzie *conj adv* where; ~ **indziej** elsewhere
gdziekolwiek *adv* anywhere; wherever
gdzieś *adv* somewhere, someplace
generał *m* general
genetyczny *adj* genetic(al)
genialny *adj* of genius; **człowiek** ~ genius
geografia *f* geography
geologia *f* geology
geometria *f* geometry
gest *m* gesture
gęsty *adj* thick, dense
gęś *f zool.* goose; *pl* **gęsi** geese
giełda *f* stock exchange
gimnastyka *f* gymnastics
ginąć *v imperf* perish, vanish; get lost
ginekolog *m* gynaecologist
gips *m* plaster
gitara *f muz.* guitar
glazura *f* (*płytki ceramiczne*) tiles *pl*
gleba *f* soil
glina *f* clay
gładki *adj* smooth; plain
głaskać *v imperf* stroke, caress
głęboki *adj* deep; *przen.* profound; ~ **sen** profound sleep
głodny *adj* hungry
głos *m* voice; (*w głosowaniu*) vote; **prawo ~u** right to speak; **zabierać** ~ speak, take the floor
głosować *v imperf* vote; ~ **na kogoś, coś** vote for sb, sth; ~ **przeciw komuś, czemuś** vote against sb, sth
głośnik *m* loudspeaker
głośny *adj* loud; (*sławny*) famous
głowa *f* head; (*zwierzchnik*) head (**czegoś** of sth)
głód *m* hunger (**czegoś** for sth); (*powszechny*) famine; **poczuć** ~ become hungry
główn|y *adj* main, chief, principal; (*o stacji, zarzą-*

dzie) central; **~a wygrana** first prize

głuchy *adj* deaf (**na jedno ucho** in one ear)

głupi *adj* silly, stupid, foolish

głupota *f* stupidity

głupstw|o *n* nonsense; (*drobnostka*) trifle; **pleść ~a** talk nonsense <gibberish>

gnębi|ć *v imperf* oppress; (*dręczyć*) worry; **co cię ~?** what worries you?

gniazdko *n elektr.* socket

gniazdo *n* nest

gnić *v imperf* rot, decay

gnieść *v imperf* press, squeeze, squash; **~ się** (*o tkaninie*) crease, crumple

gniew *m* anger; **wpaść w ~** get angry

gniewać *v imperf* anger; **~ się** be angry (**na kogoś** with sb; **na coś** at sth)

gobelin *m* tapestry, gobelin

godło *n* emblem, device; (*państwowe*) emblem

godność *f* dignity

godzić *v imperf* (*jednać*) reconcile, conciliate; **~ się** agree, consent (**na coś** to sth); reconcile oneself (**z czymś** to sth)

godzin|a *f* hour; **~y nadliczbowe** overtime; **~y przyjęć** office hours; **pół ~y** half an hour; **która ~a?** what time is it?; **jest ~a trzecia** it is three (o'clock)

goić *v imperf* heal; **~ się** heal (up)

golić *v imperf* shave; **~ się** shave, have a shave

gołąb *m* pigeon, dove

gołoledź *f* glaze

goł|y *adj* naked; (*ogołocony*) bare; (*obnażony*) nude, naked; **pod ~ym niebem** in the open air; **z ~ą głową** bareheaded

gonić *v imperf* (*ścigać*) chase, pursue

goniec *m* messenger, delivery boy

gorąco *adv* hot(ly); **jest mi ~** I am <feel> hot; **na ~** served hot

gorący *adj* hot

gorączka *f* fever

gorszy *adj comp* worse

gorzej *adv comp* worse; **tym ~** so much the worse; **~ się czuję** I feel worse

gorzki *adj* bitter

gospoda *f* inn, tavern, pub

gospodarczy *adj* economic

gospodarka *f* economy

gospodarstwo *n* (*rolne*) farm, farmstead; (*domowe*) household

gospodarz *m* (*rolnik*) farmer; (*pan domu*) host

gospodyni *f* (*pani domu*) hostess

gościć *v imperf* receive, entertain; (*przyjąć na noc*) put up, accommodate for a night; stay, sojourn (**u kogoś** with sb)
gościnny *adj* hospitable; **pokój ~** spare room
gość *m* guest, visitor; (*klient*) customer
gotować *v imperf* cook, boil; (*przygotowywać*) prepare; **~ się** (*o wodzie, mleku*) boil, (*o potrawach*) cook
gotowy *adj* ready, prepared (**na coś, do czegoś** for sth); finished
gotówk|a *f* cash, ready money; **płacić ~ą** pay (in) cash
gotyk *m* Gothic (style)
goździk *m bot.* carnation
gór|a *f* mountain; (*szczyt, górna część*) summit, top; **do ~y nogami** upside down; **na górze** up, above, at the top, (*na piętrze*) upstairs; **płacić z ~y** pay inadvance; **ręce do ~y!** hands up!
góral *m* mountaineer, highlander
górnik *m* miner
górn|y *adj* upper, top, superior; **~a granica** upper <top> limit
gra *f* play; game; (*komputerowa*) computer game; **gry hazardowe** gamble; **~ w teatrze** acting; **~ słów** pun, play on words
gracz *m* player; (*hazardowy*) gambler
grać *v imperf* play; **~ na skrzypcach** play the violin; **~ w tenisa <w karty>** play tennis <cards>
grad *m* hail; **pada ~** it hails
grafika *f* graphics
gram *m* gram(me)
gramatyczny *adj* grammatical
gramatyka *f* grammar
granat *m* (*pocisk ręczny*) hand grenade; (*owoc*) pomegranate
granatowy *adj* navy-blue
granic|a *f* (*kres, zakres*) limit; (*geograficzna, polityczna*) border, frontier; (*demarkacyjna*) boundary; **za ~ą, za ~ę** abroad
gratis *adv* gratis, free (of charge), gratuitously
gratulacje *s pl* congratulations
gratulować *v imperf* congratulate (**komuś czegoś** sb on sth)
grecki *adj* Greek
Grek *m* Greek
groch *m* pea; (*potrawa*) peas *pl*

gromada *f* crowd, throng; group
gromadzić *v imperf* accumulate, amass, collect; ~ **się** assemble, gather
grozić *v imperf* threaten, menace (**komuś czymś** sb with sth)
groźba *f* threat, menace
groźny *adj* threatening
grób *m* grave; (*grobowiec*) tomb
gruby *adj* thick, large, big; (*otyły*) fat, obese; (*o głosie*) low, deep
gruczoł *m anat.* gland
grudzień *m* December
grun|t *m* ground; (*rolny*) soil; **w ~cie rzeczy** as a matter of fact
gruntownie *adv* thoroughly
grupa *f* group
gruszka *f* pear
gruz *m* rubble; *pl* **~y** debris
gruźlica *f med.* tuberculosis, TB, consumption
grypa *f med.* influenza, flu
gryźć *v imperf* bite, gnaw, nibble (**coś** at sth)
grzać *v imperf* warm, heat; ~ **się** warm (oneself); (*na słońcu*) bask
grzałka *f* warmer
grzanka *f* toast
grzbiet *m* back; (*góry, fali*) crest
grzebień *m* comb
grzech *m* sin
grzeczny *adj* polite, kind; (*o dziecku*) good
grzejnik *m* heater, radiator, convector
grzmi|eć *v imperf* thunder; ~ it thunders
grzyb *m* mushroom; (*pasożyt*) fungus
grzywn|a *f* fine; **ukarać ~ą** fine
gubernator *m* governor
gubić *v imperf* lose; ~ **się** lose one's way, get lost
gum|a *f* gum; (*na koła itp.*) rubber; **~a do żucia** chewing gum; **złapać ~ę** have a puncture
gust *m* taste
guz *m* bump; *med.* tumour
guzik *m* button; **zapiąć na ~i** button (up), do one's buttons
gwałt *m* rape, violation
gwałtowny *adj* violent
gwara *f* dialect; slang
gwarancja *f* guarantee; (*na zakup*) warranty
gwiazda *f* star
gwizdać *v imperf* whistle
gwóźdź *m* nail; **przybić gwoździami** nail up <down>

H

haczyk *m* hook
haft *m* embroidery
hala *f* hall; ~ **targowa** markethall
halka *f* petticoat
hałas *m* noise; fuss
hałasować *v imperf* be noisy, make a noise
hamburger *m kulin.* hamburger
hamować *v imperf* brake; (*wstrzymywać*) check
hamulec *m* brake; ~ **bezpieczeństwa** emergency brake
handel *m* trade; commerce; ~ **zagraniczny** foreign trade
handlować *v imperf* trade, deal (**czymś** in sth)
handlowiec *m* merchant, dealer, tradesman
harcerz *m* scout
harmonia *f* harmony; (*instrument*) concertina
hasło *n* watchword; catchword; *wojsk., komp.* password; (*w słowniku*) entry, headword
hazard *m* hazard; (*w grze*) gamble
hebrajski *adj* Hebrew
hektar *m* hectare
helikopter *m* helicopter
hełm *m* helmet
hemoroidy *s pl med.* haemorrhoids, piles
herbata *f* tea
herbatnik *m* biscuit
hi-fi: *n* **sprzęt** ~ hi-fi equipment
higiena *f* hygiene
Hindus *m* Hindu
hipnoza *f* hypnosis
hipokryzja *f* hypocrisy
hipopotam *m zool.* hippopotamus
histeria *f* hysteria
historia *f* history; (*opowieść*) story
historyczny *adj* (*dotyczący historii*) historical; (*doniosły, epokowy*) historic
Hiszpan *m* Spaniard
hiszpański *adj* Spanish
hodować *v imperf* (*zwierzęta*) breed; (*rośliny*) grow
hojny *adj* generous, openhanded
hokej *m* hockey
Holender *m* Dutchman
holenderski *adj* Dutch
holować *v imperf* haul, tow, tug
hołd *m* homage; **składać** ~ pay <do> homage

homar *m zool.* lobster

homeopatia *f* homeopathy

honor *m* honour, *am.* honor; **moje słowo ~u** on my honour

honorarium *n nieodm.* fee

hormon *m biol.* hormone

horoskop *m* horoscope

horyzont *m* horizon

horror *m* horror film <*am.* movie>

hotel *m* hotel

huk *m* bang, boom, thud

humanitarny *adj* humanitarian, humane

humor *m* (*nastrój*) mood; (*kaprys*) whim, fancy, caprice; **poczucie ~u** sense of humour <*am.* humor>; **być w dobrym <złym> humorze** be in a good <bad> mood

huragan *m* hurricane

hurt *m* wholesale

hurtownia *f* (wholesale) warehouse

huśtać *v imperf*, **~ się** swing, rock

huśtawka *f* swing; (*podparta w środku*) seesaw

huta *f* foundry, steel-works; **~ szkła** glassworks

hydrant *m* hydrant; (*wąż*) hose

hydraulik *m* plumber

hymn *m* hymn; **~ narodowy** national anthem

I

i *conj* and; **i tak dalej** and so on

ich *pron* their, theirs

idealny *adj* ideal

ideał *m* ideal

identyczny *adj* identical

idiota *m* idiot

igł|a *f* needle; **nawlec ~ę** thread a needle

ignorować *v imperf* ignore, disregard

igrzyska *s pl*: **~a olimpijskie** Olympic games, the Olympics

ile *adv* how much, how many; **tyle... ~** as much <many>... as; **~ masz lat?** how old are you?; **o ~** how far, so far as

ilość *f* quantity

ilustracja *f* illustration, picture

iluzja *f* illusion

imbir *m* ginger

imieniny *s pl* nameday

imi|ę *n* name, first <Christian> name; **w ~eniu** in the name (**kogoś** of sb); **jak ci na ~ę?** what's your name?

imigrować *v imperf, perf* immigrate

imitacja *f* imitation
imperium *n* empire
imponować *v imperf* impress (**komuś** sb)
import *m* import
impreza *f* (*widowisko*) spectacle, show; *pot.* (*zabawa*) party
impuls *m* impulse
inaczej *adv* otherwise, differently; **tak czy ~** one way or another; **bo ~** or else, otherwise
inauguracja *f* inauguration
Indianin *m* Indian
indiański *adj* Indian
indyjski *adj* Indian, Hindu
indyk *m* turkey
indywidualny *adj* individual
infekcja *f* infection
inflacja *f* inflation
informacj|a *f* information (**o czymś** on <about> sth); **biuro ~i** inquiries *pl*, information bureau <desk>; **udzielić ~i** give information
informować *v imperf* inform; **~ się** inquire (**w sprawie czegoś** sth; **u kogoś** of sb), get information (**w sprawie czegoś** about sth; **u kogoś** from sb)
ingerować *v imperf* interfere (**w coś** with sth)
inicjatyw|a *f* initiative; **wystąpić z ~ą** take the initiative; **z własnej ~y** on one's own initiative
inny *adj* another, other, different; **kto ~** somebody else; **~m razem** another time
instalacja *f* installation; (*gazowa, hydrauliczna*) plumbing
instalować *v imperf* instal; lay
instrukcj|a *f* instruction; *pl* **~e** (*dyrektywy, wskazówki*) directions; **~a obsługi** instruction manual
instrument *m* instrument
instynkt *m* instinct
instytucja *f* institution
integracja *f* integration
intelekt *m* intellect
inteligencja *f* intelligence; (*warstwa społeczna*) intellectuals *pl*, intelligentsia
inteligentny *adj* intelligent
intencja *f* intention
intensywny *adj* intensive
interes *m* business, affair; **człowiek ~u** businessman; **dobry ~** a good bargain; **to nie twój ~** it's none of your business
interesować *v imperf* interest, concern; **~ się** be interested (**czymś** in sth)

interesujący *adj* interesting

Internet *m* Internet

interpretacja *f* interpretation

interwencja *f* intervention

interweniować *v imperf* intervene; ~ **w kłótni** intervene in dispute

intryga *f* intrigue, scheme

intuicja *f* intuition, insight

intymny *adj* intimate

inwalida *m* invalid; ~ **wojenny** invalid soldier

inwestować *v imperf* invest

inżynier *m* engineer

Irlandczyk *m* Irishman

irlandzki *adj* Irish

ironia *f* irony

irytować *v imperf* irritate, exasperate; ~ **się** become irritated (**czymś** at sth)

iskra *f* spark

Islandczyk *m* Icelander

islandzki *adj* Icelandic

istnieć *v imperf* exist

istnienie *n* existence

istota *f* being, creature; (*to, co zasadnicze*) core, essence, substance; ~ **rzeczy** heart of the matter

istotny *adj* essential (**dla kogoś, czegoś** to sb, sth), substantial, fundamental

iść *v imperf* go, walk; ~ **dalej** go on; ~ **po coś** go and get sth; ~ **za kimś, czymś** follow sb, sth

izolacja *f* isolation; (*elektryczna, cieplna*) insulation

Izraelczyk *m* Israeli

izraelski *adj* Israeli

J

ja *pron* I; **to ja** it's me

jabłko *n* apple

jabłoń *f* apple tree

jacht *m* yacht

jadalnia *f* dining-room

jadalny *adj* eatable, edible

jadłospis *m* menu, bill of fare

jagoda *f* berry; **czarna** ~ blueberry

jajecznica *f* scrambled eggs

jajk|o *n* egg; **~o na miękko** soft-boiled egg; **~o na twardo** hard-boiled egg; **~a sadzone** fried eggs

jak *adv, conj, part* how, as; ~ **najprędzej** as soon as possible; ~ **najwięcej** as much <many> as possible; ~ **tylko** as soon as

jakby *adv, conj* as if

jak|i *pron* what; **~a to książka?** what book is this?; **~ą miałeś podróż** how was your journey?

jakikolwiek *pron* any, whatever
jakiś *pron* some
jakkolwiek *conj* though; *adv* anyhow, somehow, in any <some> way
jako *adv conj* as; ~ **tako** not bad, so-so, tolerably
jakoś *adv* somehow
jakość *f* quality
jamnik *m* dachshund
Japończyk *m* Japanese
japoński *adj* Japanese
jarmark *m* fair, market
jarski *adj* vegetarian
jarzyn|a *f* vegetable, *pl* **~y** greens *pl*
jaskinia *f* cave, cavern
jaskółka *f zool.* swallow
jasno *adv* brightly; clearly; ~ **mówić** speak plainly <clearly>
jasny *adj* bright, clear, light; (*o cerze*, *włosach*) fair
jastrząb *m zool.* hawk
jaszczurka *f zool.* lizard
jaśmin *m bot.* jasmine
jawny *adj* evident, apparent; open, public
jazd|a *f* ride, drive, run; **~a konna** horsemanship; **prawo ~y** driving licence, *am.* driver's license
jądro *n* (*istota rzeczy*) kernel, core; (*orzecha*) kernel; (*komórki*, *atomu*) nucleus; *anat.* testicle
jądrowy *adj* nuclear
jąkać się *v imperf* stammer
jechać *v imperf* go; drive; travel; ~ **pociągiem <autobusem, samochodem>** go by train <by bus, by car>; ~ **konno** ride on horseback; ~ **na rowerze** ride a bike
jed|en *num* one, a; **ani ~en** not a single; **wszystko ~no** all the same
jedenasty *num* eleventh
jedenaście *num* eleven
jednak *conj adv* but, yet, still; however, nevertheless
jednakowy *adj* the same, equal, equivalent, identical
jednocześnie *adv* simultaneously
jednokierunkowy *adj*: **ruch** ~ one-way traffic
jednolity *adj* uniform
jednomyślnie *adv* unanimously, by common consent
jednorodny *adj* homogeneous
jednostka *f* unit, individual
jednostronny *adj* unilateral, onesided *attr*
jedność *f* unity, oneness
jedwab *m* silk
jedynka *f* one

jedyny *adj* only, sole, single; (*wyjątkowy*) unique

jedzeni|e *n* eating; meal, food; **coś do ~a** something to eat; **po ~u** after meal(s)

jeleń *m* deer

jelito *n* intestine

jeniec *m* captive; **~ wojenny** prisoner of war

jesień *f* autumn, *am.* fall

jeszcze *adv* still, yet; else; more; **~ raz** once more

jeść *v imperf* eat; **chce mi się ~** I'm hungry; **~ śniadanie <obiad>** have breakfast <dinner>

jeśli *conj* if; **~ nie** unless

jezdnia *f* street, road, roadway

jezioro *n* lake

jeździć *v imperf* travel, go, go travelling

jeż *m zool.* hedgehog

jeżeli *zob.* **jeśli**

jęczeć *v imperf* groan, moan; (*utyskiwać*) grumble

jęczmień *m bot.* barley; (*na oku*) stye

język *m anat.* tongue; language; **~ ojczysty** mother tongue; **~ obcy** foreign language; **~ angielski** (the) English (language)

jodła *f bot.* fir(-tree)

jogurt *m* yoghurt

jubiler *m* jeweller

jubileusz *m* jubilee

jury *n nieodm.* jury

jutr|o *adv* tomorrow; *n* next day; **do ~a** see you tomorrow

już *adv* already; **~ nie** no more; **~ nigdy** nevermore

K

kabaret *m* cabaret

kabel *m* cable

kabina *f* cabin; (*telefoniczna*) telephone booth <box>; (*w samolocie*) cockpit

kaczka *f zool.* duck; **~ dziennikarska** canard

kajak *m* kayak, canoe

kajuta *f* cabin

kakao *n nieodm.* cocoa

kaktus *m* cactus

kalafior *m* cauliflower

kaleczyć *v imperf* cut, hurt

kaleka *m f* cripple

kalendarz *m* calendar

kalesony *s pl* drawers, underdrawers

kalkulator *m* calculator

kaloria *f* calorie

kaloryfer *m* radiator, heater

kałuża *f* pool, puddle

kamera *f* video camera
kameraln|y *adj*: **muzyka ~a** chamber music
kamień *m* stone; **drogocenny ~** gem, precious stone; **~ do zapalniczek** flint
kamizelka *f* waistcoat, *am.* vest
kampania *f* campaign; **~ wyborcza** election campaign
Kanadyjczyk *m* Canadian
kanadyjski *adj* Canadian
kanalizacja *f* sewerage, drainage
kanał *m* canal; (*morski*, *telewizyjny*) channel; (*ściekowy*) sewer
kanapa *f* sofa, couch
kanapka *f* sandwich; **~ z szynką** ham sandwich
kanarek *m zool.* canary
kandydat *m* candidate
kangur *m zool.* kangaroo
kant *m* edge; (*spodni*) crease; *pot.* (*oszustwo*) swindle, fraud
kantor *m* bureau de change
kapeć *m* slipper
kapelusz *m* hat
kapitał *m* capital
kapitan *m* captain
kaplica *f* chapel
kapłan *m* priest
kaprys *m* caprice, whim, fancy
kapsel *m* (metal) cap
kapusta *f* cabbage; **~ kiszona** sauerkraut
kara *f* punishment; (*sądowa*) penalty; (*pieniężna*) fine; **~ śmierci** death penalty, capital punishment
karabin *m* rifle, gun; **~ maszynowy** machine-gun
karać *v imperf* punish; (*sądownie*, *w sporcie*) penalize
karaluch *m zool.* cockroach
karate *n* karate
karetka *f*: **~ pogotowia** ambulance
kariera *f* career
kark *m* nape, neck; **skręcić ~** break one's neck
karmić *v imperf* feed, nourish, nurture; (*piersią*) suckle; **~ się** feed, live (**czymś** on sth)
karnawał *m* carnival
karn|y *adj* disciplined, docile; **prawo ~e** criminal law
karo *n* (*w kartach*) diamond
karoseria *f* body (of a car)
karp *m* carp
kart|a *f* card; (*książki*) page; (*do gry*) (playing) card; **~a kredytowa** credit card; **(roz)dawać ~y** deal cards
kartka *f* leaf, slip <piece> (of paper); **~ pocztowa** postcard
kartofel *m* potato

karuzela *f* merry-go-round, *am.* carousel
kasa *f* cash desk, checkout; (*na dworcu*) booking office, ticket office; (*w teatrze, w kinie*) box office; **~ oszczędności** savings bank
kaseta *f* cassette
kasjer *m* cashier; (*bankowy*) teller
kask *m* helmet
kasować *v imperf* (*unieważniać*) cancel, annul; (*bilet*) punch
kasownik *m* punch
kasyno *n* cassino
kasza *f* groats; (*gotowana*) gruel
kaszel *m* cough
kaszleć *v imperf* cough
kasztan *m* chestnut; (*drzewo*) chestnut (tree)
katalog *m* catalogue
katar *m* cold; catarrh, runny nose; **nabawić się ~u** catch a cold
katastrofa *f* catastrophe, calamity; (*kolejowa, lotnicza*) crash
katedra *f* cathedral; (*na uniwersytecie*) chair
katolicyzm *m* Catholicism
katolik *m* Catholic
kaw|a *f* coffee; **młynek do ~y** coffee-mill, coffee grinder; **ekspres do ~y** coffee maker, percolator
kawaler *m* (*nieżonaty*) bachelor
kawał *m* (*dowcip*) joke; **brzydki ~** foul trick; (*psota*) practical joke; **zrobić ~** play a trick (**komuś** on sb)
kawał|ek *m* bit, morsel, piece; **po ~ku** piece by piece
kawiarnia *f* coffee-shop, café
kawior *m* caviar
kazać *v imperf* bid, order
każdy *pron* every, each; everybody, everyone
kąpać *v imperf* bathe; **~ się** bathe, (*w wannie*) have a bath, (*w rzece, morzu*) have a bathe
kąpiel *f* (*w wannie*) bath, (*w rzece, morzu*) bathe; **~ słoneczna** sun-bath
kąt *m* corner; *mat.* angle
kciuk *m* thumb
keczup *m* ketchup
kelner *m* waiter
kelnerka *f* waitress
kibic *m* fan
kichać *v imperf* sneeze
kiedy *conj* when, as; *adv* ever; **rzadko ~** hardly ever; **~ indziej** some other time
kiedykolwiek *conj* whenever
kiedyś *adv* once, at one

time; (*w przyszłości*) some day
kieliszek *m* glass
kiełbasa *f* sausage
kier *m* (*w kartach*) heart
kierować *v imperf* lead, guide, direct; (*zarządzać*) manage
kierowca *m* driver
kierownica *f* steering-wheel; (*roweru*) handlebars *pl*
kierownik *m* manager, director, head
kierunek *m* direction, course; *przen.* tendency, trend
kiesze|ń *f* pocket; **włożyć do ~ni** pocket, put into one's pocket
kieszonkowe *n* pocket money
kieszonkowiec *m* pickpocket
kij *m* stick, cane, club
kilka, kilku *num* some, a few
kilkakrotnie *adv* several times, repeatedly
kilogram *m* kilogram(me)
kilometr *m* kilometre
kino *n* cinema; *am. pot.* the movies *pl*
kiosk *m* kiosk, stall, booth; (*z gazetami*) news-stand
klakson *m* hooter, car horn
klamka *f* door-handle, doorknob
klamra *f* buckle, clasp
klasa *f* class; (*sala szkolna*) classroom
klaskać *v imperf* clap (**w ręce** one's hands); (*bić brawo*) applaud
klasyczny *adj* classic(al)
klasztor *m* cloister, monastery
klatka *f* cage; *anat.* **~ piersiowa** chest; **~ schodowa** staircase
klawiatura *f* keyboard
kląć *v imperf* curse (**na kogoś** sb), swear
klej *m* glue
klejnot *m* jewel, gem
klęczeć *v imperf* kneel
klękać *v imperf* kneel down
klęsk|a *f* defeat, failure, disaster; **ponieść ~ę** be defeated
klient *m* client; (*w sklepie*) customer
klimat *m* climate
klimatyzacja *f* air conditioning
klinika *f* clinic
klips *m* clip
klub *m* club
klucz *m* key; **~ do nakrętek** spanner; **~ francuski** wrench; **zamknąć na ~** lock
kłamać *v imperf* lie (**komuś** to sb)
kłaniać się *v imperf* bow

(**komuś** to sb); (*pozdrawiać*) greet (**komuś** sb)
kłaść *v imperf* lay, set, put; **~ się** lie down
kłopot *m* trouble, bother; **mieć ~y** be in trouble; **wpaść w ~y** get into trouble
kłócić się *v imperf* argue, quarrel (**o coś** about sth)
kłódk|a *f* padlock; **zamknąć na ~ę** padlock
kłótnia *f* quarrel, argument, row
kłuć *v imperf* prick, prickle
kobiet|a *f* woman; **prawa ~** women's rights
koc *m* blanket, rug
kochać *v imperf* love; **~ się** be in love (**w kimś** with sb)
kochanie *int* darling, dear
kod *m* code; (*pocztowy*) postcode, postal code, *am.* zip code
kogut *m* cock, *am.* rooster
kojarzyć *v imperf* match; (*pojęcia*) associate, connect
kokos *m bot.* coconut
kolacj|a *f* supper; **jeść ~ę** have supper
kolano *n* knee; (*kolanko*) joint
kolarstwo *n* cycling
kolczyk *m* earring
kolega *m* friend, mate; companion; (*z pracy*) colleague; (*szkolny*) schoolmate, classmate
kole|j *f* railway, *am.* railroad; (*następstwo*) turn, succession; **po ~i** in turn; **~j na mnie** it's my turn
kolejarz *m* railwayman
kolejka *f* narrow-gauge railway; (*ludzi*) queue, line
kolejny *adj* successive, next
kolekcja *f* collection
kolęda *f* Christmas carol
kolidować *v imperf* collide, clash (**z czymś** with sth)
koloni|a *f* colony, settlement; *pl* **~e letnie** summer camp
kolor *m* colour, *am.* color; (*w kartach*) suit
kolorowy *adj* coloured, colourful
kolumna *f* column, pillar
kołdra *f* (continental) quilt, duvet
kołnierz *m* collar
koło[1] *n* wheel; (*stowarzyszenie*) circle
koło[2] *praep* by, near; about
kołysać *v imperf* rock; (*do snu*) lull; **~ się** rock, sway
komar *m zool.* gnat, mosquito
kombinacja *f* combination
kombinezon *m* overalls
komedia *f* comedy
komentować *v imperf* comment (**coś** on sth)
komfortowy *adj* luxurious

komiczny *adj* comic(al)
komin *m* chimney
kominek *m* fireplace
komisariat *m*: ~ **policji** police-station
komisja *f* commission, committee, board
komitet *m* committee
komorne *n* rent
komórka *f* cubbyhole; (*schowek*) storeroom; *biol.* cell
kompakt *m* compact disc
kompania *f* company
kompas *m* compass
kompatybilny *adj* compatible
kompetentny *adj* competent
kompleks *m* complex
komplement *m* compliment; **prawić ~y** pay compliments
komplet *m* set; ~ **mebli** suite
kompletny *adj* complete, thorough
komplikować *v imperf* complicate
komponować *v imperf* compose
kompot *m* stewed fruit, compote
kompozycja *f* composition
kompozytor *m* composer
kompres *m* compress
kompromis *m* compromise; **iść na** ~ compromise (**w sprawie czegoś** on sth)
kompromitować *v imperf* discredit, compromise; ~ **się** compromise oneself
komputer *m* computer
komputerow|y *adj*: **sprzęt ~y** hardware; **~e oprogramowanie** software
komunia *f* communion
komunikacja *f* communication; (*transport*) transport(ation)
komunikat *m* announcement
koncentrować *v imperf* concentrate; ~ **się** concentrate (**na czymś** on sth)
koncepcja *f* idea, concept; conception
koncert *m* concert; (*utwór*) concerto
kondolencje *s pl* condolence, sympathy; **składać** ~ express sympathy, condole (**komuś** with sb)
konduktor *m* guard, *am.* conductor
konfekcja *f* ready-made clothes
konferencja *f* conference; ~ **prasowa** press conference
konfitura *f* preserve
konflikt *m* conflict
kongres *m* congress
koniak *m* cognac
koniec *m* end, ending, conclusion, close; **wiązać ~ z końcem** make both ends meet; **w końcu** in the end

konieczny *adj* necessary, essental, indispensable
konik *m* pony; (*mania*) hobby
konkretny *adj* concrete, real
konkurencja *f* competition
konkurs *m* competition, contest
konsekwentny *adj* consistent
konserwa *f* tin, *am.* can
konstrukcja *f* construction
konstruować *v imperf* construct
konstytucja *f* constitution
konsul *m* consul
konsulat *m* consulate
konsument *m* consumer
kontakt *m* contact; **nawiązać ~** contact (**z kimś** sb), come into contact (**z kimś** with sb)
konto *n* account; **~ bieżące** current account, *am.* checking account
kontrast *m* contrast
kontrola *f* control
kontroler *m* controller
kontynent *m* continent
kontynuować *v imperf* continue, go on, carry on
konwalia *f bot.* lily of the valley
konwersacja *f* conversation
koń *m zool.* horse; **~ na biegunach** rocking-horse
końcowy *adj* final, ultimate; (*przystanek*) terminal
kończyć *v imperf* end, finish, conclude, close; **~ się** end, come to a close
kopać *v imperf* dig; (*nogą*) kick
kopalnia *f* mine; **~ węgla** coal-mine
koperta *f* envelope
kopia *f* (*odbitka*) copy; (*odpis*) transcript
kora *f* bark; *anat.* **~ mózgowa** cortex
koral *m* coral
koralik *m* bead
Koreańczyk *m* Korean
koreański *adj* Korean
korek *m* cork; (*w bucie*) lift; (*uliczny*) (traffic) jam
korekta *f druk.* proof-reading
korepetycj|a *f* private lesson; **udzielać ~i** coach (**komuś z czegoś** sb in sth)
korespondencja *f* correspondence
korespondować *v imperf* correspond, exchange letters
korkociąg *m* corkscrew
korona *f* crown
koronka *f* lace
korpus *m* trunk, body; **~ dyplomatyczny** diplomatic corps

kort *m sport.* court
korygować *v imperf* correct
korytarz *m* corridor, hall
korze|ń *m* root; *przen.* **zapuszczać ~nie** take root
korzystać *v imperf* (*czerpać zysk*) benefit, profit (**z czegoś** by <from> sth); (*używać*) use (**z czegoś** sth), make use (**z czegoś** of sth)
korzystny *adj* profitable
korzyść *f* profit, advantage; **na ~** to the benefit, in favour (**czyjąś** of sb)
kosmetyczka *f* (*zawód*) beautician; (*torebka*) vanity bag <case>
kosmetyczny *adj* cosmetic; **gabinet ~** beauty salon <*am.* parlour>
kosmetyk *m* cosmetic
kosmiczny *adj* space *attr*; cosmic
kosmos *m* (outer) space
kostium *m* costume
kostka *f* small bone; (*u ręki*) knuckle; (*u nogi*) ankle; (*sześcian*) cube; (*do gry*) die; (*cukru*) lump
kosz *m* basket; **~ do śmieci** waste(-paper) basket, dustbin; (*na ulicy*) litter-bin
koszary *s pl* barracks
koszt *m* cost, expense; **~em czegoś** at the cost <expense> of sth; **~y podróży** travelling expenses
koszt|ować *v imperf* cost; (*próbować*) taste; **ile to ~uje?** how much does it cost <is it>?
kosztowny *adj* expensive, costly
koszula *f* shirt; **~ nocna** night-gown, night-dress
koszyk *m* basket
koszykówka *f sport.* basketball
kościół *m* church
kość *f* bone; **~ słoniowa** ivory; *przen.* **~ niezgody** bone of contention
kot *m zool.* cat
kotlet *m* cutlet, chop
kotwica *f* anchor
kowal *m* blacksmith
koza *f zool.* goat
kożuch *m* sheepskin
kółko *n* circle; ring(let); (*obręcz*) hoop; (*towarzyskie*) circle
kpić *v imperf* scoff, mock, jeer (**z kogoś, czegoś** at sb, sth)
kra *f* ice-floe, ice-shield
krab *m zool.* crab
krach *m* crash, slump, failure
kradzież *f* theft; **~ ze sklepu** shoplifting
kraj *m* country, land; **~**

rodzinny homeland, native land
krajać *v imperf* cut; (*mięso*) carve; (*na plasterki*) slice
krajobraz *m* landscape
krajowy *adj* national; domestic; home-made; home
krakers *m* cracker
kraksa *f* (*samochodowa*) car crash
kran *m* tap, cock; **odkręcić <zakręcić> ~** turn on <turn off> the tap
kraść *v imperf* steal
krat|a *f* grating, bars *pl*; (*deseń*) chequer; **w ~ę** checked
krawat *m* (neck)tie
krawcowa *f* dressmaker
krawędź *f* edge, verge; (*szklanki, kapelusza*) brim; (*górska*) ridge
krawężnik *m* kerb, *am.* curb
krawiec *m* tailor
krążyć *v imperf* circulate, go round; (*o planetach*) revolve (**wokół czegoś** around sth)
kreda *f* chalk
kredens *m* cupboard
kredka *f* coloured pencil; **~ świecowa** wax crayon; **~ do brwi** eyebrow pencil; **~ do oczu** eye-liner
kredyt *m* credit; **na ~** on credit
krem *m* cream
kreska *f* line; stroke; (*myślnik*) dash
kret *m zool.* mole
krew *f* blood; **rozlew krwi** bloodshed
krewny *m* relative, relation
kręcić *v imperf* turn, twist, spin; (*włosy*) curl, frizz; **~ się** turn, rotate, spin; (*wiercić się*) fidget, wriggle
kręgosłup *m* spine, backbone, spinal <vertebral> column
kroić *v imperf* cut
krok *m* step, pace; **dotrzymywać ~u** keep up (**komuś** with sb); **poczynić ~i** take steps; **~ za ~iem** step by step
krokodyl *m zool.* crocodile
kropka *f* point, dot; (*znak przestankowy*) full stop
kropl|a *f* drop; **~e do oczu** eye drops
krowa *f zool.* cow
krój *m* cut
król *m* king
królewski *adj* kingly, royal
królik *m zool.* rabbit
królowa *f* queen; **~ piękności** beauty queen
krótki *adj* short; (*zwięzły, krótkotrwały*) brief
krótko *adv* shortly; (*zwięźle*)

briefly; ~ **mówiąc** in brief, in short
krótkowidz *m* short-sighted person
krótkowzroczność *f* myopia, short-sightedness
krtań *f* larynx
kruch|y *adj* fragile, frail, brittle; (*chrupiący*) crisp; (*o mięsie*) tender; **~e ciasto** shortcake
krucyfiks *m* crucifix
kruk *m zool.* raven
kruszyć *v imperf* crumb; ~ **się** crumble
krwawić *v imperf* bleed
krwiodawca *m* blood donor
krwotok *m* haemorrhage
kryć *v imperf* (*ukrywać*) hide, conceal; ~ **się** hide; (*osłaniać*) cover
kryminał *m* (*lektura*) detective story; (*film*) thriller
kryształ *m* crystal
krytyka *f* criticism, critique; (*niepochlebna opinia*) criticism
krytykować *v imperf* criticize
kryzys *m* crisis
krzak *m* bush, shrub
krzesło *n* chair
krzyczeć *v imperf* shout (**na kogoś** at sb); cry, shriek, yell; ~ **z bólu** cry (out) in pain
krzywd|a *f* harm, wrong; **wyrządzić ~ę** harm (**komuś** sb)
krzywy *adj* crooked
krzyż *m* cross
krzyżówka *f* crossword (puzzle)
kserograf *m* xerox machine, photocopier
kserować *v imperf* xerox, photocopy
ksiądz *m* priest, clergyman
książę *m* prince, duke
książka *f* book; ~ **telefoniczna** telephone directory; ~ **kucharska** cookbook, cookery book
księgarnia *f* bookshop, *am.* bookstore
księgowość *f* book-keeping
księżyc *f* moon; **przy świetle ~a** by moonlight
kształcić *v imperf* educate, instruct (**kogoś w czymś** sb in sth); ~ **się** learn; (*nadawać kształt*) form, shape
kształt *m* form, shape
kto *pron* who; ~ **inny** who else; somebody else; ~ **bądź** anybody, anyone
ktokolwiek *pron* anybody, anyone, any person
ktoś *pron* somebody, someone; ~ **inny** somebody <someone> else
którędy *pron* which way
który *pron* who, which, that

któryś *pron* some
Kubańczyk *m* Cuban
kubański *adj* Cuban
kubek *m* mug, cup
kubeł *m* bucket, pail
kucharz *m* cook
kuchenka *f* (*urządzenie*) cooker, stove; ~ **mikrofalowa** microwave (oven)
kuchnia *f* (*pomieszczenie*) kitchen; (*urządzenie do gotowania*) cooker, stove, range; (*jakość potraw*) cuisine; ~ **polska** Polish cuisine
kufel *m* (beer-)mug, tankard
kukiełka *f* puppet
kukurydza *f* maize, *am.* corn
kula *f* ball; (*geometryczna*) sphere; (*proteza*) crutch; (*do gry*) bowl; (*rewolwerowa itp.*) bullet; ~ **śnieżna** snowball; ~ **ziemska** globe
kulawy *adj* lame
kultura *f* culture, civilization; (*uprawa*) cultivation
kulturalny *adj* cultural; (*o manierach*) cultured, civilized
kupić *v perf* buy, purchase
kupiec *m* merchant, dealer, trader; (*nabywca*) buyer, purchaser
kupować *v imperf zob.* **kupić**
kura *f zool.* hen
kuracja *f* cure, treatment
kurcz *m* cramp, spasm
kurczę *n zool.* chicken; **pieczone** ~ roast chicken
kurczyć się *v imperf* shrink; contract
kuropatwa *f zool.* partridge
kurs *m* course; ~ **walut** exchange rate
kursować *v imperf* run, circulate
kurtka *f* jacket; ~ **z kapturem** anorak
kurtyna *f* curtain
kurz *m* dust
kusić *v imperf* tempt
kuszetka *f* berth
kuzyn *m* cousin
kwadrans *m* quarter
kwadrat *m* square
kwalifikacje *s pl* qualifications, skills
kwartał *m* quarter, trimester
kwartet *m* quartet
kwas *m* acid
kwaśn|y *adj* sour, acid; ~**a mina** wry face
kwestia *f* question, matter; ~ **gustu** matter of taste
kwestionariusz *m* questionnaire
kwiaciarnia *f* florist (shop)
kwiat *m* flower; (*drzewa owocowego*) blossom
kwiecień *m* April
kwit *m* receipt, voucher; ~ **bagażowy** luggage check

kwitnąć *v imperf* bloom, blossom, flower; *przen.* flourish, thrive
kwota *f* (sum) total, amount

L

labirynt *m* labyrinth, maze
laboratorium *m* laboratory, *pot.* lab
lać *v imperf* (*nalewać*) pour (**do czegoś** into sth); (*wylewać*) pour out; **deszcz leje** it pours
lada *f* (*sklepowa*) counter; *part*: ~ **chwila** any minute
lakier *m* lacquer, varnish, enamel; ~ **do paznokci** nail polish <varnish>
lalka *f* doll
lampa *f* lamp
landrynka *f* fruit drop
las *m* wood, forest
laska *f* (walking) stick, cane
lat|a *s pl* years; **~a dwudzieste** the twenties; **ile masz ~?** how old are you?
latać *v imperf* fly; (*biegać*) run about
latarka *f* torch, *am.* flashlight
latarnia *f* lantern; ~ **uliczna** lamp-post; ~ **morska** lighthouse
lataw|iec *m* kite; **puszczać ~ca** fly a kite
lato *n* summer; **babie ~** (*okres*) Indian summer; (*pajęczyna*) gossamer
lawina *f* avalanche, landslide
ląd *m* land; ~ **stały** continent; **~em** by land
lądować *v imperf* land, (*np. o statku kosmicznym*) touch down
lecieć *v imperf* fly; (*pędzić*) run, speed; (*o czasie*) pass; (*spadać*) fall, drop
lecz *conj* but, still, yet
leczenie *n* treatment
lecznica *f* clinic; ~ **dla zwierząt** animal clinic
leczyć *v imperf* treat (**kogoś na coś** sb for sth); ~ **się** undergo a treatment
ledwie, ledwo *adv* hardly, scarcely; *conj* no sooner... than...; ~ **wyszliśmy, zaczęło padać** no sooner had we left than it started to rain
legalny *adj* legal, lawful
legenda *f* legend
legitymacja *f* identity card; (*członkostwa*) membership card; ~ **studencka** student card

lekarstwo *n* medicine, remedy, drug; **zażyć ~** take a medicine
lekarz *m* physician, doctor
lekceważyć *v imperf* disregard, overlook, neglect
lekcj|a *f* lesson; **udzielać ~i angielskiego** give English lessons
lekki *adj* light
lekko *adv* lightly
lekkoatletyka *f sport.* athletics
lekkomyślny *adj* light-headed, light-minded
lektura *f* (*czytanie*) reading; (*materiały do czytania*) reading matter
len *m* flax
leniwy *adj* lazy, idle
lepiej *adv comp* better; **tym ~** all the better, so much the better; **~ już idź** you had better go
lepszy *adj comp* better; **kto pierwszy, ten ~** first come, first served
letni *adj* tepid, lukewarm; (*dotyczący lata*) summer *attr*
lew *m zool.* lion
lewar *m* lever
lew|y *adj* left; **~a strona** left(-hand) side; **na ~o** on the left, to the left
leżak *m* deck-chair
leżeć *v imperf* lie; (*znajdować się*) be placed, be situated; (*o ubraniu*) fit, sit
lęk *m* fear
licencja *f* licence, authorization
liceum *m* secondary grammar school
licytacja *f* auction
liczba *f* number; figure
liczenie *n* counting, count, calculation, computation
licznik *m* (*automat*) meter; **~ gazowy** gas meter; (*w taksówce*) taximeter
liczny *adj* numerous
liczyć *v imperf* (*obliczać*) count, calculate, reckon; (*wynosić*) number, amount to; **~ na kogoś** count <rely> on sb
liga *f* league
likier *m* liqueur
likwidować *v imperf* liquidate
limit *m* limit
lina *f* rope, cord
linia *f* line
linijka *f* ruler
lipa *f bot.* lime, linden; *pot.* humbug
lipiec *m* July
lis *m zool.* fox
list *m* letter; **~ polecony** registered letter
lista *f* list, register; **~ obecności** attendance record; **~ płacy** pay-sheet

listonosz *m* postman
listopad *m* November
liść *m* leaf
litera *f* letter
literatura *f* literature
litewski *adj* Lithuanian
litoś|ć *f* mercy, pity; **~ci** out of pity (**nad kimś** for sb)
litować się *v imperf* take <have> pity (**nad kimś** on sb)
litr *m* litre
Litwin *m* Lithuanian
lizać *v imperf* lick
lizak *m* lollipop
lodowisko *n* ice-rink
lodówka *f* refrigerator, fridge; icebox
lody *s pl* ice-cream
logika *f* logic
lojalny *adj* loyal
lokal *m* place; premises *pl*; **~ biurowy** business premises *pl*; **~ mieszkalny** dwelling (place)
lokator *m* tenant, renter, lodger
lokomotywa *f* locomotive, engine
londyńczyk *m* Londoner
lornetka *f* field-glasses *pl*, binoculars *pl*; (*teatralna*) opera-glasses *pl*
los *m* lot, fate, fortune; (*na loterii*) lottery ticket; *przen.* **na ~ szczęścia** at a venture
lot *m* flight; **widok z ~u ptaka** bird's eye view; **odwołać ~** cancel a flight; **opóźnić ~** delay a flight; **~ międzynarodowy** international flight; **~ na linii krajowej** domestic flight
loteri|a *f* lottery; **wygrana na ~i** prize
lotnia *f* hang-glider
lotnictwo *n* aviation; aircraft; **~ wojskowe** air force
lotnicz|y *adj*: **linia ~a** airline, airway; **poczta ~a** airmail
lotnik *m* airman, flier
lotnisko *n* airport; **~ krajowe** domestic airport; **~ międzynarodowe** international airport
lód *m* ice
lub *conj* or
lubić *v imperf* like, (*bardzo*) love; **nie ~** dislike
ludność *f* population
ludzie *s pl* people, human beings
ludzki *adj* human; (*humanitarny*) humane
ludzkość *f* mankind
luksusowy *adj* luxury *attr*, luxurious
lustro *n* mirror, looking--glass
luty *m* February
luz *m* (*wolna przestrzeń*)

margin, leeway; **~em** loose; *pot.* **być na ~ie** hang loose
luźn|y *adj* loose; **~e ubranie** loose(-fitting) clothes

Ł

łabędź *m* swan
łacina *f* Latin
ład *m* order
ładny *adj* pretty, nice, cute
ładować *v imperf* load, (*broń*) load, charge; (*akumulator*) charge
ładunek *m* load; (*okrętowy*) cargo; (*kolejowy*) freight; (*nabój*) charge, cartridge; **~ elektryczny** charge
łagodny *adj* mild, soft, gentle
łagodzący *adj* soothing, alleviating
łajdak *m* villain, scoundrel
łakomy *adj* greedy (**na coś** for sth)
łamać *v imperf* break, fracture; *przen.* **~ sobie głowę** rack one's brains (**nad czymś** about sth); **~ się** break
łańcuch *m* chain; **~ górski** mountain range
łapać *v imperf* catch, seize
łapówk|a *f* bribe; **dać ~ę** bribe
łaska *f* grace, favour
łaskaw|y *adj* kind (**dla kogoś** to sb); gracious; **bądź ~ to zrobić** be so kind as to do it
łat|a *f* patch; **naszyć ~ę** patch
łatwo palny *adj* flammable, inflammable
łatwy *adj* easy
ławka *f* bench; (*kościelna*) pew; (*szkolna*) desk
łazić *v imperf* stroll, wander; linger, dawdle; **~ po drzewach** climb trees
łazienka *f* bathroom
łącznie *adv* (al)together
łączność *f* communication; connection
łączyć *v imperf* join, connect; **~ się** unite, combine
łąka *f* meadow
łeb *m* head; **na ~, na szyję** headlong
łobuz *m* rascal, rogue; (*o dziecku*) urchin
łok|ieć *m* elbow; **rozpychać się ~ciami** elbow one's way; **trącać ~ciem** nudge
łopata *f* spade, shovel
łosoś *m zool.* salmon
łowić *v imperf* catch; **~ ryby** fish
łódź *f* boat

łóżk|o *n* bed; **leżeć w ~u** (*chorować*) take to one's bed; **położyć się do ~a** go to bed; **słać ~o** make the bed
łudzić *v imperf* delude (**kogoś czymś** sb with sth); **~ się** delude <deceive> oneself
łuk *m* bow; (*sklepienie*) arch; *mat., fiz., elektr.* arc
łupina *f* (*skórka*) peel; (*skorupka*) shell
łydka *f* calf
łyk *m* draught, gulp
łykać *v imperf* swallow, gulp
łysy *adj* bald
łyżka *f* spoon; (*zawartość*) spoonful (**czegoś** of sth)
łyżwa *f* ice-skate
łyżwiarstwo *n* ice-skating
łz|a *f* tear; **ronić ~y** shed tears

M

machać *v imperf v perf* wave; wave (**ręką** one's hand); **~ ogonem** wag the tail; **~ na coś ręką** wave sth aside
mafia *f* mafia
magazyn *m* store, storehouse, warehouse; (*czasopismo*) magazine
magia *f* magic
magnetofon *m* tape-recorder; **~ kasetowy** cassette recorder
magnetowid *m* video (cassette recorder)
maj *m* May
majątek *m* (*mienie*) property, fortune; (*majątek ziemski*) estate
majonez *m* mayonnaise
major *m* major
majstrować *v imperf pot.* tinker, tamper, fiddle (**przy czymś** with sth)
majtki *s pl* (*męskie*) (under)pants, drawers; (*damskie*) knickers, drawers
mak *m* poppy; (*ziarno*) poppy seed
makaron *m* macaroni
makler *m*: **~ giełdowy** (stock)broker
makrela *f zool.* mackerel
maksimum *n nieodm. s* maximum
malarstwo *n* painting
malarz *m* painter
malina *f bot.* raspberry
malować *v imperf* paint; (*na szkle*) stain; (*na porcelanie*) enamel; **~ ściany**

na niebiesko paint the walls blue; **~ się** make up
malowniczy *adj* picturesque
mało *adv* little, few; **o ~ co** nearly, almost
małpa *f zool.* monkey; (*człekokształtna*) ape
mały *adj* small, little; (*drobny*) tiny
małżeństwo *n* marriage; married couple
małżonek *m* husband, spouse
małżonka *f* wife, spouse
mandat *m polit.* mandate; (*drogowy*) ticket
manicure *m* manicure; **robić ~** manicure
manifestacja *f* manifestation; demonstration
manipulować *v imperf* manipulate, handle (**czymś** sth)
mapa *f* map; **~ samochodowa** road map
marchew *f bot.* carrot
margaryna *f* margarine
marka *f*: **~ fabryczna** trademark
marmolada *f* marmalade
marnotrawstwo *m* waste
marnować *v imperf* waste, fritter away; **~ się** (*o człowieku*) waste
marszczyć *v imperf* wrinkle, pucker; **~ brwi** frown, knit one's brows; **~ się** wrinkle, become wrinkled, pucker (up)
martwić *v imperf* vex, worry (**kogoś czymś** sb with sth); **~ się** worry (**o kogoś, o coś** about sb, sth)
martw|y *adj* dead, lifeless; **~a natura** still life; **~y sezon** slack season; **~y punkt** deadlock
marynarka *f* (*część ubrania*) jacket, coat; (*handlowa*) merchant marine; (*wojenna*) navy
marynarz *m* sailor, seaman
marzec *m* March
marzenie *n* dream
marznąć [-r-z-] *v imperf* freeze, feel <be> cold
marzyć *v imperf* dream (**o kimś, o czymś** of sb, of sth)
masa *f* (*substancja*) mass; (*wielka ilość*) a lot, a great deal
masakra *f* massacre, mass slaughter
masaż *m* massage
maska *f* mask; (*samochodu*) bonnet, *am.* hood
masło *n* butter
maszerować *v imperf* march
maszyn|a *f* machine; engine; **~a do pisania** typewriter; **pisać na ~ie** type; **~a do szycia** sewing-machine

maszynistka *f* typist
maszynka *f*: ~ **do golenia** safety razor, electric razor; ~ **do mięsa** mincer; ~ **do kawy** percolator, coffee maker
maść *f* ointment; (*konia*) colour
matematyka *f* mathematics, *pot.* maths
materac *m* mattress
materiał *m* material, stuff; (*tkanina*) fabric, cloth, material
matka *f* mother; ~ **chrzestna** godmother
matura *f* secondary-school leaving examinations, maturity examinations
mądrość *f* wisdom
mądry *adj* (*rozumny*) wise, sage; (*bystry*) clever
mąka *f* flour
mąż *m* husband; man; ~ **stanu** statesman; **wychodzić za** ~ marry, get married to
mdleć *v imperf* faint
mdłości *s pl* nausea, qualm, quasiness
mdły *adj* (*bez wyrazu*) insipid, dull; (*pobudzający do wymiotów*) nauseating
meb|el *m* piece of furniture; *pl* ~**le** (*umeblowanie*) *zbior.* furniture
mechaniczny *adj* mechanical
mechanik *m* mechanic
mechanizm *m* mechanism
mecz *m sport.* match
medal *m* medal
media *s pl* (*środki masowego przekazu*) (mass) media
medycyna *f* medicine
megafon *m* loud-hailer, *am.* bullhorn
Meksykanin *m* Mexican
meksykański *adj* Mexican
meldować *v imperf* report; (*zgłaszać urzędowo przyjazd*) register
melodia *f* melody
melon *m bot.* melon
menstruacja *f* menstruation, *pot.* period
menu [meniu] *n nieodm.* menu, bill of fare
met|a *f* goal; **na dalszą** ~**ę** in the long run
metal *m* metal
metoda *f* method
metr *m* metre, *am.* meter
metro *n* underground, tube, *am.* subway
metryka *f*: ~ **urodzenia <ślubu>** birth <marriage> certificate
mewa *f zool.* seagull
męczyć *v imperf* torment, torture; (*dokuczać*) vex; (*nużyć*) tire, exhaust; ~

się get tired; ~ **się nad czymś** toil at sth
męski *adj* male, masculine; (*pełen męskości*) manly, manful
mężatka *f* married woman
mężczyzna *m* man, male
mgła *f* fog, mist
mianowicie *adv* namely
miara *f* measure (**czegoś** of sth); (*przymiarka*) fitting; **w pewnej mierze** to a certain extent
miasteczko *n* little town; **wesołe** ~ amusement park, *bryt.* funfair
miasto *n* city, town
mieć *v imperf* have; ~ **się dobrze** be <feel> well; ~ **zamiar** intend; ~ **rację** be right; **co miałem robić?** what was I to do?; **czy mam to zrobić?** shall I do it?; **ile masz lat?** how old are you?; **mam x lat** I am x years old; **jak się masz?** how do you do?, how are you?
miednica *f* (wash-)basin, *am.* washbowl; *anat.* pelvis
miedź *f* copper
miejsce *n* place; spot; (*przestrzeń*) room, space; ~ **pobytu** residence, domicile, abode; ~ **przeznaczenia** destination; ~ **siedzące <stojące>** sitting <standing> room; ~ **urodzenia** birthplace; **płatne na miejscu** payable on the spot
miejscowy *adj* local
miejscówka *f* seat reservation
miejski *adj* municipal, urban, town *attr*, city *attr*
mierzyć *v imperf* measure; (*ubranie*) try on; (*celować*) aim (**do kogoś, czegoś** at sb, sth)
miesiąc *m* month; **od dziś za** ~ this day month; ~ **miodowy** honeymoon
miesięczny *adj* monthly; **bilet** ~ monthly pass
mieszać *v imperf* mix; (*np. zupę*) stir; (*peszyć, wprowadzać w zakłopotanie*) confuse, embarrass; ~ **się** (*łączyć*) mix, become mixed; (*wtrącać się*) interfere, meddle (**do czegoś** with sth)
mieszanka *f* blend, mixture
mieszkać *v imperf* live
mieszkanie *n* flat, *am.* apartment
mieszkaniec *m* inhabitant, resident
między *praep* (*o dwóch osobach, rzeczach*) between; (*o większej liczbie*) among(st), amid
międzymiastow|y *adj*: **roz-**

mowa ~a long-distance call, trunk call
międzynarodowy *adj* international
miękki *adj* soft; (*o mięsie*) tender
mięsień *m* muscle
mięso *n* meat
mięta *f* mint
migdał *m* almond; *anat.* tonsil
migrena *f* migraine
mijać *v imperf* pass, go past; (*o czasie*) pass; **~ się** cross each other
mikrobus *m* van, shuttle
mikrofon *m* microphone, *pot.* mike
mikser *m* mixer, blender
mila *f* mile
milczeć *v imperf* be <keep> silent
miliard *m* milliard; *am.* billion
milimetr *m* millimetre
milion *m* million
miło *adv* agreeably, pleasantly; **~ mi pana poznać** it's nice to meet you; **~ tu** it's nice (in) here
miłość *f* love; **~ własna** self-love
miły *adj* pleasant, agreeable, nice
mimo *praep* in spite of; (*obok*) by; *adv* past, by; **~ to** nevertheless; **~ woli** involuntarily; **~ wszystko** after all
min|a *f* (*wyraz twarzy*) air, countenance, look; (*ładunek wybuchowy*) mine; **robić ~y** pull <make> faces (**do kogoś** at sb)
minąć *v imperf* pass, be past, be over; **minęła piąta** it is past five; **niebezpieczeństwo minęło** the danger is over
mineraln|y *adj* mineral; **woda ~a** mineral water
minimum *n nieodm.* s minimum
minister *m* minister
ministerstwo *n* ministry, department
minus *m mat.* minus; (*wada*) drawback; flaw
minuta *f* minute
miotła *f* broom
miód *m* honey; **~ pitny** mead
misja *f* mission
misjonarz *m* missionary
miska *f* bowl
mistrz *m* master; *sport.* champion
miś *m*: **~ pluszowy** teddy bear
mleko *n* milk; **~ odtłuszczone** skimmed milk; **chude ~** low-fat <low-calories> milk; **~ w proszku** powdered milk

młodość *f* youth
młod|y *adj* young; **pan ~y** bridegroom; **panna ~a** bride
młodzież *f* youth
młotek *m* hammer
młyn *m* mill
młynek *m*: **~ do kawy** coffee mill <grinder>
mniej *adv* less, fewer; **~ więcej** more or less
mniejsz|y *adj* smaller; (*mniej istotny*) minor; **~a o to!** never mind!
mnożyć *v imperf* multiply; **~ się** multiply, increase in number
mnóstwo *n* multitude, a lot, lots (**czegoś** of sth)
moc *f* might, power; **~ prawna** legal force; **na ~y** on the strength of
mocny *adj* strong, powerful
mocz *m* urine; *pot.* pee
moczyć *v imperf* wet
moda *f* fashion
model *m* model, pattern
modlić się *v imperf* pray, say one's prayers
modlitwa *f* prayer
modny *adj* fashionable, smart, in vogue
moknąć *v imperf* get wet, soak
mokry *adj* wet
molo *n* pier
moment *m* moment
moneta *f* coin
monitor *m* monitor
montować *v imperf* assemble
moralny *adj* moral
morderstwo *n* murder, homicide
mordować *v imperf* murder; (*dręczyć*) torment; **~ się** toil, drudge (**nad czymś** at sth)
morsk|i *adj* maritime; sea *attr*; **bitwa ~a** naval battle; **brzeg ~i** seacoast, seashore; **choroba ~a** seasickness; **podróż ~a** voyage
morz|e *n* sea; **na ~u** at sea; **nad ~em** at the seaside
mosiądz *m* brass
most *m* bridge
motel *m* motel
motocykl *m* motorcycle, motorbike
motor *m* motor
motorówka *f* motorboat
motyl *m zool.* butterfly
motyw *m* motif; (*powód*) motive
mow|a *f* speech; **wygłosić ~ę** deliver a speech
mozaika *f* mosaic
może *adv* maybe, perhaps
możliwość *f* possibility, chance
możliwy *adj* possible

można *impers* it is possible, it is allowed, one can; **jak ~ najlepiej** as well as possible; **czy ~ usiąść?** may I sit down?; **jeśli ~** if possible

móc *v imperf* can, be able to; may

mój *pron* my, mine

mówić *v imperf* speak, say, tell, talk; **~ po angielsku** speak English; **nie ma o czym ~** there's nothing to speak of; (*grzecznościowo*) don't mention it, not at all

mózg *m anat.* brain

mrozić *v imperf* freeze, chill; refrigerate

mrówka *f zool.* ant

mróz *m* frost

mrugać *v imperf* wink (**na kogoś** at sb); (*migotać*) twinkle

msz|a *f* mass; **odprawiać ~ę** say mass

mścić się *v imperf* revenge <avenge> oneself, take revenge (**na kimś** on sb)

mucha *f zool.* fly

mundur *m* uniform

mur *m* wall

Murzyn *m* Black

musieć *v aux* must, have to; be obliged

muszla *f* conch; (*np. ślimaka*) shell

musztarda *f* mustard

muzeum *n* museum

muzułmanin *m* Moslem, Muslim

muzyk *m* musician

muzyka *f* music; **~ poważna** classical music; **~ rozrywkowa** pop music

my *pron* we

myć *v imperf* wash; **~ się** wash oneself

mydło *n* soap

myjnia *f* car wash

mylić *v imperf* mistake (**kogoś, coś z kimś, czymś** sb, sth for sb, sth); (*wprowadzać w błąd*) mistake; **~ się** be mistaken (**co do czegoś** about sth), make a mistake, be wrong

mysz *f zool.* mouse; *pl* **myszy** mice

myśl *f* thought, idea; **mieć na ~i** mean, have in mind; **przychodzi mi na ~** it occurs to me

myśl|eć *v imperf* think; (*mniemać, zamierzać*) mean; **co o tym ~isz?** what do you think of it?; **~ę, że tak** I think so; **o czym ~isz?** what are you thinking about?

myśliwy *m* hunter, huntsman

mżawka *f* drizzle

N

na *praep* on, upon; at; by; for; in; **na dole** down; **na górze** up; **na końcu** at the end; **na moją prośbę** at my request; **na pamięć** by heart; **na piśmie** in writing; **na sprzedaż** for sale; **na wiosnę** in spring; **na zawsze** for ever; **raz na rok** once a year

nabożeństwo *n* divine service

nabój *m* (*jednostka amunicji*) cartridge

nabyć *v perf* acquire

nachylać *v imperf* bend, bow; **~ się** bow, incline, stoop, lean

nacierać *v imperf* (*trzeć*) rub; (*atakować*) attack (**na kogoś** sb)

naciskać *v imperf* press; *przen.* press (**kogoś** sb)

naczelny *adj* head *attr*, chief *attr*; **~ dowódca** commander-in-chief

naczyni|e *n* vessel; **~a gliniane** pottery; **~a kuchenne** kitchen utensils

nad *praep* over, above, on, upon, beyond

nadać *v perf*: **~ list** post a letter

nadal *adv* still; **~ coś robić** go on doing sth

nadaremnie *adv* in vain

nadawać *v imperf* grant (**coś komuś** sth to sb); grant; (*transmitować*) broadcast, transmit; **~ się** be fitted, be suited (**do czegoś** for sth)

nadawca *m* sender

nadchodzi|ć *v imperf* approach, come, arrive; **~ zima** winter is drawing on

nadciśnienie *n* high blood pressure, hypertension

nadejście *n* coming, arrival

nadjechać *v imperf* arrive, come

nadliczbow|y *adj* overtime; **godziny ~e** overtime hours

nadmiar *m* excess, surplus

nadprzyrodzony *adj* supernatural

nadrabiać *v imperf* make up (**coś** for sth); **~ czas** make up for lost time

nadużycie *n* abuse; misuse

nadwozie *n* body (of a car)

nadwyżka *f* surplus

nadziej|a *f* hope; **mieć ~ę** hope (**na coś** for sth)

nadzwyczajn|y *adj* extraordinary; **wydanie ~e** special <extra> edition

nafta *f* paraffin, *am.* kerosene
nagana *f* reprimand, rebuke
nagi *adj* naked, bare
nagle *adv* suddenly, all of a sudden
nagły *adj* abrupt, sudden; **w ~m wypadku** in case of emergency
nagrać *v perf* record
nagradzać *v imperf* reward
nagranie *n* recording
nagrod|a *f* reward; (*w sporcie, na konkursie itp.*) prize; **główna ~a** first prize; **zdobyć ~ę** win a prize
nagrodzić *v perf zob.* **nagradzać**
naiwny *adj* naive, ingenous
najbardziej *adv* most (of all); best
najgorszy *adj sup* worst
najlepszy *adj* best
najmniej *adv* least; **co ~** at least
najmniejszy *adj* least, smallest
najpierw *adv* first(ly), first of all
najwięcej *adv* most
najwyżej *adv* highest; (*w najlepszym razie*) at (the) most, at best
najwyższy *adj* highest; (*o sądzie, mądrości*) supreme; **~ czas iść** it's high time to go
naklejka *f* sticker
nakręcać *v imperf* (*zegar*) wind up; (*film*) shoot; **~ numer telefonu** dial
nakryć *v perf* cover; **~ do stołu** lay the table
nalegać *v imperf* insist (**na coś** on sth); press, urge (**na kogoś** sb)
naleśnik *m* pancake, crépe
nalewać *v imperf* pour (out)
należ|eć *v imperf* belong; **~y** (*trzeba*) it is necessary; **~y się** be due; **ile się panu ~y?** how much do I owe you?; **~y mu się nagroda** he deserves a reward
nałóg *m* addiction, (bad) habit
nam *pron* us
namawiać *v imperf* induce, persuade
namiętność *f* passion
namiot *m* tent
namoczyć *v perf* steep, soak
namyślać się *v imperf* reflect (**nad czymś** on sth); (*rozważać*) consider (**nad czymś** sth)
na nowo *adv* anew
naokoło *adv praep* round
napad *m* attack; assault; (*o chorobie, gniewie*) fit; **~ rabunkowy** raid
napadać *v imperf* attack;

assail; (*w celach rabunkowych*) raid
napełniać *v imperf* fill (up); ~ **ponownie** refill; ~ **się** fill, become filled
na pewno *adv* certainly, for sure, surely
napić się *v perf* have a drink; ~ **kawy** have a cup of coffee
napięcie *n* tension, strain; **wysokie** ~ high voltage
napis *m* inscription, caption
napiwek *m* tip
napotykać *v imperf* meet (**coś** with sth), come across (**coś** sth), encounter
napój *m* drink; ~ **bezalkoholowy** soft drink; ~ **alkoholowy** strong drink; ~ **chłodzący** refreshing drink; ~ **gazowany** fizzy drink
napraw|a *f* repair; **muszę oddać zegarek do ~y** I must have my watch repaired
naprawdę *adv* indeed; really
naprawiać *v imperf* mend, repair
naprzeciw *adv* opposite; *praep* opposite, against
na przemian *adv* by turns, alternately
naprzód *adv* forward(s), on
na przykład *adv* for instance, for example
narad|a *f* consultation, conference, council; **odbywać ~ę** hold a conference <council>
naradzać się *v imperf* confer, consult (**z kimś** with sb)
naraz *adv* (*nagle*) all at once, suddenly; (*jednocześnie*) at once, simultaneously
na razie *adv* for the present, for the time being
narciarstwo *n* skiing; ~ **wodne** water skiing
narciarz *m* skier
nareszcie *adv* at last
narkoman *m* drug addict, *pot.* junkie
narkotyk *m* narcotic, drug
narkoza *f* narcosis
narodowość *f* nationality
narodowy *adj* national
narodzenie *n* birth; **Boże Narodzenie** Christmas
naród *m* nation
nart|a *f* ski; *pl* **~y** (a pair of) skis; **jeździć na ~ach** ski
narzeczona *f* fiancée, wife-to-be
narzeczony *m* fiancé, husband-to-be
narzekać *v imperf* complain (**na coś** of sth)

narzędzie *n* tool, instrument
nastawić *v perf* (*ustawić*) set (right); (*np. płytę*) put on; (*radio*) tune in (**na dany program** to a programme); **~ czajnik** put the kettle on; **~ budzik** set the alarm clock (**na siódmą** for seven o'clock)
następnie *adv* next, subsequently, then, afterwards
następny *adj* following, next, subsequent
nastraszyć *v perf* frighten, scare; **~ się** get scared (**czymś** of sth)
nastr|ój *m* mood; **w dobrym <złym> ~oju** in high <low> spirits
nasz *pron* our; ours
naszyjnik *m* necklace
naśladować *v imperf* imitate, follow in sb's footsteps
natężenie *n* intensity
natomiast *adv* but, on the contrary, yet
natrętny *adj* importunate
natur|a *f* nature; **z ~y** by nature; **malować z ~y** paint from nature
naturalnie *adv* naturally; (*oczywiście*) of course
naturalny *adj* natural
natychmiast *adv* at once, instantly, immediately
nauczyciel *m* teacher
nauka *f* (*nauczanie*) instruction, teaching; (*kształcenie się*) study; (*wiedza*) learning, science
naukowiec *m* scientist; scholar; researcher
naukow|y *adj* scientific; **stopień ~y** academic degree; **praca ~a** research work
nawet *adv* even
nawias *m* parenthesis, bracket; **w ~ie** in parenthesis; **~em mówiąc** by the way
nawiązać *v perf* tie (up); **~ do czegoś** refer to sth; **~ korespondencję** enter into correspondence; **~ z kimś rozmowę** engage sb in conversation
nawyk *m* habit
nawzajem *adv* one another; each other
nazwa *f* name; (*termin*) term
nazwisko *n* name, surname, family name
nazywa|ć *v imperf* call, name; **~ć się** be called; **~m się A. J.** my name is A. J.; **jak się nazywasz?** what's your name?
negatyw *m fot.* negative
nerka *f anat.* kidney
nerw *m* nerve; **działać**

komuś na ~y get on sb's nerves
nerwica *f* neurosis
nerwowy *adj* nervous
neseser *m* dressing-case
neutralny *adj* neutral
nędza *f* misery
nic *pron* nothing; **~ podobnego** nothing of the sort
niczyj *adj* nobody's, no man's
nić *f* thread; **~ dentystyczna** dental floss
nie *part* not; (*zaprzeczenie całej wypowiedzi*) no; **jeszcze ~** not yet; **już ~** no more, no longer; **też ~** neither, not... either; **ja tego też ~ wiem** I do not know it either; **wcale ~** not at all
niebezpieczeństwo *n* danger; **narazić na ~** endanger, imperil
niebezpieczny *adj* dangerous, perilous
niebieski *adj* blue
nieb|o *n* (*firmament*) sky; (*raj*) heaven; **na ~ie** in the sky
niech *part* let; **~ sobie idzie** let him go
niechętny *adj* unwilling, reluctant
niecierpliwy *adj* impatient
nieco *adv* a little; somewhat
nieczynny *adj* (*bezczynny*) inactive; (*zamknięty*) closed; (*zepsuty*) out of order
niedaleko *adv* not far (away)
niedawno *adv* recently; (*kilka dni temu*) the other day; of late
niedbały *adj* negligent, careless
niedługo *adv* soon, before long; not long
niedobry *adj* not good, bad
niedobrze *adv* not well, badly; **czuć się ~** feel sick
niedopatrzenie *n* oversight; **przez ~** through oversight
niedostateczny *adj* insufficient, inadequate
niedostępny *adj* inaccesible
niedozwolony *adj* forbidden, prohibited; illicit
niedyskretny *adj* indiscreet
niedyspozycja *f* indisposition
niedziela *f* Sunday
niedźwiedź *m* bear
niegrzeczny *adj* (*nieuprzejmy*) unkind, impolite, rude; (*o dziecku*) naughty
niejed|en *adj* many a; **~na dobra książka** many a good book
niektórzy *adj* some
nielegalny *adj* illegal, illicit
nieludzki *adj* inhuman
Niemiec *m* German
niemiecki *adj* German

niemniej *adv* still, however
niemodny *adj* out of fashion, unfashionable
niemoralny *adj* immoral
niemowa *m* mute
niemowlę *n* infant, baby, babe
niemożliwy *adj* impossible
niemy *adj* dumb; (*o filmie*) silent
nienawidzić *v imperf* hate, detest, loathe
nienawiść *f* hatred, hate
nienormalny *adj* abnormal, aberrant, anomalous; (*umysłowo*) mentally deficient
nieobecny *adj* absent
nieobowiązkowy *adj* optional, facultative
nieograniczony *adj* unlimited
nieopodal *adv* nearby
nieostrożny *adj* careless; incautious, imprudent
niepalący *adj* not smoking, non-smoking *attr*; *s m* non-smoker
nieparzysty *adj* odd
niepełnoletni *adj* under age, minor
niepodległość *f* independence
niepodległy *adj* independent
niepodobn|y *adj* unlike (**do kogoś, czegoś** sb, sth); **oni są do siebie ~i** they are dissimilar; they are unlike each other
niepogoda *f* bad weather
niepokoić *v imperf* bother, trouble, (*przeszkadzać*) disturb; **~ się** be anxious, worry (**o kogoś** about sb)
niepokój *m* anxiety, uneasiness (**o kogoś, coś** about sb, sth)
niepoprawny *adj* incorrect
nieporozumienie *n* misunderstanding
nieporządny *adj* disorderly, untidy
niepotrzebny *adj* unnecessary, needless
niepowodzenie *n* failure, fiasco
nieprawdopodobny *adj* improbable, unlikely
nieprzemakalny *adj* impermeable, waterproof, water-resistant; **płaszcz ~** raincoat
nieprzydatny *adj* useless
nieprzyjaciel *m* enemy
nieprzyjemny *adj* disagreeable, unpleasant
nieprzytomny *adj* unconscious, senseless; (*roztargniony*) absent-minded
nieprzyzwoity *adj* indecent
nieraz *adv* many a time, often; sometimes

nierealny *adj* unreal
nieruchomoś|ć *f* immobility; (*o majątku*) real property, *am.* real estate; *pl* **~ci** immovables
niesmaczny *adj* tasteless, insipid; **~ żart** tasteless joke
niespodzianka *f* surprise
niespodziewany *adj* unexpected
niesprawiedliwy *adj* unjust
niestety *adv* unfortunately; **~ nie mogę tego zrobić** I'm sorry I can't do it
niestrawność *f* indigestion
nieszczęście *n* misfortune; adversity, calamity; bad luck; **na ~** unfortunately
nieszczęśliwy *adj* unfortunate, unhappy, unlucky
nieszkodliwy *adj* harmless
nieść *v imperf* carry, bear; **~ się** (*o kurze*) lay
nieśmiały *adj* timid, shy
nietaktowny *adj* tactless
nietrzeźwy *adj* inebriate; *pot.* tight
nieuczciwy *adj* unfair, dishonest
nieudany *adj* unsuccessful
nieuwag|a *f* inattention, inadvertence; **przez ~ę** by inattention <oversight>
nieważny *adj* unimportant, trivial; (*np. o dokumencie*) invalid
niewątpliwie *adv* undoubtedly
niewidomy *adj* blind; *s m* blind man
niewiele *adv* little, few
niewinny *adj* innocent
niewol|a *f* slavery; captivity; **wziąć kogoś do ~i** take sb captive
niewygodny *adj* inconvenient, uncomfortable
niezadowolony *adj* discontented, dissatisfied (**z czegoś** with sth)
niezależny *adj* independent (**od kogoś, czegoś** of sb, sth)
niezamężna *adj* unmarried, single
niezawodny *adj* unfailing, reliable, infallible
niezdolny *adj* incapable, unable; **~ do pracy** incapable of work
niezgoda *f* disagreement, discord
niezgrabny *adj* clumsy, awkward
nieznajomy *adj* unknown; *s m* stranger
nieznany *adj* unknown, unfamiliar
niezwykły *adj* uncommon, unusual
nigdy *adv* never, not... ever
nigdzie *adv* nowhere, not... anywhere

nikt *pron* none, no one, nobody, not anybody
niski *adj* low; (*o wzroście*) short
niszczyć *v imperf* destroy, spoil, ruin; **~ się** (*o ubraniu, obuwiu*) wear down
nitka *f* thread
nizina *f* lowland
niż *m* (*barometryczny*) depression, low pressure; *conj* than
niżej *adv comp* lower; down, below; **~ podpisany** the undersigned
niższy *adj comp* lower; (*gorszy*) inferior (**od czegoś** to sth)
noc *f* night; **~ą** by night, at night; **przez ~** overnight; **dziś w ~y** tonight; **całą ~** all night long
nocleg *m* overnight accommodation
nocn|y *adj* night(ly); **koszula ~a** night-gown, nightdress
nocować *v imperf* stay overnight, stay for the night
noga *f* leg; **do góry ~mi** upside down
nonsens *m* nonsense
norma *f* standard, norm
normalny *adj* normal
Norweg *m* Norwegian
norweski *adj* Norwegian
nos *m* nose; **wydmuchać ~** blow one's nose
nosiciel *m* (*wirusa, choroby*) carrier
nosić *v imperf* (*dźwigać*) carry, bear; (*mieć na sobie*) wear; (*brodę, wąsy*) grow
nostalgia *f* nostalgia, homesickness
nosze *s pl* stretcher
notatka *f* note
notatnik, notes *m* notebook
notować *v imperf* take notes (**coś** of sth), put down
nowela *f* short story
nowina *f* news
nowoczesny *adj* modern, up-to-date
noworoczn|y *adj* New Year's; **życzenia ~e** New Year's wishes
nowość *f* novelty
nowotwór *m med.* tumour, *am.* tumor; **~ złośliwy** malignant tumour
nowy *adj* new
nożyczki *s pl* scissors
nóż *m* knife
nuda *f* boredom
nudności *s pl* nausea, qualm
nudny *adj* boring, tedious, dull
nudzi|ć *v imperf* bore; **mnie to ~** I'm tired of this; **~ć się** be <feel> bored
numer *m* number

numerek *m* (*np. w szatni*) check
nurkować *v imperf* dive
nut|a *f* note; melody, tune; *pl* **~y** score

O

o *praep* of, for, at, by, about, with; **boję się o ciebie** I fear for you; **powiększyć o połowę** increase by a half; **prosić o coś** ask for sth; **o czym mówisz?** what are you talking about?; **o piątej** at 5 o'clock
oba, obaj, obie, oboje *num* both
obaw|a *f* fear, anxiety; **z ~y** for fear (**przed czymś** of sth)
obawiać się *v imperf* be afraid (**czegoś** of sth)
obcas *m* heel
obcęgi *s pl* pincers
obchodzi|ć *v imperf* walk <go> round; (*przepisy*) evade; (*święto, urodziny*) celebrate, observe; (*interesować*) care; **to mnie nic nie ~** I don't care about it; **~ć się** do (**bez czegoś** without sth), dispense (**bez czegoś** with sth); deal (**z kimś** with sb), treat (**z kimś** sb)
obcinać *v imperf* cut; (*pensję, wydatki*) cut down; (*gałęzie*) lop; (*nożyczkami*) clip; (*paznokcie*) pare
obcisły *adj* tight, close-fitting
obcokrajowiec *m* foreigner, alien
obcy *adj* strange, foreign; *s m* stranger
obecnie *adv* at present
obecny *adj* present
obejmować *v imperf* embrace; (*zawierać*) comprise, contain; (*stanowisko*) take over
obejrzeć *v imperf* watch; glance (**coś** at sth)
obfity *adj* abundant, plentiful, profuse, copious
obiad *m* dinner; **jeść ~** dine, have dinner
obiecać *v perf* promise
obieg *m* circulation; **wprowadzić w ~** circulate
obiektywny *adj* objective
obierać *v imperf* peel
obietnic|a *f* promise; **dotrzymać ~y** keep the promise
objaw *m* symptom
objazd *m* detour, diversion

objechać *v perf* go round; (*przeszkodę*) evade
objętość *f* volume
obliczać *v imperf* count, calculate
obłąkany *adj* insane, mad; *s m* madman
obłok *m* cloud
obłuda *f* hypocrisy
obniżać *v imperf* lower, (*cenę*) reduce; (*zarobki*) cut down; **~ się** go down, decrease
obniżka *f* (*cen*) reduction
obojętn|y *adj* indifferent; (*nieważny*) unimportant; **jest mi to ~e** I don't care for it
obok *adv praep* near, by, nearby
obowiązek *m* duty, (*zobowiązanie*) obligation; **spełnić swój ~** do one's duty
obowiązywać *v imperf* oblige; be in force
obóz *m* camp; **rozbić ~** pitch <set up> a camp; **zwinąć ~** decamp, break camp
obracać *v imperf* turn (over); **~ się** turn (over); (*na osi*) revolve
obraz *m* picture, painting; (*wizerunek, podobizna*) image
obrazić *v imperf* offend, insult; **nie chciałem ~** I meant no offence; **~ się** take offence (**o coś** at sth)
obrączka *f* ring; **~ ślubna** wedding ring
obrona *f* defence; *sport.* backs *pl*
obrońca *m* defender; *sport.* back
obrócić *zob.* **obracać**
obrót *m* rotation, turn; *handl.* turnover
obrus *m* table-cloth
obrzęd *m* rite; ceremony
obrzęk *m* swelling, bulge
obrzydliwy *adj* disgusting, abominable, repugnant, abhorrent
obserwacja *f* observation, watching
obserwator *m* observer
obserwować *v imperf* watch, observe
obsługa *f* service, attendance
obsługiwać *v imperf* serve (**kogoś** sb), attend (**kogoś** to sb), wait (**kogoś** on <upon> sb)
obstrukcja *f* obstruction; *med.* constipation
obszar *m* area, space
obszerny *adj* ample, spacious, vast
obudzić *zob.* **budzić**
oburzać *v imperf* arouse sb's indignation, **~ się** be

indignant (**na kogoś o coś** with sb at sth)
oburzenie *n* indignation
obuwie *n* footwear, shoes *pl*
oby *part*: ~ **on wyzdrowiał** may he recover; ~ **tak było** may it be so
obyczaj *m* custom, manner, habit
obydwaj *num* both
obywatel *m* citizen
obywatelski *adj* civic, civil; **prawa ~e** civil rights
obywatelstwo *n* citizenship; **nadać** ~ naturalize, grant <give> citizenship; **przyjąć** ~ become naturalized
ocean *m* ocean
ocena *f* (*wycena*) estimate, valuation; (*opinia*) estimation, evaluation; (*w szkole*) grade, mark
oceniać *v imperf* (*oszacować*) estimate, evaluate, value (**na pewną sumę** at a certain sum); (*osądzić*) evaluate
ocet *m* vinegar
ochot|a *f* willingness; **mam ~ę** I feel like (**coś zrobić** doing sth)
ochotnik *m* volunteer
ochrona *f* protection, shelter; ~ **przyrody** wildlife conservation <preservation>; (*ochroniarz*) bodyguard
oclени|e *n* clearance; **podlegający ~u** dutiable; **dać do ~a** declare; **mieć coś do ~a** have sth to declare
oczekiwać *v imperf* wait (**kogoś, czegoś** for sb, sth), await (**kogoś, czegoś** sb, sth); (*z przyjemnością*) look forward (**czegoś** to sth)
oczyszczać *v imperf* clean, cleanse; (*np. wodę, powietrze*) purify
oczywisty *adj* evident, obvious
oczywiście *adv* certainly, of course; **~!** absolutely!
od *praep* from; of, for; (*począwszy od*) since; **na wschód od Warszawy** to the east of Warsaw; **od czasu do czasu** from time to time; **od niedzieli** since Sunday
odbić *v perf*, **odbijać** *v imperf* (*np. piłkę*) bounce; (*o świetle*) reflect; ~ **się** rebound (**od czegoś** from sth; **o coś** against sth); (*w lustrze*) reflect
odbiorca *m* receiver; (*nabywca*) buyer
odbiornik *m* receiver
odbiór *m* receipt; **potwierdzić** ~ acknowledge receipt
odbitka *f* copy, reprint; (*zdjęcie*) print

odbywać *v imperf* perform; do; ~ **zebranie** hold a meeting; ~ **się** take place, be held
odchodzić *v imperf* go away, leave
odchudzać się *v imperf* slim (down)
odcinać *v imperf* cut off; (*odłączyć*) detach; ~ **się** (*ostro odpowiadać*) retort, riposte
odcinek *m* sector; (*kupon*) coupon
odczuć *v perf*, **odczuwać** *v imperf* feel; (*boleśnie*) suffer
odczyt *m* lecture; (*z przyrządu*) reading; **mieć** ~ lecture, give a lecture
oddać *v perf*, **oddawać** *v imperf* give back, render (back); (*dług*) pay back; (*np. list*) deliver; ~ **komuś przysługę** do sb a favour
oddech *m* breath
oddychać *v imperf* breathe, respire
oddział *m* section; (*dział instytucji*) department; (*filia*) branch (office)
oddziaływać *v imperf* affect (**na kogoś, coś** sb, sth), influence (**na kogoś, coś** sb, sth)
oddzielny *adj* separate
odejmować *v imperf* take away, deduct; *mat.* subtract
odejść *zob.* **odchodzić**
odesłać *zob.* **odsyłać**
odezwać się *zob.* **odzywać się**
odjazd *m* departure
odjechać *v perf*, **odjeżdżać** *v imperf* leave (**z Krakowa do Warszawy** Cracow for Warsaw), depart (**z Krakowa do Warszawy** from Cracow for Warsaw)
odkąd *conj* since; *adv* since when, since what time
odkładać *v imperf* set aside, put away; (*pieniądze*) put away, lay by; (*odraczać*) delay, postpone, put off
odkrywać *v imperf* discover, find out; (*obecność czegoś*) detect; (*odsłaniać*) uncover
odkurzacz *m* vacuum cleaner
odległoś|ć *f* distance; **na ~ć, w pewnej ~ci** at a distance
odlot *m* departure, take-off
odłączyć *v perf* separate, detach, disconnect; ~ **się** separate
odłożyć *zob.* **odkładać**
odmiana *f* (*zmiana*) change; (*gatunek*) variety, brand
odmieniać *v imperf* change, alter

odmowa *f* refusal
odmówić *v perf* refuse
odmrożenie *n* frost-bite; (*rozmrożenie*) defrosting
odnieść *v perf* bring back; carry; ~ **korzyść** derive profit (**z czegoś** from sth); ~ **wrażenie** get the impression; *zob.* **odnosić**
odnosić *v perf*: ~ **się** (*traktować*) treat (**do kogoś** sb), behave (**dobrze <źle> do kogoś** well <badly> towards sb); (*dotyczyć*) refer, apply (**do kogoś, czegoś** to sb, sth)
odnowić *v perf* renew; (*np. budynek*) renovate, restore
odpiąć *v perf* unbutton, undo
odpływ *m* outflow; (*morza*) ebb
odpoczywać *v imperf* rest, take a rest
odporność *f* resistance (**na coś** to sth); *med.* immunity (**na coś** to sth)
odporny *adj* resistant, immune
odpowiadać *v imperf* answer (**na coś** sth), reply (**na coś** to sth); (*być odpowiednim*) suit
odpowiedni *adj* adequate; appropriate, suitable (**dla kogoś** to <for> sb; **do czegoś** to <for> sth); **w ~m czasie** in due course
odpowiedzialny *adj* responsible (**przed kimś** to sb; **za coś** for sth)
odpowiedź *f* answer, reply (**na coś** to sth)
odprawa *f* dispatch; (*udzielenie instrukcji*) briefing; ~ **celna** customs clearance; ~ **paszportowa** passport control; ~ **pasażera** check-in
odprężenie *n* relaxation
odprężyć się *v perf* relax
odprowadzać *v imperf* see off
odra *f med.* measles *pl*
odrabiać *v imperf* do, perform; ~ **stracony czas** make up for lost time; ~ **lekcje** do one's lessons <homework>
odradzać *v imperf* dissuade (**komuś coś** sb from sth)
od razu *adv* on the spot; at once
odrodzenie *n* revival; (*okres*) Renaissance
odróżniać *v imperf* distinguish, tell (**A od B** A from B); ~ **się** differ
odrzucać *v imperf* reject; throw away
odrzutowiec *m* jet-plane, *pot.* jet
odsetki *s pl* interest
odsyłać *v imperf* send (back)
odszkodowani|e *n* compen-

sation, damages *pl*; **~a wojenne** reparations

odtąd *adv* from now on, from then on, ever since

odwag|a *f* courage; **dodać ~i** encourage (**komuś** sb); **nabrać ~i** pluck up courage

odważny *adj* courageous, brave

odważyć *v imperf* (*odmierzyć*) weigh out; **~ się** (*ośmielić się*) dare, venture

odwdzięczyć się *v perf* repay, return

odwiedzać *v imperf* call on, visit, come to see; (*uczęszczać*) frequent (**jakieś miejsce** a place)

odwilż *f* thaw; **jest ~** it thaws

odwlec *v perf*, **odwlekać** *v imperf* put off, postpone, delay

odwołać *v perf* recall (**kogoś** sb); (*cofnąć*) withdraw; **~ się** appeal

odwracać *v imperf* turn, reverse; **~ czyjąś uwagę** divert sb's attention; **~ się** turn over

odziedziczyć *v perf* inherit, come into

odzież *f* clothes, garments *pl*

odznaczyć *v imperf* (*cechować*) distinguish; (*orderem*) decorate; **~ się** distinguish oneself

odznaka *f* badge

odzyskać *v perf* regain, recover, get back; **~ przytomność** regain <recover> consciousness

oferować *v imperf* offer

oferta *f* offer

ofiar|a *f* victim; (*datek*) contribution; (*poświęcenie*) sacrifice; **paść ~ą** fall victim (**czegoś** to sth)

ofiarodawca *m* donor

ofiarować *v imperf* offer; (*podarować*) present (**coś komuś** sb with sth); (*złożyć ofiarę*) sacrifice (**coś komuś** sth to sb)

oficer *m* officer

oficjalny *adj* official

ogień *m* fire; (*płomień*) flame; light; **sztuczne ognie** fireworks; *pot.* **dać ~** (*do papierosa*) give a light

oglądać *v imperf* watch; look (**kogoś, coś** at sb, sth); see; **~ się** look back <round>

ogłaszać *v imperf* make known; announce; (*proklamować*) proclaim; (*w gazecie*) advertise

ogłoszenie *n* announcement; (*w gazecie*) advertisement, *pot.* ad

ognisko *n* fire; ~ **domowe** hearth, home
ogolić *v perf* shave; ~ **się** shave, have a shave
ogon *m* tail
ogólny *adj* general, universal
ogół *m* generality, totality, the whole; **~em, na ~** on the whole, in general; **w ogóle** generally, in general
ogórek *m* cucumber
ograniczenie *n* restraint, limitation, restriction; ~ **szybkości** speed limit
ograniczyć *v perf* limit, restrain, restrict
ogrodnik *m* gardener
ogromny *adj* immense, huge, enormous
ogród *m* garden; ~ **warzywny** kitchen-garden; ~ **botaniczny** botanical garden; ~ **zoologiczny** zoological garden, zoo
ogrzewanie *n* heating; **centralne** ~ central heating
ojciec *m* father; ~ **chrzestny** godfather
ojczyzna *f* motherland, fatherland, homeland
okazać *v perf* show; ~ **się** turn out, prove
okaziciel *m* holder; bearer; **czek na ~a** cheque to bearer
okazj|a *f* occasion; (*sposobność*) opportunity; (*okazyjne kupno*) bargain; **z ~i czegoś** on the occasion of sth
okiennica *f* shutter
oklaski *s pl* applause
okład *m* compress
okładka *f* cover
okno *n* window; ~ **wystawowe** show-window, shop window
oko *n* eye; **na pierwszy rzut oka** at first glance; **na** ~ at a guess, roughly; **stracić z oczu** lose sight (**kogoś, coś** of sb, sth)
okolica *f* neighbourhood, *am.* neighborhood; environment, surroundings
okolicznoś|ć *f* circumstance; **zbieg ~ci** coincidence
około *praep* about, near
okradać *v imperf* steal (**kogoś z czegoś** sth from sb), rob (**kogoś z czegoś** sb of sth)
okrągły *adj* round
okrążać *v imperf* surround, encircle
okres *m* period, span; (*menstruacja*) period
określać *v imperf* define, determine
okręt *m* ship, vessel; (*duży statek*) ~ **wojenny**

warship, man-of-war; ~ **podwodny** submarine
okropny *adj* horrible, terrible, awful
okrutny *adj* cruel
okulary *s pl* glasses; ~ **przeciwsłoneczne** sunglasses
okulista *m* oculist, eye-doctor
olej *m* oil; *mat.* ~ **napędowy** gas <diesel> oil; ~ **jadalny** edible oil
olimpiada *f* Olympic Games, the Olympics
oliwa *f* olive-oil
ołów *m* lead
ołówek *m* pencil
ołtarz *m* altar
omijać *v imperf* pass (**coś** by sth), evade; (*unikać*) evade, avoid; (*nie wziąć pod uwagę*) pass over, omit
omlet *m* omelette
omylić się *v perf* make a mistake, be mistaken (**co do czegoś** about sth)
omyłk|a *f* slip, mistake, error; **przez ~ę** by mistake
on, ona, ono *pron* he, she, it; *pl* **oni, one** they
onkologia *f* oncology
ono *zob.* **on**
opad *m* fall, precipitation; **~y** (*deszczowe*) rainfall; **~y śniegu** snowfall; ~ **krwi** E.S.R
opadać *v imperf* fall, sink, drop
opakowanie *n* packing; container
opalać *v imperf* (*o słońcu*) bronze; ~ **się** sunbathe, get a suntan
opalenizna *f* suntan, tan
opał *m* fuel
opanować *v perf* subdue, control; (*osiągnąć sprawność*) master; ~ **się** control oneself
oparzyć *v perf* burn; (*gorącym płynem*) scald; ~ **się** burn oneself, scald
opaska *f* band
opatrunek *m* dressing
opera *f* opera; (*budynek*) opera-house
operacj|a *f* operation; **poddać się ~i** undergo an operation; **~a plastyczna** plastic surgery
operować *v imperf* operate (**kogoś** on sb)
opieka *f* care, protection, custody; ~ **społeczna** social welfare
opiekacz *m* toaster
opiekować się *v imperf* take care (**kimś**, **czymś** of sb, sth); protect, guard (**kimś** sb); have the custody (**kimś** of sb); ~ **chorym** nurse a patient
opierać *v imperf* lean, rest

(**coś o coś** sth against sth); (*uzasadnić*) base, ground (**coś na czymś** sth on sth); ~ **się** lean (**o coś** on <upon, against> sth); (*mieć podstawę*) be founded, be based (**na czymś** on sth); (*przeciwstawiać się*) resist (**komuś** sb)
opinia *f* opinion
opis *m* description
opisać *v perf* describe
opłacać *v imperf* pay (**coś** for sth); ~ **z góry** prepay, pay in advance; ~ **się** pay
opłata *f* charge, payment (**za coś** for sth); (*urzędowa*) duty (**za coś** on sth); (*za przejazd*) fare
opona *f* tyre, *am.* tire
opowiadać *v imperf* tell, relate, narrate; ~ **się** declare (**za kimś, czymś** for sb, sth)
opowiadanie *n* story, narrative, tale
opozycja *f* opposition
opór *m* resistance; **ruch oporu** Resistance; **stawiać** ~ offer <make> resistance, resist
opóźnienie *n* delay; (*w rozwoju*) retardation
opracować *v imperf* work out, elaborate
oprawa *f* frame; (*okładka książki*) binding; ~ **do okularów** frame
oprocentowanie *n* interest
oprogramowanie *n komp.* software
oprócz *praep* except, save; ~ **tego** besides
oprzeć *v perf zob.* **opierać**
optyk *m* optician
optymista *m* optimist
opuszczać *v imperf* (*kurtynę, głowę itp.*) lower, drop; (*zostawiać*) leave; (*porzucać*) abandon, forsake; (*przeoczyć*) omit, leave out; (*lekcję, wykład*) miss; (*cenę*) give a discount
orać *v imperf* plough, till
oraz *conj* and, as well as
order *m* order, decoration
ordynarny *adj* vulgar
organizacja *f* organization
organizm *m* organism
organizować *v imperf* organize
orientować się *v imperf* (*w terenie*) orientate oneself; (*w zagadnieniu*) be acquainted <familiar> (**w czymś** with sth)
orkiestra *f* orchestra, band
ortografia *f* orthography
oryginalny *adj* original, genuine, authentic; (*dziwaczny*) eccentric
orzech *m bot.* nut; ~ **koko-**

sowy coconut; ~ **laskowy** hazel-nut; ~ **włoski** walnut
orzeczenie *n* statement; (*opinia*) opinion; (*sądu*) verdict
orzeł *m zool.* eagle
osa *f zool.* wasp
osiadać *v imperf zob.* **osiąść**
osiągnąć *v perf* (*dojść*) reach; (*uzyskać, zdobyć*) achieve, attain, accomplish
osiedlać *v imperf* settle; ~ **się** settle
osiedle *n* settlement; ~ **mieszkaniowe** housing estate
osiem *num* eight
osiemdziesiąt *num* eighty
osiemnasty *num* eighteenth
osiemnaście *num* eighteen
osiemset *num* eight hundred
osioł *m zool.* donkey, ass
oskarżać *v imperf* accuse (**o coś** of sth), charge (**o coś** with sth)
oskarżenie *n* accusation, charge; **wystąpić z ~m** bring an accusation (**przeciw komuś** against sb)
osłabienie *n* weakness, feebleness
osoba *f* person
osobisty *adj* personal; **dowód ~** identity card
osobiście *adv* personally, in person
osobno *adv* separately, alone
osobowy *adj* personal; **pociąg ~** passenger <slow> train
ospa *f med.* smallpox; ~ **wietrzna** chicken pox
ostateczny *adj* final, ultimate; (*definitywny*) decisive
ostatni *adj* last; (*najświeższy*) latest, recent
ostatnio *adv* lately, recently
ostrożny *adj* cautious, careful, prudent
ostry *adj* sharp; (*np. o bólu*) acute; (*o zimnie*) piercing, biting; (*spiczasty*) (sharp-) pointed; **kąt ~** acute angle
ostrzec *v perf*, **ostrzegać** *v imperf* warn (**kogoś przed kimś, czymś** sb against <of> sb, sth)
ostrzeżenie *n* warning (**przed kimś, czymś** of sb, sth)
ostrzyc *v perf*: **muszę sobie ~ włosy** I must have a haircut, I must have my hair cut
oszczędnoś|ć *f* thrift, economy; *pl* **~ci** savings; **robić ~ci** economize

oszczędzać *v imperf* save, economize; (*darowywać np. życie*) spare
oszukać *v perf*, **oszukiwać** *v imperf* cheat, deceive
oszustwo *n* fraud, deceit
ość *f* (fish) bone
ośmielać *v imperf* encourage; ~ **się** venture, dare
ośrodek *m* centre, *am.* center
oświadczać *v imperf* declare; ~ **się** propose (**kobiecie** to a woman)
oświadczenie *n* declaration
oświata *f* education
oświetlenie *n* light, lighting, illumination
otaczać *v imperf* surround; *wojsk.* (*okrążać*) envelop
oto *part int* here, there; ~ **on** here he is; ~ **jestem** here I am
otoczenie *n* surroundings *pl*, environment
otoczyć *v perf zob.* **otaczać**
otruć *v perf* poison; ~ **się** poison oneself
otrzymać *v imperf* get, receive, obtain
otuch|a *f* cheer; **dodać komuś ~y** raise sb's spirits, cheer sb up; **nabrać ~y** take heart
otwarcie *adv* frankly, openly
otwarty *adj* open; (*szczery*) frank, candid, sincere
otwierać *v imperf* open; ~ **się** open
otwór *m* opening, gap; (*wąski*) aperture; (*na monety, żetony*) slot
owad *m zool.* insect
owca *f zool.* sheep
owies *m* oat(s)
owoc *m* fruit
owsianka *f kulin.* porridge
owszem *adv* quite (so), certainly
ozdabiać *v imperf* decorate, adorn, ornament
ozdoba *f* decoration, ornament
oznaczać *v imperf* mark; (*znaczyć, wyrażać*) denote, signify, mean
oznaka *f* sign, token, mark
ożenić się *v imperf* marry (**z kimś** sb), get married (**z kimś** to sb)

Ó

ósmy *num* eighth
ówczesny *adj* then *attr*

P

pach|a *f* armpit; **nosić coś pod ~ą** carry sth under one's arm

pachnieć *v imperf* smell (**czymś** of sth); **ładnie ~** smell nice

pacjent *m* patient

paczka *f* parcel, package; packet; (*grupa ludzi*) bunch, pack

pada|ć *v imperf* fall; **deszcz <śnieg> ~** it rains <snows>

pagórek *m* hill

pająk *m zool.* spider

pakować *v imperf* pack; **~ się** pack (up)

palacz *m* stoker; (*tytoniu*) smoker; **nałogowy ~** heavy smoker

palarnia *f* smoking-room

palec *m* finger; (*u nogi*) toe

palić *v imperf* burn; (*papierosy*) smoke; **~ się** burn; be on fire; (*o świetle*) be on

paliwo *n* fuel

palma *f bot.* palm(-tree)

palto *n* overcoat

pałac *m* palace

pamiątk|a *f* souvenir, keepsake; **na ~ę** as a keepsake

pamięć *f* memory; **na ~** by heart

pamiętać *v imperf* remember, keep <bear> in mind

pamiętnik *m* diary

pan *m* gentleman; (*np. domu*) master; lord; (*forma grzecznościowa*) sir; (*przed nazwiskiem*) mister (*skr.* Mr), **~ Kowalski** Mr Kowalski; **~ młody** bridegroom

pani *f* lady; (*np. domu*) mistress; (*forma grzecznościowa*) madam; **~ Kowalska** Mrs Kowalska, Ms Kowalska

panna *f* miss, maid; **~ młoda** bride; **stara ~** spinster

panować *v imperf* rule, reign (**nad czymś** over sth); (*kontrolować*) command, be in control of (**nad czymś** sth)

pantera *f zool.* panther

pantof|el *m* shoe; **domowe ~le** slippers

państw|o *n* (*kraj*) state; (*małżeństwo*) Mr and Mrs; **proszę ~a!** ladies and gentlemen!

papier *m* paper; **arkusz ~u** sheet of paper; **~ listowy** stationery; **~ toaletowy** toilet paper <tissue>

papieros *m* cigarette

papież *m* pope

papryka *f bot.* paprika, red pepper
papuga *f zool.* parrot
para[1] *f* (*wodna*) steam, vapour, *am.* vapor
para[2] *f* pair, couple; ~ **małżeńska** married couple; ~ **butów** pair of shoes
parafia *f* parish
paraliż *m med.* paralysis
parapet *m* window-sill
parasol *m* umbrella; (*słoneczny*) sunshade
park *m* park
parking *m* car-park, *am.* parking lot
parkować *v imperf* park
parkowanie *n* parking; ~ **wzbronione** no parking
parlament *m* parliament
parowóz *m* locomotive, engine
parówka *f* (*kiełbaska*) sausage; (*w bułce*) hot dog, frankfurter
parter *m* ground floor; *am.* first floor; *teatr.* pit
partia *f* party; (*towaru*) lot; (*rola*) role, art
partner *m* partner
parzysty *adj* even
pas *m* belt; ~ **startowy** runway; ~ **bezpieczeństwa** safety belt; ~ **ruchu** lane
pasażer *m* passenger
pas|ek *m* strap; (*do spodni*) belt; (*kreska, wzór*) stripe; **materiał w ~ki** striped cloth
pasj|a *f* (*zamiłowanie*) passion; (*złość*) fury, passion; **wpaść w ~ę** fly into a passion
pasować *v imperf* (*kształtem, wielkością*) fit; (*być odpowiednim*) suit, match
pasta *f* paste; ~ **do zębów** toothpaste; ~ **do butów** shoe polish
pastor *m* pastor, minister
pastwisko *n* pasture, grassland
pastylka *f* tablet, pill
paszport *m* passport
pasztet *m* pâté
paść *v perf* fall down, come down; (*bydło*) pasture, graze
patelnia *f* frying-pan
patriota *m* patriot
patrol *m* patrol
patrzeć *v imperf* look (**na kogoś**, **coś** at sb, sth); ~ **na kogoś z góry** look down (up)on sb; ~ **przez okno** look out of the window
paw *m zool.* peacock
paznokieć *m* nail
październik *m* October
pączek *m* bud; (*ciastko*) doughnut, *am.* donut
pchać *v imperf* push, thrust; ~ **się** push, crush
pchła *f zool.* flea

pech *m* bad <ill> luck

pejzaż *m* landscape

pełno *adv* plenty (**czegoś** of sth), in abundance

pełnoletni *adj* adult, of age

pełnomocnik *m* proxy, plenipotentiary

pełny *adj* full; **na ~m morzu** on the high seas

pensja *f* (*pobory*) pay, (*miesięczna*) salary

pensjonat *m* boarding-house

perfumy *s pl* perfume, fragrance, scent

perkusja *f* percussion

perła *f* pearl

peron *m* platform

personel *m* staff, personnel

perspektywa *f* perspective; (*widoki na przyszłość*) prospect; (*widok*) view

perswadować *v imperf* persuade (**komuś, żeby coś zrobił** sb into doing sth; **komuś, żeby czegoś nie zrobił** sb out of doing sth)

peruka *f* wig

peryferi|e *s pl* periphery, suburb; **na ~ach** on the outskirts, in the suburbs

pestka *f* (*w śliwkach, wiśniach*) stone; (*w jabkach, pomarańczach*) pip

pesymista *adj* pessimist

petarda *f* petard

pewien *adj* (*niejaki*) a, one, a certain; **po pewnym czasie** after some time; **przez ~ czas** for some time

pewno, na ~ *adv* certainly, for sure; **on na ~ przyjdzie** he is sure to come

pewny *adj* sure, certain; (*bezpieczny*) safe, secure; **~ siebie** self-confident; **być ~m** be sure (**czegoś** of sth)

pęcherz *m anat.* bladder

pędzel *m* brush

pędzić *v imperf* run (**za kimś** after sb), race, hurry; (*poganiać np. bydło*) drive

pękać *v imperf* burst; (*rozłupać się*) crack

pętla *f* loop; (*tramwajowa, autobusowa*) terminus

piana *f* froth, foam; (*mydlana*) lather

pianino *n* piano

pianista *m* pianist

piasek *m* sand

piątek *m* Friday; **Wielki Piątek** Good Friday

piąty *num* fifth

pici|e *n* drinking; **woda do ~a** drinking water; **coś do ~a** something to drink

pić *v imperf* drink; **~ mi się chce** I'm thirsty

piec[1] *m* stove; (*hutniczy*) furnace

piec[2] *v imperf* (*chleb, cias-*

to) bake; (*mięso*) roast; (*palić*) burn; ~ **się** bake, roast

piechotą *adv* on foot

piecyk *m* oven

pieczarka *f bot.* mushroom, champignon

pieczeń *f* roast; ~ **cielęca** roast veal; ~ **wołowa** roast beef

pieczęć *f* stamp; (*z laku*) seal

pieczywo *n* bread; (*słodkie*) pastry

piegi *s pl* freckles

piekarnia *f* bakery, baker's (shop)

piekło *n* hell

pielęgniarka *f* nurse

pielęgnować *v imperf* nurse

pielgrzymka *f* pilgrimage

pielucha *f* nappy, napkin; *am.* diaper

pieniądze *s pl* money; **drobne** ~ (small) change; (*monety*) coins

pieprz *m* pepper

pierś *f* breast; (*klatka piersiowa*) chest

pierścionek *m* ring; ~ **zaręczynowy** engagement ring

pierwszeństwo *n* priority, precedence (**przed kimś** over sb)

pierwszorzędny *adj* first-rate *attr*

pierwsz|y *num* first; **na ~ego stycznia** on the first of January, on 1st January; **~a pomoc** first aid; **~y lepszy** just any; **godzina ~a** one o'clock; **po ~e** firstly, first, in the first place

pies *m* dog; (*myśliwski*) hound

pieszo *adv* on foot

pieścić *v imperf* caress, pet, fondle

pieśń *f* song

pietruszka *f bot.* parsley

pięć *num* five

pięćdziesiąt *num* fifty

pięćdziesiąty *adj* fiftieth

pięćset *num* five hundred

piękno *n* beauty

piękn|y *adj* beautiful, handsome, lovely; **literatura ~a** belles lettres; **~a pogoda** fine <beautiful> weather; **sztuki ~e** fine arts

pięść *f* fist

pięta *f* heel

piętnasty *num* fifteenth

piętnaście *num* fifteen

piętro *n* storey, floor

pigułka *f* pill

pijany *adj* drunk; drunken *attr*

pik *m* (*w kartach*) spade

pilnik *m* file

pilnować *v imperf* (*opiekować się*) look after, keep an eye on; (*strzec*) watch, guard

pilny *adj* diligent; (*naglący*) urgent
pilot *m* pilot; (*przewodnik*) guide; (*do telewizora*) remote control
piła *f* saw
piłka *f* (*do gry*) ball; *sport.* ~ **nożna** football, soccer
piłkarz *m* football player, footballer
pionek *m* pawn
pionowy *adj* vertical
piorun *m* thunderbolt; **trzask ~u** thunderclap; **rażony ~em** thunderstruck
piosenka *f* song
piosenkarz *m* singer
pióro *m* feather; (*do pisania*) pen; **wieczne ~** fountain pen
piramida *f* pyramid
pirat *m* pirate
pisać *v imperf* write (**ołówkiem, atramentem** in pencil, in ink); **~ na maszynie** type; **jak się to pisze?** how do you spell that?
pisarz *m* writer
pisk *m* squeal, squeak
pismo *n* writing, letter; (*czasopismo*) magazine, periodical; (*charakter pisma*) handwriting
pisownia *f* spelling
pistolet *m* pistol
piszczeć *v imperf* squeak, squeal
piwiarnia *f* beer-house
piwnica *f* cellar, basement
piwo *n* beer; **~ z beczki** beer on draught; **ciemne ~** brown ale; **jasne ~** light ale
piżama *f* pyjamas *pl*, *am.* pajamas *pl*
plac *m* ground; (*okrąły, u zbiegu ulic*) circus, (*kwadratowy*) square
plakat *m* poster, placard, bill
plama *f* stain, spot, blot
plan *m* plan, scheme; **~ miasta** city <street> map; **pierwszy ~** foreground; **dalszy ~** background
planować *v imperf* plan
plastik *m* (*tworzywo*) plastic
plastyk *m* (*artysta*) artist
plaża *f* beach
plecak *m* rucksack, *am.* backpack
plec|y *s pl* back; **za ~ami** behind one's back; **obrócić się ~ami** turn one's back (**do kogoś** on sb)
pleśń *m* mildew; mould, *am.* mold
plik *m* bundle, heap; (*także komp.*) file
plomba *f* (*w zębie*) filling, stopping

plotka *f* gossip
pluć *v imperf* spit
plus *m* (*znak*) plus (sign); (*zaleta*) plus, advantage
płac|a *f* pay, (*miesięczna*) salary, (*tygodniowa*) wages *pl*; **lista ~** payroll
płacić *v imperf* pay; **~ gotówką** pay in cash; **~ z góry** pay in advance, prepay
płacz *m* cry; crying, weeping; **wybuchnąć ~em** burst into tears
płakać *v imperf* cry, weep
płaski *adj* flat
płaszcz *m* coat; (*ocieplany*) overcoat; **~ przeciwdeszczowy** raincoat
płat|ek *m* flake; **~ki kukurydziane** cornflakes; **~ki owsiane** oats
płeć *f* sex; **~ piękna** the fair sex
płomień *m* flame
płot *m* fence
płótno *n* linen; (*malarskie, żaglowe*) canvas
płuc|o *n* lung; *med.* **zapalenie ~** pneumonia
płukać *v imperf* rinse, wash out; **~ gardło** gargle
płyn *m* liquid
płynąć *v imperf* flow; (*pływać*) swim; (*o statkach*) sail; (*odbywać podróż morską*) go by sea, sail; **~ łódką** go in a boat, boat
płyta *f* slab; **~ gramofonowa** record; **~ kompaktowa** compact disc
płytki *adj* shallow; (*np. o talerzu*) flat
pływać *v imperf* swim; (*unosić się na wodzie*) float
pływak *m* swimmer; (*w zbiorniku, u wędki itp.*) float
pływalnia *f* swimming-pool
po *praep* after; for; past; **zaraz po** on, upon; **po wykładach** after the lectures; **kwadrans po piątej** quarter past five; **zaraz po jego powrocie** on his return; **po co?** what for?; **po kolei** by turns; **po raz pierwszy** for the first time; **po pierwsze** firstly, in the first place; **mówić po angielsku** speak English; *pot.* **po ile?** how much?
pobić *v imperf* beat, defeat; **~ rekord** break <beat> the record; **~ się** come to blows (**o coś** over sth)
pobyt *m* sojourn, stay; **miejsce stałego ~u** residence
pocałunek *m* kiss
pochlebiać *v imperf* flatter (**komuś** sb)
pochmurny *adj* cloudy; *przen.* (*ponury*) gloomy
pochodzeni|e *n* origin; descent, ancestry; **Ame-**

rykanin polskiego ~a an American of Polish origin
pochować *v perf* (*pogrzebać*) bury; *zob.* **chować**
pochwała *f* praise
pochyły *adj* sloping
pociąg *m* train; (*skłonność*) inclination; ~ **osobowy** passenger <slow> train; ~ **pośpieszny** fast train; ~ **towarowy** goods train
pociągać *v imperf* pull (**coś** sth; **za coś** at sth), draw; (*nęcić*) attract
po ciemku *adv* in the dark
pocieszać *v imperf* console, comfort, cheer up; ~ **się** console oneself
pocisk *m* missile; ~ **artyleryjski** artillery shell
począt|ek *m* beginning; origin; **na ~ku** at the beginning <outset>
początkujący *m* beginner
poczekalnia *f* waiting-room
poczt|a *f* post, mail; (*budynek*) post office; **~ą** by post; **odwrotną ~ą** by return (of post); **~ą lotniczą** by air mail
pocztówka *f* postcard
pod *praep* under, beneath, below; ~ **drzwiami** at the door; ~ **ręką** at hand; ~ **tym względem** in this respect; ~ **Warszawą** near Warsaw; ~ **warunkiem, że...** on condition that...; **mieszkać ~ numerem piątym** live at (number) five
podać *v perf zob.* **podawać**
podanie *n* (*prośba*) application, petition; *sport.* pass
podatek *m* (*państwowy*) tax; (*lokalny*) rate
podawać *v imperf* give, hand, pass; ~ **rękę** shake hands (**komuś** with sb)
podaż *f* supply
podczas *praep* during; ~ **gdy** *conj* while; whereas
podejmować *v imperf* take up, undertake; (*np. gości*) entertain, receive; ~ **się** undertake (**czegoś** sth)
podejrzenie *n* suspicion
podejrzewać *v imperf* suspect (**kogoś o coś** sb of sth)
podeszwa *f* sole
podjąć *v perf zob.* **podejmować**
podkoszulek *m* T-shirt, tee shirt
podkreślać *v imperf* underline; (*uwydatniać*) stress, emphasize
podlewać *v imperf* water
podłoga *f* floor
podmiejski *adj* suburban
podmiot *m* subject
podniecać *v imperf* excite,

arouse, stir (**do czegoś** to sth); **~ się** be excited, get excited

podnieść *v perf*, **podnosić** *v imperf* raise, lift; (*z ziemi*) pick up; (*ręce*) hold <put> up; (*płace, ceny, podatki itp.*) raise; **~ się** rise, get up

podoba|ć się *v imperf* be attractive; **~ mi się tutaj** I like this place; **on mi się ~** I like him; **jak ci się to ~?** how do you like this?; **rób, jak ci się ~** do as you like

podobny *adj* similar (**do kogoś** to sb), like (**do kogoś** sb); **być ~m** resemble (**do kogoś** sb)

podpaska *f* (*higieniczna*) sanitary towel <pad>, *am.* napkin

podpis *m* signature; **złożyć ~** put one's signature

podpisa|ć *v perf* sign; **niżej ~ny** the undersigned

podręcznik *m* handbook

podręczn|y *adj* (*znajdujący się pod ręką*) handy, at hand; **książka ~a** reference book; **~y bagaż** hand luggage <baggage>

podróż *f* travel, journey; (*krótka*) trip; (*morska*) voyage; **odbywać ~** make a journey; **szczęśliwej ~y!** happy journey!

podróżny *m* traveller, passenger

podróżować *v imperf* travel

podrywać *v imperf pot.* (*dziewczynę, chłopaka*) pick up

podrzeć *v perf* tear (up); **~ na kawałki** tear to pieces

podstaw|a *f* base, basis; grounds; **na ~ie czegoś** on the grounds of sth

podstawow|y *adj* basic, fundamental, essential; **szkoła ~a** elementary <primary> school

podstęp *m* trick, ruse

podszewka *f* lining

poduszka *f* (*część* pościeli) pillow; (*na kanapę*) cushion

podwieczorek *m* afternoon tea

podwodn|y *adj* underwater *attr*, submarine; **łódź ~a** submarine

podwozie *n* chassis

podwójny *adj* double

podwórze *n* yard

podwyżka *f* raise

podział *m* division, partition

podziwiać *v imperf* admire

poeta *m* poet

poezja *f* poetry

pogard|a *f* contempt, scorn,

disdain; **godny ~y** contemptible, detestable
pogląd *m* view, opinion
pogoda *f* weather
pogodzić *v perf* reconcile; **~ się** reconcile oneself (**z kimś** with sb, **z czymś** to sth)
pogorszyć *v perf* make worse, worsen; **~ się** worsen, grow <get> worse
pogotowi|e *n* (*stan gotowości*) readiness; (*instytucja*) emergency department; **karetka ~a** ambulance; **być w ~u** be on the alert
pogrzeb *m* funeral, burial
pojedynczy *adj* single
pojemnik *m* container, receptacle
pojęcie *n* notion, concept, idea
pojutrze *adv* the day after tomorrow
pokarm *m* food, nourishment; (*dla dzieci, zwierząt*) feed
pokaz *m* show; display; **na ~** for show
pokazać *v perf* show, display, demonstrate; (*wskazywać*) point (**na kogoś** at sb); **~ się** appear, come into sight
poker *m* (*gra*) poker
pokła|d *m* (*warstwa*) layer; (*statku*) deck; **na ~d, na ~dzie** aboard
pokolenie *n* generation
pokonać *v perf* (*pobić*) defeat; overcome; **~ odległość** cover a distance
pokorny *adj* humble
pokój[1] *m* peace; **zawrzeć ~** make peace
pokój[2] m (*pomieszczenie*) room; **~ stołowy** dining-room; **~ sypialny** bedroom; **pokoje do wynajęcia** rooms to let
pokryć *v perf* cover; **~ stratę** make up for a loss
pokwitowanie *n* receipt
Polak *m* Pole
polaroid *m* Polaroid camera
pole *n* field; **~ widzenia** field of vision; **~ bitwy** battlefield
poleca|ć *v imperf* recommend; **list ~jący** letter of introduction
polega|ć *v imperf* (*mieć przyczynę*) consist (**na czymś** in sth); (*ufać*) rely, depend (**na kimś, czymś** on sb, sth); **na nim można ~ć** he can be relied upon; **rzecz ~ na czymś innym** the matter consists in sth else
polepsz|ać *v imperf* improve, make better; **~ać się** improve, become better; (*o*

zdrowiu) **~yło mu się** he is better

policja *f* police

policjant *m* policeman

policzek *m* cheek; (*uderzenie*) slap; **wymierzyć komuś ~** slap sb's face

polisa *f* policy; **~ ubezpieczeniowa** insurance policy

politechnika *f* technical university; polytechnic

polityk *m* politician

polityka *f* (*taktyka*) politics; (*kierunek postępowania, dyplomacja*) policy

polowanie *n* hunting; **iść na ~** go hunting

polski *adj* Polish; **język ~** Polish (language)

polubić *v perf* take a liking <fancy> (**kogoś, coś** to sb, sth), become fond of

połączenie *n* union; fusion; (*telefoniczne, komunikacyjne*) connection

połączyć *v perf* connect; unite; (*telefonicznie*) put through (**z kimś** to sb); **~ się** unite; become connected; (*telefonicznie*) get through (**z kimś** to sb)

połow|a *f* half; (*środek*) middle; **~a roku** half a year; **na ~ę** into halves, in half

położenie *n* (*usytuowanie*) position, location; (*warunki*) situation; (*trudna sytuacja*) plight

położyć *v perf* lay (down), place, put; **~ się** lie down, go to bed; *zob.* **kłaść**

południ|e *n* noon, midday; **w ~e** at noon; **po ~u** in the afternun (*strona świata*) south; **na ~e od ...** to the south of ...

południowy *adj* southern, south

połykać *v imperf* swallow

pomagać *v imperf* help, aid, assist

pomarańcza *f* orange

pomidor *m* tomato

pomiędzy *zob.* **między**

pomimo *praep* in spite of, despite

pomnik *m* monument

pomoc *f* help, aid, assistance; **~ domowa** housemaid; **pierwsza ~** first aid; **przyjść komuś z ~ą** come to sb's help; **za ~ą czegoś** with the aid <by means> of sth; **na ~!** help!

pomóc *v perf zob.* **pomagać**

pompa *f techn.* pump

pomylić się *v perf* make a mistake, be mistaken (**co do kogoś, czegoś** about sb, sth)

pomyłk|a *f* mistake, error; **przez ~ę** by mistake

pomysł *m* idea
pomyślność *f* prosperity, success
ponad *praep* above, over
ponadto *adv* moreover; furthermore, besides; in addition
poniedziałek *m* Monday
ponieważ *conj* because, as, since
poniżej *praep* under, below; *adv* underneath, below; **~ zera** below zero
ponownie *adv* again
ponury *adj* gloomy, dismal
pończocha *f* stocking
poparci|e *n* support; **na ~e** in support (**czegoś** of sth); **udzielić komuś ~a** give sb support
popełnić *v perf* commit; **~ błąd** commit an error
popielaty *adj* ashen, grey
popielniczka *f* ashtray
popierać *v imperf* support, back
popołudnie *n* afternoon
poprawa *f* improvement
poprawiać *v imperf* correct, improve, ameliorate; **~ się** improve
po prostu *adv* simply, just; plainly
poprzedni *adj* previous, preceding, former; **~ego dnia** the day before
poprzedzać *v imperf* precede, go before
poprzez *praep* across, through
popularny *adj* popular
popyt *m* demand (**na coś** for sth)
por|a *f* season, time; **~a obiadowa** dinner time; **~y roku** the seasons of the year; **do tej ~y** till now, up to this time; **o każdej porze** at any time; **w ~ę** in good time
porad|a *f* advice, counsel; **udzielić ~y** give advice; **zasięgnąć czyjejś ~y** seek sb's advice; **za czyjąś ~ą** on sb's advice
poradnia *f* (*lekarska*) outpatients' clinic, dispensary
poranek *m* morning; (*filmowy*) matinee
porażenie *n* paralysis; **~ słoneczne** sunstroke
porażka *f* defeat; failure
porcelana *f* china, porcelain
porcja *f* portion, share
poręcz *f* banister, handrail; (*u fotela*) arm
poronienie *n med.* miscarriage, abortion
porozumieni|e *n* understanding, agreement; **dojść do ~a** reach an agreement

poród *m* childbirth, delivery
porównać *v perf* compare
port *m* port, harbour; ~ **lotniczy** airport
portfel *m* wallet
portier *m* porter, doorman, door-keeper
portmonetka *f* purse
portret *m* portrait
Portugalczyk *m* Portuguese
portugalski *adj* Portuguese
porucznik *m* lieutenant
poruszać *v imperf* move; (*uczucia*) stir; touch on (**kwestię** a question); ~ **się** move, stir
porwać *v perf* seize; snatch; (*osobę*) abduct, kidnap; (*np. samolot*) hijack; ~ **się** (*z miejsca*) start up
porząd|ek *m* order; **w ~ku** in order
porządkować *v imperf* order, put <set> in order
porządny *adj* orderly, neat; (*uczciwy*) honest; (*przyzwoity*) decent
porzucać *v imperf* abandon, give up, leave
posada *f* job, post, position
posąg *m* statue
poseł *m* deputy, member of Parliament
posiadać *v imperf* possess, own
posiadłoś|ć *f* property, estate; *pl* **~ci** possessions
posiłek *m* meal; (*drobny*) snack
posłać[1] *v perf* send (**kogoś po kogoś, coś** sb for sb, sth), dispatch
posłać[2] *v perf*: ~ **łóżko** make the bed
posłuszny *adj* obedient; **być ~m** obey
pospolity *adj* common, vulgar
post *m* fast; **Wielki Post** Lent
posta|ć *f* form, shape; figure; (*sylwetka*) silhouette; (*osoba*) person; (*w utworze*) character; **w ~ci** in the shape (**czegoś** of sth)
postanawiać *v imperf* decide, resolve, make up one's mind
postęp *m* progress, advance
postępować *v imperf* (*posuwać się naprzód*) proceed, go on, advance; (*zachowywać się*) behave (**w stosunku do kogoś** towards sb)
postój *m* stay, stop; ~ **taksówek** taxi rank <stand>
posyłać *v imperf zob.* **posłać**[1]
pościel *f* bedclothes
pościg *m* chase, pursuit
pośladek *m* buttock

poślizg *m* slip, skid; **wpaść w ~** skid
pośpiech *m* haste, hurry
pośrodku *adv* in the middle
poświęcać *v imperf* devote; dedicate (**coś komuś** sth to sb); (*czynić ofiary*) sacrifice; (*wyświęcać*) consecrate; **~ się** sacrifice oneself; devote oneself
potem *adv* afterwards, later (on), then
potępiać *v imperf* condemn
potężny *adj* mighty, powerful
potrafić *v imperf* know how to (do); can (do)
potraw|a *f* dish, fare; **spis ~** menu, bill of fare
potrzeb|a *f* need, want; (*konieczność*) necessity; **nagła ~a** emergency; **nie ma ~y** there is no need; **w razie ~y** in case of need, if need be
potrzebować *v imperf* need, be in need of, want
poważny *adj* grave, serious, earnest, solemn; (*znaczny*) considerable
powie|dzieć *v perf* say; **że tak ~m** so to say
powieka *f* eyelid
powierzchnia *f* surface; (*teren*) area
powiesić *v perf* hang (up); **~ się** hang oneself
powieść *f* novel
powietrz|e *n* air; **na wolnym ~u** in the open air
powinien *praed*: **on ~** he should, he ought to; **ja ~em** I should, I ought to
powitanie *n* welcome
powodować *v imperf* cause, bring about, effect
powodzenie *n* success, prosperity
pow|ód *m* cause, reason (**czegoś** of sth; **do czegoś** for sth); (*w sądzie*) plaintiff; **z ~odu** on account of, because of, for this reason; **bez żadnego ~odu** for no reason whatever
powódź *f* flood, deluge
powrotny *adj* (*powtarzający się*) recurrent; **bilet ~** return ticket
powr|ót *m* return, comeback; **~ót do zdrowia** recovery; **na ~ót, z ~otem** back, again; **tam i z ~otem** to and fro
powstanie *n* formation, origin, rise; (*zbrojne*) uprising, mutiny, insurrection
powszechny *adj* universal, general
powszedni *adj* everyday, daily, common; **chleb ~** daily

bread, **dzień ~** workday, weekday
powtarzać *v imperf* repeat
powyżej *adv* above; **~ zera** above zero
poza *praed* beyond, behind; **~ domem** outside; (*oprócz*) except, apart from; **~ tym** besides; **nikt ~ tym** nobody else
pozdr|awiać *v imperf* greet, hail; **~ów go ode mnie** give him my kind regards <my love>; say „hello" to him
pozdrowieni|e *n* greeting; **serdeczne ~a** love
poziom *m* level
poziomka *f bot.* wild strawberry
poziomy *adj* horizontal
poznać *v perf* get to know; become acquainted (**kogoś, coś** with sb, sth); acquaint (**kogoś z kimś, czymś** sb with sb, sth); (*rozpoznać*) recognize; **~ się** become acquainted (**z kimś** with sb), acquaint oneself (**z czymś** with sth)
pozostać *v perf* remain, stay; stay behind
pozostawiać *v imperf* leave; **~ za sobą** leave behind
pozwalać *v imperf* allow, permit, let; **~ sobie** allow oneself; (*folgować sobie*) indulge (**na coś** in sth); **mogę sobie na to pozwolić** I can afford it
pozwolenie *n* permission, permit
pozycja *f* position; (*zapis*) item, entry
pozytywny *adj* positive
pożar *m* fire
pożegnać *v perf* take leave (**kogoś** of sb); **~ się** say goodbye (**z kimś** to sb)
pożegnanie *n* leave-taking, farewell
pożyczać *v perf* (*komuś*) lend (to); (*od kogoś*) borrow (from)
pożyczk|a *f* loan; **udzielać ~i** grant a loan
pożyteczny *adj* useful
pożytek *m* use, profit; **mieć ~** take an advantage (**z czegoś** from sth); **jaki z tego ~?** what's the use of it?
pójść *v perf por.* **iść**
pół *num* half; demi-, semi-; **~ ceny** half-price; **na ~** half; **dwa i ~** two and a half; **~ roku** half a year; **~ godziny** half an hour
półka *f* shelf; (*na bagaż, narzędzia*) rack; **~ na książki** book-shelf
półkula *f* hemisphere
północ *f* (*pora doby*) midnight; (*strona świata*)

north; **na ~** to the north (**od Warszawy** of Warsaw); **na ~y** in the north; **o ~y** at midnight
północny *adj* north, northern; midnight
półwysep *m* peninsula
półżywy *adj* half-alive
później *adv* later (on), afterwards; **prędzej czy ~** sooner or later
późno *adv* late
prac|a *f* work; (*zatrudnienie*) job; (*fizyczna*) labour, *am.* labor; **stała ~a** regular work, job; **~a zlecona** work at order; **warunki ~y** working conditions; **być bez ~y** be out of work; **chodzić do ~** go to work
pracodawca *m* employer
pracować *v imperf* work
pracownia *f* workroom, workshop; laboratory; (*artysty*) studio; (*uczonego*) study
pracownik *m* worker, employee
prać *v imperf* wash
pragnąć *v imperf* desire, crave (**czegoś** for sth)
pragnienie *n* desire, craving (**czegoś** for sth); (*picia*) thirst; **mieć ~** be thirsty
praktyczny *adj* practical
praktyka *f* practice; (*szkolenie*) training, apprenticeship
pralka *f* washing-machine
pralnia *f* laundry; **~ chemiczna** dry-cleaner's
prani|e *n* washing, laundry; **proszek do ~a** washing powder
prasa *f* press; (*o gazetach*) newspapers; (*dziennikarze, reporterzy*) the Press; **~ drukarska** printing-press
prasować *v imperf* iron, press
prawda *f* truth; **to ~** that's true
prawdopodobny *adj* probable, likely
prawdziwy *adj* true, genuine, real
prawie *adv* almost, nearly; **praca jest ~ skończona** the work is almost done
prawnik *m* lawyer
prawny *adj* legal, lawful
prawo[1] *n* right; (*ustawa*) law; **~ autorskie** copyright; **~ do głosowania** right to vote; **~ jazdy** driving licence, *am.* driver's license
prawo[2], **na ~** *adv* on the right, to the right
prawosławny *adj* orthodox
praw|y *adj* right; (*uczciwy*) honest, righteous; **po ~ej stronie** on the right (hand) side

prąd *m* (*rzeki, powietrze*) current; (*elektryczny*) electric current; (*tendencja*) tendency, trend

precz *adv* away; *int* get away!, out of my sight!

premia *f* premium; (*dodatkowe wynagrodzenie*) bonus

premier *m* prime minister, premier

premiera *f* first night, première

pretekst *m* pretext; **pod ~em** on the pretext

prezent *m* present, gift

prezerwatywa *f* condom

prezydent *m* president

prędko *adv* quickly, fast, rapidly

prędzej *adv* quicker, more quickly, faster; (*wcześniej*) sooner; **czym ~** as soon as possible; **~ czy później** sooner or later

problem *m* problem, question

procent *m* percentage; (*odsetki*) interest; **na pięć ~** at five per cent; **przynosić ~** bear interest

proces *m* process; (*sądowy*) trial, action; **wytoczyć ~** bring an action (**komuś** against sb)

producent *m* producer

produkcja *f* production, output

produkować *v imperf* produce

profesor *m* professor

prognoza *f* prognosis; **~ pogody** weather forecast

program *m* program(me); (*nauczania*) curriculum, syllabus

projekt *m* project; plan; design (**czegoś** for sth); (*zarys, szkic*) draft

prom *m* ferry(-boat)

promie|ń *m* beam, ray; (*koła*) radius; **~nie słońca** sunrays; **~nie Roentgena** X-rays *pl*

proponować *v imperf* offer, propose

propozycja *f* suggestion, proposal

prosić *v imperf* ask, beg (**kogoś o coś** sb for sth); request (**kogoś o coś** sth of sb); **~ kogoś, żeby coś zrobił** ask sb to do sth; **proszę przyjść!** come please!; **proszę wejść!** please come in!

prost|o *adv* directly, straight; **po ~u** simply; **iść ~o** go <keep> straight on

prostokąt *m mat.* rectangle

prosty *adj* direct, straight; simple

prosz|ek *m* powder; **~ek**

do prania washing-powder; **mleko w ~ku** powdered milk
prośb|a *f* request; (*pisemna*) petition; **wnosić ~ę** apply (**o coś** for sth)
protestancki *adj* Protestant
protestant *m* Protestant
protestować *v imperf* protest
proteza *f*: **~ dentystyczna** denture, false teeth; (*kończyny*) artificial limb
prowadzić *v imperf* lead, guide, conduct; (*przedsiębiorstwo, gospodarstwo itp.*) manage, keep, run; (*rozmowę itp.*) carry on; **~ samochód** drive (a car)
próba *f* trial, test; (*teatralna*) rehearsal; (*usiłowanie*) attempt, endeavour
próbować *v imperf* try, test; (*usiłować*) attempt, endeavour; (*kosztować*) taste; **~ szczęścia** try one's luck
próżny *adj* empty, void; (*zarozumiały, daremny*) vain
prysznic *m* shower
prywatny *adj* private
prywatyzacja *f* privatization
przebaczać *v imperf* pardon, forgive, excuse
przebierać *v imperf* (*wybierać*) pick and choose, sort; **~ się** change (one's clothes)
przebój *m* (*muzyczny*) hit; (*wydawniczy*) bestseller
przebywać *v imperf* stay, live
przechodzień *m* passer-by
przechowalnia *f* (*bagażu*) left-luggage office, *am.* baggage room, checkroom
przecen|a *f* discount, price reduction; **z ~y** at a discount
przeciąg *m* draught, *am.* draft; current of air
przecież *adv* yet, still, after all; **~ to mówiłeś** you did say that
przeciętnie *adv* on (the) average
przeciętny *adj* average; (*średni*) mediocre
przecinek *m* comma
przeciw *praep* against; **nie mam nic ~ temu** I have no objections to it; I don't mind it
przeciwnie *adv* on the contrary, just the opposite
przeciwnik *m* adversary, opponent
przeciwny *adj* contrary, opposite; (*odmienny*) adverse; opposed; **jestem temu ~** I am against it, I object to it; **w ~m razie** otherwise, or else
przeczenie *n* negation
przeczucie *n* presentiment;

(*złe*) foreboding, premonition, misgiving

przeczyć *v imperf* deny (**czemuś** sth)

przed *praep* before; in front of; ~ **tygodniem** a week ago; ~**e wszystkim** first of all, above all

przedłużać *v imperf* extend, prolong, lengthen

przedmieście *n* suburb

przedmiot *m* object; (*temat, zagadnienie*) subject, topic, subject-matter

przedmowa *f* preface

przedostatni *adj* last but one; ~**ej nocy** the night before last

przedpłata *f* subscription

przedpokój *m* hall, anteroom, waiting-room

przedsiębiorstwo *n* business, firm, company

przedsięwzięcie *n* undertaking, enterprise, venture

przedstawiać *v imperf* represent, present; (*wystawiać na scenie*) stage; (*osobę*) introduce, present; ~ **się** introduce oneself

przedstawiciel *m* representative; (*handlowy*) agent

przedstawienie *n* performance, spectacle

przedszkole *n* kindergarten

przedtem *adv* before, formerly

przedwczoraj *adv* the day before yesterday

przedział *m* (*różnica*) partition, division; (*w pociągu*) compartment; ~ **dla palących** smoker; ~ **dla niepalących** non-smoker

przegląd *m* review, survey; (*techniczny*) overhaul

przegrać *v imperf* lose

przejazd *m* passage, thoroughfare; (*kolejowy*) (level) crossing; ~**em** on one's way

przejechać *v perf* pass, travel (**przez Warszawę** through Warsaw); (*rozjechać*) run over; ~ **cały kraj** travel all over the country

przejście *n* passage; (*przez jezdnię*) crossing; (*stadium przejściowe*) transition; (*doświadczenie*) experience; (*przykre doznanie*) ordeal

przekaz *m* remittance; (*bankowy*) draft; (*pocztowy*) (postal) order

przekąsk|a *f* snack; *pl* ~**i** refreshments *pl*

przekład *m* translation

przekładnia *f techn.* transmission, gear

przekon|ywać *v imperf* convince (**kogoś o czymś** sb

of sth); persuade; **jestem ~any** I am convinced

przekreślać *v imperf* cross (out); (*skasować*) cancel, annul

przekształcać *v imperf* transform, convert

przelew *m* (*bankowy*) transfer

przełączyć *v perf* switch (over) (**na coś** to sth)

przełęcz *f* pass

przełożony *m* superior; principal

przełożyć *v perf zob.* **przekładać**

przemawiać *v imperf* deliver a speech, speak (**do kogoś** to sb), address (**do kogoś** sb)

przemęczenie *n* overwork, overstrain

przemoc *f* violence, force

przemówić *v perf zob.* **przemawiać**

przemówienie *n* speech, address

przemycać *v imperf* smuggle

przemysł *m* industry

przemyt *m* smuggling

przenieść *v perf* transfer; transport; **~ się** transfer, move (**z Warszawy do Krakowa** from Warsaw to Cracow)

przenocować *v imperf* (*kogoś*) put sb up (for the night); (*u kogoś*) stay overnight

przenosić *v imperf zob.* **przenieść**

przenośny *adj* portable

przeoczyć *v perf* overlook, omit

przepaść *f* precipice; abyss, chasm

przepis *m* regulation, rule; (*kulinarny*) recipe; **~y drogowe** traffic regulations

przepisać *v perf* (*lekarstwo*) prescribe; (*tekst*) rewrite, copy

przeprasza|ć *v imperf* beg (sb's) pardon, apologize (**kogoś za coś** to sb for sth); **~m!** excuse me!, I beg your pardon!; (I'm) sorry!

przeprowadzać *v imperf* conduct; (*wykonywać*) carry out, realize; **~ się** move, remove

przepuklina *f med.* hernia

przepustka *f* pass, permit

przerażenie *n* terror, horror, dread

przerw|a *f* break, pause; *teatr.* interval, intermission; **bez ~y** without intermission, unceasingly

przesada *f* exaggeration

przesadzać *v imperf* exaggerate; (*roślinę*) transplant

przesąd *m* (*uprzedzenie*)

prejudice; (*zabobon*) superstition

przesądny *m* superstitious

przesiada|ć się *v imperf* (*z pociągu do pociągu*) change (trains); (*na lotnisku*) transfer; **gdzie się ~my?** where do we change?

przesiadka *f* change, transfer

przesłuchać *v perf* (*podejrzanego*) interrogate, examine

przestać *v perf* cease, stop

przestarzały *adj* dated, out of date, obsolete

przestępca *m* criminal, lawbreaker, offender

przestępstwo *n* offence, crime

przestraszyć *v imperf* frighten, scare; **~ się** be frightened <scared>

przestrzegać *v imperf* warn (**przed czymś** of sth), caution (**przed czymś** against sth); (*zasad, przepisów, tradycji*) observe, obey

przestrzeń *f* space, room; **~ kosmiczna** outer space

przesuwać *v imperf* shift, shove; **~ się** move, shift

przeszczep *m med.* transplant; (*czynność*) transplantation

przeszkadzać *v imperf* disturb, trouble (**komuś** sb); (*utrudniać*) hinder, obstruct

przeszkod|a *f* hindrance, obstacle; **być ~ą dla kogoś** stand in sb's way

przeszłość *f* the past

prześcieradło *n* sheet

prześwietlenie *n med.* X-ray

przetrwać *v imperf* outlast, outlive, survive

przewag|a *f* superiority; (*górowanie*) advantage; **mieć ~ę** have an advantage (**nad kimś** over sb)

przeważnie *adv* for the most part, mostly

przewidywać *v imperf* foresee, anticipate

przewodniczący *m* chairman

przewodnik *m* guide; (*książka*) guidebook

przewóz *m* transport, carriage

przewracać *v imperf* overturn, turn over, upset; **~ się** fall down <over>

przez *praep* through, by, across, over; (*o czasie*) during, for, within, in; **~ cały dzień** all day long; **~ cały rok** all the year round; **~ telefon** by phone; **~ radio** over the radio; **~ przypadek** by accident

przeziębić się *v perf* catch (a) cold
przeziębienie *n* cold
przeziębiony *adj*: **jestem ~** I have a cold
przeznaczenie *n* destination; (*los*) destiny, fate
przezrocze *n fot.* slide
przezroczysty *adj* transparent
przezwisko *n* nickname
przeżegnać się *v perf* cross oneself
przeżyć *v perf* (*przetrwać*) survive, outlive; (*doświadczyć*) experience
przód *m* front; **na przodzie** at the head <front>; **z przodu** in front of
przy *praep* (near)by, at; with; on; about; **~ filiżance kawy** over a cup of coffee; **~ pracy** at work; **~ świetle księżyca** by moonlight; **~ tej sposobności** on that occasion; **~ twej pomocy** with your help; **~ tym** besides, too; **nie mam ~ sobie pieniędzy** I have no money about <on> me; **usiądź ~ mnie** sit by me
przybliżeni|e *n* approximation; **w ~u** approximately
przybywać *v imperf* arrive (**do Warszawy** in Warsaw), come (**do Warszawy** to Warsaw); (*narastać*) increase
przychodnia *f* out-patient clinic, dispensary
przychodzi|ć *v imperf* come (**dokądś** to a place), arrive (**dokądś** at <in> a place); **~ć do kogoś** (*w odwiedziny*) come to see sb; **~ć do siebie** come round, recover; **~ mi do głowy** it comes to me
przycisk *m* button
przyciskać *v imperf* press
przyczepić *v perf* affix, attach, fasten; **~ się** cling, stick (**do kogoś**, **czegoś** to sb, sth)
przyczyn|a *f* cause, reason; **z tej ~y** for that reason
przyglądać się *v imperf* look (**komuś**, **czemuś** at sb, sth), observe; (*przypatrywać się*) look on, watch
przygnębienie *n* depression, gloominess, low spirits *pl*
przygoda *f* adventure, incident
przygotowywać *v imperf* prepare, make ready; **~ się** make <get> ready, prepare (oneself)
przyjaciel *m* friend
przyjacielski *adj* friendly
przyjaciółka *f* friend, girlfriend
przyjazd *m* arrival
przyjazny *adj* friendly

przyjaźnić się *v imperf* be friends
przyjaźń *f* friendship
przyjemnoś|ć *f* pleasure; **znajdować ~ć** take pleasure (**w czymś** in sth); **z ~cią** with pleasure
przyjemny *adj* pleasant, agreeable
przyjeżdżać *v imperf* come (**do przyjaciół** to friends), arrive (**do przyjaciół** at friends')
przyjęcie *n* reception; (*towarzyskie*) party; (*np. do szkoły*) admission
przyjść *v perf zob.* **przychodzić**; **~ na umówione spotkanie** keep an appointment
przykład *m* example, instance; **na ~** for instance <example>
przykro *adv*: **~ mi** I'm sorry
przykrość *f* annoyance, displeasure
przylądek *m* cape, promontory
przylot *m* arrival
przyłączać *v imperf* join, annex, attach; **~ się** join (**do kogoś** sb)
przymierzać *v imperf* (*ubranie*) try on
przynajmniej *adv* at least
przynosić *v perf* bring, fetch; (*spowodować*) cause
przypadek *m* accident; case
przypadkiem *adv* by chance, by accident, accidentally; **spotkałem go ~** I happened to meet him
przypominać *v imperf* remind (**komuś coś** sb of sth); **~ sobie** remember, recollect, recall
przyprawa *f* spice, condiment
przypuszczać *v imperf* suppose, presume
przyroda *f* nature
przyrząd *m* instrument, device (**do czegoś** for sth); (*drobny*) gadget
przyrządzać *v imperf* prepare, make ready
przyrzeczenie *n* promise
przyrzekać *v imperf* promise
przysięg|a *f* oath; **złożyć ~ę** take an oath; **pod ~ą** on oath
przysłowie *n* proverb
przysług|a *f* favour, service; **wyświadczyć komuś ~ę** do sb a favour <service>
przysmak *m* delicacy, dainty
przystanek *m* stop, halt
przystań *f* haven, harbour
przystawka *f* (*potrawa*) hors d'œuvre, starter

przystojny *f* good-looking, handsome
przyszłoś|ć *f* the future; **w ~ci** in the future; **oszczędzać na ~ć** (*na dalsze lata*) save for the future
przyszły *adj* future; **w ~m tygodniu** next week
przyszywać *v imperf* sew on; **~ guzik** sew a button on
przytomność *f* consciousness; **stracić ~** lose consciousness; **odzyskać ~** regain consciousness
przytomny *adj* conscious
przywiązywać *v imperf* bind, tie (up), fasten; **~ się** attach oneself, become attached (**do kogoś**, **czegoś** to sb, sth)
przywitać *v perf* welcome, greet
przywóz *m* import, importation; (*dostawa*) delivery
przyznać *v perf* (*np. nagrodę*) award (**coś komuś** sth to sb); (*uznać rację*) admit, acknowledge; **~ się** confess (**do czegoś** sth)
przyzwoity *adj* decent
przyzwyczajać *v imperf* accustom (**do czegoś** to sth); **~ się** accustom oneself, get used (**do czegoś** to sth)
psuć *v imperf* spoil; (*pogarszać*) make worse, worsen; (*uszkadzać*) damage; **~ się** spoil, get spoilt
psychologia *f* psychology
psychoterapia *f* psychotherapy
pszczoła *f zool.* bee
pszenica *f bot.* wheat
ptak *m zool.* bird
publiczność *f* public; (*na sali*) audience
publiczn|y *adj* public; **miejsce ~e** public place
puchnąć *v imperf* swell
pudełko *m* box
puder *m* powder
puderniczka *f* (powder) compact
pukać *v imperf* knock, rap (**do drzwi** at the door)
puls *m* pulse; **mierzyć komuś ~** take sb's pulse
pułapka *f* trap
pułkownik *m* colonel
punkt *m* point; **mocny ~** strong point; **słaby ~** weak point; **~ widzenia** point of view; **~ wyjścia** starting point
punktualny *adj* punctual
pusty *adj* empty
pustynia *f* desert
puszcza *f* wilderness; primeval forest
puszczać *v imperf* let fall, let go; (*o farbie*) come off;

~ **w ruch** set <put> in motion; ~ **wolno** set free
puszka *f* tin, *am.* can; ~ **na pieniądze** money-box
puścić *v perf zob.* **puszczać**
puzon *m muz.* trombone
pył *m* dust
pysk *m* muzzle, mouth
pytać *v imperf* ask (**o drogę** the way; **o kogoś, coś** about sb, sth); inquire (**o kogoś, coś** after sb, sth); (*wypytywać*) interrogate; (*egzaminować*) examine
pytanie *n* question; inquiry (**o kogoś** after sb); **zadać komuś** ~ ask sb a question, put a question to sb

R

rabować *v imperf* rob (**komuś coś** sb of sth); (*w czasie wojny*) plunder
rabunek *m* robbery, plunder
rachunek *m* account; (*w restauracji*) bill, *am.* check; ~ **za telefon** telephone bill; ~ **bieżący** current account, *am.* checking account
racj|a *f* reason; (*żywnościowa*) ration; **mieć ~ę** be right; **nie mieć ~i** be wrong
racjonalny *adj* rational, reasonable
raczej *adv* rather, sooner; ~ **zginę, niż się poddam** I'd rather <sooner> die than give up
rad|a *f* (*porada*) advice, counsel; (*zespół*) council, board, committee; **~a miejska** city council; **dać sobie ~ę** manage (**z czymś** sth); **pójść za czyjąś ~ą** follow <take> sb's advice
radar *m* radar
radca *m* counsellor, adviser
radio *n* radio; **nadawać przez** ~ broadcast
radiostacja *f* radio station
radny *m* city <town> councillor
radość *f* joy, gaiety
radzić *v imperf* advise, counsel (**komuś** sb); (*obradować*) deliberate (**nad czymś** on sth), debate (**nad czymś** over sth); ~ **się** consult (**kogoś** sb)
rajd *m* raid; (*motorowy, samochodowy*) rally
rajstopy *s pl* tights, pantihose

rak *m zool.* crayfish; *med.* cancer
rakieta *f* rocket; (*tenisowa*) racket
ram|a *f* frame; **oprawiać w ~y** frame
rami|ę *n* arm; (*bark*) shoulder; **wzruszać ~onami** shrug (one's shoulders)
ran|a *f* wound, cut; **opatrzyć ~ę** dress a cut
randka *f pot.* date
ranga *f* rank
ranić *v imperf* wound, hurt, injure
ranny *adj* wounded
rano *adv* in the morning; **dziś ~** this morning; **wczoraj <jutro> ~** yesterday <tomorrow> morning
raport *m* report; account
rasa *f* (*ludzi*) race; (*zwierząt*) breed
rat|a *f* instalment; **na ~y** by instalments, on hire-purchase
ratować *v imperf* save, rescue; **~ się** save one's life; **~ się ucieczką** take to flight
ratownik *m* rescuer; (*na plaży*) life-guard
ratun|ek *m* rescue, salvation; **wołać o ~ek** cry for help; **~ku!** help!
ratusz *m* town <city> hall
raz *m*: **jeden ~** once; **dwa ~y** twice; **trzy ~y** three times; **innym ~em** some other time; **jeszcze ~** once more; **od ~u** at once; **pewnego ~u** once upon a time; **po ~ pierwszy** for the first time; **~ na zawsze** once for all; **~ po ~** repeatedly, again and again; **tym ~em** this time; **na ~ie** for the time being; **w każdym ~ie** at any rate, in any case; **w najgorszym ~ie** at worst; **w najlepszym ~ie** at best; **w przeciwnym ~ie** or else, otherwise
razem *adv* together
rączka *f* (*uchwyt*) handle, hand-grip
rdza *f* rust
reakcja *f* reaction
realistyczny *adj* realistic
realizować *v imperf* realize; (*czek*) cash
realny *adj* real
recepcja *f* (*w hotelu*) reception (desk)
recepta *f* prescription
redaktor *m* (*gazety, czasopisma*) editor; **~ naczelny** editor in chief
reflektor *m* spotlight; (*samochodowy*) headlight
reforma *f* reform
refren *m* refrain
region *m* region, district

regulamin *m* regulations *pl*
regularny *adj* regular
regulł|a *f* rule; **z ~y** as a rule
rehabilitacja *f* rehabilitation
rejs *m* cruise
rekin *m zool.* shark
reklama *f* publicity, advertising; (*w gazecie*) advertisement; (*telewizyjna, radiowa*) commercial
reklamacja *f* complaint
reklamować *v imperf* complain; (*propagować*) advertise, publicize
rekomendować *v imperf* recommend (**coś komuś** sth to sb)
rekonwalescencja *f* convalescence, recuperation
rekord *m* record; **pobić <ustanowić> ~** break a record
relacja *f* (*sprawozdanie*) report, account; (*stosunek*) relation, relationship
relaks *m* relaxation
religia *f* religion
religijny *adj* religious
remis *m sport.* draw, tie
remont *m* renovation, repair
renifer *m* reindeer
renta *f* pension; (*inwalidzka*) disability pension
rentgen *m* X-ray
reperować *v imperf* repair, mend, fix
repertuar *m* repertoire
reporter *m* reporter
reprezentować *v imperf* represent
republika *f* republic
resor *m* shock absorber
restauracja *f* restaurant
reszta *f* rest, remainder; (*pieniędzy*) change
resztk|a *f* remnant; *pl* **~i** remains, leftovers
reumatyzm *m* rheumatism
rewanż *m* (*odwet*) revenge; (*odwzajemnienie*) reciprocation, requital; *sport.* return match
rewizja *f* (*obszukiwanie*) search; (*poddanie krytyce*) revision
rewolucja *f* revolution
rezerwa *f* reserve
rezerwować *v imperf* book, reserve
rezultat *m* result
rezygnować *v imperf* resign (**z czegoś** sth; **na rzecz kogoś** to sb), give up
reżyser *m* stage-manager; (*filmowy*) director
ręcznie *adv* by hand; **~ robiony** handmade
ręcznik *m* towel
ręk|a *f* hand; **trzymać za ~ę** hold by the hand; **iść komuś na ~ę** play into sb's hands; **od ~i** on the

spot, offhand; **pod ~ą** at hand; **pod ~ę** arm in arm; **~a w ~ę** hand in hand

rękaw *m* sleeve

rękawiczka *f* glove; (*z jednym palcem*) mitten

robak *m zool.* worm

robi|ć *v imperf* make, do; **~ć swoje** do one's duty; **~ć obiad** make dinner; **~ć na drutach** knit; **~ się: ~ się ciepło <zimno, późno>** it is getting warm <cold, late>

robot *m* robot, automaton

robot|a *f* work, labour, *am.* labor; job; **nie mieć nic do ~y** have nothing to do

robotnik *m* worker, labourer, workman

rocznica *f* anniversary

rodak *m* (fellow) countryman, compatriot

rodzaj *m* kind, sort; **coś w tym ~u** something of the kind

rodzeństwo *n* brothers and sisters, siblings

rodzice *s pl* parents

rodzić *v imperf* bear, give birth to; **~ się** be born

rodzina *f* family

rodzynek *m* raisin

rok *m* (*pl* **lata**) year; **~ szkolny** school year; **co drugi ~** every second year; **w przyszłym <w zeszłym> ~u** next <last> year

rol|a *f* part, role; **główna ~a** lead; **odgrywać ~ę** play a part

rolnictwo *n* agriculture

rolnik *m* farmer

romans *m* (*powieść*) romance; (*miłostka*) romance, love-affair

rondo *m* (*plac*) circus; (*skrzyżowanie*) roundabout

ropa *f med.* pus; **~ naftowa** crude oil, petroleum

Rosjanin *m* Russian

rosnąć *v imperf* grow

rosół *m* broth

rostbef *m* roast beef

rosyjski *adj* Russian

roślina *f* plant

rower *m* bicycle, *pot.* bike

rozbić *v perf* crash, smash, break; **~ się** crash; (*o statku*) be shipwrecked

rozbierać *v imperf* undress; (*maszynę*) dismantle, take apart; **~ się** undress, strip

rozbijać *v imperf zob.* **rozbić**

rozczarowanie *n* disappointment

rozdawać *v imperf* distribute, give out; (*karty*) deal

rozdział *m* (*w książce*) chapter

rozebrać *v perf zob.* **rozbierać**

rozejść się *v perf* (*o towarzystwie*) break up, part; (*o małżeństwie*) separate; (*o wiadomościach*) spread

rozerwać się *v perf* (*rozedrzeć się*) tear; (*zabawić się*) have a good time, entertain oneself; (*wybuchnąć*) burst

rozgłośnia *f* broadcasting station

rozgnieść *v perf* crush

rozgniewać *v perf* anger, make angry; ~ **się** get angry (**na kogoś** with sb; **na coś** at <about> sth)

rozgrzewać *v imperf* warm; ~ **się** warm oneself, warm up

rozkaz *m* order, command; **na** ~ by order

rozkład *m* disposition; (*psucie się*) decay; (*plan*) schedule, timetable

rozkładać *v imperf* (*rozstawiać*) dispose, arrange; (*rozpościerać*) spread; (*na wystawie*) display, lay out; (*na części*) decompose, take (sth) apart; ~ **się** (*wyciągać się*) stretch out, spread; (*psuć się*) decay

rozkosz *f* delight

rozlać *v perf* (*na podłogę*) spill; (*wlać*) pour

rozłączać *v imperf* separate; disconnect; (*przerwać rozmowę telefoniczną*) cut off; ~ **się** separate; become disconnected; (*zakończyć rozmowę telefoniczną*) hang up

rozmaity *adj* various, diverse

rozmawiać *v imperf* talk, converse

rozmiar *m* size

rozmieniać *v imperf* (*pieniądze*) change

rozmow|a *f* conversation, talk; (*telefoniczna*) call; **prowadzić ~ę** have a conversation

rozmyślić się *v perf* change one's mind

rozmyślny *adj* deliberate, premeditated

rozpacz *f* despair

rozpaczać *v imperf* despair (**nad kimś**, **czymś** of sb, sth)

rozpadać się *v imperf* fall to pieces, fall apart, collapse

rozpakować *v imperf* unpack; (*z opakowania*) unwrap; ~ **się** unpack

rozpalać *v imperf* (*ogień*) make <build> a fire

rozpatrywać *v imperf* consider, examine

rozpiąć *v perf*, **rozpinać** *v imperf* (*ubranie*) unbutton; (*guziki*, *suwak*) undo

rozplątać *v perf* disentangle
rozpoczynać *v imperf zob.* **zaczynać**
rozpoznać *v perf* recognize; *med.* diagnose
rozprawa *f* (*naukowa*) treatise, dissertation; (*sądowa*) trial
rozpuszczać *v imperf* (*w płynie*) dissolve; (*topić*) melt; (*pogłoski*) spread; **~ się** dissolve; (*topnieć*) melt
rozróżniać *v imperf* distinguish, differentiate
rozrywka *f* entertainment, amusement, pastime
rozsądek *m* sense; **zdrowy ~** common sense
rozsądny *adj* sensible, reasonable
rozstanie *n* parting, separation
rozstawać się *v imperf* part, part company (**z kimś, z czymś** with sb, sth); (*o małżeństwie*) split up
rozstrój *m*: *med.* **~ nerwowy** nervous breakdown; **~ żołądka** stomach disorder <upset>
rozśmieszać *v imperf* make sb laugh
roztargniony *adj* absent-minded
roztwór *m* solution
rozum *m* (*umysł*) mind, intellect; (*władze umysłowe*) reason; (*rozsądek, spryt*) wit
rozumie|ć *v imperf* understand; (*pojmować*) comprehend; **nie ~m po angielsku** I don't understand English; **~ć się** understand (each other)
rozwaga *f* consideration, reflection
rozważać *v imperf* (*rozpatrywać*) consider; (*zastanawiać się*) reflect (**coś** on <upon> sth)
rozwiązywać *v imperf* undo, untie; (*zagadki, problemy*) solve; (*unieważniać, likwidować*) dissolve; **~ krzyżówki** do crosswords
rozwiedziony *adj* divorced
rozwijać *v imperf* (*odpakowywać*) unwrap; (*zwój*) unroll; (*gazetę, skrzydła*) unfold; **~ się** develop
rozwodzić się *v imperf* divorce (**z kimś** sb)
rozwód *m* divorce
rozwój *m* development
ród *m* (*pochodzenie*) origin, stock
róg *m* horn; (*sygnałowy*) bugle; (*zbieg ulic, kąt*) corner; **na rogu** at the corner; **za rogiem** round the corner
również *adv* also, too, as well; **jak ~** as well as

równik *m geogr*. equator
równina *f* plain(s)
równoczesny *adj* simultaneous
równoległy *adj* parallel
równoleżnik *m geogr*. parallel
równość *f* equality
równowaga *f* equilibrium, balance
równy *adj* (*gładki, płaski*) even, flat, level; (*jednakowy*) equal
róża *f bot*. rose
różaniec *m* rosary
różnica *f* difference, distinction
różnić się *v imperf* differ (**od kogoś, czegoś** from sb, sth; **pod względem czegoś** in sth)
różnorodny *adj* heterogeneous; various, diverse
różny *adj* (*odmienny*) different (**od czegoś** from sth); (*przeciwstawny*) distinct (**od czegoś** from sth); (*rozmaity*) various
różowy *adj* pink, rosy
ruch *m* movement, move; (*w grze*) move; (*maszyny*) motion; ~ **uliczny** traffic; ~ **jednokierunkowy** one-way traffic; ~ **oporu** Resistance
ruchliw|y *adj* (*ruchomy*) mobile; (*żwawy*) active; **~a ulica** busy street
ruda *f* ore
rudy *adj* ginger; (*rudowłosy*) red-headed
ruina *f* ruin
rumianek *m bot*. camomile
Rumun *m* Rumanian
rumuński *adj* Rumanian
runąć *v perf* (*upaść*) fall down; (*zawalić się*) collapse, tumble down
rura *f* pipe, tube; ~ **wydechowa** exhaust pipe
ruszać *v imperf* move, stir; (*dotykać*) touch; (*w drogę*) start (out), set off (**dokądś** for a place); ~ **się** move, stir
ruszt *m* (*do pieczenia mięsa*) grill; (*część paleniska*) grate
rwać *v imperf* tear; (*owoce, kwiaty*) pluck, pick; (*zęby*) pull (out), extract; ~ **się** (*np. o ubraniu*) tear
ryb|a *f* fish; **łowić ~y** fish; catch fish, (*na wędkę*) angle; **iść na ~y** go fishing
rybak *m* fisher, fisherman
ryczałt *m* lump sum; **~em** in the lump
rynek *m* market-place, market-square; **czarny** ~ black market; **wolny** ~ free market
rynna *f* gutter

rysować *v imperf* draw; (*szkicować*) sketch
rysunek *m* drawing, (*szkic*) sketch
rytm *m* rhythm
rywal *m* rival
rywalizować *v imperf* rival (**z kimś** sb), compete (**z kimś** with sb)
ryzyko *n* risk; **ponosić ~** take <run> a risk
ryż *m* rice
rzadki *adj* rare, scarce; (*o włosach*) thin
rzadko *adv* seldom, rarely
rząd[1] *m* row, file; **ustawić się rzędem** line up
rząd[2] *m* government, *am.* administration
rządzić *v imperf* govern; manage (**czymś** sth); rule (**czymś** over sth)
rzecz *f* thing; (*sprawa*) matter; **~y osobiste** personal belongings; **do ~y** to the point; **mówić od ~y** talk nonsense
rzecznik *m* spokesman
rzeczpospolita *f* republic; commonwealth
rzeczywistość *f* reality
rzeka *f* river
rzekomo *adv* allegedly
rzemiosło *n* craft; **~ artystyczne** handicraft
rzetelny *adj* honest, fair
rzeźba *f* sculpture
rzeźbić *v imperf* carve, sculpture
rzeźnik *m* butcher
rzęsa *f* eyelash
rzodkiewka *f bot.* radish
rzucać *v imperf*, **rzucić** *v perf* throw, cast; (*opuszczać*) leave; (*poniechać*) give up; *przen.* **~ okiem** cast <have> a glance (**na coś** at sth); **~ się** throw oneself
rzut *m* throw; **na pierwszy ~ oka** at first glance

S

sad *m* orchard
sadzić *v imperf* plant
sakrament *m* sacrament
saksofon *m muz.* saxophone
sala *f* hall, room; (*w szpitalu*) ward
sałata *f* lettuce
sałatka *f* salad
sam *adj* alone; -self (myself, yourself *itd.*); same; very; **~ jeden** all alone; **na ~ym końcu** at the very end; **tak ~o** likewise, as well; **ten ~** the same
samica *f* female; (*różnych*

ssaków) cow; (*u ptaków*) hen
samiec *m* male; (*jelenia, królika*) buck; (*u ptaków*) cock
samobójstwo *n* suicide; **popełnić ~** commit suicide
samochód *m* car; **~ ciężarowy** lorry, *am.* truck; **~ wyścigowy** racing car
samodzielny *adj* independent
samolot *m* (aero)plane, *am.* airplane; **~ odrzutowy** jet liner <plane>
samoobsługowy *adj* self-service *attr*
samorząd *m* autonomy, self-government; (*gminny, miejski*) local government
samotny *adj* solitary, lone, lonely
sanatorium *n* sanatorium
sandał *m* sandal
sanki *s pl* sledge, sleigh
sarna *f zool.* roe-deer
satelita *m* satellite
satysfakcja *f* satisfaction
sąd *m* (*ocena*) judgement, opinion; (*instytucja*) (law)-court
sądzić *v imperf* judge; (*mniemać*) think
sąsiad *m* neighbour, *am.* neighbor
scena *f* scene; *teatr.* stage
scenariusz *m* scenario, script; **~ filmowy** screenplay
schab *m* pork loin
schnąć *v imperf* dry, become dry
schody *s pl* stairs; **ruchome ~** escalator
schodzić *v imperf* go <come> down, descend; **~ po schodach** go down the stairs
schować *v perf zob.* **chować**
schronić się *v perf* shelter, take shelter (**przed kimś, czymś** with sb, sth)
schronisko *n* shelter, refuge
schudnąć *v perf* lose weight, slim (down)
schwytać *v perf* seize, catch
schylać się *v imperf* bend (down), bow
scyzoryk *m* penknife
sejf *m* safe; safe-deposit box
sejm *m* parliament, diet; (*w Polsce*) the Seym
sekcja *f* section; *med.* **~ zwłok** autopsy, post-mortem
sekre|t *m* secret; **zachować coś w ~cie** keep sth secret (**przed kimś** from sb)
sekretarka *f* secretary; **automatyczna ~** aswering machine
sekretarz *m* secretary; **~ stanu** secretary of state
seks *m* sex

seksualny *adj* sexual
sekunda *m* second
semestr *m* term, *am.* semester
sen *m* sleep; (*marzenie senne*) dream
senat *m* senate
senator *m* senator
senny *adj* sleepy, drowsy
sens *m* sense, meaning; **mieć ~** make sense
sensacyjn|y *adj* sensational; **powieść ~a** detective novel
separacja *f* separation
ser *m* cheese
serc|e *n* heart; **bez ~a** heartless
serdeczny *adj* cordial, hearty, heartfelt
serdelek *m* sausage
seria *f* series
serial *m* series; **~ telewizyjny** television series
serio, na ~ *adv* seriously, in earnest
sernik *m* cheesecake
serwetka *f* napkin
serwować *v imperf sport.* serve; (*dania*) serve
setny *num* hundredth
sezon *m* season
sędzia *m* judge; **~ polubowny** arbiter; (*sportowy*) umpire, referee
siać *v imperf* sow
siadać *v imperf* sit down, take a seat; **~ na konia** mount a horse
siano *n* hay
siatka *f* net
siatkówka *f anat.* retina; *sport.* volley-ball
siąść *v perf zob.* **siadać**
siebie, sobie *pron* -self (myself, yourself *itd.*); **blisko siebie** close to each other
sieć *f* net, network; (*pajęczyna*) web; **~ komputerowa** computer network
siedem *num* seven
siedemdziesiąt *num* seventy
siedemdziesiąty *num* seventieth
siedemnasty *num* seventeenth
siedemnaście *num* seventeen
siedemset *num* seven hundred
siedzenie *n* seat
siedziba *f* seat
siedzieć *v imperf* sit; **~ cicho** keep quiet; **~ w domu** stay at home
sierota *m* orphan
sierpień *m* August
sierść *f* fur, hair
się *pron* oneself; *nieosob.*: one, people, you, they; **mówi ~, że ...** it is said <they say> that ...

sięgać *v imperf* reach (**po coś** for sth)
silnik *m* engine, motor
silny *adj* strong
sił|a *f* strength, power; force; **~a robocza** manpower; **~a woli** will-power; **~y zbrojne** armed forces
siniak *m* bruise
siodło *n* saddle
siostra *f* sister
siostrzenica *f* niece
siostrzeniec *m* nephew
siódmy *num* seventh
skakać *v imperf* jump, leap; (*podskakiwać*) skip, bounce; (*przez skakankę*) skip
skala *f* scale
skaleczyć *v perf* cut, wound, hurt; **~ się** cut (oneself), hurt oneself
skała *f* rock
skandal *m* scandal
skarb *m* treasure
skarg|a *f* complaint (**na kogoś** against sb; **z powodu czegoś** about sth); (*sądowa*) charge; **wnieść ~ę** bring a charge (**na kogoś** against sb)
skarpetka *f* sock
skarżyć *v imperf* accuse (**kogoś o coś** sb of sth); (*do sądu*) sue (**kogoś o coś** sb for sth); **~ się** complain (**na coś** of sth)
skazać *v perf* condemn, sentence (**na coś** to sth); **~ na dożywocie** sentence to life imprisonment
skąd *adv* from where, where ... from
skąpy *adj* miserly, stingy, mean; (*niewystarczający*) scarse, scanty, insufficient
sklep *m* shop, *am.* store; **~ spożywczy** grocer's (shop)
skład *m* composition; (*magazyn*) store, warehouse
składać *v imperf* (*łączyć*) put together; (*np. list, gazetę*) fold; (*pieniądze*) lay by, save; (*pieniądze w banku*) deposit; **~ się** consist, be composed (**z czegoś** of sth)
składka *f* collection; **~ członkowska** membership fee
składnik *m* component; (*potrawy, lekarstwa*) ingredient
skoczyć *v perf zob.* **skakać**
skok *m* leap, jump; **~ do wody** dive; **~ wzwyż** high jump; *sport.* **~ w dal** long jump; **~ o tyczce** pole-vault
skomplikowany *adj* complicated, complex, intricate
skończyć *v perf* finish, end; complete; **~ się** end, be finished; be over

skóra *f* skin; (*produkt*) leather; (*owoców, warzyw*) peel
skracać *v imperf* shorten, cut short; (*tekst*) abridge
skreślić *v perf* (*skasować*) cancel, cross out, delete; **~ z listy** strike off the list
skręcać *v imperf* turn; (*zwijać*) twist; **~ w prawo** turn right
skrępowany *adj* (*zażenowany*) embarrassed
skromny *adj* modest
skroń *f* temple
skrócić *v perf zob.* **skracać**
skrót *m* shortening; summary, digest; (*literowy*) abbreviation; (*na trasie*) short cut
skrytka *f* hiding-place; **~ pocztowa** post-office box
skrzydło *n* wing
skrzynia *f* chest, coffer; *mat.* **~ biegów** gearbox
skrzynka *f* box, case
skrzypce *s pl* violin
skrzyżowanie *m* (*dróg*) crossroads *pl*
skurcz *m med.* cramp, convulsion
skurczyć się *v perf* shrink
skuteczny *adj* effective, efficacious
skut|ek *m* result, effect; **bez ~ku** to no effect, of no effect; **na ~ek tego** as a result of it
slajd *m fot.* slide
słaby *adj* weak, feeble
sława *f* glory, fame; (*o osobie*) celebrity
sławny *adj* famous, renowned, glorious
słodki *adj* sweet
słodycz *f* sweetness; *pl* **~e** sweets *pl*, confectionery *zbior.*; *am.* candy
słodzik *m* sweetener
słoik *m* jar
słoma *f* straw
słonecznik *m bot.* sunflower
słoneczny *adj* sunny; **promień ~** sunbeam
słony *adj* salt(y)
słoń *m zool.* elephant
słońce *n* sun
słowacki *adj* Slovakian
Słowak *m* Slovak
Słowianin *m* Slav
słowiański *adj* Slavic, Slavonic
słowik *m* nightingale
słownictwo *n* vocabulary
słownik *m* dictionary
słowny *adj* (*dotrzymujący słowa*) reliable, dependable
słow|o *n* word; **gra słów** pun, play on words; **~em** briefly, in a word; **~o w ~o** word for word; **innymi ~y** in other words **dotrzymać ~a** keep one's word
słuch *m* hearing

słuchacz *m* hearer, listener; (*student*) student
słuchać *v imperf* listen (**kogoś, czegoś** to sb, sth); (*być posłusznym*) obey (**kogoś** sb); **~ czyjejś rady** take <follow> sb's advice
słuchawk|a *f* (*telefoniczna*) receiver; **~i** headphones
słup *m* post, pole; (*kolumna*) pillar
słuszny *adj* (*trafny*) right; (*usprawiedliwiony*) fair, just
służb|a *f* service; *zbior.* (*personel*) servants *pl*; **na ~ie** on duty
służy|ć *v imperf* serve (**komuś** sb); (*być pożytecznym*) be of use <service> (**komuś** to sb); **do czego to ~?** what is it for?
słynny *adj* renowned, famous, eminent
słyszeć *v imperf* hear
smaczny *adj* tasty, savoury, palatable
smak *m* taste, flavour, *am.* flavor; **bez ~u** tastless
smak|ować *v imperf* taste; **jak ci to ~uje?** how do you like it?
smar *m* lubricant, grease
smarować *v imperf* smear; (*naoliwiać*) lubricate; **~ masłem** butter
smażyć *v imperf* (*także* **~ się**) fry
smoczek *m* dummy; (*na butelkę*) teat
smród *m* stench, stink
smukły *adj* slender, svelte
smutny *adj* sad, sorrowful
smycz *f* lead
sobie *zob.* **siebie**
sobota *f* Saturday
sok *m* juice; **~ pomarańczowy** orange juice
solić *v imperf* salt
solidarność *f* solidarity
solidny *adj* solid, firm; reliable
sondaż *m* (public) opinion poll
sos *m* sauce; (*mięsny*) gravy; (*do sałatek*) dressing
sosna *f bot.* pine
sól *f* salt
spacer *m* walk
spacerować *v imperf* walk, have a walk
spać *v imperf* sleep; **chce mi się ~** I am sleepy; **iść ~** go to bed <sleep>
spadać *v imperf* fall (down), drop, come down
spadek *m* fall, drop (**cen, temperatury** in prices, in temperature); (*pochyłość*) slope; (*scheda*) legacy
spadochron *m* parachute
spalać *v imperf* burn (out,

up); (*paliwo*) consume, use; **~ się** burn out
spaliny *s pl* exhaust
sparzyć *v perf* scald, burn; **~ się** burn oneself
specjalizować się *v imperf* specialize (**w czymś** in sth)
specjalność *f* speciality; *am.* specialty
specjalny *adj* special
spełniać *v imperf* fulfil
spędzać *v imperf* (*czas*) spend
spinka *f* (*do koszuli*) stud; (*do włosów*) clasp
spirytus *m* spirit
spis *m* list, register; **~ inwentarza** inventory; (*w książce*) **~ rzeczy** table of contents
spleśniały *adj* mouldy, *am.* moldy; musty
spłacać *v imperf* pay off, repay; **~ pożyczkę** pay off a loan
spod *praep* from under
spodek *m* saucer
spodnie *s pl* trousers, *am.* pants
spodziewać się *v imperf* expect (**czegoś** sth), hope (**czegoś** for sth)
spojrzeć *v perf* glance, glimpse (**na coś** at sth)
spokojny *adj* quiet, calm, peaceful
spokój *m* peace, calm, tranquillity; **daj mi ~!** leave me alone!
społeczeństwo *n* society
społeczność *f* community
społeczn|y *adj* social; **opieka ~a** social welfare
sport *m* sport; **~y wodne** water sports; **~y zimowe** winter sports; **uprawiać ~** play a sport
sposób *m* means, mode, way; **w ten ~** in this way
spostrzec *v perf* perceive, notice; catch sight (**coś** of sth)
spotkanie *n* meeting; **umówione ~** appointment; **przyjść na ~** keep an appointment
spotykać *v imperf* meet (**kogoś** sb); **~ się** meet (**z kimś** sb; **z czymś** with sth)
spowiadać się *v imperf* confess
spód *m* bottom; **pod spodem** underneath
spódnica *f* skirt
spółdzielnia *f* co-operative (society); **~ mieszkaniowa** building society, housing association
spółka *f* partnership, company; **~ akcyjna** joint-stock company; **~ z ograniczoną odpowiedzialnością** limited liability company

spór *m* dispute, contention
spóźni|ć się *v perf* be late; **~ć się na pociąg** miss the train; **przepraszam, że się ~łem** I'm sorry I'm late
spragniony *adj* thirsty
spraw|a *f* affair, matter; (*sądowa*) lawsuit, case, action; **załatwić ~ę** settle the matter; **zdawać sobie ~ę** be aware (**z czegoś** of sth); realize (**z czegoś** sth)
sprawdzać *v imperf* verify, check, test
sprawiedliwość *f* justice; **oddać ~** do justice (**komuś, czemuś** to sb, sth)
sprawiedliwy *adj* just, fair
sprawozdanie *n* report, account
sprawozdawca *m* reporter; (*radiowy*) commentator
sprężyna *f* spring
sprośny *adj* obscene
sprytny *adj* smart, clever, ingenious
sprzątaczka *f* cleaning lady
sprzątać *v imperf* (*usuwać*) remove; (*pokój*) clean up, tidy (up); **~ ze stołu** clear the table
sprzeciwiać się *v imperf* object (**czemuś** to sth), oppose (**czemuś** sth)
sprzed *praep* from before
sprzedać *v perf*, **sprzedawać** *v imperf* sell
sprzedawca *m* seller; (*ekspedient*) shop assistant
sprzedaż *f* sale; **na ~** for sale; **w ~y** on sale
sprzęgło *n* clutch; **włączyć ~** let in the clutch; **wyłączyć ~** let out the clutch
sprzęt *m* (*mebel*) piece of furniture; (*narzędzie*) implement; (*zbiorowo*) equipment
spuszczać *v imperf* lower, drop; (*wodę*) drain; (*psa ze smyczy*) unleash
srebro *n* silver
stacja *f* station; **~ benzynowa** filling <petrol> station, *am.* gas station; *komp.* **~ dysków** disk drive
sta|ć *v imperf* stand; **nie ~ć mnie na to** I can't afford it; **~ć się** happen, occur; (*zostać*) become; **co się ~ło?** what happened?
stadion *m* stadium
stajnia *f* stable
stal *f* steel
stale *adv* constantly, incessantly, continuously
stamtąd *praep* from there
stan *m* state, condition; (*część państwa*) state; **~ cywilny** marital status; **~ prawny** legal status; **~ wojenny** martial law; **być w ~ie** be able (**coś zrobić**

to do sth); **w dobrym ~ie** in good condition

stanąć *v perf* (*powstać*) stand up; (*zatrzymać się*) stop, halt

standard *m* standard

stanik *m* brassière, *pot.* bra

stanowisko *n* post, position; (*pogląd*) standpoint, viewpoint; (*postawa*) attitude

starać się *v imperf* try, endeavour, make efforts

starczy|ć *v perf* suffice; **to ~** that will do

starożytny *adj* ancient, antique

startować *v imperf* (*zaczynać*) start; (*w zawodach*) participate; (*o samolocie*) take off

stary *adj* old, aged

stat|ek *m* ship, vessel; **~ek handlowy** merchant ship, merchantman; **~ek kosmiczny** spaceship, spacecraft; **~kiem** by ship

staw *m* pond; *anat.* joint

stawiać *v imperf* (*umieszczać*) set, put, place; stand; (*budować*) build, erect; (*fundować*) stand

stawka *f* rate; (*w grze*) stake

stąd *praep* (*z tego miejsca*) from here; (*dlatego*) hence; **niedaleko ~** near here

stempel *m* stamp; **~ pocztowy** postmark

stemplować *v imperf* stamp

stereofoniczny *adj* stereophonic

sterować *v imperf* steer (**okrętem** the ship)

steward *m* steward

stewardesa *f* stewardess, air hostess

stłuc *v perf* smash, break; (*kolano*) bruise

sto *num* one <a> hundred

stocznia *f* shipyard, dockyard

stoisko *n* stand

stolica *f* capital; *rel.* **Stolica Apostolska** Holy See

stołek *m* stool

stołówka *f* canteen

stopa *f* foot; **~ procentowa** interest rate; **~ życiowa** standard of life

stop|ień *m* degree, grade; (*schodów*) step; **5 ~ni Celsjusza** 5 degrees centigrade <Celsius>; **7 ~ni powyżej <poniżej> zera** 7 degrees above <below> zero

stopniowo *adv* gradually, step by step

stosować *v imperf* apply, use; **~ się** comply (**do czegoś** with sth), conform (**do czegoś** to sth)

stosunek *m* relation, con-

nection; proportion; (*postawa*) attitude; (*płciowy*) intercourse
stowarzyszenie *n* association
stół *m* table
strach *m* fear, fright
stracić *v perf* lose
strajk *m* strike; **~ powszechny** general strike; **~ głodowy** hunger strike
strajkować *v imperf* strike, go on strike
straszny *adj* terrible, horrible, awful
straszyć *v imperf* frighten, scare; (*o duchach*) haunt
strat|a *f* loss; **ponieść ~ę** suffer a loss; **ze ~ą** at a loss
straż *f* guard, watch; **~ pożarna** fire brigade
strażak *m* fireman, fire-fighter
strażnik *m* guard; (*nocny*) watchman
strefa *f* zone
stres *m* stress
streszczenie *n* summary
striptiz *m* strip-tease
stroić *v imperf* (*ubierać*) array, deck (out); (*instrument*) tune; **~ żarty** make fun (**z kogoś, czegoś** of sb, sth); **~ się** array, deck (out)
stromy *adj* steep
stron|a *f* side; (*stronica*) page; **~y** (*okolica*) region, part; **~y świata** cardinal points
stronnictwo *n* party
struktura *f* structure
strumień *m* stream, brook
strun|a *f* string, chord; **~y głosowe** vocal cords
strych *m* attic
stryj *m* uncle
strzał *m* shot
strzała *f* arrow
strzałka *f* arrow
strzec *v imperf* guard, protect (**kogoś, czegoś przed kimś, czymś** sb, sth from <against> sb, sth); **~ się** be on one's guard (**kogoś, czegoś** against sb, sth)
strzelać *v imperf* shoot, fire (**do kogoś, czegoś** at sb, sth)
strzelba *f* rifle, shotgun
strzyc *v imperf* (*sierść, trawnik*) clip, cut, crop; (*owce*) shear
strzykawka *f* syringe
student *m* student
studiować *v imperf* study
studnia *f* well
stwierdzać *v imperf* state
stwierdzenie *n* statement
stworzenie *n* (*czyn*) creation; (*istota*) creature
stworzyć *v perf* create;

make; (*sytuację*) bring about

styczeń *m* January

stykać się *v imperf* (*przylegać*) adjoin (**z czymś** sth); contact (**z kimś** sb), meet (**z kimś** sb), be in touch (**z kimś** with sb)

styl *m* style; **~ życia** lifestyle, way of life

stypendium *n* scholarship

subtelny *adj* subtle, delicate

suchy *adj* dry

sufit *m* ceiling

sugerować *v imperf* suggest, hint

sugestia *f* suggestion

sukces *m* success

sukienka *f* dress, frock

suma *f* sum, total

sumieni|e *n* conscience; **wyrzuty ~a** pangs of conscience

supermarket *m* supermarket

surowiec *m* raw material

surowy *adj* raw; (*bezwzględny*) severe, stern

surówka *f* salad

susza *f* drought

suszarka *f* (*do włosów*) hairdrier; (*do ubrań*) tumble-drier

suszyć *v imperf* dry

suterena *f* basement

suwak *m* zip(-fastener)

sweter *m* sweater, jumper, jersey; (*zapinany*) cardigan

swędzić *v imperf* itch

swoboda *f* liberty, freedom; (*naturalność*) ease

swój *pron* his, my, our, your, their; **postawić na swoim** carry one's point; **po swojemu** in one's sweet own way

sygnał *m* signal

sylaba *f* syllable

sylwester *m* New Year's Eve

symbol *m* symbol

symfonia *f* symphony

sympati|a *f* sympathy; *pot.* (*dziewczyna, chłopiec*) girlfriend, boyfriend; **czuć ~ę** have a liking (**do kogoś** for sb)

sympatyczny *adj* likeable, agreeable

syn *m* son

synagoga *f* synagogue

synowa *f* daughter-in-law

syntetyczny *adj* synthetic

sypać *v imperf* pour, scatter, strew; (*przyprawy*) sprinkle; **~ się** pour

sypialnia *f* bedroom

syrop *m* syrup

system *m* system

sytuacja *f* situation

szachy *s pl* chess

szacunek *m* (*uszanowanie*) esteem, respect, regard; (*o-*

cena) estimate, appraisal, valuation
szafa *f* wardrobe, *am.* closet
szafka *f* cupboard
szal *m* shawl
szaleństwo *n* madness, folly
szalik *m* scarf; (*wełniany*) comforter
szalony *adj* mad, crazy, insane
szampan *m* champagne
szampon *m* shampoo
szanować *v imperf* esteem, respect (**kogoś za coś** sb for sth); (*chronić przed zniszczeniem*) be careful (**coś** with sth)
szanowny *adj* respectable, honourable; **Szanowny Panie!** Dear Sir; **Szanowna Pani!** Dear Madam
szansa *f* chance
szary *adj* grey
szatan *m* satan
szatnia *f* cloakroom
szczególny *adj* peculiar, particular, specific; **znak ~** distinguishing mark
szczegół *m* detail
szczekać *v imperf* bark
szczelny *adj* airtight, hermetic
szczeniak *m* pup(py)
szczepienie *n* vaccination
szczery *adj* sincere, frank, candid
szczęka *f* jaw; **sztuczna ~** denture, false teeth *pl*
szczęście *n* (*zdarzenie*) good luck; (*stan*) happiness; **na ~** fortunately, luckily; **mieć ~** be lucky, have good luck
szczęśliwy *adj* happy; fortunate, lucky
szczoteczka *f* (*do zębów*) toothbrush
szczotka *f* brush
szczupły *adj* slim, slender
szczur *m* rat
szczypce *s pl* pincers; (*np. do cukru*) tongs
szczypiorek *m bot.* chive
szczyt *m* top, summit, peak; (*np. ambicji, głupoty*) height; **godziny ~u** rush hours
szef *m* principal, chief, head, *pot.* boss
szelki *s pl* braces, *am.* suspenders
szept *m* whisper; **mówić ~em** whisper
szereg *m* row, file, series; (*liczba*) number; **w ~u wypadków** in a number of cases
szermierka *f* fencing
szeroki *adj* wide, broad
szerokość *f* width, breadth; **~ geograficzna** latitude

szesnasty *num* sixteenth
szesnaście *num* sixteen
sześcienny *adj* cubic
sześć *num* six
sześćdziesiąt *num* sixty
sześćdziesiąty *num* sixtieth
sześćset *num* six hundred
szew *m* seam
szewc *m* shoemaker
szkic *m* sketch, outline
szkielet *m* skeleton
szklanka *f* glass
szklarnia *f* greenhouse, glasshouse
szklarz *m* glazier
szkło *n* glass
szkocki *adj* Scottish, Scotch
szkod|a *f* damage, harm; **~a, że...** it's a pity that...; **~a o tym mówić** it's no use talking about it; **wyrządzić ~ę** do harm (**komuś** to sb); **jaka ~a!** what a pity!
szkodzi|ć *v imperf* be harmful, injure; **nie ~!** never mind!; it doesn't matter
szko|ła *f* school; **~ła podstawowa** primary <elementary> school; **~ła średnia** secondary school, *am.* high school; **chodzić do ~ły** go to school; **w ~le** at school
Szkot *m* Scot, Scotsman
szlachetny *adj* noble
szlafrok *m* dressing-gown
szlak *m* route, track, trail; **~ turystyczny** touristic route; **~ narciarski** piste
szmata *f* rag
szminka *f* lipstick
sznur *m* rope, cord; (*przewód elektryczny*) electric cord; **~ do bielizny** washing line; **~ pereł** string of pearls
sznurek *m* string
sznurowadło *n* shoe-lace
szok *m* shock
szorty *s pl* shorts
szosa *f* highroad; *am.* highway
szósty *num* sixth
szpara *f* slit
szpieg *m* spy
szpiegować *v imperf* spy (**kogoś** on sb)
szpilka *f* pin
szpinak *m* spinach
szpital *m* hospital
szprot *m* sprat
szron *m* hoarfrost, white frost
sztandar *m* banner
sztorm *m* storm, gale
sztuczny *adj* artificial; (*nienaturalny*) affected
sztućce *s pl* cutlery
sztuka *f* art; (*teatralna*) play; (*kawałek, jednostka*) piece
sztywny *adj* stiff, rigid; (*np. o zasadach, postępowaniu*) rigid

szuflada *f* drawer

szukać *v imperf* look for (**kogoś**, **czegoś** sb, sth), seek (**kogoś**, **czegoś** sb, sth)

szwagier *m* brother-in-law

szwagierka *f* sister-in-law

Szwajcar *m* Swiss

szwajcarski *adj* Swiss

Szwed *m* Swede

szwedzki *adj* Swedish

szyba *f* pane

szybki *adj* quick, fast, swift

szybkoś|ć *f* speed, velocity; **z ~cią 100 mil <kilometrów> na godzinę** at a speed of 100 miles <kilometres> an hour

szyć *v imperf* sew

szyj|a *f* neck; **pędzić na łeb na ~ę** rush headlong

szyld *m* signboard

szyna *f* rail; *med.* splint

szynka *f* ham

szyszka *f bot.* cone

Ś

ściana *f* wall

ścieżka *f* path, footpath, pathway

ścięgno *n anat.* tendon, sinew

ścigać *v imperf* pursue, chase; **~ się** race, run a race

ścinać *v imperf* cut off <down>; (*drzewo*) fell; *sport.* smash

ściskać *v imperf* press, squeeze, compress; (*obejmować*) embrace, hug; **~ komuś rękę** clasp sb's hand; **~ się** embrace, hug

ślad *m* trace, track, trail; **~ stopy** footmark, footprint; **iść ~em** trace (**czegoś** sth); **iść w czyjeś ~y** follow sb's example

śląski *adj* Silesian

Ślązak *m* Silesian

śledzić *v imperf* (*obserwować*) watch; (*tropić*) trace, spy (**kogoś** on sb)

śledztwo *n* inquiry, investigation

śledź *m zool.* herring

ślepy *adj* blind; **~ zaułek** blind alley

śliczny *adj* lovely, pretty

ślimak *m zool.* snail

ślina *f* spittle, saliva

śliski *adj* slippery

śliwk|a *f* plum; **suszone ~i** prunes

ślizgać się *v imperf* slide, glide; (*na łyżwach*) skate

ślizgawka *f* (*tor*) skating--rink
ślub *m* wedding, marriage ceremony; (*ślubowanie*) vow; ~ **cywilny** civil marriage; ~ **kościelny** church wedding; **brać** ~ get married
ślusarz *m* locksmith
śmiać się *v imperf* laugh (**z czegoś** at sth), make fun (**z czegoś** of sth)
śmiały *adj* bold
śmiech *m* laughter; **wybuchnąć ~em** burst into laughter
śmieci *s pl* litter, rubbish
śmier|ć *f* death; **wyrok ~ci** death sentence, capital punishment
śmierdzieć *v imperf* stink, smell (**czymś** of sth)
śmieszny *adj* (*zabawny*) funny, amusing; (*dziwaczny*) ridiculous
śmietana *f* sour cream
śmietanka *f* cream
śmietnik *m* (rubbish) dump, rubbish-heap
śmigłowiec *m* helicopter
śniadanie *n* breakfast; **jeść** ~ have breakfast
śnieg *m* snow; **pada** ~ it snows
śnieżyca *f* snowstorm
śpieszy|ć się *v imperf* hurry, be in a hurry; *pot.* bustle; **zegarek się** ~ the watch is fast
śpiew *m* song, singing
śpiewać *v imperf* sing; (*intonować*) chant
śpiewak *f* singer
śpiwór *m* sleeping-bag
średni *adj* middle, medium; (*przeciętny*) average; ~ **wzrost** medium height; **~e wykształcenie** secondary education; **w ~m wieku** middle-aged
średniowiecze *n* Middle Ages *pl*
środa *f* Wednesday
środ|ek *m* middle, centre; (*sposób*) means; **~ki do życia** means; **~ki ostrożności** precautionary measures; **złoty ~ek** golden mean
środkowy *adj* central, middle
środowisko *n* environment
śródmieście *n* city centre, *am.* downtown
śruba *f* screw
śrubokręt *m* screwdriver
świadectwo *n* certificate; (*dowód*) testimony; (*szkolne*) report
świadek *m* witness; ~ **naoczny** eye-witness (**czegoś** of sth)
świadomość *f* consciousness
świat *m* world; **na świecie**

in the world; **na całym świecie** all over the world
światł|o *n* light; **~a drogowe** traffic lights; **~o dzienne** daylight; **~o księżyca** moonlight
świder *m* drill
świeca *f* candle; **~ zapłonowa** sparking-plug
świeci|ć *v imperf* (*wysyłać światło*) shine; (*oświetlać*) light; **~ć się** shine, glitter, gleam; **światło się ~** the light is on
świecki *adj* lay, secular
świerszcz *m* cricket
świetny *adj* excellent, splendid, superb
świeży *adj* recent, new; (*np. o jedzeniu*) fresh
święcić *v imperf* (*poświęcać*) consecrate; (*obchodzić*) celebrate
święto *n* holiday; **~ narodowe** national holiday; **~ kościelne** church holiday
świętość *f* sanctity, holiness
święty *adj* holy, sacred; (*przed imieniem*) saint; *s m* saint
świnia *f zool.* pig, swine
świnka *f med.* mumps; *zool.* **~ morska** guinea-pig
świństwo *n* dirty trick
świ|t *m* dawn, daybreak; **o ~cie** at daybreak

T

ta *pron zob.* **ten**
tabela *f* table
tabletka *f* tablet
tablica *f* board; (*szkolna*) blackboard
tabliczka *f* tablet; **~ czekolady** bar of chocolate; **~ mnożenia** multiplication table
taca *f* tray
tajemnic|a *f* secret, mystery; **w ~y** in secret, secretly
tak *part* yes; *adv* thus, so; **~ jak** as; **~ więc** so, thus; **~ zwany** so-called; **i ~ dalej** and so on (and so forth), etcetera; **~ sobie** so-so
taki *adj* such; **co ~ego?** what's the matter?; **nic ~ego** nothing of the kind
taksówk|a *f* taxi; *am.* cab; **jechać ~ą** go by taxi
taktyka *f* tactics
także *adv* also, too, as well; **~ nie** neither, not... either
talent *m* talent, gift
talerz *m* plate
tam *adv* there; (*wskazując*) over there; **kto ~?** who's

there?; ~ **i z powrotem** to and fro
tamować *v imperf* (*ruch*) obstruct; (*krew*) stanch
tamten *pron* that
tamtędy *adv* that way
tancerz *m* dancer
tani *adj* cheap
taniec *m* dance
tańczyć *v imperf* dance
tapczan *m* couch
taras *m* terrace
targ *m* market
targować się *v imperf* bargain, haggle (**o coś** about sth)
taśma *f* band, tape; ~ **filmowa** cine-film; ~ **izolacyjna** insulating tape; ~ **klejąca** sticky <adhesive> tape
taternictwo *n* mountaineering
tatuś *m* dad, daddy
tchórz *m zool.* polecat; (*człowiek*) coward
teatr *m* theatre, *am.* theater
teatraln|y *adj* theatrical; **sztuka ~a** play
techniczny *adj* technical
technika *f* technics; (*umiejętność, sposób*) technique
technikum *m* technical school
technologia *f* technology
teczka *f* (*skórzana, plastikowa*) briefcase; (*tekturowa*) folder
tekst *m* text
tektura *f* cardboard
teledysk *m* (video) clip
telefaks *m* fax
telefon *m* telephone; **przez ~** over the telephone, by phone; **~ komórkowy** cellular telephone
telefoniczn|y *adj* telephonic, telephone *attr*; **rozmowa ~a** telephone call; **karta ~a** telephone card; **linia ~a** telephone line
telefonować *v imperf* telephone, phone (**do kogoś** sb)
telegazeta *f* teletext
telegram *m* telegram
teleturniej *m* quiz (show)
telewidz *m* viewer
telewizj|a *f* television, TV, *pot.* telly; **~a kablowa** cable television; **~a satelitarna** satellite television; **w ~i** on television
telewizor *m* television, TV set
temat *m* theme, subject, topic
temblak *m* sling
temperatur|a *f* temperature; **mierzyć ~ę** take the temperature
ten, ta, to *pron* this; *pl* **ci, te** these
tenis *m* tennis

tenor *m* tenor
teoria *f* theory
teraz *adv* now
teren *m* area, ground, territory
termin *m* term; **ostateczny ~** deadline; **w ~ie** in time
terminal *m* terminal
termometr *m* thermometer
termos *m* vacuum flask
terror *m* terror
terrorysta *m* terrorist
terroryzować *v imperf* terrorize
test *m* test
teściowa *f* mother-in-law
teść *m* father-in-law
też *adv* also, too; **~ nie** neither, not ... either
tęcza *f* rainbow
tędy *adv* this way
tęgi *adj* stout, corpulent
tępy *adj* (*nieostry*) blunt; (*mało bystry*) dull
tęsknić *v imperf* long, yearn (**za kimś, czymś** for sb, sth); **~ do domu** be homesick; **~ za Polską** be homesick for Poland
tętnica *f* artery
tętno *n* pulse, pulsation
tkanina *f* fabric, cloth
tlen *m chem.* oxygen
tło *n* background
tłok *m* (*ścisk*) crowd, crush; (*element silnika*) piston
tłuc *v imperf* (*rozbijać*) break, smash; (*walić*) batter; (*np. orzechy*) crack; **~ się** break, be smashed
tłum *m* crowd, throng
tłumacz *m* (*tekstów*) translator; (*ustny*) interpreter; **~ przysięgły** certified translator
tłumaczenie *n* translation
tłumaczyć *v imperf* translate (**z polskiego na angielski** from Polish into English); (*ustnie*) interpret; (*wyjaśniać*) explain; **~ się** excuse oneself
tłusty *adj* (*z tłuszczem, zatłuszczony*) greasy, fatty; (*gruby*) fat, obese
tłuszcz *m* fat, grease
to *nieodm.* it; **to ja** it's me; **kto to jest?** who is he?
toaleta *f* (*ubikacja*) toilet, lavatory, W.C., *am.* rest room
toast *m* toast; **wznieść ~** propose a toast (**na czyjąś cześć** to sb)
toksyczny *adj* toxic
tolerancja *f* tolerance
tona *f* ton
tonąć *v imperf* drown, be drowned; (*o statku*) sink
tonik *m* tonic
topić *v imperf* drown, sink; (*roztapiać*) melt; (*metal*) fuse; **~ się** drown, be

drowned, sink; (*roztapiać się*) melt, thaw
tor *m* (*kolejowy*) track; **boczny ~** (railway) siding; **~ wyścigowy** racecourse; *am.* race-track
torba *f* bag
torebka *f* handbag, *am.* purse
tornister *m* (*szkolny*) satchel
tort *m* gâteau; (*przekładany*) layer cake; **~ urodzinowy** birthday cake
towar *m* article, commodity; *pl* **~y** goods
towarzystwo *n* society; company
towarzyszyć *v imperf* accompany (**komuś** sb)
tożsamoś|ć *f* identity; **dowód ~ci** identity card
tracić *v imperf* lose; **~ panowanie nad sobą** lose one's self-control
tradycja *f* tradition
trafić *v perf* hit (**w coś** sth); (*napotkać*) come across (**na kogoś** sb); **~ do domu** find one's way home
tragarz *m* porter
tragedia *f* tragedy
traktować *v imperf* treat, handle (**kogoś**, **coś** sb, sth)
tramwaj *m* tram, tramway, *am.* streetcar; **jechać ~em** go by tram
transakcja *f* transaction
transformacja *f* transformation
transfuzja *f* transfusion
transmisja *f* transmission
transmitować *v imperf* transmit
transport *m* transport, transportation, conveyance
transportować *v imperf* transport, convey
tranzyt *m* transit
trasa *f* route; **~ podróży** itinerary
trawa *f* grass
trawić *v imperf* digest
trąba *f* trumpet; (*słonia*) trunk; **~ powietrzna** whirlwind
trefl *m* (*w kartach*) club
trema *f* stage fright; *pot.* jitters
trener *m* trainer, coach
trenować *v imperf* (*zawodników*) train, coach; (*ćwiczyć*) train, practise
tresować *v imperf* train
treść *f* content(s)
trochę *adv* a little, a few; **ani ~** not a little, not a bit
troszczyć się *v imperf* care for; (*martwić się*) worry (**o kogoś**, **sth** about sb, sth)
trójkąt *m* triangle
trucizna *f* poison
trudno *adv* with difficulty,

hard; ~ **to zrozumieć** it is hard to understand
trudność *f* difficulty
trudny *adj* difficult, hard
trumna *f* coffin
trup *m* corpse, dead body; **paść ~em** drop dead
truskawka *f* strawberry
trwać *v imperf* last, persist
trwał|y *adj* durable, lasting, enduring; **~a ondulacja** perm, permanent wave
trybun|a *f* platform; *pl* **~y** (*na stadionie*) stand(s)
trzask *m* crack, crash
trzaskać *v imperf*, **trzasnąć** *v perf* snap, crack; (*drzwiami*) slam
trząść *v imperf* shake; **~ się** shake; tremble; (*z zimna, strachu*) shiver
trzeba *v impers* it is necessary; **~ to było zrobić** I ought to <should> have done it; **~ na to dużo pieniędzy** this requires much money
trzeci *num* third
trzeć *v imperf* (*np. ser*) grate; (*pocierać*) rub
trzeźwy *adj* sober
trzęsienie *n* trembling, shaking; **~ ziemi** earthquake
trzustka *f anat.* pancreas
trzy *num* three
trzydziesty *num* thirtieth
trzydzieści *num* thirty
trzyma|ć *v imperf* hold; keep; **~ć za rękę** hold by the hand; **~ć się czegoś** (*np. poręczy*) hold on to sth; (*zasad*) hold to sth; (*drogi, planu*) keep to sth; *pot.* **~j się!** take care!
trzynasty *num* thirteenth
trzynaście *num* thirteen
trzysta *num* three hundred
tu *adv* here
tulipan *m bot.* tulip
tułów *m* trunk, torso
tunel *m* tunnel
turecki *adj* Turkish
Turek *m* Turk
turysta *m* tourist
turystyka *f* tourism
tutaj *adv* here
tuż *adv* nearby
twardy *adj* hard; (*np. o mięsie; o człowieku*) tough
twarz *f* face; **rysy ~y** features; **wyraz ~y** facial expression
twierdzić *v imperf* maintain; assert
tworzyć *v imperf* create; form; **~ się** form, be formed, come into existence
tworzywo *n* material; (*sztuczne*) plastic
twój *pron* your, yours
twórczość *f* creation, production

ty *pron* you
tyć *m* grow fat, put on weight
tydzień *m* week; **dwa tygodnie** fortnight; **za ~** in a week; **od dziś za ~** this day week
tyfus *m med.* typhus
tygodnik *m* weekly
tygrys *m zool.* tiger
tyle *pron, num* so much <many>; **~..., ile...** as much <many>... as...
tylko *adv* only, solely
tył *m* back, rear; **odwrócić się ~em** turn one's back (**do kogoś** on sb); **do ~u** back, backward(s); **z ~u** (from) behind; at the back
tym *pron part w zwrotach*: **~ więcej** all the more; **im więcej, ~ lepiej** the more the better
tymczasem *adv* meanwhile, in the meantime
tymczasow|y *adj* temporary, provisional; **~e zatrudnienie** temporary employment
tynk *m* plaster
typ *m* type
tysiąc *num* thousand
tysiączny *num* thousandth
tytoń *m* tobacco
tytuł *m* title; **pod ~em** entitled

U

u *praep* at, by, in, with; **u jego boku** by his side; **u krawca** at the tailor's; **u nas w kraju** in our country; **mieszkam u niego** I stay with him
ubezpieczać *v imperf* insure; **~ dom od kradzieży** insure one's house against theft; **~ się** insure oneself; **~ się na życie** insure one's life
ubezpieczenie *n* insurance; **~ na życie** life assurance <insurance>
ubiegły *adj* last, past; **w ~m roku** last year
ubierać *v imperf* dress, clothe; **~ się** get dressed, dress
ubikacja *f* lavatory, W.C., water-closet, *am.* rest room
ubogi *adj* poor
ubrać *v perf zob.* **ubierać**
ubranie *n* clothes *pl*, clothing
uch|o *n* ear; (*uchwyt*) handle; (*igły*) eye; **nadstawiać ~a** prick up one's ears; **zakochać się po uszy** fall in love head over heels
uchodźca *m* refugee, exile

uchwała *f* resolution
uchwyt *m* handle
ucieczk|a *f* escape, flight; **ratować się ~ą** run for one's life
uciekać *v imperf* escape, run away, flee; **~ się** resort (**do czegoś** to sth)
ucieszyć *v perf* make glad <happy>; **~ się** be <become> glad (**czymś** about sth), find pleasure (**czymś** in sth)
uczciwość *f* honesty
uczciwy *adj* honest
uczelnia *f* university, college
uczennica *f* schoolgirl, pupil; (*szkoły średniej*) student
uczeń *m* schoolboy, pupil; (*szkoły średniej*) student
uczesanie *n* hairdo, hairstyle
uczestniczyć *v imperf* participate, take part (**w czymś** in sth)
uczęszczać *v imperf* frequent, attend (**na coś** sth); **~ do szkoły** go to school
uczony *adj* learned, erudite; *s m* scholar, savant
uczucie *n* feeling; (*doznanie*) sensation; (*miłość*) affection
uczyć *v imperf* teach (**kogoś czegoś** sb sth), instruct (**kogoś czegoś** sb in sth); **~ się** learn
uda|ć się *v perf* (*poszczęścić się*) be successful, succeed, be a success; **~ło mu się!** he made it!
udawać *v imperf* pretend, feign, sham; **~ się** (*iść*) go, make one's way
uderzać *v imperf* strike, hit
uderzenie *n* blow; (*także rakietą*) stroke; **za jednym ~m** at a stroke; **~ w twarz** slap in the face
udo *m* thigh
udowodnić *v imperf* prove, substantiate; (*wykazać*) show, demonstrate
udusić *v perf* strangle, throttle; (*potrawę*) stew; **~ się** suffocate, choke (to death)
udział *m* part, share; **brać ~** take part; **mieć ~y w spółce** hold shares in a company
udzielać *v imperf* give, grant; **~ wywiadu** grant an interview; **~ komuś kredytu** grant sb credit
ufać *v imperf* trust (**komuś** sb), confide (**komuś** in sb)
UFO *n nieodm.* UFO, unidentified flying object
ugoda *f* agreement, settlement

ujemny *adj* negative; (*niekorzystny*) unfavourable
układ *m* (*umowa*) agreement; (*rozmieszczenie*) arrangement; (*system*) system; *pl* **~y** (*pertraktacje*) negotiations
układać *v imperf* (*porządkować*) put in order, arrange; (*np. podłogę*) lay; (*tworzyć*) compose, make up
ukłonić się *v perf* bow (**komuś** to sb)
ukochany *adj* beloved, dear
ukośny *adj* oblique, slanting
Ukrainiec *m* Ukrainian
ukraiński *adj* Ukrainian
ukrywać *v imperf* conceal, hide (**przed kimś**, **czymś** from sb, sth); (*uczucia*) disguise; **~ się** hide (oneself), conceal oneself
ul *m* beehive
ulec *v perf*, **ulegać** *v imperf* give way, succumb, yield (**komuś** to sb); (*doznać działania*) undergo
ulepszać *v imperf* improve, ameliorate
ulewa *f* downpour
ulg|a *f* (*odprężenie*) relief, ease; (*zniżka*) reduction; **przynieść ~ę** bring relief
ulgowy *adj* reduced
ulic|a *f* street; **iść ~ą** go down <up> the street; **główna ~a** main street; **boczna ~a** side street, bystreet
ulotka *f* leaflet
ulubiony *adj* favourite, preferred
ułatwić *v perf* facilitate, make easy
ułożyć *v perf zob.* **układać**
umawiać się *v imperf* make an arrangement <an appointment>; arrange (**z kimś co do czegoś** with sb about sth)
umie|ć *v imperf* (*znać*) know; (*potrafić*) can, be able; **czy ~sz czytać?** can you read?; **nie ~m pływać** I can't swim
umierać *v imperf* die (**z głodu** of hunger); **~ z głodu** starve to death
umieszczać *v imperf* place, set, put
umocować *v perf* fasten, fix
umowa *f* agreement, contract
umożliwiać *v imperf* enable; make possible
umówić się *v perf zob.* **umawiać się**
umysł *m* mind; **przytomność ~u** presence of mind
umysłow|y *adj* mental, in-

tellectual; **praca ~a** mental work

umywalka *f* wash-basin, *am.* wash-bowl

uncja *f* ounce

unieważnić *v perf* annul, cancel, invalidate

uniewinnić *v perf* acquit (**kogoś od czegoś** sb of sth), exonerate (**kogoś od czegoś** sb from sth)

unikać *v imperf* avoid (**kogoś, czegoś** sb, sth); (*stronić*) steer clear (**kogoś, czegoś** of sb, sth)

unikat *m* unique thing

uniwersalny *adj* universal

uniwersytet *m* university

upadać *v imperf* fall down, drop; (*ze zmęczenia*) collapse

upadek *m* fall

upał *m* heat

uparty *adj* obstinate, stubborn

upaść *v perf zob.* **upadać**

upewnić się *v perf* make sure (**o czymś** of sth)

upić się *v perf* get drunk

upierać się *v imperf* persist (**przy czymś** in sth)

upływać *v imperf* (*o czasie*) pass, elapse; (*o terminie*) expire

upokorzyć *v perf* humiliate, abase; **~ się** humiliate <abase> oneself

upominać *v imperf* admonish, reprimand, rebuke; **~ się** claim (**o coś** sth)

upominek *m* souvenir, keepsake

upomnienie *n* admonition, warning

upoważnić *v perf* authorize, empower

upoważnienie *n* authorization

upór *m* obstinacy, stubbornness

uprawiać *v imperf* cultivate; grow; (*np. sport*) practise, exercise

uprzedzić *v perf* (*np. fakt, pytanie*) anticipate; (*ostrzec*) warn; **~ się** be <become> prejudiced (**do kogoś, czegoś** against sb, sth)

uprzejmoś|ć *f* kindness; **dzięki ~ci** by courtesy (**kogoś** of sb)

uprzejmy *adj* kind, obliging

upuścić *v perf* drop, let fall

uratować *v perf* save, rescue

uraz *m* (*fizyczny*) hurt, injury; (*psychiczny*) shock, trauma

urlop *m* leave; **~ macierzyński** maternity leave; **~ zdrowotny** sick leave; **na ~ie** on leave

uroczy *adj* charming

uroczystość *f* celebration, solemnity

uroda *f* beauty, good looks *pl*

urodzi|ć *v perf* bear; **~ć się** be born; **~łem się w 1989r.** I was born in 1989

urodziny *s pl* birthday

uruchomić *v perf* put <set> in motion, set going, start

urwa|ć *v perf* tear off; **~ć się** break loose; **~ł się guzik** the button has come off

urząd *m* office; **~ skarbowy** tax office

urządzenie *n* mechanism, appliance, device; (*zorganizowanie*) arrangement; organization; (*umeblowanie*) furniture

urządzić *v perf* (*zorganizować*) arrange, organize; (*stworzyć warunki do życia*) set (sb) up; (*umeblować*) furnish; **~ się** (*zainstalować się*) settle in

urzędnik *m* clerk; (*wyższy*) official; **~ państwowy** civil servant

usiąść *v perf* sit down, take a seat

usług|a *f* (*przysługa*) service, favour; *pl* **~i** (*dla ludności*) services

usprawiedliwić *v perf* justify; give reasons (**coś** for sth), excuse; **~ się** excuse oneself (**z powodu czegoś** for sth)

usprawiedliwienie *n* justification, excuse (**za coś** for sth)

usta *s pl* mouth

ustalić *v perf* settle; (*ustanowić*) establish; (*np. termin*) fix

ustaw|a *f* act, law; **wydać ~ę** pass an act

ustawiać *v imperf* set, arrange, place

ustąpić *v perf* (*wycofać się*) retire, withdraw; (*ulec*) give in, yield (**komuś**, **czemuś** to sb, to sth); (*z drogi*) give way (**komuś** to sb)

usterka *f* defect

ustrój *m* political system, regime; **~ kapitalistyczny <socjalistyczny>** capitalist <socialist> system

usunąć *v perf* remove, dismiss; **~ ząb** extract a tooth; **~ się** withdraw, retire

uszkodzić *v perf* damage; (*np. słuch*) impair

uścisk *m* embrace, hug; **~ dłoni** handshake

uśmiech *m* smile; **radosny ~** beam; **szyderczy ~** sneer

uśmiechać się *v imperf* smile (**do kogoś** at sb)

utalentowany *adj* talented, gifted

utonąć *v perf* be drowned; (*o statku*) sink

utopić *v perf* drown; ~ **się** be drowned

utrzymani|e *n* maintenance, living; **pokój z ~em** bed and board; **środki ~a** means of support; **koszty ~a** living costs; **zarabiać na ~e** earn one's keep

utrzymywać *v imperf* (*np. rodzinę*) keep; (*stosunki*) maintain, hold; (*twierdzić*) maintain

utwór *m* work, composition

uwag|a *f* attention; (*spostrzeżenie*) remark, observation; **brać pod ~ę** take into consideration; **zwracać ~ę** pay attention (**na coś** to sth), mind (**na coś** sth); **nie zwracać ~i** take no notice (**na coś** of sth); **z ~i na coś** considering sth; **proszę o ~ę** attention, please

uważa|ć *v imperf* pay attention (**na coś** to sth), be attentive; regard (**za coś** as sth); mind (**na coś** sth); (*pilnować*) take care (**na coś** of sth); (*sądzić*) think; **~m za właściwe** I think it proper

uważny *adj* attentive

uwolnić *v perf* free, set free, release (**kogoś od czegoś** sb from sth)

uwzględnić *v perf* take into consideration

uzdrawiać *v imperf* heal, cure

uzdrowisko *n* health resort; (*z wodami mineralnymi*) spa

uzupełnić *v perf* supplement, complete

użyteczny *adj* useful

używać *v imperf* use; (*np. życia*) enjoy

używany *adj* used; (*nienowy*) second-hand *attr*

W

w, we *praep* in, into, at, by, for, on; **w Anglii** in England; **w ogrodzie** in the garden; **w domu** at home; **w dzień** by day; **w środę** on Wednesday; **w styczniu** in January; **grać w karty <szachy>** play cards <chess>; **we dwoje** the two of us

wada *f* fault, defect

wag|a *f* (*ciężar*) weight;

(*przyrząd*) balance, scales; *przen.* importance; **na ~ę** by weight; **przykładać ~ę** set store (**do czegoś** by sth); **tracić na wadze** lose (off) weight

wagon *m* (*kolejowy*) carriage, *am.* car; **~ towarowy** truck; **~ sypialny** sleeper, sleeping car

wahać się *v imperf* hesitate; (*o cenach*) fluctuate

wakacje *s pl* holiday(s), vacation

walc *m* waltz

walczyć *v imperf* fight, struggle (**o coś** for sth)

walić *v imperf* (*burzyć*) demolish, pull down; (*uderzać*) strike; pound; **~ się** tumble down

Walijczyk *m* Welshman

walijski *adj* Welsh

walizka *f* suitcase, case

walka *f* struggle, fight, combat

walkman *m* walkman

walut|a *f* currency; **obca ~a** foreign currency; **~a wymienialna** hard currency; **kantor wymiany ~** exchange office, bureau de change; **kurs ~** exchange rate

wałek *m* (*do ciasta*) rolling pin; (*do włosów*) curler

wanna *f* bathtub

wapno *n* lime

warcaby *s pl* draughts, *am.* checkers

warga *f* lip

wariat *m* madman, lunatic

wariować *v imperf* be <go> mad

warkocz *m* braid, plait

warstwa *f* layer; (*np. kurzu, farby*) coat

warsztat *m* workshop, workroom; **~ samochodowy** garage, *am.* service station

wart *adj* worth; **~ zachodu** worthwhile

war|ta *f* guard; **stać na ~cie** stand guard (**przy czymś** over sth)

warto *v impers* it is worth; **to ~ przeczytać** it's worth reading

wartościow|y *adj* valuable; **papiery ~e** securities

wartość *f* value, worth

warun|ek *m* condition; *pl* **~ki** (*np. umowy*) terms; **pod ~kiem, że ...** on condition that ...; **na naszych ~kach** on our terms

warzywa *s pl* vegetables; greens

wasz *pron* your, yours

wata *f* cotton wool

wazon *m* vase

ważny *m* (*istotny*) important; (*prawomocny, nieprzedawniony*) valid

ważyć *v imperf* (*odważać*) weigh; **~ się** (*na wadze*) weigh; (*ośmielać się*) dare; **nie waż się opuścić ten pokój!** don't you dare leave this room!

wąchać *v imperf* smell, sniff

wąski *adj* narrow

wąsy *s pl* moustache

wątpić *v imperf* doubt (**w coś** sth)

wątroba *f anat.* liver

wąż *m* snake; (*gumowy*) hose

wbrew *praep* in spite of, despite

wcale *adv* quite, fairly; **~ nie** not at all

wchodzić *v imperf* go <come> in, enter; **~ na górę** go up; **~ po schodach** climb the stairs; **~ w czyjeś położenie** put oneself in sb's place; **~ w życie** (*o ustawie*) come into force

wciąż *adv* continually, still

wczasy *s pl* holiday(s), vacation

wcześnie *adv* early; **za ~** too early

wczoraj *adv* yesterday; **~ wieczorem** last night

wdowa *f* widow

wdowiec *m* widower

wdzięczny *adj* grateful; (*powabny*) graceful; **być ~m** feel <be> grateful (**za coś** for sth), appreciate (**za coś** sth)

wdzięk *m* grace

według *praep* according to, after, by; **~ mnie** in my opinion

wegetarianin *m* vegetarian

wejście *n* entrance

wejść *v perf* enter, go <come> in; **proszę ~!** come in!; **~ do pokoju** enter the room

weksel *m* bill (of exchange)

wełna *f* wool

wersja *f* version

wesele *n* wedding

wesoł|y *adj* happy, cheerful, joyful; **~e miasteczko** funfair, amusement park; **Wesołych Świąt Bożego Narodzenia** Merry Christmas

wesz *f zool.* louse; *pl* **wszy** lice

weterynarz *m* veterinary surgeon, *pot.* vet

wewnątrz *praep*, *adv* in, inside, within

wewnętrzny *adj* inside, internal, inner; **telefon ~** extension

wezwać *v perf zob.* **wzywać**

węch *m* smell, smelling

wędk|a *f* fishing rod; **łowić na ~ę** angle (**coś** for sth)

wędlina *f* smoked meat(s); (*krojona*) cold cuts

węgiel *m* coal

Węgier *m* Hungarian
węgierski *adj* Hungarian
węzeł *m* knot; ~ **kolejowy** railway junction
wiadomo *v impers* it is known; **o ile mi** ~ for all I know
wiadomoś|ć *f* (*zawiadomienie*) message; (*informacja*) a piece of information, a bit of news; *pl* ~**ci** information, news *zbior*.; **dobra** ~**ć** a piece of good news; ~**ci telewizyjne** the news
wiadro *n* bucket, pail
wiadukt *m* viaduct
wiara *f* faith, belief
wiatr *m* wind
wiatrak *m* windmill; (*wentylator*) fan
wiązać *v imperf* bind, tie
wice- *praef* vice
widelec *m* fork
wideokaseta *f* video tape, video cassette
wideomagnetofon *m* video cassette recorder, VCR
widocznie *adv* apparently
widoczny *adj* visible; ~ **gołym okiem** visible to the naked eye
widok *m* view, sight, outlook; ~**i na przyszłość** prospects for the future; **mieć na** ~**u** have in view
widowisko *n* spectacle, show
widownia *f* the house; (*publiczność*) audience, the public
widz *m* spectator, onlooker, watcher
widzeni|e *n* sight, view, vision; **do** ~**a** goodbye; **punkt** ~**a** point of view, viewpoint; **pole** ~**a** field of vision
widzieć *v imperf* see; ~ **się** see (**z kimś** sb)
wieczny *adj* eternal
wiecz|ór *m* evening; ~**orem** in the evening
wiedza *f* knowledge, learning; (*uczoność*) scholarship
wiedzieć *v imperf* know; **chciałbym** ~ I would like to know; **o ile wiem** as (far) I know
wiek *m* age; (*stulecie*) century
wielbłąd *m* camel
wiele *adv* much, many
Wielkanoc *f* Easter
wielki *adj* great, large, big; (*okazały, doniosły*) grand
wieloryb *m zool.* whale
wieniec *m* wreath; (*na głowę*) crown
wieprzowina *f* pork
wierny *adj* faithful
wiersz *m* (*linijka*) line; (*poemat*) poem, verse
wiertarka *f* drill
wierzch *m* top, surface; **je-**

chać ~em ride on horseback
wierzchołek *m* top, summit
wierzyć *v imperf* believe (**komuś** sb; **w coś** in sth)
wieszać *v imperf* hang; **~ się** hang
wieszak *m* (*ramiączko*) hanger; (*pojedynczy kołek*) peg; (*przy ubraniu*) loop
wieś *f* (*osada*) village; (*tereny pozamiejskie*) country; **na wsi** in the country; **mieszkaniec wsi** countryman
wiewiórka *f zool.* squirrel
wieźć *v imperf* carry, transport
wieża *f* tower
wieżowiec *m* block of flats, skyscraper
więc *conj, adv* so, therefore; (*pytająco*) well
więcej *adv* more; **mniej ~** more or less
większość *f* majority
więzienie *n* prison, jail
więzień *m* prisoner
wilgotny *adj* moist, humid, damp
wilk *m zool.* wolf
willa *f* villa
win|a *f* guilt, fault; **poczuwać się do ~y** feel guilty; *prawn.* **przyznać się do ~y** plead guilty; **to nie moja ~a** it's not my fault
winda *f* lift, *am.* elevator
winien *adj* guilty (**czegoś** of sth); (*dłużny*) due, indebted; **jestem mu ~ pieniądze** I owe him money
wino *n* wine
winogrona *n* grapes
wiolonczela *f muz.* cello
wiosłować *v imperf* row
wiosn|a *f* spring; **na ~ę, ~ą** in (the) spring
wirus *m* virus
wisieć *v imperf* hang
witać *v imperf* greet, welcome
witamina *f* vitamin
wiza *f* visa; **~ wjazdowa <wyjazdowa, tranzytowa>** entry <exit, transit> visa
wizyt|a *f* visit, call in; **złożyć ~ę** pay a visit
wizytówka *f* visiting card, *am.* calling card
wjazd *m* entry, entrance; gateway
wjechać *v perf* drive <go> into, enter
wklęsły *adj* concave
wkładać *v imperf* (*umieszczać*) put in, insert; (*ubierać się*) put on
wkrótce *adv* soon
władza *f* (*rządzenie*) power; (*urząd*) authority; (*fizyczna, umysłowa*) faculty
włamanie *n* burglary

własność *f* property
własny *adj* own
właściciel *m* owner, proprietor
właściwy *adj* proper, right
właśnie *part* just, exactly
włącznie *adv* inclusively; **~ z ...** inclusive of ...
włączyć *v perf* (*światło, radio itp.*) turn on, switch on; (*dołączyć*) include
Włoch *m* Italian
włos *m* hair; *pl* **~y** hair *zbior.*; **jasne ~y** fair hair; **farba do ~ów** hair dye; **chcę sobie obciąć ~y** I want to have my hair cut
włoski *adj* Italian
włożyć *v perf* put in; (*ubranie*) put on
wnętrze *n* interior, inside
wnios|ek *m* conclusion; (*na posiedzeniu*) motion; **dojść do ~ku** come to <reach> a conclusion
wnuczka *f* granddaughter
wnuk *m* grandson
wobec *praep* in the face of, in the presence of, before; **~ tego, że ...** considering that ...
woda *f* water; **~ słodka** fresh water; **~ zdatna do picia** drinking water; **~ mineralna** mineral water; **~ gazowana** soda water
wodociąg *m* water supply system
wodolot *m* hydrofoil
wodospad *m* waterfall
wodoszczelny *adj* waterproof, watertight, water-resistant
wodór *m chem.* hydrogen
wojn|a *f* war; **~a domowa** civil war; **prowadzić ~ę** wage war (**z kimś, czymś** on sb, sth); **wypowiedzieć ~ę** declare war
wojsk|o *n* army; *pl* troops; **zaciągnąć się do ~a** enlist; **być w ~u** be in the army
wokoło, wokół *adv* round about, all around; *praep* round, around
wol|a *f* will; **siła ~i** will power; **do ~i** at will, freely; **z własnej ~i** of one's own free will
wol|eć *v imperf* prefer (**kogoś, coś** sb, sth; **niż kogoś, niż coś** to sb, to sth), favour; **~ę tańczyć niż czytać** I'd rather dance than read
wolno[1] *adv* (*powoli*) slowly, slow
wolno[2] *praed* be allowed to; **nie ~** one <you> must not
wolnoś|ć *f* freedom, liberty; **na ~ci** at large <liberty>;

wypuścić na ~ć set free <at liberty>

wolny *adj* free; (*o miejscu*) vacant; (*od podatku, obowiązku itp.*) exempt (**od czegoś** from sth); (*powolny*) slow; **dzień ~ od pracy** day off, day off duty; **~ czas** leisure, free <spare> time

wołać *v imperf* call

wołowina *f* beef

worek *m* sack

wosk *m* wax

wozić *v imperf* carry, transport, convey

wówczas *adv* at the time, then

wóz *m* cart, carriage; (*samochód*) car

wpaść *v perf* fall into; **~ w gniew** fly into a passion; **~ na pomysł** have an idea

wpłata *f* payment; (*drogą pocztową*) remittance

wpływ *m* influence (**na kogoś, coś** on sb, sth); *pl* **~y** (*dochody*) takings, receipts

w poprzek *adv* across; crosswise

wprost *adv* straight, directly

wprowadzać *v imperf* introduce; (*zaprowadzić w jakieś miejsce*) usher in, show sb into; **~ się** (*do mieszkania*) move in

wracać *v imperf* return, come back; **~ do zdrowia** recover

wrażenie *n* impression; **robić ~** impress (**na kimś** sb)

wrażliwy *adj* sensitive (**na coś** to sth)

wreszcie *adv* at last, finally

wrona *f zool.* crow

wrotki *s pl* roller skates

wróbel *m zool.* sparrow

wrócić *v perf zob.* **wracać**

wróg *m* foe, enemy

wróżka *f* fortune-teller; (*z bajki*) fairy

wrzesień *m* September

wschodni *adj* eastern, east

wschód *m* (*strona świata*) east; **na ~ od ...** (to the) east of ...; **~ słońca** sunrise

wsiadać *v imperf* get on <into>, board; **~ do pociągu <autobusu>** get on the train <on the bus>; **~ do samochodu** get into the car; **~ na rower** get on a bicycle; **~ na statek** board a ship; **~ na konia** mount a horse

wskazówk|a *f* (*przyrządów pomiarowych*) needle, pointer; (*zegara*) hand; (*rada*)

indication, hint, clue; *pl* **~i** (*pouczenia*) instructions, directions
wskazywać *v imperf* point (**na coś** at <to> sth), indicate, show
wskutek *praep* (*czegoś*) on account of, in consequence of, as a result of
wspaniały *adj* magnificent, splendid
wspominać *v imperf* remember, recollect; (*ciepło*) reminisce; (*robić wzmiankę*) mention
wspomnienie *n* memory
wspólny *adj* common
współczesny *adj* contemporary, contemporaneous
współczucie *n* sympathy, compassion
współpracować *v imperf* cooperate
współzawodnictwo *n* competition, rivalry, contest
wstać *v perf*, **wstawać** *v imperf* get up, rise
wstęp *m* (*wejście*) entrance, admission; (*przedmowa*) preface, introduction; **~ wolny** admission free; **~ wzbroniony** no admittance
wstrętny *adj* repulsive, repugnant, abominable
wstrząs *m* shock; **~ mózgu** concussion
wstrzymać *v perf* stop, hold up, suspend; **~ się** abstain, refrain (**od czegoś** from sth)
wstyd *m* shame, disgrace; **~ mi** I am ashamed
wszechstronny *adj* universal, versatile
wszechświat *m* universe
wszędzie *adv* everywhere
wszyscy *s pl* all
wszystko *pron* all, everything; **~ jedno** (it's) all the same
wściekły *adj* furious, mad, raging; (*o zwierzęciu*) rabid
wśród *praep* among, amid
wtedy *adv* then
wtorek *m* Tuesday
wtyczk|a *f elektr.* plug; **włożyć ~ę do kontaktu** plug in
wuj *m* uncle
wulgarny *adj* vulgar, rude
wulkan *m* volcano
wy *pron* you
wybacz|ać *v imperf*, **wybacz|yć** *v perf* pardon, excuse, forgive; **~ mi** pardon me, excuse me; **proszę ~yć** I beg your pardon
wybierać *v imperf* choose, select; (*spośród wielu*) pick (out); (*przez głosowanie*) elect
wybitny *adj* outstanding, eminent, distinguished

wybory *s pl* election; ~ **prezydenckie** presidential election
wybór *m* choice, selection; (*przez głosowanie*) election
wybrzeże *n* coast, seaside
wybuch *m* (*eksplozja*) explosion; (*wojny, epidemii*) outbreak; ~ **wulkanu** volcanic eruption
wybuchnąć *v perf* explode; (*o wojnie*) break out; ~ **płaczem <śmiechem>** burst out crying <laughing>
wychodzić *v imperf* go <come> out; (*o oknach*) overlook (**na coś** sth); ~ **za mąż** marry (**za kogoś** sb); ~ **na spacer** go out for a walk; ~ **z mody** go out of fashion; ~ **z domu** leave home
wychowanie *n* education; upbringing; ~ **fizyczne** physical education, PE
wychowywać *v imperf* bring up; educate
wyciągać *v imperf* (*wyjmować*) take <draw> out; (*wyprostować, wydłużać*) stretch (out); (*wniosek*) draw; ~ **się** stretch oneself out
wycieczk|a *f* excursion, trip; **pójść na ~ę** go on an excursion, take a trip
wycieraczka *f* (*do butów*) (door) mat; (*w samochodzie*) wiper
wycierać *v imperf* wipe; ~ **nogi** (*o słomiankę*) wipe one's feet; ~ **nos** wipe one's nose
wycofać *v perf* withdraw, retire; ~ **się** withdraw; (*z interesów*) retire
wydać *v perf zob.* **wydawać**
wydanie *n* edition, issue
wydarzenie *n* event, occurence, happening
wydarzyć się *v perf* happen, occur
wydatek *m* expense, expenditure
wydawać *v imperf* (*pieniądze*) spend; (*książki*) publish, issue; ~ **się** seem, appear
wydawca *f* publisher
wydział *m* department; section; (*uniwersytecki*) faculty
wygasać *v imperf* (*o ogniu*) go out; (*stracić ważność*) expire
wygląd *m* appearance, looks
wygląda|ć *v imperf* (*mieć wygląd*) look, appear; (*przez okno*) look out (of); **jak on ~?** what does he look like?
wygłupiać się *v imperf* play the fool
wygoda *f* comfort

wygodny *adj* comfortable; (*dogodny*) convenient

wygrać *v perf* win

wyjaśnić *v perf* explain, clarify

wyjaśnienie *n* explanation, clarification

wyjazd *m* departure

wyjąć *v perf zob.* **wyjmować**

wyjąt|ek *m* exception; **z ~kiem** except, save, with the exception of (**kogoś, czegoś** sb, sth)

wyjechać *v perf*, **wyjeżdżać** *v imperf* go away, leave; **~ do Warszawy** leave for Warsaw; **~ w podróż** go on a journey

wyjmować *v imperf* take out

wyjście *n* (*miejsce*) exit, way out; (*sposób rozstrzygnięcia*) way out, issue; **~ zapasowe** emergency exit

wyjść *v perf zob.* **wychodzić**

wykład *m* lecture; **chodzić na ~y** attend lectures; **prowadzić ~y** give lectures

wykonać *v perf*, **wykonywać** *v imperf* perform, accomplish, execute

wykorzystać *v perf* (*zużytkować*) utilize, make use of; (*osiągnąć korzyść*) take advantage of, avail oneself of

wykres *m* chart, graph

wykształcenie *n* education; **~ średnie** secondary education; **~ wyższe** higher <tertiary> education

wyłącznik *m elektr.* switch

wyłączyć *v perf* (*prąd, światło, telewizor*) switch off; (*wykluczyć*) exclude

wymawiać *v imperf* (*artykułować*) pronounce; (*wypominać*) reproach (**komuś coś** sb with sth)

wymeldować *v perf* announce departure; **~ się** announce one's departure; (*w hotelu*) check out

wymiana *f* exchange

wymiar *m* dimension; (*rozmiar*) measurement, size

wymieniać *v imperf* exchange (**coś na coś** sth for sth; **coś z kimś** sth with sb); (*przytaczać*) mention; **~ pieniądze** change money

wymiotować *v imperf* vomit, throw up

wymowa *f* pronunciation

wymówka *f* (*zarzut*) reproach, reproof; (*pretekst*) pretext, excuse

wymyślać *v imperf* invent; (*lżyć*) abuse, revile (**komuś** sb)

wynagrodzenie *n* (*zapłata*) pay; (*pensja*) salary; (*odszkodowanie*) damages *pl*
wynajmować *v imperf* (*dać w najem*) let <rent> (out) (**komuś** to sb); (*na krótko*) hire (out) (**komuś** to sb); (*brać w najem*) hire, rent (**od kogoś** from sb)
wynalazek *m* invention
wynieść *v perf zob.* **wynosić**
wynik *m* result, outcome, issue; *sport.* score; **w ~u** as a result (**czegoś** of sth)
wynosić *v imperf* carry out <away>; (*o kosztach*) total, amount to; **~ się** (*wyjechać*) get away <out>, *pot.* clear out
wyobraźnia *f* imagination
wyobrażać sobie *v imperf* imagine
wypada|ć *v imperf* fall out; **to nie ~** it's not proper <right>
wypad|ek *m* (*zdarzenie*) case, event; (*nieszczęśliwy*) accident; **w każdym ~ku** in any case; **w żadnym ~ku** in no case
wypełniać *v imperf* (*napełniać*) fill (up); (*formularz*) fill in; (*spełniać*) fulfil
wypłat|a *f* pay; **dzień ~y** payday
wypoczynek *m* rest
wypogadzać się *v imperf* clear up
wyposażenie *n* equipment *zbior.*
wypożyczalnia *f*: **~ książek** lending library; **~ kaset wideo** video library; **~ samochodów** car hire (firm), rent-a-car (office)
wyprawa *f* expedition
wyprowadzać *v imperf* lead out; **~ się** move out
wypróżniać *v imperf* empty; **~ się** defecate
wyprzedaż *f* clearance sale, sale
wyprzedzać *v imperf* (*idąc lub jadąc*) overtake
wypukły *adj* convex
wypuścić *v perf* let out <off>, let go; (*na rynek*) release; **~ na wolność** set free, set at liberty
wyrabiać *v imperf* (*wytwarzać*) produce, manufacture, make; (*ciasto*) knead
wyraz *m* word; (*twarzy*) expression
wyraźny *adj* distinct, evident, marked
wyrażać *v imperf* express; **~ się** express oneself
wyrażenie *n* expression, phrase
wyrok *m* sentence, verdict; **wydać ~** pass a sentence

wyróżniać *v imperf* distinguish, single out
wyruszyć *v perf* start, set out <off> (**w podróż** on a journey)
wyrzucać *v imperf* throw out; (*np. ze szkoły*) expel; (*zarzucać*) reproach (**komuś coś** sb with sth)
wysiadać *v imperf*, **wysiąść** *v perf* get off (**z autobusu** the bus); get out (**z samochodu** of the car)
wysiłek *m* effort
wysłać *v perf* send, dispatch, forward
wysoki *adj* high; (*o człowieku*) tall
wysokość *f* height; (*nad poziomem morza*) altitude; (*sumy*) amount
wyspa *f* island
wystarczyć *v perf* suffice, be sufficient <enough>
wystawa *f* exhibition, display; (*sklepowa*) shop window
wystawiać *v imperf* put out; (*na wystawie*) display; (*sztukę*) stage
występ *m* (*coś wystającego*) projection; (*publiczny popis*) performance; **gościnny ~** guest performance
wysyłać *v imperf zob.* **wysłać**
wysypka *f med.* rash
wyścig *m* race; **~i konne** horse races <racing>; **~i samochodowe** car-racing
wytłumaczyć *v perf* explain; **~ się** excuse <explain> oneself
wytrwały *adj* persistent, persevering
wytrzyma|ć *v perf* withstand, endure, hold out; **dłużej tego nie ~m** I can't stand it any longer
wytwarzać *v imperf* produce, manufacture; (*tworzyć*) form
wytwórnia *f* factory, plant; **~ filmowa** film company
wywiad *m* interview; **przeprowadzić ~** interview (**z kimś** sb)
wywołać *v perf*, **wywoływać** *v imperf* call out; (*spowodować*) make happen, bring about; **~ film** develop a film
wyzdrowieć *v perf* recover
wyznanie *n* (*wyjawienie*) confession; (*religia*) religion
wyzwolić *v perf* liberate, free; **~ się** free oneself
wyżej *adv* higher; (*ponad*) above
wyższy *adj* higher; (*o człowieku*) taller; (*rangą*) superior
wyżywienie *n* maintenance, living

wzajemny *adj* mutual, reciprocal

w zamian *adv* in return (**za coś** for sth)

wzdłuż *praep* along; *adv* alongside, lengthways

wzgl|ąd *m* regard, consideration; (*punkt widzenia*) respect; **pod ~ędem** in respect (**czegoś** of sth); **ze ~ędu** with regard (**na kogoś, na coś** to sb, to sth); **bez ~ędu** regardless (**na kogoś, na coś** of sb, of sth)

względny *adj* relative

wzgórze *n* hill

wziąć *v perf* take; **~ taksówkę** take a taxi; **~ się do pracy** set to work

wzmacniacz *m* amplifier

wzmianka *f* mention (**o czymś** of sth)

wzmocnić *v perf* strengthen, reinforce, fortify

wznieść *v perf*, **wznosić** *v imperf* raise, lift; (*zbudować*) erect; **~ toast** propose a toast; **~ się** rise, ascend; (*wzlecieć*) float up

wznowić *v perf* renew; resume; (*książkę*) reprint

wzór *m* pattern, design; (*model*) model; *chem.* formula

wzrok *m* sight; (*spojrzenie*) look

wzrost *m* growth; (*cen, kosztów*) rise, increase; (*człowieka*) height; **człowiek średniego ~u** man of medium height

wzruszać *v imperf* move, touch; **~ się** be moved

wzywać *v imperf* call; (*urzędowo*) summon; **~ lekarza** call; **~ pomocy** call for help

Z

z, ze *praep* with; from, of, out of; through, by; off; **razem z kimś** together with sb; **jeden z wielu** one out of many; **przychodzę ze szkoły** I am coming from school; **zdjąć obraz ze ściany** take the picture off the wall; **ze strachu** for fear; **z nieświadomości** through ignorance; **to uprzejmie z twojej strony** it is kind of you; *adv* (*około*) about; **on ma ze trzydzieści lat** he is about thirty

za *praep* for; behind; after; by; in; **biegać za kimś** run after sb; **trzymać za rękę** hold by the hand; **dzień za dniem** day by day; **za dnia** by day; **za godzinę** in an hour; **za kwadrans szósta** (a) quarter to six; **za gotówkę** for cash; **za ścianą** behind the wall; **za wcześnie** too early

zaawansowany *adj* advanced

zabaw|a *f* play, amusement, fun; **~a taneczna** dance; **plac ~** playground

zabawiać *v imperf* amuse, entertain; **~ się** amuse oneself, have fun

zabawka *f* toy, plaything

zabezpieczyć *v perf* safeguard, secure; **~ się** protect oneself

zabić *v perf zob.* **zabijać**

zabierać *v imperf* take, take off <away>; **~ komuś dużo czasu** take sb much time; **~ się** set (**do czegoś** about sth)

zabijać *v imperf* kill

zabójstwo *n* murder, homicide

zabraniać *v imperf* forbid, prohibit, ban

zabytek *m* monument

zachęcać *v imperf* encourage

zachodni *adj* western, west

zachodzić *v imperf* (*o słońcu*) set *por*. **zajść**

zachorować *v perf* fall ill, be taken ill (**na coś** with sth)

zachowanie *n* behaviour, *am.* behavior; conduct, comportment

zachowywać się *v imperf* behave

zachód *m* west; **~ słońca** sunset; **na ~** west, to the west (**od czegoś** of sth)

zachwycać *v imperf* charm, enchant, fascinate; **~ się** be charmed, be enraptured (**czymś** with sth)

zacofany *adj* backward; **~ gospodarczo** underdeveloped

zacząć *v perf*, **zaczynać** *v imperf* begin, start; **~ się** begin, start

zadanie *n* task, assignment; **dać ~** set a task

zadatek *m* payment on account

zadowolenie *n* satisfaction, contentment; **~ z samego siebie** complacency

zadowolony *adj* satisfied, content(ed)

zagadka *f* riddle, puzzle

zagadnienie *n* question, problem

zagranic|a *f* countries a-

broad, foreign countries; **z ~y** from abroad
zagraniczny *adj* foreign; **handel ~** foreign trade
zagrożeni|e *n* menace, threat; **stan ~a** state of emergency
zainteresowanie *n* interest
zając *m* hare
zająć *v perf zob.* **zajmować**
zajezdnia *f* depot
zajęcie *n* (*czynność*) activity, occupation; (*praca*) profession, business; (*np. mienia*) seizure
zajmować *v imperf* occupy; (*objąć stanowisko*) fill; **~ się** occupy oneself (**czymś** with sth), be engaged (**czymś** in sth)
zajść *v perf zob.* **zachodzić**; **~ w ciążę** become pregnant
zakaz *m* prohibition, ban; **~ wjazdu** no entry
zakazywać *v imperf* forbid, prohibit (**czegoś** sth)
zakaźny *adj* infectious, contagious
zakażenie *n* infection
zakąska *f* snack; (*przystawka*) hors-d'œuvre, appetizer
zakład *m* (*instytucja*) establishment, institution; (*umowa*) bet; **~ przemysłowy** industrial plant <establishment>; **~ ubezpieczeń** insurance company
zakładać *v imperf* establish, found, set up; (*np. okulary*) put on; (*instalować*) install; (*logicznie*) presume, assume; **~ się** bet, make a bet
zakładnik *m* hostage
zakochać się *v imperf* fall in love (**w kimś** with sb)
zakodować *v perf* encode
zakon *m* (religious) order
zakonnica *f* nun
zakres *m* range, scope
zakręcić *v perf* turn, twist; **~ kran** turn off the tap; **~ się** turn round
zakręt *m* turning, bend
zalecać *v imperf* recommend, commend; **~ się** court (**do kogoś** sb)
zalegać *v imperf* be behind, be in arrears (**z czymś** with sth)
zaleta *f* virtue, advantage
zależ|eć *v imperf* depend (**od kogoś**, **czegoś** on sb, sth); **~y mi na tym** I am anxious about it; **nie ~y mi na tym** I don't care for it
załatwiać *v imperf* settle, arrange, fix (up); **~ interesy** do business; **~ się** relieve oneself
załącznik *m* enclosure

załoga *f* crew
założenie *n* assumption
założyć *v perf zob.* **zakładać**
zamach *m* (*bombowy*) attack; ~ **stanu** coup d'etat
zamarznąć [-r-z-] *v perf* freeze up; (*umrzeć*) freeze to death
zamek[1] *m* (*budowla*) castle
zamek[2] (*u drzwi*) lock; ~ **błyskawiczny** zip(-fastener)
zameldować *v perf* report; (*zgłosić urzędowo przyjazd*) register; ~ **się** report; (*w hotelu*) register, check in
zamężna *adj* married
zamiar *m* intention; **mieć ~** intend, be going to
zamiast *praep* instead of
zamieć *f* (*śnieżna*) blizzard
zamienić *v perf* change (**coś na coś** sth for sth), exchange
zamierzać *v imperf* intend, mean, be going to
zamknąć *v perf* close, shut; (*na klucz*) lock
zamówić *v perf* order
zamówienie *n* order
zamsz *m* suede
zamykać *v imperf zob.* **zamknąć**
zaniedbać *v perf*, **zaniedbywać** *v imperf* neglect
zanim *conj* before, by the time
zaopatrywać *v imperf* provide, supply (**w coś** with sth)
zaopatrzenie *n* supply
zapach *m* smell, scent
zapalenie *n med.* inflammation; ~ **płuc** pneumonia
zapalić *v perf* (*lampę, papierosa*) light; (*podpalić*) set on fire; ~ **zapałkę** strike a match
zapalniczka *f* lighter
zapałka *f* match
zapasow|y *adj* spare; **części ~e** spare parts
zapewnić *v perf* assure (**kogoś o czymś** sb of sth)
zapiąć *v perf* fasten; (*guziki*) button (up); (*sprzączkę*) buckle
zapisać *v perf* write <put> down; (*lekarstwo*) prescribe; ~ **się** (*na kurs*) enrol, register
zapłon *m mot.* ignition
zapobiegać *v imperf* prevent, avert (**czemuś** sth)
zapomnieć *v perf* forget
zapoznać się *v perf* get acquainted, acquaint oneself (**z kimś, z czymś** with sb, with sth)
zapraszać *v imperf* invite; ~ **na przyjęcie** invite to a party
zaproszenie *n* invitation

zaprzeczać *v imperf* deny (**czemuś** sth)
zaprzyjaźnić się *v perf* make friends (**z kimś** with sb)
zapytać *v perf* ask; **~ kogoś o godzinę <drogę>** ask sb the time <the way>
zarabiać *v imperf* earn; **~ na życie** earn one's living
zaraz *adv* at once, right away, directly
zarazić *v perf* infect; **~ się** become infected
zarezerwować *v perf* book, reserve
zaręczyć się *v perf* get <be> engaged
zarozumiały *adj* conceited
zarząd *m* administration, management; **~ główny** board
zarządzanie *n* management
zarządzenie *n* order, decree
zarzut *m* reproach, objection; **bez ~u** faultless, impeccable
zasad|a *f* principle, rule; **z ~y** as a rule, on principle
zasiłek *m* benefit, allowance; **~ dla bezrobotnych** unemployement benefit; **~ rodzinny** family allowance
zasłona *f* curtain
zasłonić *v perf* (*zakryć*) cover, veil
zasługa *f* merit
zaspokoić *v perf* satisfy; (*głód, ciekawość*) appease; (*pragnienie, uczucia*) quench
zastanowić się *v perf* reflect, ponder (**nad czymś** on sth)
zastąpić *v perf* (*zająć miejsce*) replace (**kogoś** sb), substitute (**kogoś** for sb); **~ drogę** bar the way
zastępca *m* deputy
zastosować *v perf* apply, employ, use; **~ się** comply (**do czegoś** with sth), conform (**do czegoś** to sth)
zastrzyk *m* injection
zaszczyt *m* honour, *am.* honor; credit; **przynosić ~** do credit (**komuś** to sb)
zaświadczenie *n* certificate
zatoka *f* bay, gulf
zatrucie *n* poisoning
zatrudnienie *n* employment; (*zajęcie*) occupation
zatrzask *m* (*do drzwi*) latch; (*do ubrania*) snap fstener, press stud
zatrzymać *v perf* stop; (*przetrzymać, aresztować*) detain; (*zachować*) retain, keep; **~ się** stop
zaufani|e *n* confidence, trust; **godny ~a** trustworthy
zauważyć *v perf* notice, perceive; (*napomknąć*) remark
zawał *m med.* heart failure
zawartość *f* contents *pl*

zawiadomić *v perf* inform, let known
zawiadomienie *n* information; (*pismo*) notice, notification
zawierać *v imperf* (*mieścić w sobie*) contain, include
zawieść *v perf* let down, fail
zawieźć *v perf* drive
zawinić *v perf* be guilty (**w czymś** of sth)
zawodnik *m* competitor, contestant
zawodowy *adj* professional
zawody *s pl* competition, contest
zawód *m* profession, occupation; (*rozczarowanie*) disappointment, disillusion
zawracać *v imperf* turn back; ~ **komuś głowę** bother sb
zawrócić *v perf zob.* **zawracać**
zawrót *m* (*głowy*) dizziness, vertigo
zawrzeć *v perf zob.* **zawierać**
zawsze *adv* always, ever; **na** ~ for ever
zazdrościć *v imperf* envy (**komuś czegoś** sb sth)
zazdrość *f* jealousy, envy
zaziębić się *v perf* catch (a) cold
zaziębienie *n* cold
zażalenie *n* complaint; **wnieść** ~ lodge a complaint
ząb *m* tooth; *pl* **zęby** teeth
zbankrutować *v perf* go bankrupt
zbić *v perf* beat up <down>; (*stłuc*) break; (*kolano*) bruise
zbierać *v imperf* collect, gather, amass; (*np. owoce*) pick; ~ **się** gather, assemble, collect
zbi|ór *m* collection; *pl* **~ory** gathering; (*plon*) harvest, crop
zbliżać *v imperf* bring near <closer>; ~ **się** approach (**do kogoś** sb), come <draw> near
zboże *n* corn, grain, cereal
zbrodnia *f* crime
zbrodniarz *m* criminal
zbroić *v imperf* arm; ~ **się** arm oneself
zbrojenia *s pl* armaments
zbyt[1] *m* sale; (*popyt*) demand; **rynek ~u** market
zbyt[2] *adv* too; ~ **dużo** too much; ~ **wiele** too many
zdać *v perf* (*egzamin*) pass
zdanie *n* opinion, view; (*wypowiedzenie*) sentence
zdarzenie *n* event, incident, occurrence
zdarzyć się *v perf* happen, occur, come about
zda|wać *v imperf* (*egzamin*)

take; **~wać się** (*zaufać*) rely (**na kogoś** upon sb); **~je mi się, że...** it seems to me that...

zdążyć *v perf* be in time (**na pociąg** for the train)

zdejmować *v imperf* take off; (*ze stanowiska*) remove

zdenerwowany *adj* nervous, flustered; irritated

zderzak *m* (*samochodu*) bumper

zderzenie *n* crash, collision

zderzyć się *v perf* crash, collide

zdjąć *v perf zob.* **zdejmować**

zdjęcie *n* picture, photograph

zdobywać *v imperf*, **zdobyć** *v perf* conquer; (*nagrodę*) win; *sport.* ~ **bramkę** score a goal

zdolny *adj* able, capable

zdrada *f* betrayal, treachery; (*kraju*) treason; (*małżeńska*) infidelity

zdradzać *v imperf* betray

zdrowie *n* health; **na ~!** bless you!

zdrowy *adj* healthy, sound; (*służący zdrowiu*) wholesome

zdumiony *adj* amazed, astonished (**czymś** at sth)

zdziwić *v perf* astonish, amaze; ~ **się** be astonished (**czymś** at sth)

zebra *f zool.* zebra

zebrać *v perf zob.* **zbierać**

zebranie *n* meeting, assembly

zegar *m* clock

zegarek *m* watch

zegarmistrz *m* watchmaker

zegarynka *f* speaking clock

zejście *n* descent; (*zgon*) decease

zejść *v perf* descend, go down; (*umrzeć*) decease

zelówka *f* sole

zemdleć *v perf* faint

zemst|a *f* revenge, vengeance; **z ~y** out of revenge (**za coś** for sth)

zemścić się *v perf* revenge <avenge> oneself (**na kimś** on sb)

zepsuty *adj* spoilt; (*uszkodzony*) damaged; (*zdemoralizowany*) corrupt, depraved

zero *n* zero, nought

zerwać *v perf zob.* **zrywać**

zespół *m* group, team

zeszyt *m* notebook, exercise book

zewnątrz *adv praep* outside; **z** ~ from outside; **na** ~ outside

zewnętrzny *adj* outside, external, exterior

zezwalać *v imperf* allow, permit
zgadnąć *v perf* guess
zgadzać się *v imperf* consent, agree (**na coś** to sth)
zgaga *f* heartburn
zginąć *v perf* be killed, die; (*przepaść*) perish; (*zgubić się*) get lost
zgłosić *v perf* (*np. projekt*) submit; ~ **się** report (**do kogoś po coś** to sb for sth); (*na ochotnika*) volunteer
zgniły *adj* rotten, putrid; (*moralnie*) rotten, corrupt
zgoda *f* consent (**na coś** to sth); ~! agreed!
zgodnie *adv* according (**z czymś** to sth), in accordance <conformity> (**z czymś** with sth)
zgon *m* decease
z góry *adv* in advance, beforehand
zgrabny *adj* (*kształtny*) shapely; (*zręczny*) skilful, adroit
zgromadzić *v perf* gather, assemble; ~ **się** gather, assemble
ziarno *n* grain
zielony *adj* green
ziemia *f* (*kula ziemska*) earth; (*gleba*) soil, ground, earth; (*ląd*) land
ziemniak *m* potato
ziewać *v imperf* yawn
zięć *m* son-in-law
zima *f* winter
zimno *adv* cold; **jest** ~ it is cold; **jest mi** ~ I am cold; *s n* cold
zimn|y *adj* cold; *przen.* **z ~ą krwią** in cold blood
zioła *s pl* herbs
zjawić się *v perf* appear
zjawisko *n* phenomenon
zjazd *m* (*zebranie*) convention, meeting; (*rodzinny, koleżeński*) reunion; (*w dół*) descent, downhill drive
zjechać *v perf* go down, descend; ~ **z drogi** make way (**komuś** for sb)
zjednoczenie *n* unification, union
zjeżdżać *v imperf zob.* **zjechać**
zlecenie *n* commission, order
zlew *m* sink
złamać *v perf* break; (*kość*) fracture; (*prawo*) violate
złamanie *n* fracture
zło *n* evil
złodziej *m* thief; ~ **kieszonkowy** pickpocket
złościć *v imperf* irritate, anger, make angry; ~ **się** be angry (**na kogoś** with sb; **z powodu czegoś** at sth), be irritated (**na kogoś, coś** with sb, sth)

złość *f* anger; **na ~** to spite (**komuś** sb)
złośliwy *adj* malicious, malevolent; *med.* **nowotwór ~** malignant tumour
złoto *n* gold
złoty *adj* gold, golden; *s m* (*jednostka monetarna*) zloty
złożyć *v perf* (*zgiąć*) fold; (*pieniądze w banku*) deposit; (*rezygnację*) resign; **~ wizytę** pay a visit *zob.* **składać**
złudzenie *n* illusion
zły *adj* bad; (*niemoralny*) evil, wicked; (*zagniewany*) angry (**na kogoś** with sb)
zmarły *adj s m* deceased
zmarszczka *f* wrinkle, crease
zmartwienie *n* worry
zmęczenie *n* tiredness, fatigue
zmęczyć *v perf* tire, exhaust; **~ się** be <get> tired
zmian|a *f* change; (*czas pracy*) shift, turn; **robić coś na ~ę** take turns at sth
zmieniać *v imperf* change; **~ się** change
zmierzch *m* dusk, twilight
zmieścić *v perf* put, accommodate, place; **~ się** fit
zmniejszyć *v perf* decrease, diminish, reduce; **~ się** diminish, decrease
zmuszać *v imperf* force, compel
zmysł *m* sense; **być przy zdrowych ~ach** be in one's right mind, be of sound mind
zmywać *v imperf* wash (off); (*naczynia*) wash up, wash the dishes
zmywarka *f* dishwasher
znaczek *m* sign, mark; (*pocztowy*) (postage) stamp
znaczenie *n* (*sens*) meaning, significance; (*ważność*) significance, importance
znaczy|ć *v imperf* (*robić znak*) mark; (*wyrażać*) mean; **co to ~?** what does it mean?
znać *v imperf* know; **~ kogoś z nazwiska <z widzenia>** know sb by name <by sight>; **dać komuś ~** let sb know (**o czymś** of sth); **~ się** know each other, be acquainted with; be familiar (**na czymś** with sth)
znajdować *v imperf* find; **~ się** (*mieścić się*) be situated <located>
znajomość *f* acquaintance; **zawrzeć ~** make sb's acquaintance
znajomy *m* acquaintance
znak *m* sign, mark, token;

~i drogowe road signs; **~ fabryczny** trade mark; **na ~** in token (**czegoś** of sth)
znaleźć *v perf* find; **~ się** be, find oneself
znany *adj* (well-)known, famous
znawca *m* expert (**czegoś** in sth)
zniechęcać *v imperf* discourage (**do czegoś** from doing sth); **~ się** be discouraged
znieczulenie *n* anaesthetic
znieść *v perf zob.* **znosić**
znikać *v imperf* disappear, vanish
zniszczenie *n* destruction
zniżka *f* reduction, discount
znosić *v imperf* carry down; (*odzież, buty*) wear down; (*unieważnić*) abolish; (*tolerować*) bear, endure
znowu *adv* again
zobaczyć *v perf* catch sight (**coś** of sth), see; **~ się** see (**z kimś** sb)
zobowiązanie *n* obligation, commitment; **mieć ~** be under an obligation (**względem kogoś** to sb)
zobowiązywać *v imperf* oblige, bind; **~ się** bind <commit> oneself
zodiak *m* zodiac; **znaki ~u** signs of the zodiac
zoo *n nieodm.* zoo
zostać *v perf* stay, remain; (*stać się*) become
zostawić *v perf* leave
zresztą *adv* after all, anyway
zręczny *adj* dexterous, skilful, adroit
zrobi|ć *v perf* make, do, perform; **~ć się: ~ło mi się niedobrze** I felt sick; **~ło się zimno** <dark> it grew cold <ciemno>
zrywać *v imperf* tear off; (*np. kwiaty*) pick, pluck; (*stosunki*) break off; (*np. z narzeczonym*) break up (**z kimś** with sb); **~ się** jump up, jump to one's feet
zrzec się *v perf*, **zrzekać się** *v imperf* renounce, relinquish (**czegoś** sth)
zupa *f* soup
zupełny *adj* complete, entire
zużyć *v perf* use (up); **~ się** wear off
zużyty *adj* used up, worn off
zwalniać *v imperf zob.* **zwolnić**
zwariować *v perf* go mad; become insane
zwariowany *adj* mad, crazy (**na punkcie czegoś** about sth)

zważyć *v perf* weigh
związ|ek *m* (*powiązanie*) connection, relation; (*zrzeszenie*) association, union; *chem.* compound; **~ek zawodowy** trade union; **w ~ku z...** in connection with...
zwichnąć *v perf* sprain, dislocate
zwiedzać *v imperf* sightsee, visit, tour
zwierzchnik *m* superior, principal
zwierzę *n* animal; **~ domowe** domestic animal; **dzikie ~** wild animal
zwlekać *v imperf* delay, defer
zwłaszcza *adv* particularly, especially
zwłok|a *f* delay; **bez ~i** without delay
zwłoki *s pl* corpse
zwolennik *m* follower, supporter
zwolnić *v perf* (*tempo*) slow (down); (*uwolnić*) free, release; (*pracownika*) dismiss
zwolnienie *n* (*lekarskie*) sick-leave
zwracać *v imperf* give back, return; **~ uwagę** pay attention (**na coś** to sth); **~ czyjąś uwagę** draw sb's attention (**na coś** to sth); **~ komuś uwagę** admonish sb; **~ się** turn to (**do kogoś o coś** to sb for sth)
zwrot *m* return; (*obrót*) turn; (*wyrażenie*) (set) phrase
zwrotnik *m geogr.* tropic
zwrócić *v perf zob.* **zwracać**
zwycięstwo *n* victory
zwycięzca *m* winner, victor
zwyciężać *v imperf* win; (*przeszkody*) conquer
zwyczaj *m* (*obyczaj*) custom; (*nawyk*) habit (**czegoś** of sth)
zwyczajny *adj* common, ordinary
zwykle *adv* usually; **jak ~** as usual
zwykły *adj* ordinary, usual
zysk *m* gain, profit; **czysty ~** net profit
zza *praep* from behind, from beyond; **~ rogu** from around the corner

Ź

źle *adv* badly
źrenica *f* pupil
źródło *n* spring; (*np. informacji*) source

Ż

żaba *f* frog

żaden *pron* no, none; (*ani jeden, ani drugi*) neither

żag|iel *m* sail; *pot.* **deska z ~lem** sailboard; **rozwinąć <zwinąć> ~le** unfurl <furl> the sails

żaglówka *f* sailing-boat

żal *m* regret, grief; **~ mi go** I feel sorry for him; **mam do niego ~** I bear him a grudge (**o coś** for sth)

żałob|a *f* mourning; **nosić ~ę** be in mourning

żałować *v imperf* (*odczuwać żal*) regret; (*skąpić*) grudge (**komuś czegoś** sb sth)

żarówka *f* (light) bulb

żart *n* joke, jest; **~em** in jest

żartować *v imperf* jest, joke

żądać *v imperf* demand, require

żądanie *n* demand, request; **na ~** on demand; **przystanek na ~** request stop, *am.* flag stop

że *conj* that; **myślę, że...** I think that...

żebrak *m* beggar

żebro *n* rib

żeby *conj* that, (in order) to, in order that

żeglarstwo *n* sailing, yachting

żeglarz *n* seaman, sailor

żegluga *f* navigation

żegna|ć *v imperf* say goodbye; **~j!** farewell!; **~ć się** say goodbye (**z kimś** to sb); (*krzyżem*) cross oneself

żel *m* gel; **~ do włosów** hair <styling> gel

żelazko *n* iron

żelazny *adj* iron

żelazo *n* iron

żenić się *v imperf* get married (**z kimś** to sb), take a wife

żeński *adj* female, women's; feminine

żeton *m* token

żmija *f zool.* viper, adder

żniwa *s pl* harvest

żołądek *m* stomach

żołnierz *m* soldier

żona *f* wife

żonaty *adj* married

żółtaczka *f med.* jaundice

żółtko *n* yolk

żółty *adj* yellow

żółw *m zool.* tortoise; (*wodny*) turtle

żuć *v imperf* chew

żuk *m zool.* beetle

życie *n* life; (*utrzymanie*)

living; **zarabiać na ~** earn one's living

życiorys *m* curriculum vitae, CV; (*biografia*) biography

życzeni|e *n* wish, desire; **na ~e** on request; **~ a urodzinowe** birthday wishes <greetings>

życzliwość *f* kindness, friendliness, benevolence

życzliwy *adj* kind, friendly, benevolent

życzyć *v imperf* wish (**komuś czegoś** sb sth)

żyć *v imperf* live

Żyd *m* Jew

żydowski *adj* Jewish

żylak *m med.* varix

żyletka *f* razor-blade

żyła *f* vein

żyrafa *f zool.* giraffe

żyto *n* rye

żywić *v imperf* (*karmić*) feed, nourish; (*np. rodzinę*) support; **~ się** feed, live (**czymś** on sth)

żywność *f* food, foodstuffs

żywo *adv* (*energicznie*) briskly; **na ~** live

żywopłot *m* hedge

żywy *adj* living, alive; (*ruchliwy*) lively, vivacious

żyzny *adj* fertile

ROZMÓWKI POLSKO-ANGIELSKIE

1. CZĘSTO SPOTYKANE NAPISY
NOTICES IN FREQUENT USE
bryt. [*`nəutɪsɪz ɪn `frikwənt 'jus*]
am. [*`nouDɪsɪz ɪn `frikwənt 'jus*]

Arrival
Przyjazd/Przylot
[*ə`raɪvl*]

Attention!
Uwaga!
[*ə`tenʃn*]

Bed and breakfast
Pokój ze śniadaniem
[*`bed ən `brekfəst*]

Beware of the dog
Zły pies
bryt. [*bɪ`weər əv ðə `dog*]
am. [*bɪ`wer əv ðə `dag*]

Booked *bryt.*
Zarezerwowane
[*bukt*]

Cashier's <*am.* **Cashier**>
Kasa
bryt. [*kæ`ʃɪəz*]
am. [*kæ`ʃir*]

Caution!
Uwaga!
[ˋkɔʃn]

Check in
Odprawa bagażowa
[ˋtʃek ɪn]

Clearance sale
Wyprzedaż
bryt. [*ˋklɪərəns seɪl*]
am. [*ˋklirəns seɪl*]

Cloakroom
Szatnia
bryt. [*ˋkləukrum*]
am. [*ˋkloukrum*]

Closed
Zamknięte
bryt. [*kləuzd*]
am. [*klouzd*]

Cold
Zimny
bryt. [*kəuld*]
am. [*kould*]

Customs control
Odprawa celna
bryt. [*'kʌstəmz kənˋtrəul*]
am. [*'kʌstəmz kənˋtroul*]

Danger
Niebezpieczeństwo
bryt. [*ˋdeɪndʒə(r)*]
am. [*ˋdeɪndʒər*]

Departure
Odjazd/Odlot
bryt. [*dɪˋpɑtʃə(r)*]
am. [*dɪˋpɑrtʃər*]

Detour
Objazd
bryt. [*ˋdituə(r)*]
am. [*ˋdiDur*]

Drinking water
Woda pitna
bryt. [*'drɪŋkɪŋ ˋwɔtə(r)*]
am. [*'drɪŋkɪŋ ˋwɔDər*]

Elevator *am.*
Winda
[*ˋeləveɪDər*]

Emergency exit
Wyjście awaryjne
bryt. [*ɪ'mɜdʒənsɪ ˋeksɪt*]
am. [*ɪ'mərdʒənsɪ ˋegzɪt*]

Entrance
Wejście
[*ˋentrns*]

Exit
Wyjście
bryt. [*ˋeksɪt*]
am. [*ˋegzɪt*]

For hire <*am.* rent>
Do wynajęcia
bryt. [*fə ˋhɑɪə(r)*]
am. [*fər ˋrent*]

For sale
Do sprzedania
bryt. [*fə ˋseɪl*]
am. [*fər ˋseɪl*]

Free admission
Wstęp wolny
[*fri ədˋmɪʃn*]

Full house (*w teatrze itp.*)
Wolnych miejsc brak
[ˋ*ful haus*]

Full up *bryt.*
Wolnych miejsc brak
[ˋ*ful ʌp*]

Gentlemen
Dla panów
bryt. [ˋ*dʒentlmən*]
am. [ˋ*dʒen(D)lmən*]

Hot
Gorący
bryt. [*hot*]
am. [*hat*]

Inquiries
Informacja
bryt. [*ɪnˋkwaɪərɪz*]
am. [ˋ*ɪnkwərɪz*]

Keep left/right
Idź/jedź lewą/prawą stroną
[*kip ˋleft\ˋraɪt*]

Ladies
Dla pań
bryt. [*`leɪdɪz*]
am. [*`leɪDɪz*]

Lift *bryt.*
Winda
[*lɪft*]

Mind the step <*am.* **Watch your step>**
Uwaga, stopień
bryt. [*`maɪnd ðə `step*]
am. [*`watʃ jər `step*]

No entrance <*am.* **Do not enter>**
Wstęp wzbroniony/Zakaz wjazdu
bryt. [*nəu `entrns*]
am. [*du 'nat `en(D)ər*]

No parking
Zakaz parkowania
bryt. [*nəu `pɑkɪŋ*]
am. [*nou `pɑrkɪŋ*]

No waiting
Zakaz postoju
bryt. [*nəu `weɪtɪŋ*]
am. [*nou `weɪDɪŋ*]

No passage
Przejście zabronione
bryt. [*nəu `pæsɪdʒ*]
am. [*nou `pæsɪdʒ*]

No smoking
Palenie zabronione
bryt. [*nəu `sməukɪŋ*]
am. [*nou `smoukɪŋ*]

No thoroughfare <*am.* **No thru way**>
Przejazd zabroniony
bryt. ['*nəu `θʌrəfeə(r)*]
am. [*nou `θru weɪ*]

No trespassing
Zakaz wstępu
bryt. [*nəu `trespəsɪŋ*]
am. [*nou `trespæsɪŋ*]

No vacancies <*am.* **vacancy**>
Brak wolnych pokoi
bryt. [*nəu `veɪkənsɪz*]
am. [*nou `veɪkənsɪ*]

Occupied
Zajęte
bryt. [*`okjupaɪd*]
am. [*`akjupaɪd*]

Open from Monday to Friday
Otwarte od poniedziałku do piątku
bryt. [*'əupn frəm `mʌndeɪ tə `fraɪdeɪ*]
am. [*'oupn frəm `mʌn(D)ɪ tə `fraɪDɪ*]

Open from 9 a.m. to 5 p.m.
Otwarte od 9.00 do 17.00
bryt. [*'əupn frəm `naɪn 'eɪ 'em tə `faɪv 'pɪ 'em*]
am. [*'oupn frəm `naɪn 'eɪ 'em tə `faɪv 'pɪ 'em*]

Passport control
Odprawa paszportowa
bryt. [*'paspɔt kən`trəul*]
am. [*'pæspɔrt kən`troul*]

Please ring
Proszę dzwonić
[*pliz `rɪŋ*]

Private
Nie wchodzić/Mieszkanie prywatne/Teren prywatny/(*na kopercie*)/Do rąk własnych
[*`praɪvɪt*]

Private road
Droga prywatna
bryt. [*'praɪvɪt `rəud*]
am. [*'praɪvɪt `roud*]

Pull
Ciągnąć
[*pul*]

Push
Pchnąć
[*puʃ*]

Railway <*am.* Railroad> station
Dworzec kolejowy
bryt. [*'reɪlweɪ `steɪʃn*]
am. [*'reɪlroud `steɪʃn*]

Reserved
Zarezerwowane
bryt. [*rɪ`zɜvd*]
am. [*rɪ`zərvd*]

Ring the bell
Dzwonić
[*'rɪŋ ðə `bel*]

Road works <*am.* work/repair>
Prace drogowe
bryt. [*`rəud 'wɜks*]
am. [*`roud 'wərk\rɪ'per*]

Rooms to let <*am.* for rent>
Wolne pokoje
bryt. [*`rums tə `let*]
am. [*`rums fər `rent*]

Smoking
Dla palących
bryt. [*`sməukɪŋ*]
am. [*`smoukɪŋ*]

Staff only
Wejście służbowe
bryt. [*`stɑf `əunlɪ*]
am. [*`stæf `ounlɪ*]

Tickets sold out
Bilety wyprzedane
bryt. [*`tɪkɪts 'səuld 'ɑut*]
am. [*`tɪkɪts 'sould 'ɑut*]

To let
Do wynajęcia
[*tə `let*]

Toilet <*am.* Rest room>
Toaleta
bryt. [*`toɪlɪt*]
am. [*`restrum*]

Tourist information
Informacja turystyczna
bryt. [*`tuərɪst ɪnfə`meɪʃn*]
am. [*`turɪst ɪnfər`meɪʃn*]

Travel agent's <*am.* agency>
Biuro podróży
bryt. [*'trævl `eɪdʒənts*]
am. [*'trævl `eɪdʒənsɪ*]

Waiting room
Poczekalnia
bryt. [*`weɪtɪŋ rum*]
am. [*`weɪDɪŋ rum*]

Work in progress
Uwaga, remont
bryt. [*`wɜk ɪn `prəugres*]
am. [*`wərk ɪn `prougres*]

2. KOMUNIKACJA JĘZYKOWA
LANGUAGE COMMUNICATION
[*`læŋgwɪdʒ kəmjunɪ`keɪʃn*]

Jestem Polakiem/Polką.
I'm a Pole./I'm Polish.
bryt. [*aɪm ə `pəul\aɪm `pəulɪʃ*]
am. [*aɪm ə `poul\aɪm `poulɪʃ*]

Przyjechałem/przyjechałam z Polski.
I've come from Poland.
bryt. [*aɪv 'kʌm frəm `pəulənd*]
am. [*aɪv 'kʌm frəm `poulənd*]

Nie mówię po angielsku.
I don't speak English.
bryt. [*aɪ `dəunt 'spik `ɪŋglɪʃ*]
am. [*aɪ `dount 'spik `ɪŋglɪʃ*]

Mówię po francusku/niemiecku/rosyjsku.
I speak French/German/Russian.
bryt. [*aɪ 'spik `frentʃ\`dʒɜmən\ `rʌʃn*]
am. [*aɪ 'spik `frentʃ\`dʒərmən\ `rʌʃn*]

Mówię słabo po angielsku.
I speak some English.
[*aɪ 'spik səm `ɪŋglɪʃ*]

Rozumiem, ale nie potrafię mówić.
I understand but I cannot speak.
bryt. [*aɪ ʌndə`stænd bət aɪ `kænot 'spik*]
am. [*aɪ ʌn(D)ər`stænd bət aɪ `kænat 'spik*]

Nic nie zrozumiałem/zrozumiałam.
I understood nothing.
bryt. [*aɪ ʌndə`stud `nʌθɪŋ*]
am. [*aɪ ʌn(D)ər`stud `nʌθɪŋ*]

Proszę mówić powoli i wyraźnie.
Please speak slowly and clearly.
bryt. [*pliz 'spik `sləulɪ ən `klɪəlɪ*]
am. [*pliz 'spik `sloulɪ ən `klirlɪ*]

Proszę przeliterować tę nazwę.
Could you spell this name for me.
bryt. [*kəd ju `spel ðɪs `neɪm fə mɪ*]
am. [*kəd ju `spel ðɪs `neɪm fər mɪ*]

Teraz rozumiem pana/panią.
Now I understand you.
bryt. [*`nau aɪ ʌndə`stænd ju*]
am. [*`nau aɪ ʌn(D)ər`stænd ju*]

Czy mógłby pan/mogłaby pani powtórzyć ostatnie słowo/całe zdanie?
Could you repeat the last word/the whole sentence?
bryt. [*kəd ju rɪ`pit ðə `last 'wɜd\ðə `həul `sentəns*]
am. [*kəd ju rɪ`pit ðə `læst 'wərd\ðə `houl `sen(D)əns*]

Proszę mi to napisać.
Write it down for me, please.
bryt. [*'raɪt ɪt `daun fə mɪ pliz*]
am. [*'raɪD ɪt `daun fər mɪ pliz*]

Jak to się wymawia?
How do you say it?
[ˋhau də ju ˋseɪ ɪt]

Jak to się pisze?
How do you spell it?
[ˋhau də ju ˋspel ɪt]

Co to znaczy?
What does it mean?
bryt. *[ˋwot dəz ɪt ˋmin]*
am. *[ˋhwat dəz ɪt ˋmin]*

Czy mógłby pan/mogłaby pani pomóc mi i służyć za tłumacza/tłumaczkę?
Could you help and interpret for me?
bryt. *[kəd ju ˋhelp ənd ɪnˋtɜprɪt fə mɪ]*
am. *[kəd ju ˋhelp ənd ɪnˋtərprɪt fər mɪ]*

Czy pan/pani mnie rozumie?
Do you understand me?
bryt. *[də ju ʌndəˋstænd mɪ]*
am. *[də ju ʌn(D)ərˋstænd mɪ]*

Czy może mi pan/pani pokazać w „Rozmówkach", co pan/pani powiedział/powiedziała?
Could you show me in my copy of *Conversations* what you said?
bryt. *[kəd ju ˋʃəu mɪ ɪn maɪ 'kopɪ əv konvəˋseɪʃnz wot ju ˋsed]*
am. *[kəd ju ˋʃou mɪ ɪn maɪ 'kapɪ əv kanvəˋseɪʃnz hwat ju ˋsed]*

Nie rozumiem.
I don't understand.
bryt. *[aɪ 'dəunt ʌndəˋstænd]*
am. *[aɪ 'dount ʌn(D)ərˋstænd]*

Proszę powtórzyć.
Please, repeat. Repeat, please.
[pliz rɪˋpit\rɪˋpit pliz]

Nie dosłyszałem/dosłyszałam.
I didn't get it.
bryt. [*aɪ 'dɪdnt `get ɪt*]
am. [*aɪ 'dɪdnt `geD ɪt*]

3. ZWROTY GRZECZNOŚCIOWE
USEFUL PHRASES
[*`jusfl `freɪzɪz*]

a) Powitanie
Greetings
bryt. [*`gritɪŋz*]
am. [*`griDɪŋz*]

Dzień dobry! (*do południa*)
Good morning!
bryt. [*gud `mɔnɪŋ*]
am. [*gud `mɔrnɪŋ*]

Dzień dobry! (*po południu*)
Good afternoon!
bryt. [*gud 'ɑftə`nun*]
am. [*gud 'æftər`nun*]

Dobry wieczór!
Good evening!
[*gud `ivnɪŋ*]

Witam serdecznie!
Welcome!
[*`welkəm*]

Co słychać?
How is it going?
bryt. ['hau ɪz ɪt `gəuɪŋ]
am. ['hau ɪz ɪt `gouɪŋ]

Dziękuję, wszystko po staremu.
Thank you nothing new.
bryt. [`θæŋk ju `nʌθɪŋ nju]
am. ['θæŋk ju `nʌθɪŋ nu]

Jak się panu/pani wiedzie?
How are you doing?
[`hau ə ju `duɪŋ]

Dziękuję, dobrze/jako tako/nieźle/niezbyt dobrze.
Fine, thank you/not too bad/pretty well/not very well.
bryt. [faɪn `θæŋk ju\`not tu `bæd\prɪtɪ `wel\`not verɪ `wel]
am. [faɪn `θæŋk ju\`nat tu `bæd\prɪDɪ `wel\`nat verɪ `wel]

Dawno pana/pani nie widziałem/widziałam.
I haven't seen your face <*am.* you> for a long time.
bryt. [aɪ `hævnt 'sin jɔ `feɪs fər ə loŋ `taɪm]
am. [aɪ `hævnt 'sin ju fər ə lɔŋ `taɪm]

Cieszę się, że pana/panią tutaj widzę.
I'm glad to see you here.
bryt. [aɪm `glæd tə `si ju hɪə]
am. [aɪm `glæd tə `si ju hir]

Cześć!
Hello <*am.* Hi>!
bryt. [`heləu]
am. [haɪ]

Jak się masz?
How are you? How're you?
bryt. ['hau `a ju\ 'hau ə `ju]
am. ['hau `ar ju\ 'hau ər `ju]

Co u ciebie?
How are you doing?
bryt. [*'hau ə ju `duɪŋ*]
am. [*'hau ar ju `duɪŋ*]

b) Pożegnanie
Leave taking
[*`liv 'teɪkɪŋ*]

Przepraszam pana/panią bardzo, muszę się już pożegnać.
I'm very sorry but I must leave.
bryt. [*aɪm `verɪ `sorɪ bət aɪ məst `liv*]
am. [*aɪm `verɪ `sarɪ bəD aɪ məst `liv*]

Do widzenia!
Goodbye!
[*gud ` baɪ*]

Dobranoc!
Good night!
[*gud `naɪt*]

Do zobaczenia wkrótce!
See you soon!
[*'si ju `sun*]

Do jutra!
See you tomorrow!
bryt. [*'si ju tə`morəu*]
am. [*'si ju tə`marou*]

Do wieczora.
See you tonight!
[*'si ju tə`naɪt*]

Proszę pozdrowić ode mnie pana/pani matkę.
Please give my regards to your mother.
bryt. [*pliz `gɪv maɪ rɪ`gadz tə jɔ `mʌðə*]
am. [*pliz `gɪv maɪ rɪ`gardz tə jər `mʌðər*]

Szkoda, że pan/pani musi już iść.
I'm sorry you have to go.
bryt. [*aɪm `sorɪ ju 'hæv tə `gəu*]
am. [*aɪm `sarɪ ju 'hæv tə `gou*]

Cześć!
Bye(-bye)!
[*baɪ (`baɪ)*]

Bywaj!
See you!/So long!
[*`si ju\sə `loŋ*]

Bądź zdrów. Trzymaj się.
Keep well. Take care.
bryt. [*`kip wel\`teɪk 'keə*]
am. [*`kip wel\`teɪk 'ker*]

Żegnam cię.
I'd like to say goodbye.
[*aɪd `laɪk tə 'seɪ gud `baɪ*]

Pozdrów ode mnie twoją rodzinę.
Give your family my best (wishes).
bryt. [*'giv jɔ `fæmɪlɪ maɪ `best ('wɪʃɪz)*]
am. [*'giv jər `fæmɪlɪ maɪ `best ('wɪʃɪz)*]

c) Podziękowanie
Expressing gratitude
bryt. [*ɪk`spresɪŋ `grætɪtjud*]
am. [*ɪk`spresɪŋ `græDətud*]

Dziękuję bardzo.
Thank you (very much)./Thanks (a lot)./Many thanks <*am.* Thanks a million>.
bryt. [*`θæŋk ju ( `verɪ 'mʌtʃ)\`θæŋks (ə `lot)\`menɪ 'θæŋks*]
am. [*`θæŋk ju ( `verɪ 'mʌtʃ)\`θæŋks (ə `lot)\`menɪ 'θæŋks\'θæŋks ə `mɪljən*]

Dziękujemy.
We thank you./Thanks.
[*wɪ ˋθæŋk ju\ˋθæŋks*]

Serdecznie dziękuję.
Thank you ever so much.
bryt. [*'θæŋk ju ˋevə səu ˋmʌtʃ*]
am. [*'θæŋk ju ˋevər sou ˋmʌtʃ*]

Dziękuję za pomoc.
Thank you for your help.
bryt. [*ˋθæŋk ju fə jɔ ˋhelp*]
am. [*ˋθæŋk ju fər jər ˋhelp*]

Dziękuję za informację.
Thank you for the information.
bryt. [*ˋθæŋk ju fə ðɪ 'ɪnfəˋmeɪʃn*]
am. [*ˋθæŋk ju fər ðɪ 'ɪnfərˋmeɪʃn*]

Nie ma za co.
Not at all./That's all right <*am.* You're welcome./No problem.>.
bryt. [*'not ət ˋɔl\'ðæts ˋɔl 'raɪt*]
am. [*jur 'welkəm\nou 'prabləm*]

Drobnostka. Nie warto o tym mówić.
It's nothing. Don't mention it.
bryt. [*ɪts ˋnʌθɪŋ\ 'dəunt ˋmenʃn ɪt*]
am. [*ɪts ˋnʌθɪŋ\ 'dount ˋmenʃn ɪt*]

Jestem panu/pani bardzo wdzięczny/wdzięczna za pana/pani pomoc.
I'm very grateful to you for your help.
bryt. [*aɪm 'verɪ ˋgreɪtfl tə ju fə jɔ ˋhelp*]
am. [*aɪm 'verɪ ˋgreɪtfl tə ju fər jər ˋhelp*]

Przyszedłem/przyszłam, żeby podziękować za pana/pani pomoc.
I've come to thank you for your help.
bryt. [*aıv `kʌm tə `θæŋk ju fə jɔ `help*]
am. [*aıv `kʌm tə `θæŋk ju fər jər `help*]

Postaram się odwdzięczyć panu/pani.
I'll make it up to you.
[*aıl 'meık ıt `ʌp tə ju*]

d) Przepraszanie
Apologizing
bryt. [*ə`polədʒaızıŋ*]
am. [*ə`palədʒaızıŋ*]

Przepraszam bardzo (*za coś*).
(I'm very) sorry./(I beg your) pardon. (*przerywając*) Excuse me.
bryt. [*(aım 'verı) `sorı\(aı 'beg jɔ) `padn\ık`skjuz mı*]
am. [*(aım 'verı) `sorı\(aı 'beg jər) `padn\ık`skjuz mı*]

Przepraszam pana/panią najmocniej.
I'm really very sorry.
bryt. [*aım `rıəlı 'verı `sorı*]
am. [*aım `rialı 'verı `sarı*]

Proszę mi wybaczyć.
Please forgive me.
bryt. [*pliz fə`gıv mı*]
am. [*pliz fər`gıv mı*]

Bardzo mi przykro.
I'm so sorry.
bryt. [*aım `səu 'sorı*]
am. [*aım `sou 'sorı*]

Nie chciałem/chciałam tego zrobić.
I didn't mean to do that.
[*aɪ 'dɪdnt `min tə `du 'ðæt*]

W jaki sposób mogę naprawić to, co się stało?
How can I make up for what's happened?
bryt. [*`hau kən aɪ 'meɪk `ʌp fə wots `hæpnd*]
am. [*`hau kən aɪ 'meɪk `ʌp fər hwats `hæpnd*]

To drobiazg. Proszę o tym nie myśleć.
That's all right. Think nothing of it.
[*'ðæts `ɔl raɪt\'θɪŋk `nʌθɪŋ əv ɪt*]

Nie mówmy więcej o tym.
Let's not talk about it any more.
bryt. [*'lets `not 'tɔk ə`baut ɪt enɪ 'mɔ*]
am. [*'lets `nat 'tɔk ə`baut ɪt enɪ 'mɔr*]

Przepraszam, że przeszkadzam.
(I'm) sorry to bother you.
bryt. [*(aɪm) `sorɪ tə `boðə ju*]
am. [*(aɪm) `sarɪ tə `baðər ju*]

Przepraszam za spóźnienie.
I'm sorry I'm late.
[*aɪm `sorɪ aɪm `leɪt*]

Chciałbym/chciałabym wytłumaczyć swoją nieobecność.
I'd like to explain my absence.
[*aɪd `laɪk tu ɪk`spleɪn maɪ `æbsns*]

Źle się czułem/czułam.
I was unwell <*am.* I wasn't feeling well>.
bryt. [*aɪ wəz ʌn`wel*]
am. [*aɪ `waznt filɪŋ `wel*]

Byłem/byłam bardzo zajęty/zajęta.
I was very busy.
[*aɪ wəz 'verɪ 'bɪzɪ*]

e) Zawieranie znajomości
Making acquaintances
bryt. [*ˋmeɪkɪŋ əˋkweɪntənsɪz*]
am. [*ˋmeɪkɪŋ əˋkweɪn(D)ənsɪz*]

Przyjechałem/przyjechałam z Polski.
I've come from Poland.
bryt. [*aɪv ˈkʌm frəm ˋpəulənd*]
am. [*aɪv ˈkʌm frəm ˋpoulənd*]

Jestem Polakiem/Polką.
I'm Polish.
bryt. [*aɪm ˋpəulɪʃ*]
am. [*aɪm ˋpoulɪʃ*]

Czy mogę się przedstawić?
May I introduce myself?
bryt. [*ˈmeɪ aɪ ɪntrəˋdjus maɪˋself*]
am. [*ˈmeɪ aɪ ɪntrəˋdus maɪˋself*]

Nazywam się Jan Nowak.
My name's Jan Nowak.
[*maɪ ˋneɪmz jan ˋnɔvæk*]

Na imię mi Jan.
My first name's Jan.
bryt. [*maɪ ˋfɜst ˈneɪmz ˋjan*]
am. [*maɪ ˋfərst ˈneɪmz ˋjan*]

Czy może pan/pani/możesz przeliterować swoje nazwisko?
Could you spell your name?
bryt. [*kəd ju ˋspel jɔ ˋneɪm*]
am. [*kəd ju ˋspel jər ˋneɪm*]

To mój przyjaciel/moja przyjaciółka.
This is my friend.
[*ˈðɪs ɪz maɪ ˋfrend*]

Jak panu/pani/tobie na imię?
What's your first name?
bryt. [*ˋwots jɔ ˋfɜst neɪm*]
am. [*ˋhwats jər ˋfərst neɪm*]

Miło mi poznać pana/panią/ciebie.
Nice to meet you.
[*ˈnaɪs tə ˋmit ju*]

Proszę, to moja wizytówka.
Here's my card.
bryt. [*ˈhɪəz maɪ ˋkad*]
am. [*ˈhirz maɪ ˋkard*]

Proszę, to mój telefon.
Here's my phone number.
bryt. [*ˈhɪəz maɪ ˋfəun ˈnʌmbə*]
am. [*ˈhirz maɪ ˋfoun ˈnʌmbər*]

Czy możemy się spotkać dziś po południu/dziś wieczorem?
Can we meet this afternoon/tonight?
bryt. [*kən wɪ ˋmit ðɪs ˈaftəˋnun\təˋnaɪt*]
am. . [*kən wɪ ˋmit ðɪs ˈæftərˋnun\təˋnaɪt*]

Gdzie?
Where?
bryt. [*ˋweə*]
am. [*ˋhwer*]

Spotkajmy się w Hiltonie/w kawiarni Hilton/pod pomnikiem Chopina/koło opery.
Let's meet at the Hilton /at the Hilton café/by the Chopin monument/by the Opera House.
bryt. [*lets ˋmit ət ðə ˋhɪltn (kaˋfeɪ)\baɪ ðə ˋʃopæn ˋmonjumənt\ baɪ ðɪ ˈopərə haus*]
am. [*(lets ˋmit) ət ðə ˋhɪltən kæˋfeɪ\baɪ ðə ˋʃopæn ˋmanjəmənt\ baɪ ðɪ ˈopərə haus*]

Czy mam przyjść po pana/panią/ciebie?
Shall I pick<*am.* Do you want me to pick> you up?
bryt. [*ʃəl aɪ ˋpɪk ju ˋʌp*]
am. [*də jə ˋwant mɪ tə ˋpɪk ju ˋʌp*]

Czy zjemy razem kolację?
Shall we have dinner together?
bryt. [*ʃəl wɪ ˈhæv ˋdɪnə təˋgeðə*]
am. [*ʃəl wɪ ˈhæv ˋdɪnər təˋgeðər*]

Spotkamy się w irlandzkim pubie/barze Hilton.
We'll meet at the Irish pub/the Hilton bar.
bryt. [*wɪl ˋmit ət ðɪ ˋaɪərɪʃ pʌb\ ðə ˋhɪltn bɑ*]
am. [*wɪl ˋmit ət ðɪ ˋaɪrɪʃ pʌb\ ðə ˋhɪltn bɑr*]

Chciałbym/chciałabym zaprosić pana/panią/ciebie do siebie do domu.
I'd like to invite you to my place.
[*aɪd ˈlaɪk tə ɪnˋvaɪt ju tə maɪ ˋpleɪs*]

Może pójdziemy do mnie?
Why don't we go to my place?
bryt. [*ˋwaɪ ˈdəunt wɪ ˈgəu tə ˋmaɪ ˈpleɪs*]
am. [*ˋhwaɪ ˈdount wɪ ˈgou tə ˋmaɪ ˈpleɪs*]

Czy ma pan/pani rodzinę?
Have you (got) <*am.* Do you have> any family?
bryt. [*həv ju (ˋgot) enɪ ˋfæmɪlɪ*]
am. [*də ju ˋhæv enɪ ˋfæmɪlɪ*]

Mam męża i dwoje dzieci.
I've got <*am.* I have> a husband and two children.
bryt. [*aɪv got ə ˋhʌzbənd ən ˋtu ˈtʃɪldrən*]
am. [*aɪ hæv ə ˋhʌzbənd ən ˋtu ˈtʃɪldrən*]

Mam brata i siostrę.
I've got <*am.* I have> a brother and a sister.
bryt. [*aɪv got ə ˋbrʌðər ənd ə ˋsɪstə*]
am. [*aɪ hæv ə ˋbrʌðər ənd ə ˋsɪstər*]

Mieszkam razem z rodzicami.
I live with my parents.
bryt. [*aɪ `lɪv wɪð maɪ `peərənts*]
am. [*aɪ `lɪv wɪð maɪ `perənts*]

A może pójdziemy potańczyć?
How about going to a dance?
bryt. [*`hau ə'baut gəuɪŋ tu ə `dans*]
am. [*`hau ə'baut gouɪŋ tu ə `dæns*]

Chętnie chodzę do dyskoteki.
I like discoes.
bryt. [*aɪ 'laɪk `dɪskəuz*]
am. [*aɪ 'laɪk `dɪskouz*]

Jaką muzykę pan/pani lubi/lubisz?
What kind of music do you like?
bryt. [*wot 'kaɪnd əv `mjuzɪk də ju `laɪk*]
am. [*hwat 'kaɪnd əv `mjuzɪk də ju `laɪk*]

Jakie jest pana/pani hobby?
What's your favourite pastime <*am.* What's your hobby>?
bryt. [*`wots jɔ `feɪvrɪt `pastaɪm*]
am. [*`hwats jər `habɪ*]

Może chcesz pójść do kina?
How about going to the cinema <*am.* movies>?
bryt. [*`hau ə'baut `gəuɪŋ tə ðə `sɪnɪmə*]
am. [*`hau ə'baut `gouɪŋ tə ðə `muvɪz*]

Jutro oprowadzę cię po mieście.
Tomorrow I'll show you round the town <*am.* around town>.
bryt. [*tə`morəu aɪl `ʃəu ju `raund ðə `taun*]
am. [*tə`marou aɪl `ʃou ju ə'raund `taun*]

4. PRZEJŚCIE GRANICZNE, ODPRAWA PASZPORTOWA, URZĘDNIK DO SPRAW IMIGRACJI, ODPRAWA CELNA

BORDER, PASSPORT CONTROL, IMMIGRATION OFFICER, CUSTOMS CONTROL

bryt. [*`bɔdə\ 'pɑspɔt kən`trəul\ 'ɪmɪ`greɪʃn `ofɪsə\ 'kʌstəmz kən`trəul*]

am. [*`bɔrdər\ 'pæsport kən`troul\ 'ɪmɪ`greɪʃn `afɪsər\ 'kʌstəmz kən`troul*]

Dzień dobry.

Good morning! Good afternoon!

bryt. [*gud `mɔnɪŋ\ gud 'ɑftə`nun*]

am. [*gud `mɔrnɪŋ\ gud 'æftər`nun*]

Dobry wieczór.

Good evening!

[*gud `ivnɪŋ*]

Proszę o paszporty do kontroli.

May I have your passports, please?

bryt. [*meɪ ɑɪ 'hæv jɔ `pɑspɔts pliz*]

am. [*meɪ ɑɪ 'hæv jər `pæsports pliz*]

Proszę, to mój paszport.

Here's my passport.

bryt. [*`hɪəz mɑɪ `pɑspɔt*]

am. [*`hirz mɑɪ `pæsport*]

Dziękuję.

Thank you. Thanks.

[*`θæŋk ju\ `θæŋks*]

Jaki jest cel pana/pani przyjazdu?

What's the purpose of your visit?

bryt. [*`wots ðə `pɜpəs əv jɔ `vɪzɪt*]

am. [*`hwats ðə `pərpəs əv jər `vɪzɪt*]

Jak długo będzie pan/pani przebywać w Anglii/Polsce?
How long are you going to stay in England/Poland?
bryt. [*hau `loŋ ə ju 'gəuɪŋ tə `steɪ ɪn `ɪŋglənd\`pəulənd*]
am. [*hau `laŋ ər ju 'gouɪŋ tə `steɪ ɪn `ɪŋglənd\`poulənd*]

Przyjechałem/przyjechałam na wakacje/w interesach.
I'm here on holiday <*am.* vacation>/business.
bryt. [*aɪm hɪə on `holɪdeɪ \`bɪznɪs*]
am. [*aɪm hir an və`keɪʃn\`bɪznɪs*]

Przyjechałem/przyjechałam odwiedzić krewnych/przyjaciół.
I'm visiting my relatives/friends.
bryt. [*aɪm `vɪzɪtɪŋ maɪ `relətɪvz \`frendz*]
am. [*aɪm `vɪzɪtɪŋ maɪ `reləDɪvz\`frendz*]

Mam ze sobą 200 funtów/300 dolarów.
I'm bringing 200 pounds/300 dollars.
bryt. [*aɪm `brɪŋɪŋ `tu hʌndrəd `paundz \`θri hʌndrəd `doləz*]
am. [*aɪm `brɪŋɪŋ `tu hʌndrəd `paundz \`θri hʌndrəd `dalərz*]

Gdzie mogę przedłużyć wizę?
Where can I get my visa extended?
bryt. [*`weə kən aɪ 'get maɪ `vɪzə ɪk`stendɪd*]
am. [*`hwer kən aɪ 'get maɪ `vɪzə ɪk`stendɪd*]

Proszę pokazać swój bagaż.
Show me your luggage <*am.* baggage>, please.
bryt. [*`ʃəu mɪ jɔ `lʌgɪdʒ pliz*]
am. [*`ʃou mɪ jər `bægɪdʒ pliz*]

Proszę. To moja walizka/mój plecak.
Here you are. This is my suitcase/rucksack <*am.* backpack>.
bryt. [*'hɪə ju `a\ 'ðɪs ɪz maɪ `sjutkeɪs\`rʌksæk*]
am. [*'hir ju `ar\ 'ðɪs ɪz maɪ `sutkeɪs\`bækpæk*]

Czy mam otworzyć walizkę?
Shall I open my suitcase?
bryt. [*ʃəl aɪ `əupn maɪ `sjutkeɪs*]
am. [*ʃəl aɪ `oupn maɪ `sutkeɪs*]

Co pan/pani tam ma?
What have you (got) <*am.* do you have> there?
bryt. [*`wot hæv ju ( `got) `ðeə*]
am. [*`hwat də ju `hæv ðer*]

Mam rzeczy osobiste i kilka prezentów.
I've (got) <*am.* I have> my personal belongings and a few gifts.
bryt. [*aɪv (`got) maɪ `pɜsnl bɪ`loŋɪŋz ənd ə 'fju `gɪfts*]
am. [*aɪ `hæv maɪ `pərsnl bɪ`lɔŋɪŋz ənd ə 'fju `gɪfts*]

Czy ma pan/pani alkohol lub papierosy?
Have you (got) <*am.* Do you have> any alcohol or cigarettes?
bryt. [*`hæv ju ( 'got) enɪ `ælkəhol ə sɪgə`rets*]
am. [*də ju `hæv enɪ `ælkəhol ər sɪgə`rets*]

Mam dwie butelki wódki.
I've got <*am.* I have> two bottles of vodka.
bryt. [*aɪv `got 'tu botlz əv `vodkə*]
am. [*aɪ `hæv 'tu baDlz əv `vadkə*]

Mam dwa kartony papierosów.
I've got <*am.* I have> two cartons of cigarettes.
bryt. [*aɪv `got 'tu `katnz əv sɪgə`rets*]
am. [*aɪ `hæv 'tu `kartnz əv sɪgə`rets*]

Co to jest?
What's that?
bryt. [*'wots `ðæt*]
am. [*'hwats `ðæt*]

Tego przewozić nie wolno.
This is not allowed.
bryt. [ˈðɪs ɪz ˋnot əˈlaud]
am. [ˈðɪs ɪz ˋnat əˈlaud]

Mam zezwolenie.
I've got <*am.* I have> a permit.
bryt. [aɪv ˈgot ə ˋpɜmɪt]
am. [aɪ ˈhæv ə ˋpərmɪt]

Za te rzeczy trzeba zapłacić cło.
You'll have to pay duty on these things.
bryt. [jul ˈhæv tə ˈpeɪ ˋdjutɪ on ðiz ˋθɪŋz]
am. [jul ˈhæv tə ˈpeɪ ˋduDɪ an ðiz ˋθɪŋz]

Dlaczego nie wpisał/wpisała pan/pani tych przedmiotów do deklaracji?
Why didn't you declare these things?
bryt. [ˋwaɪ ˈdɪdnt ju dɪˋkleə ˋðiz ˈθɪŋz]
am. [ˋhwaɪ ˈdɪdnt ju dɪˋkler ˋðiz ˈθɪŋz]

To jest wolne od cła.
This is duty free.
bryt. [ˈðɪs ɪz ˋdjutɪ ˋfri]
am. [ˈðɪs ɪz ˋduDɪ ˋfri]

Jakie są opłaty celne za papierosy?
What's the duty on cigarettes?
bryt. [ˋwots ðə ˋdjutɪ on sɪgəˋrets]
am. [ˋhwats ðə ˋduDɪ an sɪgəˋrets]

5. DANE OSOBOWE, FORMULARZ
PERSONAL DATA, FORM
bryt. [*`pɜsnl 'deɪtə\ fɔm*]
am. [*`pərsnl 'deɪDə\ form*]

Nazwisko
Surname <*am.* Last name>
bryt. [*`sɜneɪm*]
am. [*`læst neɪm*]

Imiona
Names
[*neɪmz*]

Nazwisko panieńskie
Maiden name
[*`meɪdn neɪm*]

Imiona rodziców
Parents' names
bryt. [*`peərənts neɪmz*]
am. [*`perənts neɪmz*]

Data/miejsce urodzenia
Date/place of birth
bryt. [*`deɪt\`pleɪs əv 'bɜθ*]
am. [*`deɪt\`pleɪs əv 'bərθ*]

Płeć
Sex [*seks*]
  męska
  male [*meɪl*]
  żeńska
  female [*`fimeɪl*]

Obywatelstwo
Citizenship
bryt. [ˋsɪtɪznʃɪp]
am. [ˋsɪDɪznʃɪp]

Narodowość
Nationality
bryt. [næʃəˋnælətɪ]
am. [næʃəˋnæləDɪ]

Stan cywilny
Marital status
[ˋmærɪtl ˈsteɪtəs]

Miejsce stałego pobytu
Permanent residence <*am.* address>
bryt. [ˋpɜmənənt ˋrezɪdəns]
am. [ˋpərmənənt əˋdres]

Miejsce zamieszkania
Temporary residence <*am.* address>
bryt. [ˋtemprərɪ ˋrezɪdəns]
am. [ˋtemprərɪ əˋdres]

Zawód
Occupation
bryt. [okjuˋpeɪʃn]
am. [akjuˋpeɪʃn]

6. PODRÓŻOWANIE
TRAVELLING <*am.* TRAVELING>
[*`trævlɪŋ*]

a) Podróżowanie samochodem. Na autostradach, szosach i bocznych drogach
Travelling <*am.* Traveling> by car. On motorways <*am.* freeways>, roads and side roads
bryt. [*`trævlɪŋ baɪ `ka\on `məutəweɪz `rəudz ən `saɪd rəudz*]
am. [*`trævlɪŋ baɪ `kar\an `friweɪz `roudz ən `saɪd roudz*]

Turyści podróżujący po Wielkiej Brytanii muszą pamiętać o ruchu lewostronnym.
Tourists travelling in Britain should remember to drive on the left-hand side.
[*`tuərɪsts `trævlɪŋ ɪn `brɪtn ʃəd rɪ`membə tə `draɪv on ðə 'left-hænd `saɪd*]

Czy trzeba płacić za przejazd autostradą do Londynu/Dallas?
Do you have to pay to drive on the motorway <*am.* freeway> London/Dallas?
bryt. [*də ju 'hæv tə `peɪ tə 'draɪv on ðə `məutəweɪ tə `lʌndn \ `dæləs*]
am. [*də ju 'hæv tə `peɪ tə 'draɪv an ðə `friweɪ tə `lʌndn \ `dæləs*]

Gdzie jest punkt pobierania opłat?
Where's the toll (booth)?
bryt. [*`weəz ðə `təul (buð)*]
am. [*`hwerz ðə `toul (buð)*]

Czy przy autostradzie M-1/do Los Angeles jest zajazd?
Are there services on the M-1 motorway <*am.* by the Los Angeles freeway>?
bryt. [*ə ðə `sɜvɪsɪz on ðɪ 'em 'wʌn `məutəweɪ*]
am. [*ə ðər `sərvɪsɪz baɪ ðə los `ændʒɪliz `friweɪ*]

Czy to jest droga do Liverpoolu/Chicago?
Is this the road to Liverpool/Chicago?
bryt. [*ɪz `ðɪs ðə 'rəud tə `lɪvəpul \ʃə`kagəu*]
am. [*ɪz `ðɪs ðə 'roud tə `lɪvərpul \ʃə`kagou*]

Jaka jest najkrótsza droga na wybrzeże?
What's the shortest way to the coast?
bryt. [*`wots ðə 'ʃɔtɪst 'weɪ tə ðə `kəust*]
am. [*`hwats ðə 'ʃortɪst 'weɪ tə ðə `koust*]

Czy może mi pan/pani pokazać drogę do najbliższego miasta/najbliższej miejscowości?
Can you show me the way to the nearest town?
bryt. [*kən ju `ʃəu mɪ ðə 'weɪ tə ðə `nɪərɪst `taun*]
am. [*kən ju `ʃou mɪ ðə 'weɪ tə ðə `nirɪst `taun*]

Czy może mi pan/pani pokazać na mapie, w którym miejscu teraz jestem?
Can you show me on the map where I am?
bryt. [*kən ju `ʃəu mɪ on ðə `mæp weər aɪ `æm*]
am. [*kən ju `ʃou mɪ an ðə `mæp hwer aɪ `æm*]

Jak dojadę do autostrady M-1/I-5?
How can I get to the M-1 motorway/I-5?
bryt. [*`hau kən aɪ `get tə ðɪ 'em wʌn `məutəweɪ*]
am. [*`hau kən aɪ `get təðɪ 'aɪ `faɪv*]

Czy dojadę tam samochodem?
Can I go there by car?
bryt. [*kən aɪ `gəu ðeə baɪ `ka*]
am. [*kən aɪ `gou ðer baɪ `kar*]

Czy daleko jest stąd do schroniska górskiego?
Is it far from here to the mountain shelter?
bryt. [*ɪz ɪt `fa frəm hɪə tə ðə `mauntɪn 'ʃeltə*]
am. [*ɪz ɪt `far frəm hir tə ðə `mauntɪn 'ʃelDər*]

Gdzie mogę znaleźć pensjonat/hotel?
Where can I find a boarding house/a hotel/a motel?
bryt. [*`weə kən aɪ 'faɪnd ə `bɔdɪŋ 'haus\ə həu`tel\ə məu`tel*]
am. [*`hwer kən aɪ 'faɪnd ə `bordɪŋ 'haus\ə hou`tel\ə mou`tel*]

Zepsuł mi się samochód. Czy może pan/pani zawiadomić najbliższy warsztat?
My car's broken down. Could you notify the nearest garage?
bryt. [*maɪ kaz 'brəukən `daun\ kəd ju `nəutɪfaɪ ðə 'nɪərɪst `gæraʒ*]
am. [*maɪ `karz 'broukən `daun\ kəd ju `nouDɪfaɪ ðə 'nirɪst gə`raʒ*]

Stoję na drodze A-3/szosie 101. Czy możecie przysłać mechanika?
I'm on the road number A-3 <*am.* highway 101>. Can you send a mechanic, please?
bryt. [*aɪm on ðə `rəud nʌmbər 'eɪ `θri \ kən ju 'send ə mɪ`kænɪk pliz*]
am. [*aɪm an `haɪweɪ 'wʌn ou `wʌn\ kən ju 'send ə mɪ`kænɪk pliz*]

Czy może mnie pan/pani doholować do warsztatu?
Can you give me a tow to the garage?
bryt. [*kən ju 'gɪv mɪ ə `təu tə ðə `gæraʒ*]
am. [*kən ju 'gɪv mɪ ə `tou tə ðə gə`raʒ*]

Jak długo muszę czekać na pomoc drogową?
How long will <*am.* must I> wait for the tow truck?
bryt. [*hau `loŋ wɪl aɪ `weɪt fə ðə `təu 'trʌk*]
am. [*hau `loŋ məst aɪ `weɪt fər ðə `tou 'trʌk*]

Czy może mi pan/pani pomóc zepchnąć samochód na pobocze szosy?
Can you help me (to) push the car to the side of the road?
bryt. [*kən ju `help mɪ tə `puʃ ðə `ka tə ðə 'saɪd əv ðə `rəud*]
am. [*kən ju `help mɪ `puʃ ðə `kar tə ðə 'saɪd əv ðə `roud*]

Na stacji benzynowej
At the filling <*am.* gas> station
bryt. [*ət ðə `fɪlɪŋ 'steɪʃn*]
am. [*ət ðə `gæs 'steɪʃn*]

Czy daleko stąd do stacji benzynowej?
Is it far from here to the petrol <*am.* gas> station?
bryt. [*ɪz ɪt `fɑ frəm hɪə tə ðə `petrəl 'steɪʃn*]
am. [*ɪz ɪt `fɑr frəm hir tə ðə `gæs 'steɪʃn*]

Jak dojadę do stacji benzynowej?
How can I get to the petrol <*am.* gas> station?
bryt. [*`haʊ kən aɪ `get tə ðə `petrəl 'steɪʃn*]
am. [*`haʊ kən aɪ `get tə ðə `gæs 'steɪʃn*]

Proszę 5 galonów benzyny bezołowiowej.
5 gallons of unleaded petrol <*am.* unleaded>, please.
bryt. [*`faɪv 'gælənz əv ʌn`ledɪd 'petrəl pliz*]
am. [*`faɪv 'gælənz əv ʌn`leDɪd pliz*]

Proszę 3 galony oleju napędowego.
3 gallons of diesel, please.
[*`θri 'gælənz əv `dizl pliz*]

Proszę 3 galony „super".
3 gallons of „super", please.
bryt. [*`θri 'gælənz əv `supə pliz*]
am. [*`θri 'gælənz əv `supər pliz*]

Proszę nalać do pełna.
Fill it up <*am.* Fill'er up>, please.
bryt. [*'fɪl ɪt `ʌp pliz*]
am. [*'fillər `ʌp pliz*]

Proszę sprawdzić ciśnienie w oponach.
Check the tyre <*am.* tire> pressure, please.
bryt. [*`tʃek ðə `taɪə 'preʃə pliz*]
am. [*`tʃek ðə `taɪər 'preʃər pliz*]

Niech pan/pani podjedzie do kompresora.
Drive up to the air pump, please.
bryt. [*'draɪv `ʌp tə ðə `eə 'pʌmp pliz*]
am. [*'draɪv `ʌp tə ðə `er 'pʌmp pliz*]

Czy tu jest stanowisko do tankowania gazu?
Have you got a propane stand here?
bryt. [*həv ju `got ə `prəupeɪn 'stænd hɪə*]
am. [*həv ju `gat ə prou`peɪn 'stænd hir*]

Chciałbym/chciałabym umyć samochód.
I'd like to wash my car.
bryt. [*aɪd 'laɪk tə `woʃ maɪ `ka*]
am. [*aɪd 'laɪk tə `waʃ maɪ `kar*]

Ile płacę?
How much is it?
[*hau `mʌtʃ ɪz ɪt*]

Proszę o rachunek.
May I have a receipt, please.
[*meɪ aɪ 'hæv ə rɪ`sit pliz*]

<u>Na parkingu</u>
<u>Parking</u>
bryt. [*`pakɪŋ*]
am. [*`parkɪŋ*]

Czy mógłby/mogłaby mi pan/pani powiedzieć, gdzie jest parking strzeżony?
Could you tell me, where the attended car park <*am.* parking lot> is?
bryt. [*kəd ju 'tel mɪ `weə ðɪ ə`tendɪd `ka pak ɪz*]
am. [*kəd ju 'tel mɪ `hwer ðɪ ə`tenDɪd `parkɪŋ laD ɪz*]

Ten parking nie jest strzeżony. Strzeżony jest przy następnej ulicy.
This car park is unattended. The attended car park is in the next street.
bryt. [*ðɪs `ka pak ɪz ʌnə`tendɪd\ðɪ ə`tendɪd `ka pak ɪz ɪn ðə `nekst 'strit*]

Ten parking jest płatny, ale nie strzeżony. Strzeżony znajduje się przy placu Unii.
This parking lot is paid but not attended. The attended one is at Union square.
am. [*ðɪs `parkɪŋ 'laD ɪz 'peɪd bət nat ə`tenDɪd\ ðɪ ə`tenDɪd wʌn ɪz ət `junɪən 'skwer*]

Czy można tu zaparkować?
May one park here?
bryt. [*meɪ 'wʌn `pak hɪə*]
am. [*meɪ 'wʌn `park hir*]

Nie. Tu nie wolno parkować. Parking jest przy (głównym) placu.
No. You can't park here. The car park <*am.* The parking lot (main)> is at the main square.
bryt. [*nəu\ ju `kant `pak hɪə\ ðə `ka 'pak ɪz ət ðə `meɪn 'skweə*]
am. [*nou\ ju `kænt `park hir\ ðə `parkɪŋ 'laD ɪz ət ðə `skwer*]

Tak. Tu może pan/pani zostawić samochód.
Yes. You may leave your car here.
bryt. [*jes\ ju meɪ `liv jɔ 'ka `hɪə*]
am. [*jes\ ju meɪ `liv jər 'kar `hir*]

Jak długo mogę tu parkować?
How long may I park here?
bryt. [*hau `loŋ meɪ aɪ `pak hɪə*]
am. [*hau `loŋ meɪ aɪ `park hir*]

Czy ktoś będzie pilnował samochodu?
Will anybody watch my car?
bryt. [*wɪl `enɪbodɪ `wotʃ maɪ `ka*]
am. [*wɪl `enɪboDɪ `watʃ maɪ `kar*]

Czy mogę tu zostawić przyczepę/na jeden dzień/na tydzień?
May I leave my caravan <*am.* trailer> here for a day/for a week?
bryt. [*meɪ aɪ 'liv maɪ `kærəvæn hɪə fər ə `deɪ\ fər ə `wik*]
am. [*meɪ aɪ 'liv maɪ `treɪlər hir fər ə `deɪ\ fər ə `wik*]

Jakie są opłaty za parkowanie?
What are the parking charges?
bryt. [*ˋwot ə ðə ˋpakıŋ ˈtʃadʒız*]
am. [*ˋhwat ər ðə ˋparkıŋ ˈtʃardʒız*]

Czy znajdę tu parking wielopoziomowy?
Can I find a multistorey car park <*am.* multilevel parking garage> here?
bryt. [*kən aı ˋfaınd ə ˋmʌltıstɔrı ˋka ˈpak hıə*]
am. [*kən aı ˋfaınd ə ˋmʌltılevl ˈparkıŋ gəˋraʒ hir*]

Wypadek samochodowy
Road accident
bryt. [*ˈrəud ˋæksıdənt*]
am. [*ˈroud ˋæksıDənt*]

Czy może mnie pan/pani podwieźć do najbliższego telefonu?
Can you give me a lift to the nearest phone?
bryt. [*kən ju ˋgıv mı ə ˋlıft tə ðə ˈnıərıst ˋfəun*]
am. [*kən ju ˋgıv mı ə ˋlıft tə ðə ˈnirıst ˋfoun*]

Zdarzył się wypadek.
There's been an accident.
bryt. [*ðəz bın ən ˋæksıdənt*]
am. [*ðərz bın ən ˋæksıDənt*]

Są ranni.
There are people injured.
bryt. [*ðar ə ˋpipl ˋındʒəd*]
am. [*ðər ər ˋpipl ˋındʒərd*]

Proszę wezwać policję.
Please call the police.
[*pliz ˈkɔl ðə pəˋlis*]

Proszę wezwać pogotowie ratunkowe.
Please call the ambulance.
[*pliz ˈkɔl ðı ˋæmbjələns*]

Czy może mi pan/pani pomóc?
Can you help me?
[*kən ju `help mɪ*]

Znajduję się na drodze nr M-4 w pobliżu miejscowości Reading/na drodze I-5 w pobliżu Portland.
I'm on road number M-4 near Reading <*am.* I-5 near Portland>.
bryt. [*aɪm on `rəud 'nʌmbə 'em `fɔ nɪə `redɪŋ*]
am. [*aɪm an 'aɪ `faɪv nir `portlənd*]

Jestem lekko ranny.
I'm slightly injured.
bryt. [*aɪm 'slaɪtlɪ `ɪndʒəd*]
am. [*aɪm 'slaɪDlɪ `ɪndʒərd*]

Samochód jest mocno uszkodzony.
The car's badly damaged.
[*ðə `karz 'bædlɪ `dæmɪdʒd*]

Chciałbym/chciałabym wezwać pomoc drogową.
I'd like to call for road assistance.
bryt. [*aɪd 'laɪk tə `kɔl fə `rəud ə'sɪstəns*]
am. [*aɪd 'laɪk tə `kɔl fər `roud ə'sɪstəns*]

Czy może mnie pan/pani doholować do najbliższego warsztatu?
Can you give me a tow to the nearest garage?
bryt. [*kən ju `gɪv mɪ ə `təu tə ðə 'nɪərɪst `gæraʒ*]
am. [*kən ju `gɪv mɪ ə `tou tə ðə 'nirɪst gə`raʒ*]

Czy pan/pani był/była świadkiem tego wypadku?
Did you witness this accident?
bryt. [*dɪd ju `wɪtnɪs ðɪs `æksɪdənt*]
am. [*dɪd ju `wɪtnɪs ðɪs `æksəDənt*]

Czy mogę powołać pana/panią na świadka?
May I name you as a witness?
[*meɪ aɪ ˋneɪm ju əz ə ˋwɪtnɪs*]

Proszę o nazwisko i adres.
Please, give me your name and address.
bryt. [*pliz ˋgɪv mɪ jɔ ˋneɪm ənd əˋdres*]
am. [*pliz ˋgɪv mɪ jər ˋneɪm ənd əˋdres*]

To moja wina.
It was my fault.
[*ɪt wəz ˋmaɪ fɔlt*]

To nie moja wina.
It wasn't my fault.
bryt. [*ɪt ˋwoznt maɪ ˈfɔlt*]
am. [*ɪt ˋwaznt maɪ ˈfɔlt*]

Jak doszło do tego wypadku?
How did the accident happen?
bryt. [*ˋhau dɪd ðɪ ˋæksɪdənt ˋhæpn*]
am. [*ˋhau dɪd ðɪ ˋæksəDənt ˋhæpn*]

Mój samochód wpadł w poślizg.
My car skidded.
bryt. [*maɪ ˈka ˋskɪdɪd*]
am. [*maɪ ˈkar ˋskɪDɪd*]

Ten pan jechał za szybko i nie mógł w porę zahamować.
The gentleman <*am.* The man> was driving too fast and couldn't brake in time.
bryt. [*ðə ˋdʒentlmən wəz ˈdraɪvɪŋ tu ˋfast ən ˈkudnt ˋbreɪk ɪn ˋtaɪm*]
am. [*ðə ˋmæn wəz ˈdraɪvɪŋ tu ˋfæst ən ˈkudnt ˋbreɪk ɪn ˋtaɪm*]

Proszę o kopię protokołu policyjnego.
I'd like to have a copy of the police report.
bryt. [*aɪd ˋlaɪk tə ˈhæv ə ˋkopɪ əv ðə pəˋlis rɪˋpɔt*]
am. [*aɪd ˋlaɪk tə ˈhæv ə ˋkapɪ əv ðə pəˋlis rɪˋport*]

W warsztacie samochodowym

At the garage
bryt. [*ət ðə `gærɑʒ*]
am. [*ət ðə gə`rɑʒ*]

Zepsuł mi się samochód. Stoję na głównej drodze do Brighton/Las Vegas. Czy może przyjechać do mnie mechanik?
My car's broken down. I'm on the main road to Brighton /Las Vegas. Can a mechanic come to me?
bryt. [*maɪ `kɑz brəukn `daun\ aɪm on ðə `mein 'rəud tə `braɪtn\ læs 'veɪgəs\ kən ə mɪ`kænɪk `kʌm tə mɪ*]
am. [*maɪ `kɑrz broukn `daun\ aɪm an ðə `mein 'roud tə `braɪtn \lɑs 'veɪgəs\ kən ə mɪ`kænɪk `kʌm tə mɪ*]

Czy możecie przyholować samochód do waszego warsztatu?
Can you tow my car to the/your garage?
bryt. [*kən ju `təu maɪ 'kɑ tə ðə `gærɑʒ*]
am. [*kən ju `tou maɪ 'kɑr tə jər gə`rɑʒ*]

Ledwo dojechałem/dojechałam do waszego warsztatu. Czy możecie sprawdzić, co się stało?
I nearly didn't make it to your garage. Can you check what's wrong?
bryt. [*aɪ `nɪəlɪ dɪdnt 'meɪk ɪt tə jɔ `gærɑʒ \ kən ju `tʃek wots `roŋ*]
am. [*aɪ `nirlɪ dɪdnt 'meɪk ɪt tə jər gə`rɑʒ \ kən ju `tʃek hwats `roŋ*]

Ile czasu potrzeba, żeby sprawdzić, co się popsuło?
How long will it take to find out what's wrong?
bryt. [*hau `loŋ wɪl ɪt `teɪk tə 'faɪnd `aut wots `roŋ*]
am. [*hau `loŋ wɪl ɪt `teɪk tə 'faɪnd `aut hwats `roŋ*]

Ile czasu zajmie naprawa?
How long will it take to fix it?
[*hau `loŋ wɪl ɪt `teɪk tə `fɪks ɪt*]

Jeśli to potrwa do jutra, to muszę tu gdzieś przenocować. Czy są tu takie możliwości?
If it takes till tomorrow, I'll have to stay overnight somewhere. Is there any accommodation <*am.* Are there any accomodations> near here?
bryt. [*ɪf ɪt ˋteɪks tɪl təˋmorəu aɪl ˋhæv tə ˋsteɪ əuvəˈnaɪt ˋsʌmweə \ ɪz ðər enɪ əkoməˋdeɪʃn nɪər ˋhɪə*]
am. [*ɪf ɪt ˋteɪks tɪl təˋmarou aɪl ˋhæv tə ˋsteɪ ouvərˈnaɪt ˋsʌmhwer\ ar ðər ənɪ əkaməˋdeɪʃnz nir ˋhir*]

Samochód nie chce zapalić.
The car won't start.
bryt. [*ðə ˈka wəunt ˋstat*]
am. [*ðə ˈkar wount ˋstart*]

Przecieka chłodnica.
The radiator's leaking.
bryt. [*ðə ˋreɪdɪeɪtəz ˋlikɪŋ*]
am. [*ðə ˋreɪdɪeɪtərz ˋlikɪŋ*]

Wycieka olej.
I have an oil leak.
[*aɪ ˈhæv ən ˋɔɪl ˈlik*]

Proszę sprawdzić hamulce.
Check the brakes, please.
[*ˋtʃek ðə ˋbreɪks pliz*]

Złapałem/złapałam gumę.
I've got a puncture <*am.* a flat (tire)>.
bryt. [*aɪv ˈgot ə ˋpʌŋktʃə*]
am. [*aɪv ˈgat ə ˋflæt (ˈtaɪər)*]

Nie mogę włączyć wstecznego biegu.
I can't put it in(to) reverse.
bryt. [*aɪ ˈkant ˈput ɪt ɪntə rɪˋvɜs*]
am. [*aɪ ˈkænt ˈput ɪt ɪn rɪˋvərs*]

Czy może pan to zreperować na poczekaniu?
Can you fix it while I wait?
bryt. [*kən ju `fɪks ɪt waɪl aɪ `weɪt*]
am. [*kən ju `fɪks ɪt hwaɪl aɪ `weɪt*]

Czy to coś poważnego?
Is it serious?
bryt. [*ɪz ɪt `sɪərɪəs*]
am. [*ɪz ɪt `sirɪəs*]

Czy ma pan części zamienne?
Have you got the spare parts?
bryt. [*həv ju 'got ðə `speə 'pɑts*]
am. [*həv ju 'gat ðə `sper 'pɑrts*]

Czy musi je pan sprowadzić?
Do you have to send for them?
bryt. [*də ju 'hæv tə `send fə ðem*]
am. [*də ju 'hæv tə `send fər ðem*]

A może jest inny warsztat, w którym można to naprawić?
Maybe there's another garage which can repair it.
bryt. [*`meɪbi ðəz ə`nʌðə `gærɑʒ wɪtʃ kən rɪ`peər ɪt*]
am. [*`meɪbi ðərz ə`nʌðər gə`rɑʒ hwɪtʃ kən rɪ`per ɪt*]

Ile to będzie kosztowało?
How much will it cost/How much do I pay?
[*hɑu `mʌtʃ wɪl ɪt `kast\hɑu `mʌtʃ du aɪ `peɪ*]

Ile płacę?
How much is it?
[*hɑu `mʌtʃ ɪz ɪt*]

Proszę o szczegółowy rachunek.
May I have an itemized bill, please.
bryt. [*meɪ aɪ 'hæv ən `aɪtəmaɪzd `bɪl pliz*]
am. [*meɪ aɪ 'hæv ən `aɪDəmaɪzd `bɪl pliz*]

Wynajęcie samochodu
Car hire <*am.* Car rental>

bryt. [*ˋkɑ ˈhaɪə*]
am. [*ˋkɑr ˈren(D)l*]

Gdzie można wynająć samochód?
Where's the car hire company <*am.* car rental agency>?
bryt. [*ˋweəz ðə ˋkɑ haɪə ˋkʌmpənɪ*]
am. [*ˋhwerz ðə ˋkɑr ren(D)l ˋeɪdʒənsɪ*]

Chciał(a)bym wynająć mały samochód/duży samochód.
I'd like to hire <*am.* rent> a small car/a large car.
bryt. [*aɪd ˈlaɪk tə ˋhaɪə ə ˋsmɔl kɑ\ə ˋlɑdʒ kɑ*]
am. [*aɪd ˈlaɪk tə ˋrenD ə ˋsmɔl kɑr\ə ˋlɑrdʒ kɑr*]

Ile kosztuje wynajęcie samochodu z kierowcą/bez kierowcy?
What's the charge to hire <*am.* rent> a car with a driver/without a driver?
bryt. [*ˈwots ðə ˋtʃɑdʒ tə ˋhaɪə ə ˋkɑ wɪð ə ˋdraɪvə\ wɪˋðaut ə ˋdraɪvə*]
am. [*ˈhwats ðə ˋtʃɑrdʒ tə ˋrenD ə ˋkɑr wɪð ə ˋdraɪvər\ wɪˋðaut ə ˋdraɪvər*]

Ile się płaci za dzień/za tydzień?
What's the charge per day/per week?
bryt. [*ˈwots ðə ˋtʃɑdʒ pə ˋdeɪ\ pə ˋwik*]
am. [*ˈhwats ðə ˋtʃɑrdʒ pər ˋdeɪ\ pər ˋwik*]

Czy są jakieś koszty dodatkowe?
Are there any additional costs?
[*ə ðər enɪ əˋdɪʃnl ˋkasts*]

Jaki jest zastaw?
What's the deposit?
bryt. [*ˋwots ðə dɪˋpozɪt*]
am. [*ˋhwats ðə dɪˋpazɪt*]

Mam kartę kredytową.
I've got <*am.* I have> a credit card.
bryt. [*aɪv got ə `kredɪt kɑd*]
am. [*aɪ hæv ə `kredɪt kɑrd*]

Mam międzynarodowe prawo jazdy.
I've got <*am.* I have> an international driving licence <*am.* driver's license>.
bryt. [*aɪv 'got ən ɪntə`næʃənl `draɪvɪŋ `laɪsns*]
am. [*aɪ 'hæv ən ɪn(D)ə`næʃnl `draɪvərz `laɪsns*]

Ten mi odpowiada.
I like this one.
[*aɪ 'laɪk `ðɪs wʌn*]

b) Podróżowanie pociągiem
Travelling <*am.* Traveling> by train
[*`trævlɪŋ baɪ `treɪn*]

<u>Dojazd do dworca</u>
<u>Getting to the station</u>
bryt. [*`getɪŋ tə ðə `steɪʃn*]
am. [*`geDɪŋ tə ðə `steɪʃn*]

Gdzie jest dworzec kolejowy?
Where's the railway <*am.* railroad> station?
bryt. [*'weəz ðə `reɪlweɪ `steɪʃn*]
am. [*'hwerz ðə `reɪlroud `steɪʃn*]

Czy to daleko stąd?
Is it far from here?
bryt. [*ɪz ɪt `fɑ frəm hɪə*]
am. [*ɪz ɪt `fɑr frəm hir*]

Czym dojadę na dworzec?
How can I get to the station?
[*`hau kən aɪ `get tə ðə `steɪʃn*]

Ile przystanków?
How many stops?
bryt. [*'hau menı `stops*]
am. [*'hau menı `staps*]

Na dworcu
At the station
[*ət ðə `steıʃn*]

Szukam informacji, czy może mi pan/pani pomóc?
I'm looking for the inquiries <*am.* information stand>, can you help me?
bryt. [*aım `lukıŋ fə ðı ın`kwaıərız kən ju 'help mı*]
am. [*aım `lukıŋ fər ðı ınfər`meıʃn `stænd kən ju 'help mı*]

Chciałbym/chciałabym pojechać do Londynu/Bostonu. Jakie mam najlepsze połączenie?
I'd like to go to London/Boston. What's the best connection?
bryt. [*aıd 'laık tə 'gəu tə `lʌndn \`bɔstn\ `wots ðə `best kə'nekʃn*]
am. [*aıd 'laık tə 'gou tə `lʌndn \`bastn\ `hwats ðə `best kə'nekʃn*]

O której odchodzi ranny pociąg do Londynu/Bostonu?
What time does the morning train for London/Boston leave?
bryt. [*wot `taım dəz ðə `mɔnıŋ 'treın fə `lʌndn \`bɔstn `liv*]
am. [*hwat `taım dəz ðə `mornıŋ 'treın fər `lʌndn \`bastn `liv*]

Są dwa pociągi. O 5.30 i ekspres o 7.00 rano.
There are two trains. The 5.30 and the 7 a.m. express.
bryt. [*ðər ə `tu 'treınz\ ðə 'faıv `θɜtı ən ðə `sevn 'eı 'em ık`spres*]
am. [*ðər ər `tu 'treınz\ ðə 'faıv `θərDı ən ðə `sevn 'eı 'em ık`spres*]

Czy ten o 5.30 to jest pociąg bezpośredni do Londynu/Bostonu?
Is the 5.30 (train) a through train to London/Boston?
bryt. [*ız ðə 'faıv `θɜtı ( 'treın) ə `θru 'treın tə `lʌndn \`bastn*]
am. [*ız ðə 'faıv `θərDı ( 'treın) ə `θru 'treın tə `lʌndn \`bastn*]

Gdzie muszę się przesiąść?
Where should I change?
bryt. [*`weə ʃəd aɪ `tʃeɪndʒ*]
am. [*`hwer ʃəd aɪ `tʃeɪndʒ*]

O której ten pociąg przyjeżdża do Londynu/Bostonu?
What time does this train arrive in London/Boston?
bryt. [*wot `taɪm dəz ðɪs 'treɪn ə`raɪv ɪn `lʌndn \ `bɔstn*]
am. [*hwat `taɪm dəz ðɪs 'treɪn ə`raɪv ɪn `lʌndn \`bastn*]

Czy ten pociąg przejeżdża przez Londyn/Boston?
Does this train pass through <*am.* thru> London/Boston?
bryt. [*dəz ðɪs 'treɪn `pas θru `lʌndn \`bɔstn*]
am. [*dəz ðɪs 'treɪn `pæs θru `lʌndn \`bastn*]

Czy w składzie pociągu do Londynu/Bostonu jest wagon restauracyjny/bagażowy?
Is there a dining car <*am.* diner>/luggage <*am.* baggage> car on the train to London/Boston?
bryt. [*ɪz ðər ə `daɪnɪŋ 'ka \`lʌgɪdʒ 'ka on ðə 'treɪn tə `lʌndn \`bɔstn*]
am. [*ɪz ðər ə `daɪnər\`bægɪdʒ 'kar an ðə 'treɪn tə `lʌndn \`bastn*]

Gdzie się nadaje bagaż?
Where can I check in my luggage <*am.* check my baggage>?
bryt. [*`weə kən aɪ `tʃek 'ɪn maɪ `lʌgɪdʒ*]
am. [*`hwer kən aɪ `tʃek maɪ `bægɪdʒ*]

Chciałbym/chciałabym nadać bagaż do Londynu/Bostonu.
I'd like to check in my luggage <*am.* check my baggage> to London/Boston.
bryt. [*aɪd 'laɪk tə `tʃek 'ɪn maɪ `lʌgɪdʒ tə `lʌndn\ `bɔstn*]
am. [*aɪd 'laɪk tə `tʃek maɪ `bægɪdʒ tə `lʌndn\`bastn*]

Gdzie znajdę rozkład jazdy pociągów?
Where can I find the trains timetable <*am.* train schedules>?
bryt. [*`weə kən aɪ 'faɪnd ðə 'treɪnz `taɪmteɪbl*]
am. [*`hwer kən aɪ 'faɪnd ðə 'treɪn `skedʒulz*]

Tam, po tamtej stronie poczekalni dworcowej.
Over there, on the other side of the waiting room.
bryt. [*əuvə `ðeə on ðɪ `ʌðə 'saɪd əv ðə `weɪtɪŋ rum*]
am. [*ouvər `ðer on ðɪ `ʌðər 'saɪd əv ðə `weɪDɪŋ rum*]

Nie mogę się zorientować w tym rozkładzie. Czy może mi pan/pani pomóc? Gdzie jest przyjazd, a gdzie odjazd pociągów?
I can't make anything out of this timetable <*am.* schedule>. Can you help me? Where are the arrivals and where are the departures?
bryt. [*aɪ `kant meɪk `enɪθɪŋ 'aut əv ðɪs `taɪmteɪbl\kən ju `help mɪ\ `weər ə ðɪ ə`raɪvlz ən `weər ə ðə dɪ`patʃəz*]
am. [*aɪ `kænt meɪk `enɪθɪŋ 'aut əv ðɪs `skedʒul\ kən ju `help mɪ\`hwer ər ðɪ ə`raɪvlz ən `hwer ər ðə dɪ`partʃərz*]

Gdzie mogę dokonać rezerwacji?
Where can I book <*am.* reserve> a seat?
bryt. [*`weə kən aɪ `buk ə `sit*]
am. [*`hwer kən aɪ rɪ`zərv ə `sit*]

Gdzie są schowki na bagaż?
Where are the luggage <*am.* baggage> lockers?
bryt. [*`weər ə ðə `lʌgɪdʒ `lokəz*]
am. [*`hwer ər ðə `bægɪdʒ `lakərz*]

Gdzie są wózki bagażowe?
Where are the trolleys <*am.* baggage carts>?
bryt. [*`weər ə ðə `trolɪz*]
am. [*`hwer ər ðə `bægɪdʒ 'karts*]

Gdzie jest kantor wymiany walut?
Where's the exchange counter <*am.* currency exchange>?
bryt. [*`weəz ðɪ ɪks`tʃeɪndʒ 'kauntə*]
am. [*`hwerz ðɪ `kʌrənsɪ ɪks'tʃeɪndʒ*]

Gdzie są toalety?
Where are the toilets <*am.* rest rooms>?
bryt. [*`weər ə ðə `toɪlɪts*]
am. [*`hwer ər ðə `rest rums*]

Gdzie jest biuro rzeczy znalezionych?
Where's the lost property <*am.* Lost and Found> office?
bryt. [*`weəz ðə 'lost `propətɪ 'ofɪs*]
am. [*`hwerz ðə 'last ən `faund 'afɪs*]

Gdzie jest wyjście na perony?
Where's the exit to the platforms?
bryt. [*`weəz ðɪ `eksɪt tə ðə `plætfɔmz*]
am. [*`hwerz ðɪ `egzɪt tə ðə `plætformz*]

Gdzie jest wyjście do miasta?
Which is the exit to town?
bryt. [*`wɪtʃ ɪz ðɪ `eksɪt tə `taun*]
am. [*`hwɪtʃ ɪz ðɪ `egzɪt tə `taun*]

Kupno biletów
Ticket buying
[*`tɪkɪt 'baɪɪŋ*]

Czy są tu automaty do sprzedaży biletów?
Are there ticket machines here?
bryt. [*ə ðə `tɪkɪt mə`ʃinz hɪə*]
am. [*ar ðər `tɪkɪt mə`ʃinz hir*]

Ile kosztuje bilet do Bristolu/San Francisco?
What's the fare to Bristol/San Francisco?
bryt. [*'wots ðə `feə tə `brɪstl \ sæn frən`sɪskəu*]
am. [*'hwats ðə `fer tə `brɪstl \ sæn frən`sɪskou*]

Proszę bilet pierwszej/drugiej klasy do Bristolu/San Francisco.
I'd like a first/second class ticket to Bristol/San Francisco.
bryt. [*aɪd 'laɪk ə `fɜst\`sekənd klas `tɪkɪt tə `brɪstl \ sæn frən`sɪskəu*]
am. [*aɪd 'laɪk ə `fərst\`sekənd klæs `tɪkɪt tə `brɪstl \ sæn frən`sɪskou*]

Proszę bilet z miejscówką do Bristolu/San Francisco.
I'd like a ticket with a seat reservation to Bristol/San Francisco.
bryt. [*aɪd 'laɪk ə `tɪkɪt wɪð ə `sit rezə`veɪʃn tə `brɪstl \sæn frən`sɪskəu*]
am. [*aɪd 'laɪk ə `tɪkɪt wɪð ə `sit rezər`veɪʃn tə `brɪstl \sæn frən`sɪskou*]

Proszę bilet powrotny do Bristolu/San Francisco.
I'd like a return <*am.* round-trip> ticket to Bristol/San Francisco.
bryt. [*aɪd 'laɪk ə rɪ`tɜn 'tɪkɪt tə `brɪstl \ sæn frən`sɪskəu*]
am. [*aɪd 'laɪk ə `raund-trɪp 'tɪkɪt tə `brɪstl \ sæn frən`sɪskou*]

Proszę jedną kuszetkę do Bristolu/San Francisco.
I'd like a berth to Bristol/San Francisco.
bryt. [*aɪd 'laɪk ə `bɜθ tə `brɪstl \ sæn frən`sɪskəu*]
am. [*aɪd 'laɪk ə `bərθ tə `brɪstl \ sæn frən`sɪskou*]

Proszę bilet na miejsce sypialne do Bristolu/San Francisco.
I'd like a ticket in the sleeping car <*am.* in the sleeper> to Bristol/San Francisco.
bryt. [*aɪd 'laɪk ə `tɪkɪt ɪn ðə `slipɪŋ 'ka tə `brɪstl \ sæn frən`sɪskəu*]
am. [*aɪd 'laɪk ə `tɪkɪt ɪn ðə `slipər tə `brɪstl \ sæn frən`sɪskou*]

Proszę dolne/górne miejsce.
I'd like a bottom/top berth.
bryt. [*aɪd 'laɪk ə` botəm \`top 'bɜθ*]
am. [*aɪd 'laɪk ə`baDəm\`tap 'bərθ*]

Proszę bilet w wagonie dla niepalących/dla palących.
I'd like a ticket in a no-smoking\smoking carriage <*am.* car>.
bryt. [*aɪd 'laɪk ə `tɪkɪt ɪn ə `nəu sməukɪŋ\`sməukɪŋ `kærɪdʒ*]
am. [*aɪd 'laɪk ə `tɪkɪt ɪn ə `nou smoukɪŋ\`smoukɪŋ `kar*]

Czy dzieci mają zniżkę?
Is there a reduced fare for children?
bryt. [*ɪz ðər ə rɪ`djust 'feə fə `tʃɪldrən*]
am. [*ɪz ðər ə rɪ`dust 'fer fər `tʃɪldrən*]

Do ilu lat?
Up to what age?
bryt. [*ʌp tə wot `eɪdʒ*]
am. [*ʌp tə hwaD `eɪdʒ*]

Czy studenci mają zniżkę?
Is there a reduced fare for students?
bryt. [*ɪz ðər ə rɪ`djust 'feə fə `stjudnts*]
am. [*ɪz ðər ə rɪ`dust 'fer fər `studnts*]

Proszę jeden cały i dwa zniżkowe do Bristolu/San Francisco.
I would/I'd like one full and two reduced-fare tickets to Bristol/ San Francisco.
bryt. [*aɪ wəd \ aɪd 'laɪk 'wʌn `ful ən 'tu rɪ`djust feə `tɪkɪts tə `brɪstl \ sæn frən`sɪskəu*]
am. [*aɪ wəd \ aɪd 'laɪk 'wʌn `ful ən 'tu rɪ`dust fer `tɪkɪts tə `brɪstl \ sæn frən`sɪskou*]

Jak długo ważny jest ten bilet?
How long is this ticket valid?
[*hau `loŋ ɪz ðɪs 'tɪkɪt `vælɪd*]

Ile płacę?
How much is it?
[*hau `mʌtʃ ɪz ɪt*]

Bagaż
Luggage/baggage <*am.* baggage>
bryt. [*`lʌgɪdʒ\`bægɪdʒ*]
am. [*`bægɪdʒ*]

Przechowalnia, ekspedycja, bagażowy.
Left luggage office <*am.* Baggage storage>, dispatch office, porter
bryt. [*`left `lʌgɪdʒ 'ofɪs \ dɪ`spætʃ 'ofɪs\ `pɔtə*]
am. [*`bægɪdʒ `storɪdʒ \ dɪ`spætʃ 'afɪs\ `pɔrtər*]

Gdzie jest przechowalnia bagażu?
Where's the left luggage office <*am.* baggage storage>?
bryt. [*`weəz ðə `left `lʌgɪdʒ 'ofɪs*]
am. [*`hwerz ðə `bægɪdʒ `storɪdʒ*]

Chciałbym/chciałabym oddać walizkę na przechowanie.
I'd like to leave <*am.* store> my suitcase.
bryt. [*aɪd 'laɪk tə `liv maɪ `sjutkeɪs*]
am. [*aɪd 'laɪk tə `stor maɪ `sutkeɪs*]

Chciałbym/chciałabym zostawić plecak i tę torbę.
I'd like to leave <*am.* store> my rucksack <*am.* backpack> and this bag.
bryt. [*aɪd 'laɪk tə `liv maɪ `rʌksæk ən ðɪs `bæg*]
am. [*aɪd 'laɪk tə `stor maɪ `bækpæk ən ðɪs `bæg*]

Płacę teraz czy przy odbiorze?
Do I pay now or when I pick it up?
bryt. [*du aɪ 'peɪ `nau ə `wen aɪ 'pɪk ɪt `ʌp*]
am. [*du aɪ 'peɪ `nau ə `hwen aɪ 'pɪk ɪD `ʌp*]

Chciałbym/chciałabym odebrać bagaż. Proszę, to mój kwit bagażowy.
I'd like to collect my luggage <*am.* pick up my baggage>. Here's my luggage <*am.* baggage> check.
bryt. [*aɪd 'laɪk tə kə`lekt maɪ `lʌgɪdʒ \ hɪəz maɪ 'lʌgɪdʒ `tʃek*]
am. [*aɪd 'laɪk tə `pɪk ʌp maɪ `bægɪdʒ \ hirz maɪ 'bægɪdʒ `tʃek*]

Chciałbym/chciałabym nadać ten bagaż do Polski.
I'd like this luggage <*am.* baggage> (to be) sent to Poland.
bryt. [*aɪd 'laɪk ðɪs `lʌgɪdʒ (tə bɪ) `sent tə `pəulənd*]
am. [*aɪd 'laɪk ðɪs `bægɪdʒ> (tə bɪ) `sent tə `poulənd*]

Gdzie mogę załatwić formalności?
Where do I take care of the formalities?
bryt. [*`weə du aɪ 'teɪk `keər əv ðə fɔ`mælɪtɪz*]
am. [*`hwer du aɪ 'teɪk `ker əv ðə fɔr`mæləDɪz*]

Przepraszam, gdzie znajdę wózki bagażowe?
Excuse me, where can I find the trolleys <*am.* baggage carts>?
bryt. [*ɪk`skjuz mɪ `weə kən aɪ 'faɪnd ðə `trolɪz*]
am. [*ɪk`skjuz mɪ `hwer kən aɪ 'faɪnd ðə `bægɪdʒ 'karts*]

Panie bagażowy, proszę zanieść te dwie walizki do pociągu pospiesznego do Edynburga/San Diego, wagon nr 15.
Porter, please take these two suitcases to the fast train to Edinburgh/San Diego, carriage <*am.* car> number 15.
bryt. [*`pɔtə pliz `teɪk ðiz 'tu `sjutkeɪsɪz tə ðə `fast 'treɪn tu `edɪnbrə \ sæn dɪ`eɪgəu `kærɪdʒ nʌmbə fɪf`tin*]
am. [*`portər pliz `teɪk ðiz 'tu `sutkeɪsɪz tə ðə `fæst 'treɪn tu `edɪnbrə \ sæn dɪ`eɪgou `kar nʌmbər fɪf`tin*]

Proszę zanieść walizkę na peron trzeci.
Take the suitcase to platform three, please.
bryt. [*`teɪk ðə `sjutkeɪs tə 'plætfɔm `θri pliz*]
am. [*`teɪk ðə `sutkeɪs tə 'plætform `θri pliz*]

Proszę mi pomóc zanieść walizkę do taksówki.
Please help me (to) carry my suitcase to the taxi <*am.* cab>.
bryt. [*pliz `help mɪ (tə) `kærɪ maɪ `sjutkeɪs tə ðə `tæksɪ*]
am. [*pliz `help mɪ (tə) `kærɪ maɪ `sutkeɪs tə ðə `kæb*]

Ile płacę?
How much will it be?
[*hau `mʌtʃ wɪl ɪt `bi*]

Na peronie
On the platform
bryt. [*'on ðə `plætfɔm*]
am. [*'an ðə `plætform*]

Przepraszam, z którego peronu odchodzi pociąg do Oksfordu/San Diego?
Excuse me, which platform does the train to Oxford/San Diego leave from?
bryt. [*ɪk`sjuz mɪ `wɪtʃ 'plætfɔm dəz ðə 'treɪn tu `oksfəd \ sæn dɪ`eɪgəu `liv 'from*]
am. [*ɪk`sjuz mɪ `hwɪtʃ 'plætform dəz ðə 'treɪn tu `aksfərd \ sæn dɪ`eɪgou `liv 'fram*]

Czy z tego peronu odchodzi pociąg do Oksfordu/San Diego?
Is this the right platform for the train to Oxford/San Diego?
bryt. [*ɪz `ðɪs ðə `raɪt 'plætfɔm fə ðə 'treɪn tu `oksfəd \ sæn dɪ`eɪgəu*]
am. [*ɪz `ðɪs ðə `raɪt 'plætform fər ðə 'treɪn tu `aksfərd \ sæn dɪ`eɪgou*]

Z której strony nadjedzie pociąg do Oksfordu?
Which side does the train to Oxford arrive from?
bryt. [*wɪtʃ `saɪd dəz ðə 'treɪn tu `aksfəd ə`raɪv 'fram*]
am. [*hwɪtʃ `saɪd dəz ðə 'treɪn tu `aksfərd ə`raɪv 'fram*]

Nie mogę znaleźć wagonu numer trzy. Może mi pan/pani pomóc?
I can't find carriage <*am.* car> number three. Can you help me?
bryt. [*aɪ `kant faɪnd `kærɪdʒ nʌmbə `θri\ kən ju `help mɪ*]
am. [*aɪ `kænt faɪnd `kar nʌmbər `θri\ kən ju `help mɪ*]

Czy to na pewno jest pociąg do Oksfordu/San Diego?
Are you sure this is the train to Oxford/San Diego?
bryt. [*ə ju `ʃuə `ðɪs ɪz ðə 'treɪn tu `oksfəd \ sæn dɪ`eɪgəu*]
am. [*ər ju `ʃur `ðɪs ɪz ðə 'treɪn tu `aksfərd \ sæn dɪ`eɪgou*]

Gdzie jest wyjście do miasta?
Which way out <*am.* Where is the exit to town>?
bryt. [*`wɪtʃ 'weɪ `aut*]
am. [*`hwer ɪz ðɪ `egzɪt tə taun*]

<u>W przedziale, w wagonie sypialnym</u>
<u>In the compartment, in the sleeping car</u>
bryt. [*ɪn ðə kəm`patmənt \ ɪn ðə `slipɪŋ 'ka*]
am. [*ɪn ðə kəm`partmənt \ ɪn ðə `slipɪŋ 'kar*]

Czy są tu wolne miejsca?
Are there any seats free here?
bryt. [*ə ðər enɪ 'sits `fri 'hɪə*]
am. [*ər ðər enɪ 'sits `fri 'hir*]

Czy mogę zająć to miejsce?
May I take this seat, please?
[*meɪ aɪ 'teɪk `ðɪs 'sit pliz*]

Czy mogę przesunąć pańską/pani walizkę?
May I move your suitcase, please?
bryt. [*meɪ aɪ `muv jɔ `sjutkeɪs pliz*]
am. [*meɪ aɪ `muv jər `sutkeɪs pliz*]

Czy mogę położyć walizkę na pańskiej/pani walizce? Moja jest lekka.
May I put my suitcase on top of yours? My suitcase is light.
bryt. [*meɪ aɪ `put maɪ `sjutkeɪs on `top əv 'jɔz\maɪ `sjutkeɪs ɪz `laɪt*]
am. [*meɪ aɪ `put maɪ `sutkeɪs an `tap əv 'jɔrz \ maɪ `sutkeɪs ɪz `laɪt*]

Czy mogę otworzyć okno?
May I open the window?
bryt. [*meɪ aɪ `əupn ðə `wɪndəu*]
am. [*meɪ aɪ `oupn ðə `wɪndou*]

Czy mógłby/mogłaby pan/pani zamknąć okno?
Could you close the window, please?
bryt. [*kəd ju `kləuz ðə `wɪndəu pliz*]
am. [*kəd ju `klouz ðə `wɪndou pliz*]

Czy można otworzyć drzwi na korytarz?
May I open the compartment door?
bryt. [*meɪ aɪ `əupn ðə kəm`patmənt `dɔ*]
am. [*meɪ aɪ `oupn ðə kəm`partmənt `dɔr*]

Czy to jest przedział dla palących?
Is this a smoking compartment?
bryt. [*ɪz `ðɪs ə `sməukɪŋ kəm'pɑtmənt*]
am. [*ɪz `ðɪs ə `smoukɪŋ kəm'pɑrtmənt*]

Czy mogę zapalić papierosa?
May I have a cigarette?
[*meɪ ɑɪ 'hæv ə sɪgə`ret*]

Proszę obudzić mnie przed stacją Londyn/San Diego.
Could you, please, wake me up before we get to London/San Diego.
bryt. [*kəd ju pliz 'weɪk mɪ `ʌp bɪ`fɔ wɪ 'get tə `lʌndn \sæn dɪ`eɪgəu*]
am. [*kəd ju pliz 'weɪk mɪ `ʌp bɪ`for wɪ 'get tə `lʌndn \sæn dɪ`eɪgou*]

Proszę o herbatę/kawę.
A cup of tea/coffee, please.
bryt. [*ə `kʌp əf 'ti\`kofɪ pliz*]
am. [*ə `kʌp əf 'ti\`kafɪ pliz*]

Czy mogę zgasić światło?
May I turn off the light?
bryt. [*meɪ ɑɪ `tɜn of ðə `lɑɪt*]
am. [*meɪ ɑɪ `tərn of ðə `lɑɪt*]

c) Podróżowanie autobusem, podróżowanie autokarem
Travelling by bus, travelling by coach <*am.* Traveling by bus>
bryt. [*`trævlɪŋ bɑɪ `bʌs\ `trævlɪŋ bɑɪ `kəutʃ*]
am. [*`trævlɪŋ bɑɪ `bʌs*]

Czy jest w tym mieście dworzec autobusowy?
Is there a coach <*am.* bus> station in this town?
bryt. [*ɪz ðər ə `kəutʃ 'steɪʃn ɪn ðɪs `tɑun*]
am. [*ɪz ðər ə `bʌs 'steɪʃn ɪn ðɪs `tɑun*]

Gdzie jest dworzec autobusowy?
Where's the coach <*am.* bus> station?
bryt. [*`weəz ðə `kəutʃ 'steɪʃn*]
am. [*`hwerz ðə `bʌs 'steɪʃn*]

Gdzie jest informacja/rozkład jazdy?
Where's the information counter/coach timetable <*am.* bus schedule>?
bryt. [`weəz ðɪ ɪnfə`meɪʃn 'kauntə\`kəutʃ 'taɪmteɪbl]
am. [`hwerz ðɪ ɪnfər`meɪʃn 'kauntər\`bʌs 'skedʒul]

Czy jest autobus do Dover/Portland/Portland?
Is there a coach <*am.* bus> to Dover/Portland?
bryt. [ɪz ðər ə `kəutʃ tə `dəuvə \`pɔtlənd]
am. [ɪz ðər ə `bʌs tə `douvər \`portlənd]

Ile kosztuje bilet?
What's the fare?
bryt. [`wots ðə `feə]
am. [`hwats ðə `fer]

O której odjeżdża autobus do Dover?
When does the coach <*am.* bus> to Dover/Portland leave?
bryt. [`wen dəz ðə `kəutʃ tə 'dəuvə \ 'pɔtlənd 'liv]
am. [`hwen dəz ðə `bʌs tə 'douvər \ 'portlənd 'liv]

Ile godzin trwa jazda?
How many hours does the trip take?
bryt. ['hau menɪ `auəz dəz ðə `trɪp `teɪk]
am. ['hau menɪ `auərz dəz ðə `trɪp `teɪk]

Gdzie się zatrzymujemy po drodze?
Where do we stop on the way?
bryt. [`weə də wɪ `stop on ðə `weɪ]
am. [`hwer də wɪ `stap an ðə `weɪ]

Kiedy będzie postój?
When do we stop?
bryt. [`wen də wɪ `stop]
am. [`hwen də wɪ `stap]

Jak długo trwa postój?
How long do we stop (for)?
bryt. [*hau `loŋ də wɪ `stop 'fɔ*]
am. [*hau `loŋ də wɪ `stap ('fɔr)*]

d) Podróżowanie samolotem
Travelling <*am.* Traveling> by plane
[*`trævlɪŋ baɪ `pleɪn*]

W biurze podróży
At the travel agent's <*am.* travel agency>
bryt. [*ət ðə `trævl `eɪdʒənts*]
am. [*ət ðə `trævl `eɪdʒənsɪ*]

Czy jest połączenie lotnicze z Manchesterem/Nowym Jorkiem?
Is there a flight connection with Manchester/New York?
bryt. [*ɪz ðər ə 'flaɪt kə`nekʃən wɪð `mæntʃɪstə \nju `jɔk*]
am. [*ɪz ðər ə 'flaɪt kə`nekʃən wɪð `mæntʃɪstər \nu `jork*]

Czy to jest samolot bezpośredni?
Is this a direct flight?
[*ɪz `ðɪs ə dɪ`rekt 'flaɪt*]

Czy jest samolot czarterowy do Manchesteru/Nowego Jorku?
Is there a charter flight to Manchester/New York?
bryt. [*ɪz ðər ə `tʃatə 'flaɪt tə `mæntʃɪstə \nju `jɔk*]
am. [*ɪz ðər ə `tʃartər 'flaɪt tə `mæntʃɪstər \nu `jork*]

O której odlatuje samolot do Manchesteru/Nowego Jorku?
What time does the plane to Manchester/New York depart?
bryt. [*wot `taɪm dəz ðə 'pleɪn tə `mæntʃɪstə \ nju `jɔk dɪ`pat*]
am. [*hwat `taɪm dəz ðə 'pleɪn tə `mæntʃɪstər \ nu `jork dɪ`part*]

Ile razy w tygodniu odlatuje samolot do Manchesteru/Nowego Jorku?
How many flights per week are there to Manchester/New York?
bryt. [*`hau menɪ `flaɪts pə `wik ə ðə tə `mæntʃɪstə \nju `jɔk*]
am. [*`hau menɪ `flaɪts pər `wik ər ðər tə `mæntʃɪstər \nu `jork*]

Ile kosztuje bilet w klasie turystycznej?
How much is a ticket in economy class?
bryt. [*hau `mʌtʃ ɪz ə 'tɪkɪt ɪn ɪ`konəmɪ 'klas*]
am. [*hau `mʌtʃ ɪz ə 'tɪkɪt ɪn ɪ`konəmɪ 'klæs*]

Proszę to napisać.
Could you write it down for me, please.
bryt. [*kəd ju `raɪt ɪt `daun fə mɪ pliz*]
am. [*kəd ju `raɪt ɪt `daun fər mɪ pliz*]

Chciałbym/chciałabym zarezerwować/kupić bilet do Manchesteru/Nowego Jorku na drugiego czerwca.
I'd like to book a ticket <*am.* make a reservation>/buy a ticket to Manchester/New York for June, 2.
bryt. [*aɪd 'laɪk tə `buk ə `tɪkɪt\`baɪ ə `tɪkɪt tə `mæntʃɪstə \ nju `jɔk fə `dʒun ðə `sekənd*]
am. [*aɪd 'laɪk tə `meɪk ə rezər`veɪʃn\`baɪ ə `tɪkɪt tə `mæntʃɪstər \nu `jork fər ðə `sekənd əv `dʒun*]

Nie ma wolnych miejsc.
There are no seats available.
bryt. [*ðər ə `nəu `sits ə`veɪləbl*]
am. [*ðər ər `nou `sits ə`veɪləbl*]

Proszę mnie wpisać na listę rezerwową.
Please put me on the standby list.
[*pliz `put mɪ on ðə `stændbaɪ 'lɪst*]

Chciałbym/chciałabym odwołać rezerwację.
I'd like to cancel my booking <*am.* reservation>.
bryt. [*aɪd 'laɪk tə `kænsl maɪ `bukɪŋ*]
am. [*aɪd 'laɪk tə `kænsl maɪ rezər`veɪʃn*]

Mam bilet powrotny do Warszawy. Proszę o potwierdzenie.
I've got <*am.* I have> a return ticket to Warsaw. I'd like to confirm it.
bryt. [aɪv `got ə rɪ`tзn 'tɪkɪt tə `wɔsɔ\ aɪd 'laɪk tə kən`fзm ɪt]
am. [aɪ `hæv ə rɪ`tərn 'tɪkɪt tə `wɔrsɔ\ aɪd 'laɪk tə kən`fərm ɪt]

Skąd odjeżdża autobus na lotnisko?
Where does the airport bus leave from?
bryt. [`weə dəz ðɪ `eəpɔt bʌs `liv 'from]
am. [`hwer dəz ðɪ `erport bʌs `liv 'fram]

Ile kosztuje bilet na ten autobus?
What's the fare to the airport?
bryt. [`wots ðə `feə tə ðɪ 'eəpɔt]
am. [`hwats ðə `fer tə ðɪ 'erport]

Czym jeszcze dostanę się na lotnisko?
How else can I get to the airport?
bryt. [hau `els kən aɪ `get tə ðɪ `eəpɔt]
am. [hau `els kən aɪ `get tə ðɪ `erport]

Na lotnisku
At the airport
bryt. [ət ðɪ `eəpɔt]
am. [ət ðɪ `erport]

Proszę położyć bagaż na wadze.
Please put your luggage <*am.* baggage> on the scales.
bryt. [pliz `put jɔ `lʌgɪdʒ on ðə `skeɪlz]
am. [pliz `put jər `bægɪdʒ an ðə `skeɪlz]

Pański/pani bagaż ma 5 kg nadwagi.
You have five kilograms excess baggage/luggage <*am.* baggage>.
bryt. [ju 'hæv `faɪv 'kɪləgræmz 'ekses `bægɪdʒ \`lʌgɪdʒ]
am. [ju 'hæv `faɪv 'kɪləgræmz 'ekses `bægɪdʒ]

Ile się płaci za każdy kilogram nadwagi?
How much is a kilogram of excess baggage/luggage <*am.* baggage>?
bryt. [*hau `mʌtʃ ɪz ə `kɪləgræm əv 'ekses `bægɪdʒ\lʌgɪdʒ*]
am. [*hau `mʌtʃ ɪz ə `kɪləgræm əv 'ekses `bægɪdʒ*]

Musi pan/pan zapłacić 5 funtów/100 dolarów.
You'll have to pay 5 pounds /100 dollars.
bryt. [*jul 'hæv tə `peɪ `faɪv `paundz\`wʌn hʌndrɪd `doləz*]
am. [*jul 'hæv tə `peɪ `faɪv `paundz\wʌn hʌndrɪd `dalərz*]

Samolot do Berlina/Frankfurtu odleci z godzinnym opóźnieniem.
The flight to Berlin/Frankfurt will be delayed one hour.
bryt. [*ðə `flaɪt tə bə`lɪn \`fræŋkfɜt wɪl bɪ dɪ`leɪd `wʌn auə*]
am. [*ðə `flaɪt tə bər`lɪn\`fræŋkfərt wɪl bɪ dɪ `leɪd `wʌn auər*]

Pasażerowie odlatujący do Berlina/Frankfurtu uprzejmie proszeni są do wyjścia numer 5.
Passengers flying to Berlin/Frankfurt are kindly requested to proceed to gate five.
bryt. [*`pæsɪndʒəz `flaɪɪŋ tə bə`lɪn \`fræŋkfɜt ə kaɪndlɪ rɪk`westɪd tə prə`sid tə 'geɪt `faɪv*]
am. [*`pæsɪndʒərz `flaɪɪŋ tə bər`lɪn \`fræŋkfərt ər kaɪndlɪ rɪk`westɪd tə prə`sid tə 'geɪt `faɪv*]

W samolocie
Aboard the plane
bryt. [*ə`bɔd ðə `pleɪn*]
am. [*ə`bɔrd ðə `pleɪn*]

Czy można już zapalić papierosa?
Is it all right to smoke now?
bryt. [*ɪz ɪt 'ɔl `raɪt tə `sməuk nau*]
am. [*ɪz ɪt 'ɔl `raɪt tə `smouk nau*]

Poproszę wodę mineralną/kieliszek koniaku.
May I have some mineral water/a (glass of) cognac, please.
bryt. [*meɪ aɪ 'hæv səm `mɪnərəl 'wɔtə \ə 'glɑs əv `konjæk pliz*]
am. [*meɪ aɪ 'hæv səm `mɪnərəl 'wɔDər\ə ('glæs əv) `konjæk pliz*]

Źle się czuję. Mogę prosić o aspirynę?
I'm not feeling too well. May I have an aspirin?
bryt. [*aɪm `not 'filɪŋ tu `wel \ meɪ aɪ 'hæv ən `æsprɪn*]
am. [*aɪm `nat 'filɪŋ tu `wel \ meɪ aɪ 'hæv ən `æsprɪn*]

Gdzie jest toaleta?
Where's the lavatory/toilet <*am.* rest room>, please?
bryt. [*`weəz ðə `lævətrɪ\`toɪlɪt pliz*]
am. [*`hwerz ðə `rest rum pliz*]

<u>Po wylądowaniu</u>
<u>After landing</u>
bryt. [*'ɑftə `lændɪŋ*]
am. [*'æftər `lændɪŋ*]

Gdzie jest poczekalnia dla pasażerów lecących tranzytem?
Where's the waiting room for transit passengers?
bryt. [*`weəz ðə `weɪtɪŋ rum fə `trænsɪt `pæsɪndʒəz*]
am. [*`hwerz ðə `weɪDɪŋ rum fər `trænsɪt `pæsɪndʒərz*]

Czy tu można coś zjeść?
Can I get something to eat here?
bryt. [*kən aɪ 'get 'sʌmθɪŋ tu `it hɪə*]
am. [*kən aɪ 'get 'sʌmθɪŋ tu `it hir*]

Czym dostanę się z lotniska do miasta?
How can I get from the airport to town?
bryt. [*`hau kən aɪ 'get frəm ðɪ `eəpɔt tə `taun*]
am. [*`hau kən aɪ 'get frəm ðɪ `erport tə `taun*]

Skąd odjeżdża autobus do miasta?
Where does the bus to town leave from?
bryt. [*ˋweə dəz ðə ˋbʌs tə ˋtaun ˋliv ˈfrom*]
am. [*ˋhwer dəz ðə ˋbʌs tə ˋtaun ˋliv ˈfram*]

Gdzie jest stacja metra?
Where's the underground <*am.* subway> station?
bryt. [*ˋweəz ðɪ ˋʌndəgraund ˈsteɪʃn*]
am. [*ˋhwerz ðɪ ˋsʌbweɪ ˈsteɪʃn*]

Gdzie jest postój taksówek?
Where's the taxi rank <*am.* taxi stand>?
bryt. [*ˋweəz ðə ˋtæksɪ ˈræŋk*]
am. [*ˋhwerz ðə ˋtæksɪ ˈstænd*]

Gdzie jest telefon?
Where's the telephone?
bryt. [*ˋweəz ðə ˋteləfəun*]
am. [*ˋhwerz ðə ˋteləfoun*]

e) Podróżowanie statkiem i promem
Travelling <*am.* Traveling> by ship and ferry
[*ˋtrævlɪŋ baɪ ˋʃɪp ənd ˋferɪ*]

Gdzie jest port?
Where's the port?
bryt. [*ˋweəz ðə ˋpɔt*]
am. [*ˋhwerz ðə ˋport*]

Gdzie jest przystań?
Where are the docks?
bryt. [*ˋweər ə ðə ˋdoks*]
am. [*ˋhwer ər ðə ˋdaks*]

Czym tam dojechać?
How can I get there?
bryt. [*ˋhau kən aɪ ˋget ðeə*]
am. [*ˋhau kən aɪ ˋget ðər*]

Jak często odpływa statek/prom do Calais/Seattle?
How often does the ship/ferry to Calais/Seattle leave?
bryt. [*hau `ofn dəz ðə `ʃɪp\`ferɪ tə `kæleɪ \sɪ`ætl `liv*]
am. [*hau `afn dəz ðə `ʃɪp\`ferɪ tə `kæleɪ \sɪ`æDl `liv*]

Gdzie jest rozkład jazdy?
Where's the ship/ferry timetable <*am.* schedule>?
bryt. [*`weəz ðə 'ʃɪp\'ferɪ `taɪmteɪbl*]
am. [*`hwerz ðə 'ʃɪp\'ferɪ `skedʒul*]

Z którego pomostu odpływa statek do Calais/Seattle?
Which pier does the ship to Calais/Seattle leave from?
bryt. [*wɪtʃ `pɪə dəz ðə `ʃɪp tə `kæleɪ \ sɪ`ætl `liv 'from*]
am. [*hwɪtʃ `pir dəz ðə `ʃɪp tə `kæleɪ \ sɪ`æDl `liv 'fram*]

Jak długo trwa podróż?
How long's the journey?
bryt. [*hau `loŋz ðə `dʒɜnɪ*]
am. [*hau `loŋz ðə `dʒərnɪ*]

Czy statek zatrzymuje się w porcie Hoek w Holandii/Portland?
Does the ship stop at the Hook of Holland/Portland?
bryt. [*dəz ðə 'ʃɪp `stop ət ðə `huk əv `holənd \`pɔtlənd*]
am. [*dəz ðə 'ʃɪp `stap ət ðə `huk əv `halənd \`portlənd*]

Gdzie mogę kupić bilet?
Where can I buy a ticket?
bryt. [*`weə kən aɪ 'baɪ ə `tɪkɪt*]
am. [*`hwer kən aɪ 'baɪ ə `tɪkɪt*]

Proszę kabinę pierwszej/drugiej klasy.
First/second class cabin, please.
bryt. [*`fɜst\`sekənd klas `kæbɪn pliz*]
am. [*`fərst\`sekənd klæs `kæbɪn pliz*]

Proszę najtańszy bilet.
The cheapest ticket, please.
[*ðə `tʃipɪst 'tɪkɪt pliz*]

Ile kosztuje bilet?
How much is the ticket?
[*hau `mʌtʃ ɪz ðə `tɪkɪt*]

Gdzie jest kabina nr 5?
Where's cabin number 5?
bryt. [*`weəz `kæbɪn nʌmbə `faɪv*]
am. [*`hwerz `kæbɪn nʌmbər `faɪv*]

Chciałbym/chciałabym wypożyczyć leżak.
I'd like to hire <*am.* rent> a deckchair.
bryt. [*aɪd 'laɪk tə `haɪar ə `dektʃeə*]
am. [*aɪd 'laɪk tə 'renD ə `dektʃer*]

Źle się czuję. Czy jest na statku lekarz?
I'm feeling sick. Is there a doctor aboard?
bryt. [*aɪm 'filɪŋ `sɪk\ ɪz ðər ə `doktə ə`bɔd*]
am. [*aɪm 'filɪŋ `sɪk\ ɪz ðər ə `daktər ə`bord*]

Czy mogę prosić o jakiś środek przeciw chorobie morskiej.
May I have something for seasickness?
bryt. [*meɪ aɪ 'hæv `sʌmθɪŋ fə `sisɪknɪs*]
am. [*meɪ aɪ 'hæv `sʌmθɪŋ fər `sisɪknɪs*]

7. MIASTO
TOWN
[*taun*]

a) Poruszanie się po mieście
Moving about town
[*`muvɪŋ ə'baut `taun*]

Przepraszam, czy tą ulicą dojadę do centrum?
Excuse me, is this the right road for the centre <*am.* downtown>?
bryt. [*ɪk`skjuz mɪ ɪz `ðɪs ðə `raɪt 'rəud fə ðə `sentə*]
am. [*ɪk`skjuz mɪ ɪz `ðɪs ðə `raɪt 'roud fər `dauntaun*]

Tak, proszę iść prosto i skręcić w prawo/lewo.
Yes, go straight ahead and turn right/left.
bryt. [*jes 'gəu `streɪt ə'hed ən `tɜn `raɪt\`left*]
am. [*jes 'gou `streɪt ə'hed ən `tərn `raɪt\`left*]

Nie, trzeba iść w przeciwnym kierunku.
No, you must go in the opposite direction.
bryt. [*nəu ju məst `gəu ɪn ðɪ `opəsɪt daɪ`rekʃn*]
am. [*nou ju məst `gou ɪn ðɪ `opəzɪt dɪ`rekʃn*]

Pójdę z panem/panią. Idę w tym samym kierunku.
I'll take you there. I'm going the same way.
bryt. [*aɪl `teɪk ju `ðeə\ aɪm `gəuɪŋ ðə `seɪm `weɪ*]
am. [*aɪl `teɪk ju `ðer\ aɪm `gouɪŋ ðə `seɪm `weɪ*]

Przepraszam, szukam tego adresu. Czy może mi pan/pani pomóc?
Excuse me, I'm looking for this address. Can you help me?
bryt. [*ɪk`skjuz mɪ aɪm `lukɪŋ fə ðɪs ə`dres\kən ju `help mɪ*]
am. [*ɪk`skjuz mɪ aɪm `lukɪŋ fər ðɪs ə`dres\ kən ju `help mɪ*]

Proszę bardzo. Pokażę panu/pani na planie miasta.
Certainly. I'll show you on the town map.
bryt. [*`sɜtnlɪ \ aɪl `ʃəu ju on ðə `taun 'mæp*]
am. [*`sərtnlɪ \ aɪl `ʃou ju an ðə `taun 'mæp*]

Czy to daleko stąd?
Is it far from here?
bryt. [*ɪz ɪt `fa frəm 'hɪə*]
am. [*ɪz ɪt `far frəm 'hir*]

Nie jest daleko. Może pan/pani iść pieszo.
It's not far. You can go there on foot.
bryt. [*ɪts `not 'fa\ ju kən `gəu 'ðeə on `fut*]
am. [*ɪts `nat 'far\ ju kən `gou 'ðer an `fut*]

To daleko stąd. Trzeba jechać metrem/autobusem/tramwajem.
It's (quite) far from here. You've got to take an underground <*am.* a subway>/a bus/a tram <*am.* a streetcar>.
bryt. [*ɪts (kwaɪt) `fa frəm 'hɪə\ juv 'got tə `teɪk ən `ʌndəgraund \ə `bʌs\ə `træm*]
am. [*ɪts (kwaɪt) `far frəm 'hɪr\ juv 'gat tə `teɪk ə `sʌbweɪ\ə `bʌs\ə `stritkar*]

Gdzie jest najbliższy przystanek autobusowy/tramwajowy?
Where's the nearest bus/tram <*am.* streetcar> stop?
bryt. [*`weəz ðə 'nɪərɪst `bʌs\`træm 'stop*]
am. [*`hwerz ðə 'nirɪst `bʌs\`stritkar 'stap*]

Gdzie jest najbliższa stacja metra?
Where's the nearest underground <*am.* subway> station?
bryt. [*`weəz ðə `nɪərɪst `ʌndəgraund 'steɪʃn*]
am. [*`hwerz ðə `nirɪst `sʌbweɪ 'steɪʃn*]

W którą stronę mam iść/jechać?
Which direction do I take?
bryt. [*wɪtʃ daɪ`rekʃn du aɪ `teɪk*]
am. [*hwɪtʃ dɪ`rekʃn du aɪ `teɪk*]

b) Komunikacja miejska
Public transport <*am.* transportation>
bryt. [*`pʌblɪk `trænspɔt*]
am. [*`pʌblɪk 'trænspər`teɪʃn*]

Gdzie mogę kupić bilet tramwajowy/autobusowy/do metra?
Where can I get a tram <*am.* a streetcar>/a bus/an underground <*am.* a subway> ticket?
bryt. [*`weə kən aɪ 'get ə `træm \ə `bʌs\ən `ʌndəgraund `tɪkɪt*]
am. [*`hwer kən aɪ 'get ə `stritkar\ə `bʌs\ə `sʌbweɪ `tɪkɪt*]

Proszę dwa bilety do stacji Centrum/Union Square.
Two tickets to Central Station/to Union Square Station, please.
bryt. [*`tu 'tɪkɪts tə `sentrəl 'steɪʃn \`junɪən skweə `steɪʃn pliz*]
am. [*`tu 'tɪkɪts tə `sentrəl 'steɪʃn \`junɪən skwer `steɪʃn pliz*]

Proszę bilet dzienny/tygodniowy do metra.
A daily/weekly travel card, please.
bryt. [*ə `deɪlɪ\`wiklɪ `trævl 'kɑd pliz*]
am. [*ə `deɪlɪ\`wiklɪ `trævl 'kɑrd pliz*]

Gdzie znajdę plan metra?
Where can I find the map of the underground <*am.* subway>.
bryt. [*`weə kən ɑɪ `fɑɪnd ðə 'mæp əv ðɪ `ʌndəgrɑund*]
am. [*`hwer kən ɑɪ `fɑɪnd ðə 'mæp əv ðə `sʌbweɪ*]

Czy są tu automaty do sprzedaży biletów?
Are there any ticket machines (here)?
bryt. [*ə ðər enɪ `tɪkɪt mə`ʃinz (hɪə)*]
am. [*ər ðər enɪ `tɪkɪt mə`ʃinz (hir)*]

Czy tym autobusem dojadę na lotnisko?
Is this the right bus for the airport?
bryt. [*ɪz `ðɪs ðə `rɑɪt 'bʌs fə ðɪ `eəpɔt*]
am. [*ɪz `ðɪs ðə `rɑɪt 'bʌs fər ðɪ `erport*]

Na którym przystanku mam wysiąść?
At which stop should I get off?
bryt. [*æt wɪtʃ `stop ʃəd ɑɪ `get 'of*]
am. [*æt hwɪtʃ `stap ʃəd ɑɪ `geD 'af*]

Czy pan/pani teraz wysiada?
Are you getting off now?
bryt. [*`ɑ ju 'getɪŋ `of nɑu*]
am. [*`ɑr ju 'geDɪŋ `af nɑu*]

O której jest pierwszy/ostatni autobus/pociąg metra?
What time is the first/last bus/ underground <*am.* subway>?
bryt. [*wot `tɑɪm ɪz ðə `fɜst\`lɑst `bʌs\`ʌndəgrɑund*]
am. [*hwat `tɑɪm ɪz ðə `fərst\`læst `bʌs\`sʌbweɪ*]

Gdzie jest postój taksówek?
Where's the taxi rank <*am.* stand>?
bryt. [*`weəz ðə `tæksɪ 'ræŋk*]
am. [*`hwerz ðə `tæksɪ 'stænd*]

Proszę pod ten adres.
Could you take me to this address, please.
[*kəd ju `teɪk mɪ tə ðɪs ə`dres pliz*]

Proszę na dworzec.
To the railway <*am.* railroad> station, please.
bryt. [*tə ðə `reɪlweɪ 'steɪʃn pliz*]
am. [*tə ðə `reɪlroud 'steɪʃn pliz*]

Czy weźmie pan ten bagaż?
Would you take this luggage <*am.* baggage>?
bryt. [*wəd ju `teɪk ðɪs `lʌgɪdʒ*]
am. [*wəd ju `teɪk ðɪs `bægɪdʒ*]

Proszę na mnie chwilę zaczekać.
Wait for me a moment, please.
bryt. [*`weɪt fə mɪ ə `məumənt pliz*]
am. [*`weɪt fər mɪ ə `moumənt pliz*]

Ile płacę?
How much is it?
[*hau `mʌtʃ ɪz ɪt*]

c) Zwiedzanie miasta
Sightseeing
[*`saɪtsiɪŋ*]

Chciałbym/chciałabym pojechać na wycieczkę autokarową po mieście.
I'd like to take a bus sightseeing tour of the town <*am.* city>.
bryt. [*aɪd 'laɪk tə `teɪk ə 'bʌs `saɪtsiɪŋ 'tuə əv ðə `taun*]
am. [*aɪd 'laɪk tə `teɪk ə 'bʌs `saɪtsiɪŋ 'tur əv ðə `sɪDɪ*]

Czy w tym mieście jest taki autokar?
Is there such a bus in this town <*am.* city>?
bryt. [*ɪz ðeə 'sʌtʃ ə `bʌs ɪn ðɪs `taun*]
am. [*ɪz ðər 'sʌtʃ ə `bʌs ɪn ðɪs `sɪDɪ*]

Skąd odjeżdża ten autokar?
Where does this bus start from?
bryt. [*`weə dəz ðɪs 'bʌs `stɑt 'from*]
am. [*`hwer dəz ðɪs 'bʌs `stɑrt 'frɑm*]

Jak często kursuje ten autokar?
How frequently/often does this bus run?
bryt. [*hɑu `frikwəntlɪ \`ofn dəz ðɪs 'bʌs `rʌn*]
am. [*hɑu `frikwəntlɪ \`ɑfn dəz ðɪs 'bʌs `rʌn*]

Ile kosztuje bilet?
What's the fare?
bryt. [*`wots ðə `feə*]
am. [*`hwɑts ðə `fer*]

Jak długo trwa zwiedzanie?
How long does the tour take?
bryt. [*hɑu `loŋ dəz ðə 'tuə `teɪk*]
am. [*hɑu `loŋ dəz ðə 'tur `teɪk*]

W jakim języku mówi przewodnik?
What language does the guide use?
bryt. [*wot `læŋgwɪdʒ dəz ðə `gɑɪd `juz*]
am. [*hwɑt `læŋgwɪdʒ dəz ðə `gɑɪd `juz*]

Chciałbym/chciałabym obejrzeć katedrę/galerię obrazów/ Stare Miasto/zamek.
I'd like to see the cathedral/the picture gallery/(the) old town/ the castle.
bryt. [*ɑɪd 'lɑɪk tə `si ðə kə`θidrl\ðə `pɪktʃə `gælərɪ\ðə `əuld `tɑun\ðə `kɑsl*]
am. [*ɑɪd 'lɑɪk tə `si ðə kə`θidrl\ðə `pɪktʃər `gælərɪ\(ðə) `ould `tɑun\ðə `kæsl*]

Czyj to pomnik?
Whose monument is this?
bryt. [*`huz 'monjumənt ɪz `ðɪs*]
am. [*`huz 'mɑnjumənt ɪz `ðɪs*]

Chciałbym/chciałabym pojechać na cmentarz.
I'd like to go to the cemetery.
bryt. [*aɪd 'laɪk tə `gəu tə ðə `semɪtrɪ*]
am. [*aɪd 'laɪk tə `gou tə ðə `seməterɪ*]

To jest Grób Nieznanego Żołnierza.
This is the tomb of the unknown soldier.
bryt. [*`ðɪs ɪz ðə `tum əv ðɪ ʌn`nəun `səuldʒə*]
am. [*`ðɪs ɪz ðə `tum əv ðɪ ʌn`noun `souldʒər*]

W tym domu urodził się Szopen.
Chopin was born in this house.
bryt. [*`ʃopæn wəz `bɔn ɪn ðɪs `haus*]
am. [*`ʃopæn wəz `bɔrn ɪn ðɪs `haus*]

Czy można zwiedzić parlament/budynek Kongresu?
Can we visit the parliament/Congress?
bryt. [*kən wɪ `vɪzɪt ðə `paləmənt \`koŋgres*]
am. [*kən wɪ `vɪzɪt ðə `parləmənt \`kɔŋgres*]

Czy jedziemy także do opactwa?
Are we also going to the abbey?
bryt. [*ə wɪ 'ɔlsəu `gəuɪŋ tə ðɪ `æbɪ*]
am. [*ər wɪ 'ɔlsou `gouɪŋ tə ðɪ `æbɪ*]

Czy będziemy także zwiedzali okolice miasta?
Are we also going to do any sightseeing out of town?
bryt. [*ə wɪ 'ɔlsəu `gəuɪŋ tə 'du enɪ `saɪtsiɪŋ `aut əf `taun*]
am. [*ər wɪ 'ɔlsou `gouɪŋ tə 'du enɪ `saɪtsiɪŋ `aut əf `taun*]

Jaki to park?
Which park is it?
bryt. [*`wɪtʃ `pak ɪz ɪt*]
am. [*`hwɪtʃ `park ɪz ɪt*]

Co to za ruiny?
What are these ruins?
bryt. [*`wot ə ðiz `ruɪnz*]
am. [*`hwat ər ðiz `ruɪnz*]

Chciałbym/chciałabym pojechać do ogrodu zoologicznego.
I'd like to go to the zoo.
bryt. [*aıd 'laık tə `gəu tə ðə `zu*]
am. [*aıd 'laık tə `gou tə ðə `zu*]

Co warto by obejrzeć w tym mieście?
What's worth seeing in this town <*am.* city>?
bryt. [*`wots 'wɜθ `siıŋ ın ðıs `taun*]
am. [*`hwats 'wərθ `siıŋ ın ðıs `sıDı*]

Czy jest tu kościół katolicki/protestancki?
Is there a Roman Catholic/Protestant church here?
bryt. [*ız ðeə ə `rəumən `kæθlık\`protıstənt `tʃɜtʃ 'hıə*]
am. [*ız ðər ə `roumən `kæθlık\`pratıstənt `tʃərtʃ 'hir*]

Czy jest tu synagoga?
Is there a synagogue (here)?
bryt. [*ız ðeə ə `sınəgog 'hıə*]
am. [*ız ðər ə `sınəgog ('hir)*]

8. TELEFON I FAKS
TELEPHONE AND FAX
bryt. [*`teləfəun ən `fæks*]
am. [*`teləfoun ən `fæks*]

Czy w automatach telefonicznych używa się kart magnetycznych, monet czy żetonów?
Can I use phone cards, coins or tokens for payphones?
bryt. [*kən aı 'juz `fəun kadz `koınz ə `təukənz fə `peıfəunz*]
am. [*kən aı 'juz `foun kardz `koınz ər `toukənz fər `peıfounz*]

Gdzie mogę kupić kartę magnetyczną/żeton?
Where can I buy a phone card/a token?
bryt. [*`weə kən aı 'baı ə `fəun kad \ ə `təukən*]
am. [*`hwer kən aı 'baı ə `foun kard \ ə `toukən*]

Czy mogę prosić o książkę telefoniczną?
May I have a directory?
bryt. [*meɪ ɑɪ 'hæv ə dɑɪ`rektrɪ*]
am. [*meɪ ɑɪ 'hæv ə dɪ`rektrɪ*]

Jaki jest numer kierunkowy do Londynu/Waszyngtonu?
What's the area code for London/Washington?
bryt. [*`wots ðɪ `eərɪə kəud fə `lʌndn \`woʃɪŋtən*]
am. [*`hwats ðɪ `erɪə koud fər `lʌndn \`waʃɪŋtən*]

Czy mogę zadzwonić z tego aparatu?
May I use this phone?
bryt. [*meɪ ɑɪ 'juz `ðɪs 'fəun*]
am. [*meɪ ɑɪ 'juz `ðɪs 'foun*]

Czy może mi pan/pani pomóc połączyć się z Paryżem/ Warszawą?
Would you help to me to get a connection with Paris/Warsaw, please?
bryt. [*wəd ju `help mɪ tə 'get ə kə`nekʃn wɪð `pærɪs \`wɔsɔ pliz*]
am. [*wəd ju `help mɪ tə 'geD ə kə`nekʃn wɪð `pærɪs \`wɔrsɔ pliz*]

Nie słyszę.
I can't hear you
bryt. [*ɑɪ `kɑnt 'hɪə ju*]
am. [*ɑɪ `kænt 'hir ju*]

Proszę mówić głośniej.
Speak up, please.
[*'spik `ʌp pliz*]

Numer jest zajęty.
The number's engaged <*am.* busy>.
bryt. [*ðə `nʌmbəz ɪn`geɪdʒd*]
am. [*ðə `nʌmbərz `bɪzɪ*]

Przepraszam, pomyłka.
Sorry, wrong number.
bryt. [*`sorı 'roŋ `nʌmbə*]
am. [*`sarı 'roŋ `nʌmbər*]

Ile płacę za rozmowę?
How much for the call?
bryt. [*hau `mʌtʃ fə ðə `kɔl*]
am. [*hau `mʌtʃ fər ðə `kɔl*]

Chciałbym/chciałabym zamówić rozmowę na koszt rozmówcy.
I want to make a reversed charges <*am.* a collect> call.
bryt. [*aı 'wont tə 'meık ə rı`vɜst `tʃadʒız `kɔl*]
am. [*aı 'want tə 'meık ə kə`lekt `kɔl*]

Jak długo będę czekał/czekała?
How long must I wait?
[*hau `loŋ məst aı `weıt*]

Czy jest tutaj faks?
Is there a fax here?
bryt. [*ız ðeə ə `fæks 'hıə*]
am. [*ız ðər ə `fæks 'hir*]

Czy mogę skorzystać z tego aparatu?
May I use this fax machine?
[*meı aı 'juz ðıs 'fæks mə`ʃin*]

Chciałbym/chciałabym wysłać faks do mojej firmy.
I'd like to send a fax to my company.
[*aıd 'laık tə 'send ə `fæks tə maı `kʌmpənı*]

Czy może mi pan/pani pomóc?
Can you help me?
[*kən ju `help mı*]

Ile jestem winien/winna?
How much do I owe you?
bryt. [*hau `mʌtʃ du aɪ `əu ju*]
am. [*hau `mʌtʃ du aɪ `ou ju*]

9. POCZTA
POST OFFICE
bryt. [*`pəust 'ofɪs*]
am. [*`poust 'afɪs*]

Przepraszam, gdzie jest poczta?
Excuse me, where's the post office?
bryt. [*ɪk`skjuz mɪ `weəz ðə `pəust ofɪs*]
am. [*ɪk`skjuz mɪ `hwerz ðə `poust afɪs*]

W jakich godzinach jest czynna?
What are the opening <*am.* business> hours?
bryt. [*`wot ə ðɪ `əupənɪŋ `ɑuəz*]
am. [*`hwat ər ðɪ `bɪznɪs `ɑuərz*]

Proszę dwa znaczki na list do Polski (zwykły, polecony).
Two stamps for a second class <*am.* standard>, registered letter to Poland, please.
bryt. [*`tu `stæmps fər ə `sekənd klɑs `redʒɪstəd `letə tə `pəulənd pliz*]
am. [*`tu `stæmps fər ə `stæn(D)ərd `redʒɪstərd `leDər tə `poulənd pliz*]

Proszę znaczek na list lotniczy/ekspresowy do Nowego Jorku/Londynu.
Please give me an air mail/an express letter stamp to New York/ London.
bryt. [*pliz`gɪv mɪ ən `eə meɪl\ɪk`spres letə `stæmp tə `nju jɔk \`lʌndn*]
am. [*pliz `gɪv mɪ ən `er meɪl\ɪk`spres leDər `stæmp tə `nu jork \`lʌn(D)n*]

Proszę znaczek na kartę pocztową do Polski.
A postcard stamp to Poland, please.
bryt. [*ə `pəustkad `stæmp tə `pəulənd pliz*]
am. [*ə `poustkard `stæmp tə `poulənd pliz*]

Gdzie mogę kupić papier listowy/koperty/widokówki?
Where can I buy stationery/envelopes/picture postcards?
bryt. [*`weə kən aɪ `baɪ `steɪʃnrɪ\`envələups\'pɪktʃə `pəustkadz*]
am. [*`hwer kən aɪ `baɪ `steɪʃnərɪ\`envəloups\'pɪktʃər `poustkardz*]

Chciałbym/chciałabym nadać paczkę do Polski.
I'd like to send a parcel to Poland.
bryt. [*aɪd 'laɪk tə `send ə `pasl tə `pəulənd*]
am. [*aɪd 'laɪk tə `send ə `parsl tə `poulənd*]

Ile ona waży?
How much does it weigh?
[*hau `mʌtʃ dəz ɪt `weɪ*]

Poproszę formularz na paczkę.
Give me a parcel form, please.
bryt. [*`gɪv mɪ ə `pasl 'fɔm pliz*]
am. [*`gɪv mɪ ə `parsl 'fɔrm pliz*]

Ile to będzie kosztowało?
How much will that be?
[*hau `mʌtʃ wɪl `ðæt bɪ*]

Chciałbym/chciałabym nadać telegram.
I'd like to send a telegram.
[*aɪd 'laɪk tə `send ə `teləgræm*]

Ile kosztuje jedno słowo w telegramie zwykłym/z opłaconą odpowiedzią?
How much is a word in a standard telegram/in a telegram with prepaid reply?
bryt. [*hau `mʌtʃ ɪz ə `wɜd ɪn ə `stændəd 'teləgræm\ɪn ə `teləgræm wɪð `pripeɪd rɪ `plaɪ*]
am. [*hau `mʌtʃ ɪz ə `wərd ɪn ə `stæn(D)ərd 'teləgræm\ɪn ə `teləgræm wɪð `pripeɪd rɪ `plaɪ*]

Poproszę formularz na telegram.
A telegram form, please.
bryt. [*ə `teləgræm 'fɔm pliz*]
am. [*ə `teləgræm 'form pliz*]

Czy są dla mnie jakieś listy na poste restante?
Are there any poste restante letters <*am.* Is there any general delivery mail> for me?
bryt. [*ə ðər enɪ `pəust rɪ'stænt `letəz fə mɪ*]
am. [*ɪz ðər eni `dʒenrəl dɪ`lɪvrɪ 'meɪl fər mɪ*]

Nazywam się Jan Nowak.
My name's Jan Nowak.
[*maɪ `neɪmz jan `nɔvæk*]

Gdzie jest skrytka pocztowa?
Where's the post office box?
bryt. [*`weəz ðə `pəust ofɪs 'boks*]
am. [*`hwerz ðə `poust afɪs 'baks*]

Jestem filatelistą. Czy może mi pan/pani pokazać nowości?
I'm a stamp collector. Would you show me the newest stamps?
bryt. [*aɪm ə 'stæmp kə`lektə\ wəd ju `ʃəu mɪ ðə `njuɪst `stæmps*]
am. [*aɪm ə 'stæmp kə`lektər\ wəd ju `ʃou mɪ ðə `nuɪst `stæmps*]

10. BANK
BANK
[*bæŋk*]

Czy może mi pan/pani powiedzieć, gdzie jest najbliższy kantor wymiany walut?
Can you tell me where the nearest bureau de change <*am.* where the nearest currency exchange is>?
bryt. [*kən ju `tel mɪ `weə ðə 'nɪərɪst `bjuərəu də 'ʃondʒ ɪz*]
am. [*kən ju `tel mɪ `hwer ðə 'nirɪst `kʌrənsɪ ɪks`tʃeɪndʒ ɪz*]

Gdzie jest najbliższy bank?
Where's the nearest bank?
bryt. [*`weəz ðə 'nɪərɪst `bæŋk*]
am. [*`hwerz ðə 'nirɪst `bæŋk*]

Chciałbym/chciałabym wymienić dolary amerykańskie na funty.
I'd like to exchange US dollars into pounds.
bryt. [*aɪd 'laɪk tu ɪks`tʃeɪndʒ 'ju 'es `doləz ɪntə `paundz*]
am. [*aɪd 'laɪk tu ɪks`tʃeɪndʒ 'ju 'es `dalərz ɪntə `paundz*]

Jaki jest dzisiaj kurs wymiany?
What's today's rate of exchange?
bryt. [*`wots tə'deɪz 'reɪt əv ɪks`tʃeɪndʒ*]
am. [*`hwats tə'deɪz 'reɪD əv ɪks`tʃeɪndʒ*]

Ile wynosi prowizja?
What's the commission?
bryt. [*`wots ðə kə`mɪʃn*]
am. [*`hwats ðə kə`mɪʃn*]

Chciałbym/chciałabym zrealizować czek.
I'd like to cash a cheque <*am.* check>.
[*aɪd 'laɪk tə `kæʃ ə `tʃek*]

Czy może mi pan/pani rozmienić ten banknot?
Can you change this bank note <*am.* bill>?
bryt. [*kən ju `tʃeɪndʒ ðɪs `bæŋk nəut*]
am. [*kən ju `tʃeɪndʒ ðɪs `bɪl*]

Mam tutaj swoje konto. Proszę, to jest numer mojego konta.
I've got <*am.* I have> an account with you. Here's my account number.
bryt. [*aɪv 'got ən ə`kaunt wɪð ju\ hɪəz maɪ ə`kaunt `nʌmbə*]
am. [*aɪ 'hæv ən ə`kaunt wɪð ju\ hirz maɪ ə`kaunt `nʌmbər*]

Chciałbym/chciałabym wpłacić pieniądze na swoje konto.
I'd like to deposit money into my account.
bryt. [*aɪd 'laɪk tə dɪ`pozɪt `mʌnɪ ɪntə maɪ ə`kaunt*]
am. [*aɪd 'laɪk tə dɪ`pazɪt `mʌnɪ ɪntə maɪ ə`kaunt*]

Chciałbym/chciałabym podjąć pieniądze z mojego konta.
I'd like to withdraw money from my account.
[*aɪd 'laɪk tə wɪð`drɔ `mʌnɪ frəm maɪ ə`kaunt*]

Chciałbym/chciałabym wpłacić pieniądze na konto pana Kowalskiego.
I'd like to deposit money into Mr Kowalski's account.
bryt. [*aɪd 'laɪk tə dɪ`pozɪt `mʌnɪ ɪntə mɪstə kə`volskɪz ə`kaunt*]
am. [*aɪd 'laɪk tə dɪ`pazɪt `mʌnɪ ɪntə mɪstər kə`volskɪz ə`kaunt*]

Proszę, to jest jego numer.
Here's his account number.
bryt. [*'hɪəz hɪz ə`kaunt `nʌmbə*]
am. [*'hirz hɪz ə`kaunt `nʌmbər*]

Chciałbym/chciałabym przekazać pieniądze do Polski.
I'd like to transfer money to Poland.
bryt. [*aɪd 'laɪk tə træns`fɜ `mʌnɪ tə `pəulənd*]
am. [*aɪd 'laɪk tə træns`fər `mʌnɪ tə `poulənd*]

Chciałbym/chciałabym otworzyć sobie rachunek oszczędnościowy.
I'd like to open a savings account with you.
bryt. [*aɪd 'laɪk tu `əupn ə `seɪvɪŋz ə'kaunt wɪð ju*]
am. [*aɪd 'laɪk tu `oupn ə `seɪvɪŋz ə'kaunt wɪð ju*]

Proszę, to jest mój dowód/paszport.
Here's my identity card <ID>/passport.
bryt. [*'hɪəz maɪ aɪ`dentɪtɪ 'kad < 'aɪ `dɪ>\`paspɔt*]
am. [*'hirz maɪ aɪ`den(D)əDɪ 'kard < 'aɪ `dɪ>\`pæsport*]

Czy mogę prosić o kartę do bankomatu?
May I have a cashcard for the service till <*am.* cash machine>?
bryt. [*meɪ aɪ 'hæv ə `kæʃkad fə ðə `sɜvɪs tɪl*]
am. [*meɪ aɪ 'hæv ə `kæʃkard fər ðə `kæʃ mə'ʃin*]

11. POLICJA
POLICE
[*pə`lis*]

Panie policjancie, proszę mi pomóc.
Could you help me please, officer?
bryt. [*kəd ju `help mɪ pliz `ofɪsə*]
am. [*kəd ju `help mɪ pliz `afɪsər*]

Szukam tego adresu. Nie mogę znaleźć go na planie miasta.
I'm looking for this address. I can't find it on the city map.
bryt. [*aɪm `lukɪŋ fə ðɪs ə`dres \ aɪ `kant `faɪnd ɪt on ðə `sɪtɪ 'mæp*]
am. [*aɪm `lukɪŋ fər ðɪs ə`dres \ aɪ `kænt `faɪnd ɪt an ðə `sɪDɪ 'mæp*]

Zabłądziłem/zabłądziłam.
I'm lost.
bryt. [*aɪm `lost*]
am. [*aɪm `last*]

Okradziono mnie.
I've been mugged.
[*aɪv bɪn `mʌgd*]

Skradziono mi dokumenty/pieniądze/samochód.
My documents have/my money's/my car's been stolen.
bryt. [*maɪ `dokjumənts həv\maɪ `mʌnɪz\maɪ `kaz bɪn `stəuln*]
am. [*maɪ `dakjumənts həv\maɪ `mʌnɪz\maɪ `karz bɪn `stouln*]

Włamano mi się do samochodu.
My car's been broken into.
bryt. [*maɪ `kaz bɪn 'brəukn `ɪntu*]
am. [*maɪ `karz bɪn 'broukn `ɪntu*]

Zgubiłem/zgubiłam moją walizkę. Gdzie jest biuro rzeczy znalezionych?
I've lost my suitcase. Where's the lost property <*am.* Lost and Found> office?
bryt. [*aɪv 'lost maɪ `sjutkeɪs\ `weəz ðə 'lost `propətɪ 'ofɪs*]
am. [*aɪv 'last maɪ `sutkeɪs\`hwerz ðə `last ən `faund 'afɪs*]

Gdzie jest posterunek policji?
Where's the police station?
bryt. [*`weəz ðə pə`lis 'steɪʃn*]
am. [*`hwerz ðə pə`lis 'steɪʃn*]

Czy może mi pan/pani pomóc nawiązać kontakt z polską ambasadą?
Could you help me (to) get in touch with the Polish Embassy?
bryt. [*kəd ju 'help mɪ tə 'get ɪn `tʌtʃ wɪð ðə 'pəulɪʃ `embəsɪ*]
am. [*kəd ju 'help mɪ (tə) 'get ɪn `tʌtʃ wɪð ðə 'poulɪʃ `embəsɪ*]

Czy może pan/pani zawiadomić konsulat/ambasadę mojego kraju?
Could you notify the consulate/embassy of my country?
bryt. [*kəd ju `nəutɪfaɪ ðə `konsjulət\`embəsɪ əv maɪ `kʌntrɪ*]
am. [*kəd ju `nouDəfaɪ ðə `kanslət\`embəsɪ əv maɪ `kʌntrɪ*]

12. HOTEL, MOTEL, PENSJONAT, KWATERA PRYWATNA

HOTEL, MOTEL, BOARDING HOUSE, ROOMS TO LET <*am.* ROOMS FOR RENT>
bryt. [*həu`tel\məu`tel\`bɔdɪŋ haus\`rums tə `let*]
am. [*hou`tel\mou`tel\`bordɪŋ haus\`rums fər `rent*]

Szukamy hotelu lub pensjonatu niedaleko plaży/z dala od centrum.
We're looking for a hotel/a boarding house close to the beach/ far from the city centre <*am.* center>.
bryt. [*wɪ ə `lukɪŋ far ə həu`tel\ə `bɔdɪŋ 'haus 'kləus tə ðə `bitʃ\`fa frəm ðə `sɪtɪ sentə*]
am. [*wɪ ər `lukɪŋ fər ə hou`tel\ə `bordɪŋ 'haus 'klous tə ðə `bitʃ\`far frəm ðə `sɪDɪ sen(D)ər*]

Czy może nam pan/pani coś polecić?
Could you recommend us something?
[*kəd ju rekə`mend əs `sʌmθɪŋ*]

Czy jest tu biuro zakwaterowań?
Is there a room vacancies information bureau here?
bryt. [*ɪz ðər ə 'rum `veɪkənsɪz ɪnfə`meɪʃn 'bjuərəu hɪə*]
am. [*ɪz ðər ə 'rum `veɪkənsɪz ɪnfər`meɪʃn 'bjurou hir*]

Czy może nam pan/pani podać adres?
Could you give us the address?
[*kəd ju `gɪv əs ðɪ ə`dres*]

Czy możemy prosić o listę hoteli?
May we have a list of hotels?
bryt. [*meɪ wɪ 'hæv ə `lɪst əv həu`telz*]
am. [*meɪ wɪ 'hæv ə `lɪst əv hou`telz*]

Czy są wolne pokoje?
Are there any vacancies?
bryt. [*ə ðər enɪ `veɪkənsɪz*]
am. [*ər ðər enɪ `veɪkənsɪz*]

Zarezerwowałem/Zarezerwowałam tutaj pokój listownie/telefonicznie/faksem.
I've booked <*am.* I've reserved> a room here by letter/phone/fax.
bryt. [*aɪv `bukt ə `rum hɪə baɪ `letə\`fəun\`fæks*]
am. [*aɪv rɪ`zərvd ə `rum hir baɪ `leDər\`foun\`fæks*]

Nazywam się Jan Nowak.
My name's Jan Nowak.
[*maɪ `neɪmz jan `nouvæk*]

Zarezerwowaliśmy dla pana/pani pokój nr 110.
We've reserved room number 110 for you.
bryt. [*wɪv rɪ`zɜvd 'rum 'nʌmbə `wʌn hʌndrɪd ən `ten fə ju*]
am. [*wɪv rɪ`zərvd 'rum 'nʌmbər `wʌn hʌndrɪd ən `ten fər ju*]

Proszę pokój pojedynczy/dwuosobowy/z podwójnym łóżkiem.
A single/double room/a room with twin beds, please.
[*ə `sɪŋgl\`dʌbl rum\ə `rum wɪð 'twɪn `bedz pliz*]

Czy to jest pokój z łazienką/toaletą?
Does the room have a bath/toilet?
bryt. [*dəz ðə `rum 'hæv ə `baθ \`tɔɪlɪt*]
am. [*dəz ðə `rum 'hæv ə `bæθ \`tɔɪlɪt*]

Prosimy dwa pojedyncze pokoje.
We'd like two single rooms.
[*wɪd 'laɪk `tu `sɪŋgl 'rumz*]

Ile kosztuje nocleg?
How much is a room for one night?
bryt. [*hau `mʌtʃ ɪz ə `rum fə `wʌn 'naɪt*]
am. [*hau `mʌtʃ ɪz ə `rum fər `wʌn 'naɪt*]

Czy w cenę pokoju wliczone jest śniadanie?
Is breakfast included in the price of the room?
[*ɪz `brekfəst ɪn`kludɪd ɪn ðə `praɪs əv ðə `rum*]

Ile kosztuje pokój z pełnym wyżywieniem?
How much is a room with full board?
bryt. [*hau `mʌtʃ ɪz ə `rum wɪð `ful 'bɔd*]
am. [*hau `mʌtʃ ɪz ə `rum wɪð `ful 'bord*]

Ile się płaci za pięcioletnie dziecko?
How much do you charge for a five-year-old child?
bryt. [*hau `mʌtʃ də ju `tʃadʒ fər ə `faɪv-jɪə-'əuld `tʃaɪld*]
am. [*hau `mʌtʃ də ju `tʃardʒ fər ə `faɪv-jɪər-'ould `tʃaɪld*]

Ile kosztuje pokój bez wyżywienia?
How much is a room without meals?
[*hau `mʌtʃ ɪz ə `rum wɪ`ðaut 'milz*]

Czy w pokoju jest centralne ogrzewanie/telefon/telewizor/klimatyzacja?
Is there central heating/a telephone/a television/air-conditioning in the room?
bryt. [*ɪz ðeə `sentrl 'hitɪŋ\ə `teləfəun\ə `telɪvɪʒn\eəkən`dɪʃənɪŋ ɪn ðə `rum*]
am. [*ɪz ðər `sentrl 'hiDɪŋ\ə `teləfoun\ə `telɪvɪʒn\ 'erkən`dɪʃənɪŋ ɪn ðə `rum*]

Czy mogę zobaczyć ten pokój?
May I see the room?
[*meɪ aɪ `si ðə `rum*]

Wezmę ten pokój na 3 dni/na tydzień.
I'll take the room for three nights/a week.
bryt. [*aɪl `teɪk ðə `rum fə `θri 'naɪts\ə `wik*]
am. [*aɪl `teɪk ðə `rum fər `θri 'naɪts\ə `wik*]

Poproszę o klucz do pokoju.
May I have a key to the room?
[*meɪ aɪ 'hæv ə `ki tə ðə `rum*]

Pokój jest na trzecim piętrze. Winda prosto i w prawo.
The room's on the third floor. The lift <*am.* elevator> is straight ahead and to the right.
bryt. [*ðə `rumz on ðə `θɜd 'flɔ\ ðə `lɪft ɪz 'streɪt ə`hed ən tə ðə `raɪt*]
am. [*ðə `rumz an ðə `θərd 'flor\ ðɪ `eləveɪDər ɪz 'streɪt ə`hed ən tə ðə `raɪt*]

Gdzie możemy zostawić samochód?
Where can we leave the car?
bryt. [*`weə kən wɪ `liv ðə `ka*]
am. [*`hwer kən wɪ `liv ðə `kar*]

Czy będzie tu bezpieczny?
Will it be safe here?
bryt. [*wɪl ɪt 'bɪ `seɪf 'hɪə*]
am. [*wɪl ɪt 'bɪ `seɪf 'hir*]

Czy mogę te dokumenty/biżuterię zostawić w sejfie hotelowym?
May I leave these documents/this jewellery in the hotel safe?
bryt. [*meɪ aɪ `liv ðiz `dokjumənts\ðɪs `dʒuəlrɪ ɪn ðə 'həutel `seɪf*]
am. [*meɪ aɪ `liv ðiz `dakjumənts\ðɪs `dʒuəlrɪ ɪn ðə 'houtel `seɪf*]

Czy można dostać śniadanie do pokoju?
May I have breakfast in my room?
[*meɪ aɪ 'hæv `brekfəst ɪn maɪ `rum*]

Czy mogę prosić o wazonik na kwiaty/dodatkowy koc/dodatkową poduszkę?
May I have a flower vase/an extra blanket/a(n extra) pillow?
bryt. [*meɪ aɪ 'hæv ə `flauə 'vaz \ən 'ekstrə `blæŋkɪt \ə(n 'ekstrə) `pɪləu*]
am. [*meɪ aɪ 'hæv ə `flauər 'veɪs\ən 'ekstrə `blæŋkɪt \ə(n 'ekstrə) `pɪlou*]

Poproszę pański/pani paszport.
May I have your passport, please?
bryt. [*meɪ aɪ 'hæv jɔ `paspɔt pliz*]
am. [*meɪ aɪ 'hæv jər `pæsport pliz*]

Proszę wypełnić ten formularz.
Fill in this form, please.
bryt. [*`fɪl ɪn ðɪs `fɔm pliz*]
am. [*`fɪl ɪn ðɪs `fɔrm pliz*]

Proszę tutaj podpisać.
Please sign here.
bryt. [*pliz `saɪn `hɪə*]
am. [*pliz `saɪn `hir*]

Wyjeżdżam dziś wieczorem/jutro rano.
I'm leaving this evening/tomorrow morning.
bryt. [*aɪm `livɪŋ ðɪs `ivnɪŋ\tə'morəu `mɔnɪŋ*]
am. [*aɪm `livɪŋ ðɪs `ivnɪŋ\tə'marou `mornɪŋ*]

Proszę przygotować rachunek.
Please get my bill <*am.* account> ready.
bryt. [*pliz `get maɪ bɪl `redɪ*]
am. [*pliz `get maɪ ə`kaunt `redɪ*]

Proszę sprowadzić taksówkę.
Please hail a taxi <*am.* call a cab> for me.
bryt. [*pliz `heɪl ə `tæksɪ fə mɪ*]
am. [*pliz `kɔl ə `kæb fər mɪ*]

Czy może pan zanieść mój bagaż do taksówki?
Could you carry my luggage <*am.* baggage> to the cab?
bryt. [*kəd ju `kærı maı `lʌgıdʒ tə ðə `kæb*]
am. [*kəd ju `kerı maı `bægıdʒ tə ðə `kæb*]

13. KEMPING, SCHRONISKO MŁODZIEŻOWE
CAMPING, YOUTH HOSTEL
bryt. [*`kæmpıŋ\ `juθ 'hostl*]
am. [*`kæmpıŋ\ `juθ 'hastl*]

Mam kartę Międzynarodowej Federacji Schronisk Młodzieżowych. Czy mogę tu przenocować?
I have an International Federation of Youth Hostels card. Can I stay overnight here?
bryt. [*aı hæv ən ıntə'næʃnl fedə`reıʃn əv `juθ 'hostlz 'kad\ kən aı 'steı əuvə`naıt `hıə*]
am. [*aı hæv ən ın(D)ə`næʃnl feDə`reıʃn əv `juθ 'hastlz 'kard\ kən aı 'steı ouvər`naıt `hir*]

Chciałbym/chciałabym zatrzymać się tutaj 5 dni.
I'd like to stay for five nights here.
bryt. [*aıd 'laık tə `steı fə `faıv 'naıts hıə*]
am. [*aıd 'laık tə `steı fər `faıv 'naıts hir*]

Ile kosztuje nocleg?
How much is it a night?
bryt. [*hau `mʌtʃ ız ıt ə `naıt*]
am. [*hau `mʌtʃ ız ıD ə `naıt*]

Czy można korzystać z basenu/kortu tenisowego?
May I use the swimming pool/the tennis court?
bryt. [*meı aı `juz ðə `swımıŋ pul\ðə `tenıs kɔt*]
am. [*meı aı `juz ðə `swımıŋ pul\ðə `tenıs kort*]

Czy płaci się oddzielnie?
Do I pay for that separately?
bryt. [*du aɪ `peɪ fə 'ðæt `seprɪtlɪ*]
am. [*du aɪ `peɪ fər 'ðæt `seprɪtlɪ*]

Czy jest kuchnia?
Is there a kitchen?
[*ɪz ðər ə `kɪtʃɪn*]

Czy w kuchni są naczynia kuchenne?
Are there any kitchen utensils there?
bryt. [*ə ðər enɪ 'kɪtʃɪn ju`tenslz ðeə*]
am. [*ər ðər enɪ 'kɪtʃɪn ju`tenslz ðər*]

Chcielibyśmy tu rozbić namiot. Gdzie możemy go postawić?
We'd like to pitch a tent here. Where can we put it up?
bryt. [*wɪd 'laɪk tə `pɪtʃ ə `tent hɪə \ `weə kən wɪ `put ɪt `ʌp*]
am. [*wɪd 'laɪk tə `pɪtʃ ə `tent hir \ `hwer kən wɪ `put Dɪt `ʌp*]

Czy możemy wypożyczyć łóżka składane?
Could we hire <*am.* rent> folding beds?
bryt. [*kəd wɪ `haɪə `fəuldɪŋ 'bedz*]
am. [*kəd wɪ `rent `fouldɪŋ 'bedz*]

Gdzie są prysznice/łazienki?
Where are the showers/baths?
bryt. [*`weər ə ðə `ʃauəz\`baθs*]
am. [*`hwer ər ðə `ʃauərz\`bæθs*]

Gdzie jest toaleta?
Where's the toilet <*am.* rest room>?
bryt. [*`weəz ðə `tɔɪlɪt*]
am. [*`hwerz ðə `rest rum*]

14. RESTAURACJE, BARY, KAWIARNIE, PUBY

RESTAURANTS, SNACK BARS <*am.* CAFETERIAS>, CAFÉS, PUBS <*am.* BARS>
bryt. [`restəronts \`snæk bɑz \`kæfeɪz \`pʌbz]
am. [`restərənts\kæfə`tɪrɪəz\kə`feɪz\`bɑrz]

Czy jest w pobliżu bar samoobsługowy?
Is there a self-service snack bar <*am.* cafeteria> nearby?
bryt. [ɪz ðər ə 'self-sɜvɪs `snæk 'bɑ nɪə`baɪ]
am. [ɪz ðər ə 'self-sərvɪs kæfə`tɪrɪə nir`baɪ]

Czy jest w pobliżu dobra/niedroga restauracja?
Is there a good/an inexpensive restaurant nearby?
bryt. [ɪz ðər ə `gud\ən ɪnɪk`spensɪv `restəront nɪə`baɪ]
am. [ɪz ðər ə `gud\ən ɪnɪk`spensɪv `restərənt nir`baɪ]

Czy ten stolik jest wolny?
Is this table free?
[ɪz ðɪs `teɪbl `fri]

Czy to miejsce jest wolne?
Is this seat free?
[ɪz ðɪs `sit `fri]

Czy mogę się przysiąść?
May I join you at this table?
[meɪ aɪ `dʒɔɪn ju ət ðɪs `teɪbl]

Czy jest wolny stolik na zewnątrz?
Is there a free table outside?
[ɪz ðər ə 'fri `teɪbl aut`saɪd]

Chciałbym/chciałabym zjeść śniadanie.
I'd like to have some breakfast.
[aɪd 'laɪk tə 'hæv səm `brekfəst]

Czego pan/pani sobie życzy?
What would you like?
bryt. [*`wot wəd ju `laɪk*]
am. [*`hwat wəd ju `laɪk*]

Proszę kawę/z mlekiem/ze śmietanką. Dwie bułki, jajko na miękko, dżem.
Black coffee, please./Coffee with milk/cream, please. Two rolls, a soft boiled egg and jam, please.
bryt. [*'blæk `kofɪ pliz \ `kofɪ wɪð 'mɪlk\'krim pliz \ `tu `rəulz ə 'soft boɪld `eg ən `dʒæm pliz*]
am. [*'blæk `kafɪ pliz \ `kafɪ wɪð 'mɪlk\'krim pliz \ `tu `roulz ə 'soft boɪld `eg ən `dʒæm pliz*]

Proszę herbatę z mlekiem/z cytryną, rogalik, masło.
(A) tea with milk/lemon, a croissant with butter, please.
bryt. [*ə `ti wɪð 'mɪlk\ 'lemən \ ə `krwʌsoŋ wɪð `bʌtə pliz*]
am. [*`ti wɪð 'mɪlk\ 'lemən \ ə `krwʌsənt wɪð `bʌDər pliz*]

Proszę bułkę, masło i szynkę.
A roll, some butter and ham, please.
bryt. [*ə `rəul səm `bʌtə ən `hæm pliz*]
am. [*ə `roul səm `bʌDər ən `hæm pliz*]

Proszę kanapkę z szynką/z serem.
A ham/cheese sandwich, please.
bryt. [*ə `hæm\`tʃiz 'sænwɪdʒ pliz*]
am. [*ə `hæm\`tʃiz 'sæn(D)wɪtʃ pliz*]

W jakich godzinach można dostać obiad?
What are the lunch hours?
bryt. [*`wot ə ðə `lʌntʃ 'ɑuəz*]
am. [*`hwat ər ðə `lʌntʃ 'ɑuərz*]

Proszę hamburgera i piwo.
A hamburger and a beer, please.
bryt. [*ə `hæmbɜgə ənd ə `bɪə pliz*]
am. [*ə `hæmbərgər ənd ə `bir pliz*]

Proszę zestaw turystyczny.
May I have a set menu lunch <*am.* the lunch special>?
bryt. [*meɪ aɪ 'hæv ə `set menju `lʌntʃ*]
am. [*meɪ aɪ 'hæv ðə `lʌntʃ `speʃl*]

Proszę dwa kieliszki białego/czerwonego wina.
Two glasses of white/red wine, please.
bryt. [*`tu `glasɪz əv `waɪt\`red 'waɪn pliz*]
am. [*`tu `glæsɪz əv `hwaɪt\`red 'waɪn pliz*]

Proszę pół porcji sałatki.
Half a <*am.* A half> portion of salad, please.
bryt. [*'haf ə `pɔʃn əv `sæləd pliz*]
am. [*ə `hæf `pɔʃn əv `sæləd pliz*]

Proszę stek z frytkami i sałatą.
Steak with chips <*am.* French fries> and lettuce, please.
bryt. [*`steɪk wɪð `tʃɪps ən `letɪs pliz*]
am. [*`steɪk wɪð `frentʃ 'fraɪz ən `leDɪs pliz*]

Proszę kurczaka z rożna.
Grilled chicken, please.
[*'grɪld `tʃɪkən pliz*]

Czy są tu potrawy wegetariańskie?
Do you have any vegetarian dishes?
bryt. [*də ju `hæv enɪ 'vedʒə`teərɪən `dɪʃɪz*]
am. [*də ju `hæv enɪ 'vedʒə`terɪən `dɪʃɪz*]

Porcję kiełbasek proszę.
A helping of sausages, please.
[*ə `helpɪŋ əv `sasɪdʒɪz pliz*]

Proszę gotowane mięso i ziemniaki z wody.
Boiled meat and potatoes, please.
bryt. [*`bɔɪld 'mit ən pə`teɪtəuz pliz*]
am. [*`bɔɪld 'mit ən pə`teɪtouz pliz*]

Pieczoną rybę z jarzynami poproszę.
Grilled fish and vegetables, please.
[*`grɪld 'fɪʃ ən `vedʒtəblz pliz*]

Proszę pizzę/porcję spaghetti.
A pizza/A helping of spaghetti, please.
bryt. [*ə `pitsə\ə `helpɪŋ əv spə`geti pliz*]
am. [*ə `pitsə\ə `helpɪŋ əv spə`geDi pliz*]

Proszę małą/dużą kawę.
A small/large cup of coffee, please.
bryt. [*ə `smɔl\`lɑdʒ 'kʌp əv `kofɪ pliz*]
am. [*ə `smɔl\`lɑrdʒ s'kʌp əv `kafɪ pliz*]

Proszę filiżankę herbaty/czekolady.
A cup of tea/chocolate, please.
bryt. [*ə `kʌp əv 'ti\`tʃoklɪt pliz*]
am. [*ə `kʌp əv 'ti\`tʃaklɪt pliz*]

Dwa kawałki tortu czekoladowego poproszę.
Two slices of chocolate gâteau <*am.* cake, layer cake>, please.
bryt. [*`tu 'slɑɪsɪz əv `tʃoklɪt 'gætəu pliz*]
am. [*`tu 'slɑɪsɪz əv `tʃaklɪt ('leɪər) `keɪk pliz*]

Dwa ciastka poproszę.
Two pieces of cake, please.
[*`tu 'pisɪz əv `keɪk pliz*]

Proszę lody waniliowe/owocowe.
Vanilla/fruit ice cream, please.
[*və`nɪlə\`frut 'ɑɪs krim pliz*]

Proszę wodę mineralną z lodem/bez lodu.
Mineral water with/without ice, please.
bryt. [*`mɪnrəl `wotə wɪð\wɪ'ðɑut `ɑɪs pliz*]
am. [*`mɪnrəl `wɔDər wɪð\wɪ'ðɑut `ɑɪs pliz*]

Proszę szklankę soku pomarańczowego/grejpfrutowego.
A glass of orange/grapefruit juice, please.
bryt. [*ə `glas əv `ɒrɪndʒ\`greɪpfrut 'dʒus pliz*]
am. [*ə `glæs əv `arɪndʒ\`greɪpfrut 'dʒus pliz*]

Proszę herbatę z cytryną.
A cup of lemon tea, please.
[*ə `kʌp əv `lemən ti pliz*]

Proszę duże/małe piwo.
A pint/a half pint of beer, please.
bryt. [*ə `paɪnt\ə `haf 'paɪnt əv `bɪə pliz*]
am. [*ə `paɪnt\ə `hæf 'paɪnt əv `bir pliz*]

Proszę piwo ciemne/jasne.
Dark/light beer, please.
bryt. [*`dak\`laɪt 'bɪə pliz*]
am. [*`dark\`laɪt 'bir pliz*]

Chciałbym/chciałabym zapłacić.
I'd like to pay.
[*aɪd 'laɪk tə `peɪ*]

Proszę o rachunek.
The bill <*am.* check>, please.
bryt. [*ðə `bɪl pliz*]
am. [*ðə `tʃek pliz*]

Czy rachunek obejmuje obsługę?
Is service included?
bryt. [*ɪz `sɜvɪs ɪn`kludɪd*]
am. [*ɪz `sərvɪs ɪn`kluDɪd*]

To dla pana/pani.
Keep the change.
[*`kip ðə `tʃeɪndʒ*]

15. JAK SPĘDZIĆ WOLNY CZAS?

HOW TO SPEND YOUR FREE TIME?
bryt. [*`hau tə `spend jɔ `fri 'taɪm*]
am. [*`hau tə `spend jər `fri 'taɪm*]

a) Na plaży i korcie tenisowym

On the beach and at the tennis court
bryt. [*on ðə `bitʃ ənd ət ðə `tenɪs 'kɔt*]
am. [*an ðə `bitʃ ənd ət ðə `tenɪs 'kort*]

Jak dojechać na plażę?
How can I get to the beach?
[*`hau kən aɪ `get tə ðə `bitʃ*]

Czy to jest plaża strzeżona?
Is it a beach with a lifeguard?
bryt. [*ɪz ɪt ə `bitʃ wɪð ə `laɪfgad*]
am. [*ɪz ɪt ə `bitʃ wɪð ə `laɪfgard*]

Czy tu jest ratownik?
Is there a lifeguard here?
bryt. [*ɪz ðər ə `laɪfgad `hɪə*]
am. [*ɪz ðər ə `laɪfgard `hir*]

Proszę 3 bilety.
Three tickets, please.
[*'θri `tɪkɪts pliz*]

Ile kosztuje wynajęcie kabiny na jeden dzień?
How much a day (is it) to rent a booth <*am.* cabin>?
bryt. [*hau `mʌtʃ ə 'deɪ ɪz ɪt tə `rent ə `buð*]
am. [*hau `mʌtʃ ə 'deɪ (ɪz ɪt) tə `ren(D) ə `kæbɪn*]

Czy są prysznice?
Are there any showers?
bryt. [*ə ðər enɪ `ʃauəz*]
am. [*ər ðər enɪ `ʃauərz*]

Chciałbym/chciałabym wypożyczyć leżak/łódkę/materac nadmuchiwany/narty wodne/rower wodny/parasol od słońca/deskę surfingową/piłkę.
I'd like to hire <*am.* rent> a deckchair <*am.* a beachchair>/a boat/an airbed <*am.* air mattress>/water skis/a paddle bike/ a parasol/a surfboard/a ball.
bryt. [*aɪd 'laɪk tə `haɪər ə `dektʃeə\ə `bəut\ən `eəbed\`wɔtə 'skiz\ə `pædl 'baɪk\ə `pærəsol\ə `sɜfbɔd\ə `bɔl*]
am. [*aɪd 'laɪk tə `ren(D) ə `bitʃtʃer\ə `bout\ən `er'mætrɪs\`wɔDər 'skiz\ə `pæDl 'baɪk\ə `pærəsol\ə `sərfbord\ə `bɔl*]

Ile się płaci za godzinę?
How much an hour?
bryt. [*hau `mʌtʃ ən `auə*]
am. [*hau `mʌtʃ ən `auər*]

Czy tu jest basen kryty (z podgrzewaną wodą)
Is there an indoor swimming pool here (with heated water)?
bryt. [*ɪz ðər ən `ɪndɔ `swɪmɪŋ pul hɪə (wɪð `hitɪd wɔtə)*]
am. [*ɪz ðər ən `ɪndor `swɪmɪŋ pul hir (wɪð `hiDɪd wɔDər)*]

Jaka jest temperatura wody?
What's the water temperature?
bryt. [*`wots ðə 'wɔtə `temprɪtʃə*]
am. [*`hwats ðə 'wɔDər `temprɪtʃər*]

Czy tu jest sauna/siłownia?
Is there a sauna/gym here?
bryt. [*ɪz ðər ə `sɔnə\`gɪm `hɪə*]
am. [*ɪz ðər ə `sɔnə\`gɪm `hir*]

Chciałbym/chciałabym zagrać w tenisa. Mogę wypożyczyć rakiety i piłki?
I'd like to play tennis. May I hire <*am.* rent> the rackets and balls?
bryt. [*aɪd 'laɪk tə `pleɪ `tenɪs\ meɪ aɪ `haɪə ðə `rækɪts ən `bɔlz*]
am. [*aɪd 'laɪk tə `pleɪ `tenɪs\ meɪ aɪ `renD ðə `rækɪts ən `bɔlz*]

Chciałbym/chciałabym zagrać w tenisa stołowego. Gdzie są rakietki i piłeczki?
I'd like to play table tennis. Where are the bats <*am.* paddles> and balls?
bryt. [*aɪd 'laɪk tə `pleɪ `teɪbl 'tenɪs\ `weər ə ðə `bæts ən `bɔlz*]
am. [*aɪd 'laɪk tə `pleɪ `teɪbl 'tenɪs\ `hwer ər ðə `pæDlz ən `bɔlz*]

Czy tu jest sala bilardowa?
Is there a billiards room here?
bryt. [*ɪz ðər ə `bɪljədz 'rum `hɪə*]
am. [*ɪz ðər ə `bɪljərdz 'rum `hir*]

Czy jest tu gabinet odnowy biologicznej?
Is there a fitness centre <*am.* center> here?
bryt. [*ɪz ðər ə `fɪtnɪs 'sentə `hɪə*]
am. [*ɪz ðər ə `fɪtnɪs 'sen(D)ər `hir*]

b) Na nartach, łyżwach i sankach
Skiing, skating and sledging <*am.* sledding>
bryt. [*`skiɪŋ `skeɪtɪŋ ən `sledʒɪŋ*]
am. [*`skiɪŋ `skeɪDɪŋ ən `sledɪŋ*]

Czy tu są dobre warunki narciarskie?
Are there good skiing conditions here?
bryt. [*ə ðə `gud 'skiɪŋ kən`dɪʃnz hɪə*]
am. [*ər ðər `gud 'skiɪŋ kən`dɪʃnz hir*]

W jakiej okolicy?
In which area?
bryt. [*ɪn `wɪtʃ `eərɪə*]
am. [*ɪn `hwɪtʃ `erɪə*]

Gdzie mogę wypożyczyć narty/łyżwy/sanki?
Where can I hire <*am.* rent> the skis/skates/sledges <*am.* sleds>?
bryt. [*`weə kən aɪ `haɪə ðə `skiz\`skeɪts\`sledʒɪz*]
am. [*`hwer kən aɪ `renD (ðə) `skiz\`skeɪts\`sledz*]

Chciałbym/chciałabym wypożyczyć parę nart.
I'd like to hire <*am.* rent> a pair of skis, please.
bryt. [*aɪd 'laɪk tə `haɪə ə 'peər əv `skiz pliz*]
am. [*aɪd 'laɪk tə `renD ə 'per əv `skiz pliz*]

Ile się płaci za godzinę?
How much is it an hour?
bryt. [*hau `mʌtʃ ɪz ɪt ən `auə*]
am. [*hau `mʌtʃ ɪz ɪD ən `auər*]

Czy wyciąg narciarski jest czynny?
Is the ski lift open?
bryt. [*ɪz ðə `ski lɪft `əupn*]
am. [*ɪz ðə `ski lɪft `oupn*]

W jakich godzinach jest czynne lodowisko?
When is the skate <*am.* skating> rink open?
bryt. [*`wen ɪz ðə `skeɪt rɪŋk `əupn*]
am. [*`hwen ɪz ðə `skeɪDɪŋ rɪŋk `oupn*]

Czy ten tor saneczkowy jest bezpieczny?
Is this sledging <*am.* sledding> track safe?
bryt. [*ɪz ðɪs `sledʒɪŋ træk `seɪf*]
am. [*ɪz ðɪs `sledɪŋ træk `seɪf*]

c) Jazda na koniu
On horseback
bryt. [*on `hɔsbæk*]
am. [*an `horsbæk*]

Chciałbym/chciałabym pojeździć konno.
I'd like to ride a horse.
bryt. [*aɪd 'laɪk tə `raɪd ə `hɔs*]
am. [*aɪd 'laɪk tə `raɪd ə `hors*]

Czy są w pobliżu takie możliwości?
Is there such an opportunity nearby?
bryt. [*ɪz ðə 'sʌtʃ ən opə`tjunɪtɪ nɪə`baɪ*]
am. [*ɪz ðər 'sʌtʃ ən apər`tunəDɪ nir`baɪ*]

Klub jeździecki jest kilka mil stąd.
The equestrian club is a couple of miles from here.
bryt. [*ðɪ ɪˋkwestrɪən ˈklʌb ɪz ə ˋkʌpl əv ˋmaɪlz frəm ˋhɪə*]
am. [*ðɪ ɪˋkwestrɪən ˈklʌb ɪz ə ˋkʌpl əv ˋmaɪlz frəm ˋhir*]

Ile kosztuje godzina jazdy?
How much is an hour's ride?
bryt. [*hau ˋmʌtʃ ɪz ən ˈauəz ˋraɪd*]
am. [*hau ˋmʌtʃ ɪz ən ˈauərz ˋraɪd*]

Czy jest tor wyścigowy?
Is there a race track?
[*ɪz ðər ə ˋreɪs ˈtræk*]

Jak tam dojechać?
How can I get there?
bryt. [*ˋhau kən aɪ ˋget ðeə*]
am. [*ˋhau kən aɪ ˋget ðər*]

Kiedy odbywają się gonitwy?
When do the races take place?
bryt. [*ˋwen də ðə ˋreɪsɪz ˈteɪk ˋpleɪs*]
am. [*ˋhwen də ðə ˋreɪsɪz ˈteɪk ˋpleɪs*]

Ile kosztuje wstęp?
How much is admission?
[*hau ˋmʌtʃ ɪz ədˋmɪʃn*]

d) Na wycieczce
On the excursion <*am.* On tour>
bryt. [*on ðɪ ɪkˋskɜʃn*]
am. [*an ˋtur*]

Gdzie jest informacja turystyczna?
Where's the tourist information centre <*am.* center>?
bryt. [*ˋweəz ðə ˋtuərɪst ɪnfəˈmeɪʃn ˋsentə*]
am. [*ˋhwerz ðə ˋturist ɪnfərˈmeɪʃn ˋsen(D)ər*]

Czy organizuje się wycieczki w góry/do miejsc zabytkowych?
Do they organize excursions <*am.* tours> to the mountains/to historical sites?
bryt. [*də ðeɪ ˋɔgənaɪz ɪkˋskɜʃnz tə ðə ˋmauntɪnz\tə hɪ ˈstorɪkl ˋsaɪts*]
am. [*də ðeɪ ˋorgənaɪz ˋturs tə ðə ˋmaun(D)ɪnz\tə hɪ ˈstarɪkl ˋsaɪts*]

Jak długo trwa wycieczka?
How long does the excursion <*am.* tour> take?
bryt. [*hau ˋloŋ dəz ðɪ ɪkˋskɜʃn ˋteɪk*]
am. [*hau ˋloŋ dəz ðə ˋtur ˋteɪk*]

Czy to jest wycieczka piesza/autokarowa?
Is it a walking/coach <*am.* bus> tour?
bryt. [*ɪz ɪt ə ˋwɔkɪŋ\ ˋkəutʃ tuə*]
am. [*ɪz ɪt ə ˋwɔkɪŋ\ ˋbʌs tur*]

Chciałbym/chciałabym się zapisać na tę wycieczkę.
I'd like you to put me down for this excursion <*am.* tour>.
bryt. [*aɪd ˈlaɪk ju tə ˋput mɪ ˋdaun fə ðɪs ɪkˋskɜʃn*]
am. [*aɪd ˈlaɪk ju tə ˋput mɪ ˋdaun fər ðɪs ˋtur*]

Gdzie jest zbiórka?
Where's the meeting place?
bryt. [*ˋweəz ðə ˋmitɪŋ pleɪs*]
am. [*ˋhwerz ðə ˋmitɪŋ pleɪs*]

Jaki jest koszt wycieczki?
What's the cost of the excursion <*am.* tour>?
bryt. [*ˋwots ðə ˋkost əv ðɪ ɪkˋskɜʃn*]
am. [*ˋhwats ðə ˋkast əv ðə ˋtur*]

e) Gry towarzyskie
Playing games
[*ˋpleɪŋ ˋgeɪmz*]

Czy ma pan/pani ochotę zagrać w brydża/pokera/kanastę?
Would you like to play bridge/poker/canasta?
bryt. [*wəd ju 'laɪk tə 'pleɪ `brɪdʒ\ `pəukə\kə`næstə*]
am. [*wəd ju 'laɪk tə 'pleɪ `brɪdʒ\ `poukər\kə`næstə*]

Tak, chętnie zagram w brydża.
Yes, I'd love to play a game of bridge.
[*jes aɪd `lʌv tə 'pleɪ ə `geɪm əv `brɪdʒ*]

Nie, nie gram w karty. Gram w szachy.
No, I don't play cards. I play chess.
bryt. [*nəu aɪ `dəunt pleɪ `kadz\ aɪ 'pleɪ `tʃes*]
am. [*nou aɪ `dount pleɪ `kardz\ aɪ 'pleɪ `tʃes*]

Proszę do mojego stolika. Ja też gram w szachy.
Please join me at my table. I play chess, too.
[*pliz `dʒoɪn mɪ ət maɪ `teɪbl\ aɪ 'pleɪ `tʃes tu*]

Może zagramy w warcaby/w kości?
How about a game of draughts <*am.* checkers>/dice?
bryt. [*`hau ə'baut ə 'geɪm əv `drafts \`daɪs*]
am. [*`hau ə'baut ə 'geɪm əv `tʃekərz\`daɪs*]

Chętnie. Gladly. [*`glædlɪ*]

f) W teatrze, w kinie, w sali koncertowej
At the theatre <*am.* the theater>/the cinema <*am.* the movies>/the concert hall
bryt. [*ət ðə `θɪətə \ðə `sɪnɪmə \ðə `konsət hɔl*]
am. [*ət ðə `θiəDər\ðə `muvɪz \ðə `kansərt hɔl*]

Chciałbym/chciałabym zaprosić pana/panią do teatru/filharmonii.
I'd like you to come with me to the theatre <*am.* theater>/to the concert hall.
bryt. [*aɪd 'laɪk ju tə `kʌm wɪð mɪ tə ðə `θɪətə \`konsət hɔl*]
am. [*aɪd 'laɪk ju tə `kʌm wɪð mɪ tə ðə `θiəDər\`kansərt hɔl*]

Dziękuję. Bardzo chętnie (pójdę).
Thank you. I'll be happy to (come).
[*`θæŋk ju\aɪl bɪ `hæpɪ tə ('kʌm)*]

Czy lubi pan/pani współczesny dramat/muzykę klasyczną/ jazzową/rockową?
Do you like modern drama/classical music/jazz/rock?
bryt. [*də ju 'laɪk `modən 'dramə\`klæsɪkl 'mjuzɪk\`dʒæz\`rok*]
am. [*də ju 'laɪk `modərn 'dramə\`klæsɪkl 'mjuzɪk\`dʒæz\`rak*]

Chętnie zobaczę (jakąś) sztukę współczesną.
I'll be glad to see a modern play.
bryt. [*aɪl bɪ `glæd tə 'si ə `modən `pleɪ*]
am. [*aɪl bɪ `glæd tə 'si ə `madərn `pleɪ*]

Z prawdziwą przyjemnością pójdę do opery.
It'll be a pleasure to go to the opera.
bryt. [*ɪtl bɪ ə `pleʒə tə 'gəu tə ðɪ `opərə*]
am. [*ɪDl bɪ ə `pleʒər tə 'gou tə ðɪ `opərə*]

Lubię współczesny balet.
I like modern ballet.
bryt. [*aɪ 'laɪk `modən `bæleɪ*]
am. [*aɪ 'laɪk `modərn `bæleɪ*]

W którym kościele odbywają się koncerty organowe?
At which church are organ concerts held?
bryt. [*æt `wɪtʃ `tʃ3tʃ ər `ɔgən 'konsəts `held*]
am. [*æt `hwɪtʃ `tʃərtʃ ər `ɔrgən 'kansərts `held*]

Czy dostanę bilet na dzisiejsze przedstawienie?
Can I get a ticket for tonight's show?
bryt. [*kən aɪ 'get ə `tɪkɪt fə tə'naɪts `ʃəu*]
am. [*kən aɪ 'get ə `tɪkɪt fər tə'naɪts `ʃou*]

Tak. Są jeszcze miejsca na balkonie i na parterze.
Yes, there are still tickets for the balcony and the stalls <*am.* orchestra>.
bryt. [*jes ðər ə `stɪl 'tɪkɪts fə ðə `bælkənɪ ən ðə `stɔlz*]
am. [*jes ðər ər `stɪl 'tɪkɪts fər ðə `bælkənɪ ən ðə `arkəstrə*]

W jakiej cenie są bilety?
How much are the tickets?
[*hɑu `mʌtʃ ə ðə `tɪkɪts*]

Proszę dwa bilety na balkonie.
Two balcony seats, please.
[*`tu `bælkənɪ 'sits pliz*]

Czy mogę kupić bilety w przedsprzedaży?
Can I book <*am.* reserve> seats in advance?
bryt. [*kən ɑɪ `buk 'sits ɪn əd `vɑns*]
am. [*kən ɑɪ rɪ`zərv 'sits ɪn əd `væns*]

Proszę dwa bilety na jutro, na parterze, miejsca środkowe.
Two tickets for tomorrow, in the stalls <*am.* orchestra>, the middle seats, please.
bryt. [*`tu 'tɪkɪts fə tə`morəu ɪn ðə `stɔlz ðə `mɪdl 'sits pliz*]
am. [*`tu 'tɪkɪts fər tə`marou ɪn ðɪ `arkəstrə ðə `mɪDl 'sits pliz*]

Czy mogę zwrócić te bilety?
May I return these tickets?
bryt. [*meɪ ɑɪ rɪ`tɜn `ðiz 'tɪkɪts*]
am. [*meɪ ɑɪ rɪ`tərn `ðiz 'tɪkɪts*]

O której zaczyna/kończy się przedstawienie?
What time does the show begin/end?
bryt. [*wot `tɑɪm dəz ðə `ʃəu bɪ`gɪn\`end*]
am. [*hwat `tɑɪm dəz ðə `ʃou bɪ`gɪn\`end*]

Poproszę program.
May I have a programme <*am.* program>?
bryt. [*meɪ ɑɪ 'hæv ə `prəugræm*]
am. [*meɪ ɑɪ 'hæv ə `prougræm*]

Czy film wyświetlany jest z napisami w wersji oryginalnej?
Do they show the film in the original language with subtitles?
bryt. [*də ðeɪ 'ʃəu ðə `fɪlm ɪn ðə ə`rɪdʒɪnl `læŋgwɪdʒ wɪð `sʌbtaɪtlz*]
am. [*də ðeɪ 'ʃou ðə `fɪlm ɪn ðə ə`rɪdʒɪnl `læŋgwɪdʒ wɪð `sʌbtaɪDlz*]

Czy może mi pan/pani wskazać moje miejsce (na widowni)?
Could you show me to my seat, please?
bryt. [*kəd ju `ʃəu mɪ tə maɪ `sit pliz*]
am. [*kəd ju `ʃou mɪ tə maɪ `sit pliz*]

g) W muzeum, w galerii obrazów
In the museum, at the picture gallery.
bryt. [*ɪn ðə mju`ziəm ət ðə `pɪktʃə `gælərɪ*]
am. [*ɪn ðə mju`ziəm ət ðə `pɪktʃər `gælərɪ*]

Chciałbym/chciałabym pójść na wystawę Picassa.
I'd like to go to the exhibition of Picasso.
bryt. [*aɪd 'laɪk tə `gəu tə ðɪ eksə`bɪʃn əv pɪ`kæsəu*]
am. [*aɪd 'laɪk tə `gou tə ðɪ eksə`bɪʃn əv pɪ`kæsou*]

Chciałbym/chciałabym pójść do muzeum sztuk pięknych.
I'd like to go to the Fine Arts Museum.
bryt. [*aɪd 'laɪk tə `gəu tə ðə `faɪn 'ats mju`ziəm*]
am. [*aɪd 'laɪk tə `gou tə ðə `faɪn 'arts mju`ziəm*]

Chciałbym/chciałabym obejrzeć impresjonistów/wystawę współczesnego malarstwa.
I'd like to see the Impressionists/a modern paintings exhibition.
bryt. [*aɪd 'laɪk tə `si ðɪ ɪm`preʃənɪsts\ə `modən 'peɪntɪŋz eksə`bɪʃn*]
am. [*aɪd 'laɪk tə `si ðɪ ɪm`preʃənɪsts\ə `madərn 'peɪntɪŋz eksə`bɪʃn*]

W której sali znajdę obrazy Picassa?
In which room can I find Picasso's pictures?
bryt. [*ɪn `wɪtʃ 'rum kən aɪ 'faɪnd pɪ`kæsəuz `pɪktʃəz*]
am. [*ɪn `hwɪtʃ 'rum kən aɪ 'faɪnd pɪ`kæsouz `pɪktʃərz*]

Którego malarza/rzeźbiarza lubi pan/pani najbardziej?
Which painter/sculptor do you like best?
bryt. [*`wɪtʃ `peɪntə\`skʌlptə də `ju 'laɪk `best*]
am. [*`hwɪtʃ `peɪntər\`skʌlptər də `ju 'laɪk `best*]

Warto pójść do kościoła św. Pawła. Tam znajdują się piękne freski.
It's worth while to visit the church of St Paul's. You'll find beautiful murals there.
bryt. [*ɪts `wɜθ waɪl tə `vɪzɪt ðə `tʃɜtʃ əv sənt `pɔlz\ jul 'faɪnd 'bjutɪfl `mjuərəlz ðeə*]
am. [*ɪts `wərθ hwaɪl tə `vɪzɪt ðə `tʃərtʃ əv sənt `pɔlz\ jul 'faɪnd 'bjutɪfl `mjurəlz ðər*]

Poproszę katalog.
May I have a catalogue <*am.* catalog>, please?
bryt. [*meɪ aɪ 'hæv ə `kætəlog pliz*]
am. [*meɪ aɪ 'hæv ə `kæDəlɔg pliz*]

Czy ma pan/pani reprodukcje obrazów Picassa?
Have you got <*am.* Do you have> the reprints of Picasso's paintings?
bryt. [*həv ju 'got ðə `riprɪnts əv pɪ`kæsəuz `peɪntɪŋz*]
am. [*də ju 'hæv ðə `riprɪnts əv pɪ`kæsouz `peɪntɪŋz*]

Czy są pocztówki z reprodukcjami impresjonistów?
Have you got <*am.* Do you have> picture postcards with Impressionists?
bryt. [*həv ju 'got `pɪktʃə 'pəustkadz wɪð ɪm`preʃənɪsts*]
am. [*də ju 'hæv `pɪktʃər 'poustkardz wɪð ɪm`preʃənɪsts*]

Czy mogę obejrzeć ten album?
May I have a look at this collection?
[*meɪ aɪ 'hæv ə `luk ət ðɪs kə`lekʃn*]

Ile on kosztuje?
How much is it?
[*hau `mʌtʃ ɪz ɪt*]

16. SPORT
SPORTS
bryt. [*`spɔts*]
am. [*`sports*]

Kiedy/Na którym stadionie odbędzie się mecz piłki nożnej?
When/In which stadium will the football <*am.* soccer> match be played?
bryt. [*`wen \ɪn `wɪtʃ `steɪdɪəm wɪl ðə `futbɔl mætʃ bɪ `pleɪd*]
am. [*`hwen\ɪn `hwɪtʃ `steɪdɪəm wɪl ðə `sakər mætʃ bɪ `pleɪd*]

Gdzie jest stadion?
Where's the stadium?
bryt. [*`weəz ðə `steɪdɪəm*]
am. [*`hwerz ðə `steɪdɪəm*]

Czym tam dojechać?
How can I get there?
bryt. [*`hau kən aɪ `get ðeə*]
am. [*`hau kən aɪ `get ðər*]

Czy dostanę bilet na dzisiejszy mecz?
Can I have <*am.* get> a ticket for today's game?
bryt. [*kən aɪ 'hæv ə `tɪkɪt fə tə`deɪz `geɪm*]
am. [*kən aɪ 'get ə `tɪkɪt fər tə`deɪz `geɪm*]

Ile kosztuje bilet?
How much is a ticket?
[*hau `mʌtʃ ɪz ə `tɪkɪt*]

Gdzie jest trybuna dolna/górna?
Where's the lower/upper level?
bryt. [*`weəz ðə `ləuə\`ʌpə 'levl*]
am. [*`hwerz ðə `louər\`ʌpər 'levl*]

Czy zawody będą transmitowane przez radio/telewizję?
Will the competition be broadcast by radio/television?
bryt. [*wɪl ðə kompɪˈtɪʃn bɪ ˈbrɔdkast baɪ ˈreɪdɪəu\ˈtelɪvɪʒn*]
am. [*wɪl ðə kampɪˈtɪʃn bɪ ˈbrɔdkæst baɪ ˈreɪdɪou\ˈtelɪvɪʒn*]

Gdzie jest tabela wyników?
Where are the final scores?
bryt. [*ˈweər ə ðə ˈfaɪnl ˈskɔz*]
am. [*ˈhwer ər ðə ˈfaɪnl ˈskorz*]

Kto wygrał?
Who's <*am.* Who> won?
bryt. [*ˈhuz ˈwʌn*]
am. [*ˈhu ˈwʌn*]

Kto przegrał?
Who's <*am.* Who> lost?
bryt. [*ˈhuz ˈlost*]
am. [*ˈhu ˈlast*]

Kto zdobył bramkę?
Who's <*am.* Who> scored the goal?
bryt. [*ˈhuz skɔd ðə ˈgəul*]
am. [*ˈhu skord ðə ˈgoul*]

Jaki jest wynik?
What's the score?
bryt. [*ˈwots ðə ˈskɔ*]
am. [*ˈhwats ðə ˈskor*]

Gdzie jest skocznia narciarska?
Where's the ski jump?
bryt. [*ˈweəz ðə ˈski ˈdʒʌmp*]
am. [*ˈhwerz ðə ˈski ˈdʒʌmp*]

Chciałbym/chciałabym zobaczyć zawody saneczkarskie.
I'd like to see the toboggan competition.
[*aɪd ˈlaɪk tə ˈsi ðə təˈbagən kampɪˈtɪʃn*]

To jest trasa slalomu.
This is the slalom track.
[*`ðɪs ɪz ðə `slæləm 'træk*]

Chętnie obejrzałbym/obejrzałabym dobry hokej na lodzie.
I'd be glad to see a good (ice) hockey match.
[*aɪd bɪ `glæd tə 'si ə `gud ('aɪs) `hakɪ `mætʃ*]

Interesuje mnie łyżwiarstwo figurowe/szybkie. Gdzie mogę je obejrzeć?
I'm interested in figure/speed skating. Where can I see it?
bryt. [*aɪm `ɪntrəstɪd ɪn `fɪgə\`spid 'skeɪtɪŋ\ `weə kən aɪ `si ɪt*]
am. [*aɪm `ɪn(D)ərɪstɪd ɪn `fɪgər\`spid 'skeɪDɪŋ\`hwer kən aɪ `si ɪt*]

Czy tu jest tor żużlowy?
Is there a speedway track here?
bryt. [*ɪz ðər ə `spidweɪ 'træk `hɪə*]
am. [*ɪz ðər ə `spidweɪ 'træk `hir*]

Kiedy odbędą się zawody?
When will the competition be held?
bryt. [*`wen wɪl ðə kompɪ`tɪʃn bɪ `held*]
am. [*`hwen wɪl ðə kampɪ`tɪʃn bɪ `held*]

Gdzie odbywają się zawody lekkoatletyczne?
Where do the track and field events take place?
bryt. [*`weə də ðə `træk ən 'fild ɪ`vents 'teɪk `pleɪs*]
am. [*`hwer də ðə `træk ən 'fild ɪ`vents 'teɪk `pleɪs*]

Kiedy będą przejeżdżać kolarze?
When will the cyclists pass by?
bryt. [*`wen wɪl ðə `saɪklɪsts 'pas `baɪ*]
am. [*`hwen wɪl ðə `saɪklɪsts 'pæs `baɪ*]

Kiedy odbędą się regaty wioślarskie/motorowodne/żeglarskie?
When will the rowing/the speedboat/the yachting races take place?
bryt. [*`wen wɪl ðə `rəuɪŋ\ðə `spidbəut\ðə `jotɪŋ 'reɪsɪz 'teɪk `pleɪs*]
am. [*`hwen wɪl ðə `rouɪŋ\ðə `spidbout\ðə `jaDɪŋ 'reɪsɪz 'teɪk `pleɪs*]

17. POSZUKIWANIE PRACY
LOOKING FOR A JOB
bryt. [*`lukɪŋ fər ə `dʒob*]
am. [*`lukɪŋ fər ə `dʒab*]

Czy jest w tym mieście biuro pośrednictwa pracy?
Is there an employment office in this town?
[*ɪz ðər ən ɪm`ploɪmənt 'afɪs ɪn ðɪs `taun*]

Czy może mi pan/pani podać adres?
Can you give me the address, please?
[*kən ju 'gɪv mɪ ðɪ ə`dres pliz*]

Chciałbym/chciałabym pracować przez miesiąc/pół roku/rok.
I'd like to work for a month/for half a year/for a year.
bryt. [*aɪd 'laɪk tə `wɜk fər ə `mʌnθ\fə `haf ə `jɪə\fər ə `jɪə*]
am. [*aɪd 'laɪk tə `wərk fər ə `mʌnθ\fər `hæf ə `jɪər\fər ə `jɪər*]

Mam zezwolenie na pracę.
I've got <*am.* I have> a work permit.
bryt. [*aɪv `got ə `wɜk `pɜmɪt*]
am. [*aɪ `hæv ə `wərk `pərmɪt*]

Nie mam zezwolenia na pracę.
I haven't got <*am.* I don't have> a work permit.
bryt. [*aɪ `hævnt got ə `wɜk `pɜmɪt*]
am. [*aɪ `dount hæv ə `wərk `pərmɪt*]

Mam kwalifikacje.
I'm qualified for this job.
bryt. [*aɪm `kwolɪfaɪd fə ðɪs `dʒob*]
am. [*aɪm `kwalɪfaɪd fər ðɪs `dʒab*]

Nie mam kwalifikacji.
I'm not qualified for this job.
bryt. [*aɪm `not 'kwolɪfaɪd fə ðɪs `dʒob*]
am. [*aɪm `nat 'kwalɪfaɪd fər ðɪs `dʒab*]

Umiem prowadzić samochód. Mam prawo jazdy na samochód ciężarowy.
I can drive. I'm a licensed truck driver.
bryt. [*aɪ kən `draɪv\ aɪm ə `laɪsnst `trʌk 'draɪvə*]
am. [*aɪ kən `draɪv\ aɪm ə `laɪsnst `trʌk 'draɪvər*]

Jestem elektrykiem/hydraulikiem.
I'm an electrician/a plumber.
bryt. [*aɪm ən ɪlek`trɪʃn\ə `plʌmə*]
am. [*aɪm ən ɪlek`trɪʃn\ə `plʌmər*]

Umiem sprzątać/gotować.
I can clean/cook.
[*aɪ kən `klin\`kuk*]

Mogę zająć się dzieckiem/starszą osobą/chorym.
I can take care of a child/an elderly person/a sick person.
bryt. [*aɪ kən 'teɪk `keər əv ə `'tʃaɪld\ən `eldəlɪ 'pɜsn\ə `sɪk 'pɜsn*]
am. [*aɪ kən 'teɪk `ker əv ə `'tʃaɪld\ən `eldərlɪ 'pərsn\ə `sɪk 'pərsn*]

Mogę opiekować się zwierzętami domowymi.
I can take care of pets.
bryt. [*aɪ kən 'teɪk `keər əv `pets*]
am. [*aɪ kən 'teɪk `ker əv `pets*]

Mogę pracować w polu/w szklarni.
I can work in the field/in a greenhouse.
bryt. [*aɪ kən `wɜk ɪn ðə `fild\ɪn ə `grinhaus*]
am. [*aɪ kən `wərk ɪn ðə `fild\ɪn ə `grinhaus*]

Wynagrodzenie otrzyma pan/pani za godziny/za dzień/za tydzień (pracy).
You'll be paid hourly/daily/weekly.
bryt. [*jul bɪ `peɪd `auəlɪ\`deɪlɪ\`wiklɪ*]
am. [*jul bɪ `peɪd `auərlɪ\`deɪlɪ\`wiklɪ*]

Czy to jest praca z zakwaterowaniem?
Is it a live-in job?
bryt. [*ɪz ɪt ə `lɪvɪn 'dʒob*]
am. [*ɪz ɪt ə `lɪvɪn 'dʒab*]

Czy dostanę jakiś posiłek?
Do I get any meals?
[*du aɪ `get enɪ `mils*]

Czy będzie mi to potrącone z wynagrodzenia?
Will that come out of my wages?
[*wɪl ðət 'kʌm `aut əv maɪ `weɪdʒɪz*]

Proszę powiedzieć dokładnie, co mam robić?
Would you specify what I am expected to do?
bryt. [*wəd ju `spesɪfaɪ `wot aɪm ɪk`spektɪd tə `du*]
am. [*wəd ju `spesɪfaɪ `hwat aɪm ɪk`spektɪd tə `du*]

Ile godzin mam pracować?
How many hours would I work?
bryt. [*`hau menɪ `auəz wəd aɪ `wɜk*]
am. [*`hau menɪ `auərz wəd aɪ `wərk*]

Kiedy mam przyjść do pracy?
When do I start?
bryt. [*`wen du aɪ `stat*]
am. [*`hwen du aɪ `start*]

Czy dostanę robocze ubranie?
Will I get any work clothes?
bryt. [*wɪl aɪ 'get enɪ `wɜk `kləuðz*]
am. [*wɪl aɪ 'get enɪ `wərk `klouðz*]

18. LEKARZ, DENTYSTA, APTEKA
DOCTOR, DENTIST, CHEMIST'S <*am.* DRUGSTORE>
bryt. [*`doktə\`dentɪst\`kemɪsts*]
am. [*`daktər\`dentɪst\`drʌgstor*]

Mam ostre bóle brzucha/bóle serca. Proszę wezwać pogotowie ratunkowe.
I've got an acute stomachache/pain in my heart. Please call the ambulance.
bryt. [*aɪv 'got ən ə`kjut `stʌməkeɪk\`peɪn ɪn maɪ `hat\pliz `kɔl ðɪ `æmbjələns*]
am. [*aɪv 'gat ən ə`kjut `stʌməkeɪk\`peɪn ɪn maɪ `hart\pliz `kɔl ðɪ `æmbjələns*]

Jaki jest numer pogotowia ratunkowego?
What's the phone number of the ambulance?
bryt. [*`wots ðə `fəun nʌmbə əv ðɪ `æmbjələns*]
am. [*`hwats ðə `foun nʌmbər əv ðɪ `æmbjələns*]

Czy jest w pobliżu gabinet lekarski?
Is there a doctor's surgery <*am.* office> nearby?
bryt. [*ɪz ðər ə `doktəz 'sɜdʒərɪ nɪə`baɪ*]
am. [*ɪz ðər ə `daktərz 'afɪs nir`baɪ*]

W jakich godzinach przyjmuje lekarz?
What are the surgery <*am.* office> hours?
bryt. [*`wot ə ðə `sɜdʒərɪ 'auəz*]
am. [*`hwat ər ðɪ `afɪs 'auərz*]

Czy lekarz może przyjechać do mnie?
Can the doctor come and see me here?
bryt. [*kən ðə `doktə 'kʌm ən `si mɪ `hɪə*]
am. [*kən ðə `daktər 'kʌm ən `si mɪ `hir*]

Ile kosztuje wizyta (lekarza) w domu?
How much is a home visit <*am.* house call>?
bryt. [*hau `mʌtʃ ɪz ə `həum 'vɪzɪt*]
am. [*hau `mʌtʃ ɪz ə `haus 'kɔl*]

Co panu/pani dolega?
What seems to be the problem?
bryt. [`*wot `sims tə 'bi ðə `prɒbləm*]
am. [`*hwat `sims tə 'bi ðə `prabləm*]

Wymiotuję po jedzeniu.
I throw up after eating.
bryt. [*aɪ `θrəu 'ʌp ɑftər `itɪŋ*]
am. [*aɪ `θrou 'ʌp æftər `iDɪŋ*]

Mam mdłości.
I have nausea.
[*aɪ 'hæv `nɔzɪə*]

Mam silne zawroty głowy.
I feel dizzy.
[*aɪ `fil `dɪzɪ*]

Przewróciłem/przewróciłam się. Stłukłem/stłukłam sobie kolano.
I took a fall. I hurt my knee.
bryt. [*aɪ `tuk ə `fɔl\ aɪ `hɜt maɪ `ni*]
am. [*aɪ `tuk ə `fɔl\ aɪ `hərt maɪ `ni*]

Skręciłem/skręciłam nogę. Bardzo mnie boli.
I twisted my leg. It's very painful.
[*aɪ `twɪstɪd maɪ `leg\ ɪts 'verɪ `peɪnfl*]

Skaleczyłem/skaleczyłam się.
I cut myself.
[*aɪ `kʌt 'maɪself*]

Opalałem/opalałam się. Mam bąble na plecach.
I've been sunbathing. I've got <*am.* I have> blisters on my back.
bryt. [*aɪv bɪn `sʌnbeɪðɪŋ\ aɪv 'got `blɪstəz on maɪ `bæk*]
am. [*aɪv bɪn `sʌnbeɪðɪŋ\ aɪ 'hæv `blɪstərz an maɪ `bæk*]

Wpadło mi coś do oka.
Something got into my eye.
bryt. [*`sʌmθɪŋ 'got ɪntə maɪ `aɪ*]
am. [*`sʌmθɪŋ 'gat ɪntə maɪ 'aɪ*]

Ukąsił mnie pies/owad.
A dog/An insect bit me.
bryt. [*ə `dog\ən `ɪnsekt `bɪt mɪ*]
am. [*ə `dag\ən `ɪnsekt `bɪt mɪ*]

Mam gorączkę i dreszcze.
I've got <*am.* I have> a fever and shivers <*am.* chills>.
bryt. [*aɪv 'got ə `fivə ən `ʃɪvəz*]
am. [*aɪ 'hæv ə `fivər ən `tʃɪlz*]

Boli mnie gardło.
I've got <*am.* I have> a sore throat.
bryt. [*aɪv 'got ə `sɔ 'θrəut*]
am. [*aɪ 'hæv ə `sor 'θrout*]

Zeszłego roku miałem/miałam zawał. Źle się czuję.
Last year I had a heart attack. I'm feeling poorly.
bryt. [*'lɑst jɪə aɪ 'hæd ə `hɑt ə`tæk\ aɪm `filɪŋ `puəlɪ*]
am. [*'læst jɪər aɪ 'hæd ə `hɑrt ə`tæk\ aɪm `filɪŋ `purlɪ*]

Mam wysokie ciśnienie.
I suffer from < I have> high blood pressure.
bryt. [*aɪ `sʌfə frəm < aɪ 'hæv> `haɪ `blʌd 'preʃə*]
am. [*aɪ 'hæv `haɪ `blʌd 'preʃər*]

Mam silną obstrukcję/rozwolnienie.
I'm severely constipated/I've got diarrhoea <*am.* I have diarrhea>.
bryt. [*aɪm sɪ`vɪəlɪ kənstɪ`peɪtɪd\aɪv 'got daɪə`rɪə*]
am. [*aɪm sɪ`virlɪ kənstɪ`peɪDɪd\aɪ 'hæv daɪə`rɪə*]

Jestem w ciąży.
I'm pregnant.
[*aɪm `pregnənt*]

Tu mnie boli.
I've got <*am.* I have> a pain here.
bryt. [*aɪv 'got ə `peɪn hɪə*]
am. [*aɪ 'hæv ə `peɪn hir*]

Cierpię na bezsenność.
I suffer from <*am.* I have> insomnia.
bryt. [*aɪ `sʌfə frəm ɪn`somnɪə*]
am. [*aɪ 'hæv ɪn`samnɪə*]

Choruję na cukrzycę.
I'm diabetic.
bryt. [*aɪm daɪə`betɪk*]
am. [*aɪm daɪə`beDɪk*]

Jaką dawkę insuliny pan/pani bierze?
What dose of insulin are you taking?
bryt. [*wot `dəuz əv `ɪnsjulɪn ə ju `teɪkɪŋ*]
am. [*hwat `douz əv `ɪnsulɪn ər ju `teɪkɪŋ*]

Jestem uczulony/uczulona na penicylinę.
I'm allergic to penicillin.
bryt. [*aɪm ə`lɜdʒɪk tə penɪ`sɪlɪn*]
am. [*aɪm ə`lərdʒɪk tə penɪ`sɪlɪn*]

Proszę się rozebrać.
Take off your clothes, please.
bryt. [*`teɪk 'of jɔ `kləuðz pliz*]
am. [*`teɪk 'of jər `klouðz pliz*]

Proszę otworzyć usta.
Open your mouth, please.
bryt. [*`əupn jɔ `mauθ pliz*]
am. [*`oupn jər `mauθ pliz*]

Proszę się położyć.
Please lie down.
[*`pliz 'laɪ daun*]

Proszę głęboko oddychać.
Please take a deep breath.
[ˋpliz ˋteɪk ə ˋdip ˈbreθ]

Zmierzę panu/pani ciśnienie.
I'll take your blood pressure.
bryt. [*aɪl ˋteɪk jɔ ˋblʌd ˈpreʃə*]
am. [*aɪl ˋteɪk jər ˋblʌd ˈpreʃər*]

Jest wysokie/niskie.
It's high/low.
bryt. [*ɪts ˋhaɪ\ˋləu*]
am. [*ɪts ˋhaɪ\ˋlou*]

Nogę trzeba prześwietlić.
You must have your leg X-rayed.
bryt. [*ju məst ˈhæv jɔ ˋleg ˋeksreɪd*]
am. [*ju məst ˈhæv jər ˋleg ˋeksreɪD*]

Jest złamana, trzeba założyć gips.
It's broken and it needs to be put in a cast.
bryt. [*ɪts ˋbrəukn ənd ɪt ˋnidz tə bɪ ˋput ɪn ə ˋkɑst*]
am. [*ɪts ˋbroukn ənd ɪt ˋnidz tə bɪ ˋput ɪn ə ˋkæst*]

Trzeba pana/panią skierować do szpitala. Nie może pan/pani dalej podróżować.
You should be hospitalized. You can't continue your journey.
bryt. [*ju ʃud bɪ ˋhospɪtəlaɪzd\ ju ˋkɑnt kənˋtɪnju jɔ ˋdʒɜnɪ*]
am. [*ju ʃəd bɪ haspɪDəlaɪzd\ju ˋkænt kən ˋtɪnju jər ˋdʒərnɪ*]

To nic poważnego. Przepiszę panu/pani lekarstwo.
It's nothing serious. I'll prescribe some medicine for you.
bryt. [*ɪts ˋnʌθɪŋ ˋsɪərɪəs\ aɪl prɪˋskraɪb səm ˋmedɪsɪn fə ju*]
am. [*ɪts ˋnʌθɪŋ ˋsirɪəs\ aɪl prɪˋskraɪb səm ˋmedɪsɪn fər ju*]

Lekarstwo proszę brać przed jedzeniem/w czasie jedzenia/ po jedzeniu/na czczo.
Take the medicine before meals/during meals/after meals/on an empty stomach.
bryt. [*ˋteɪk ðə ˋmedɪsɪn bɪˈfɔ ˋmils\ˋdjuərɪŋ ˋmils\ˋɑftə ˋmils\on ən ˋemptɪ ˋstʌmək*]
am. [*ˋteɪk ðə ˋmedɪsɪn bɪˈfor ˋmils\ˋdʒurɪŋ ˋmils\ˋæftər ˋmils\an ən ˋemptɪ ˋstʌmək*]

Antybiotyk proszę brać co 6 godzin przez pięć dni.
Take the antibiotic every 6 hours for five days.
bryt. [*ˋteɪk ðɪ æntɪbaɪˋotɪk ˋevrɪ ˈsɪks ˋauəz fə ˋfaɪv ˈdeɪz*]
am. [*ˋteɪk ðɪ æn(D)ɪbaɪˋaDɪk ˋevrɪ ˈsɪks ˋauərz fər ˋfaɪv ˈdeɪz*]

Proszę przyjść do mnie za kilka dni.
Come to see me in a few days.
[*ˈkʌm tə ˋsi mɪ ɪn ə ˋfju ˋdeɪz*]

Ile wynosi honorarium, panie doktorze?
What do I owe you, doctor?
bryt. [*ˋwot du aɪ ˋəu ju ˋdoktə*]
am. [*ˋhwat du aɪ ˋou ju ˋdaktər*]

Czy może mi pan/pani dać rachunek?
May I have a receipt, please?
[*meɪ aɪ ˈhæv ə rɪˋsit pliz*]

Boli mnie ząb.
I have a toothache.
[*aɪ ˈhæv ə ˋtuθeɪk*]

Złamał mi się ząb. Czy może pan/pani nałożyć koronkę porcelanową?
I've broken a tooth. Could you put porcelain cap over <*am.* on> it?
bryt. [*aɪv ˋbrəukn ə ˋtuθ\ kəd ju ˋput ˋpɔslɪn ˋkæp ˈəuvər ɪt*]
am. [*aɪv ˋbroukn ə ˋtuθ\ kəd ju ˋput ˋparslɪn ˋkæp an ɪt*]

Wypadła mi plomba.
I've lost a filling.
[*aɪv `last ə `fɪlɪŋ*]

Ten ząb trzeba leczyć.
This tooth should be treated.
bryt. [*`ðɪs 'tuθ ʃəd bɪ `tritɪd*]
am. [*`ðɪs 'tuθ ʃəd bɪ `triDɪd*]

Ten ząb mogę zaplombować od razu.
I can fill this tooth immediately.
bryt. [*aɪ kən `fɪl ðɪs `tuθ ɪ`midɪətlɪ*]
am. [*aɪ kən `fɪl ðɪs `tuθ ɪ`miDɪətlɪ*]

Ten ząb trzeba usunąć.
This tooth must be extracted.
[*`ðɪs 'tuθ məst bɪ ek`stræktɪd*]

Pękła mi proteza. Czy może ją pan/pani naprawić?
I've broken my denture. Can you fix it?
bryt. [*aɪv `brəukn maɪ `dentʃə\ kən ju `fɪks ɪt*]
am. [*aɪv `broukn maɪ `dentʃər\ kən ju `fɪks ɪt*]

Czy to można zrobić na poczekaniu?
Can you do it while I wait?
bryt. [*kən ju `du ɪt waɪl aɪ `weɪt*]
am. [*kən ju `du ɪt hwaɪl aɪ `weɪt*]

Ile to będzie kosztować?
How much will it cost?
[*hau `mʌtʃ wɪl ɪt `kast*]

Kiedy mogę to odebrać?
When can I pick it up?
bryt. [*`wen kən aɪ `pɪk ɪt `ʌp*]
am. [*`hwen kən aɪ `pɪk ɪD `ʌp*]

Bardzo proszę o rachunek.
I'd like a receipt, please.
[*aɪd 'laɪk ə rɪ`sit pliz*]

Gdzie jest najbliższa apteka?
Where's the nearest chemist's <*am.* drugstore>?
bryt. [*`weəz ðə `nɪərɪst `kemɪsts*]
am. [*`hwerz ðə `nirɪst `drʌgstor*]

Czy jest czynna całą dobę?
Is it open 24 hours?
bryt. [*ɪz ɪt `əupn `twentɪ fɔr `auəz*]
am. [*ɪz ɪt `oupn `twen(D)ɪ fɔr `auərz*]

Czy mogę to lekarstwo kupić bez recepty?
Can I get this medicine without a prescription?
[*kən aɪ `get ðɪs `medɪsɪn wɪ'ðaut ə prɪ`skrɪpʃn*]

Mam receptę z Polski. Czy mogę ją tutaj zrealizować?
I've got <*am.* I have> a prescription from Poland. Will you accept it?
bryt. [*aɪv 'got ə prɪ`skrɪpʃn frəm `pəulənd\ wɪl ju ək`sept ɪt*]
am. [*aɪ 'hæv ə prɪ`skrɪpʃn frəm `poulənd\ wɪl ju ək`sept ɪt*]

Proszę jakiś środek przeciwbólowy/przeciw zaparciom/nasenny/uspokajający.
May I have a painkiller/a laxative/a sleeping pill/a tranquillizer.
bryt. [*meɪ aɪ `hæv ə `peɪnkɪlə\ə `læksətɪv \ə `slipɪŋ pɪl\ə `træŋkwɪlaɪzə*]
am. [*meɪ aɪ `hæv ə `peɪnkɪlər\ə 'læksəDɪv\ə `slipɪŋ pɪl\ə `træŋkwɪlaɪzər*]

Proszę syrop od kaszlu/aspirynę.
Cough syrup/aspirin, please.
[*`kof 'sɪrəp\`æsprɪn pliz*]

Ile płacę?
How much is it?
[*hau `mʌtʃ ɪz ɪt*]

19. FOTOGRAF, FOTOGRAFOWANIE
PHOTOGRAPHER, TAKING PICTURES
bryt. [*fə`tografə\ 'teɪkɪŋ `pɪktʃəz*]
am. [*fə`tagrəfər\ 'teɪkɪŋ `pɪktʃərz*]

Chciałbym/chciałabym kupić aparat fotograficzny.
I'd like to buy a camera.
[*aɪd 'laɪk tə `baɪ ə `kæmrə*]

Proszę pokazać mi ten.
Will you show me this one?
bryt. [*wɪl ju `ʃəu mɪ `ðɪs wʌn*]
am. [*wɪl ju `ʃou mɪ `ðɪs wʌn*]

Ile on kosztuje?
How much is it?
[*hau `mʌtʃ ɪz ɪt*]

Może są tańsze?
Are there any cheaper ones?
bryt. [*ə ðər enɪ `tʃipə 'wʌnz*]
am. [*ər ðər enɪ `tʃipər 'wʌnz*]

Czy są aparaty firmy Pentax/Kodak?
Are there any Pentax <Kodak> cameras?
bryt. [*ə ðər enɪ `pentæks \`kəudæk 'kæmrəz*]
am. [*ər ðər enɪ `pentæks \`koudæk 'kæmrəz*]

Proszę film do tego aparatu. Proszę film do polaroidu.
I'd like a film for this camera. I'd like a Polaroid film.
bryt. [*aɪd 'laɪk ə `fɪlm fə `ðɪs 'kæmrə\ aɪd 'laɪk ə `pəulərɔɪd 'fɪlm*]
am. [*aɪd 'laɪk ə `fɪlm fər `ðɪs 'kæmrə\ aɪd 'laɪk ə `poulərɔɪd 'fɪlm*]

Czy może mi pan/pani założyć ten film do aparatu?
Could you put this film into my camera?
[*kəd ju `put ðɪs 'fɪlm ɪntə maɪ `kæmrə*]

Proszę o wywołanie tego filmu.
I'd like this film developed, please.
[*ɑɪd 'lɑɪk ðɪs 'fɪlm dɪ`veləpt pliz*]

Ile kosztuje jedna odbitka?
How much is a print?
[*hɑu `mʌtʃ ɪz ə `prɪnt*]

Proszę zrobić po dwie odbitki z tego filmu.
I want two prints of each picture.
bryt. [*ɑɪ 'wont `tu 'prɪnts əv `itʃ `pɪktʃə*]
am. [*ɑɪ 'want `tu 'prɪnts əv `itʃ `pɪktʃər*]

Czy może je pan/pani powiększyć?
Can you enlarge them?
bryt. [*kən ju ɪn`lɑdʒ ðəm*]
am. [*kən ju ɪn`lɑrdʒ ðəm*]

Kiedy będą gotowe?
When will they be ready?
bryt. [*`wen wɪl ðeɪ bɪ `redɪ*]
am. [*`hwen wɪl ðeɪ bɪ `redɪ*]

Płacę teraz czy przy odbiorze?
Do I pay now or on collection <*am.* pick up>?
bryt. [*du ɑɪ 'peɪ `nɑu ɔr on kə `lekʃn*]
am. [*du ɑɪ 'peɪ `nɑu ɔr an `pɪk ʌp*]

Chciałbym/chciałabym zrobić zdjęcie do legitymacji.
I'd like to have my passport photograph taken.
bryt. [*ɑɪd 'lɑɪk tə `hæv mɑɪ `pɑspɔt `fəutəgrɑf `teɪkn*]
am. [*ɑɪd 'lɑɪk tə `hæv mɑɪ `pæsport `fouDəgræf `teɪkn*]

Zdjęcia potrzebne mi są na jutro.
I need the photos by tomorrow.
bryt. [*ɑɪ `nid ðə `fəutəuz bɑɪ tə `morəu*]
am. [*ɑɪ `nid ðə `fouDouz bɑɪ tə `mɑrou*]

Proszę usiąść. Proszę spojrzeć w prawo. Głowa trochę wyżej.
Please take a seat. Please, look to the right. Raise your head a little bit.
bryt. [*pliz `teɪk ə `sit\pliz `luk tə ðə `raɪt\`reɪz jɔ 'hed ə `lɪtl bɪt*]
am. [*pliz `teɪk ə `sit\pliz `luk tə ðə `raɪt\`reɪz jər 'hed ə `lɪDl bɪt*]

Dziękuję. Jutro rano będą gotowe.
Thank you. They'll be ready by tomorrow morning.
bryt. [*`θæŋk jə\ ðeɪl bɪ `redɪ baɪ tə`morəu `mɔnɪŋ*]
am. [*`θæŋk jə\ ðeɪl bɪ `redɪ baɪ tə`marou `mɔrnɪŋ*]

Proszę mi zrobić 6 odbitek.
I'd like 6 prints, please.
[*aɪd 'laɪk `sɪks 'prɪnts pliz*]

Ile płacę?
How much is it?
[*hau `mʌtʃ ɪz ɪt*]

Chcielibyśmy zrobić sobie zdjęcie. Czy może nam pan/pani pomóc?
We'd like to have our picture taken. Could you help us?
bryt. [*wɪd 'laɪk tə `hæv auə `pɪktʃə `teɪkn\kəd ju `help əs*]
am. [*wɪd 'laɪk tə `hæv ar`pɪktʃər `teɪkn\kəd ju help əs*]

Aparat jest już nastawiony. Prosimy tylko nacisnąć ten przycisk.
The camera is already set. Just press this button, please.
[*ðə `kæmrə ɪz ɔl'redɪ `set\dʒəs ` pres ðɪs `bʌtn pliz*]

20. ZEGARMISTRZ, ZEGARKI

WATCHMAKER, WATCHES

bryt. [ˋwotʃmeɪkə\ ˋwotʃɪz]

am. [ˋwatʃmeɪkər\ ˋwatʃɪz]

Zepsuł mi się zegarek. Może pan/pani zobaczyć, co się stało?

My watch doesn't work. Could you see what's wrong with it?

bryt. [*maɪ ˋwotʃ dʌznt ˋwɜk\ kəd ju ˋsi wots ˋroŋ wɪð ɪt*]

am. [*maɪ ˋwatʃ dʌznt ˋwərk\ kəd ju ˋsi hwats ˋroŋ wɪð ɪt*]

Czy można go zreperować?

Can you repair it?

bryt. [*kən ju rɪˋpeər ɪt*]

am. [*kən ju rɪˋper ɪt*]

Czy można to zrobić na poczekaniu?

Could <*am.* Can> you do it while I wait?

bryt. [*kəd ju ˋdu ɪt waɪl aɪ ˋweɪt*]

am. [*kən ju ˋdu ɪt hwaɪl aɪ ˋweɪt*]

Mój zegarek się spóźnia/spieszy. Czy może go pan/pani wyregulować?

My watch is slow/fast. Can you adjust it?

bryt. [*maɪ ˋwotʃ ɪz ˋsləu\ˋfast \ kən ju əˋdʒʌst ɪt*]

am. [*maɪ ˋwatʃ ɪz ˋslou\ˋfæst\ kən ju əˋdʒʌst ɪt*]

W moim zegarku wyczerpała się bateria. Czy może pan/pani założyć nową?

The battery in my watch has gone flat <*am.* is dead>. Could you replace it with a new one?

bryt. [*ðə ˋbætrɪ ɪn maɪ ˋwotʃ əz ˈgon ˋflæt \ kəd ju rɪˋpleɪs ɪt wɪð ə ˋnju ˈwʌn*]

am. [*ðə ˋbæDrɪ ɪn maɪ ˋwatʃ ɪz ˋded\ kəd ju rɪˋpleɪs ɪt wɪð ə ˋnu ˈwʌn*]

Pękła mi bransoleta. Może pan/pani ją zreperować?
My bracelet's broken. Can you repair it?
bryt. [*maɪ `breɪslɪts `brəukn\ kən ju rɪ`peər ɪt*]
am. [*maɪ `breɪslɪts `broukn\ kən ju rɪ`per ɪt*]

Chciałbym/chciałabym niedrogi zegarek.
I'd like an inexpensive watch, please.
bryt. [*aɪd 'laɪk ən ɪnɪk`spensɪv `wotʃ pliz*]
am. [*aɪd 'laɪk ən ɪnɪk`spensɪv `watʃ pliz*]

Chciałbym/chciałabym zegarek z kalendarzem.
I'd like a calendar watch, please.
bryt. [*aɪd 'laɪk ə `kælɪndə 'wotʃ pliz*]
am. [*aɪd 'laɪk ə `kæləndər 'watʃ pliz*]

Chciałbym/chciałabym zegarek na rękę/kieszonkowy/budzik/zegar ścienny.
I'd like a wrist watch/a pocket watch/an alarm clock/a clock.
bryt. [*aɪd laɪk ə `rɪst 'wotʃ\ə `pokɪt 'wotʃ\ən ə`lam 'klok\ə `klok*]
am. [*aɪd laɪk ə `rɪst 'watʃ\ə `pakɪt 'watʃ\ən ə`larm 'klak\ə `klak*]

Chciałbym/chciałabym zegarek srebrny/złoty.
I'd like a silver/gold watch.
bryt. [*aɪd laɪk ə `sɪlvə\`gəuld 'wotʃ*]
am. [*aɪd laɪk ə `sɪlvər\`gould 'watʃ*]

Proszę bransoletkę/pasek do zegarka.
I'd like a bracelet/watch band, please?
bryt. [*aɪd 'laɪk ə `breɪslɪt\`wotʃ 'bænd pliz*]
am. [*aɪd 'laɪk ə `breɪslɪt\`watʃ 'bænd pliz*]

21. OPTYK, OKULARY

OPTICIAN, GLASSES
bryt. [*op`tɪʃn\ `glasɪz*]
am. [*ap`tɪʃn\ `glæsɪz*]

Proszę okulary przeciwsłoneczne.
I'd like sunglasses, please.
bryt. [*aɪd 'laɪk `sʌnglasɪz pliz*]
am. [*aɪd 'laɪk `sʌnglæsɪz pliz*]

Proszę z jaśniejszymi szkłami.
Brighter lenses, please.
bryt. [*`braɪtə `lenzɪz pliz*]
am. [*`braɪDər `lenzɪz pliz*]

Stłukło mi się szkło. Czy mogę dostać nowe?
I've broken my lens. Can I get a new one?
bryt. [*aɪv `brəukn maɪ `lenz\ kən aɪ 'get ə `nju 'wʌn*]
am. [*aɪv `broukn maɪ `lenz\ kən aɪ 'get ə `nu 'wʌn*]

Złamała mi się oprawka.
My frame's broken.
bryt. [*maɪ `freɪmz 'brəukn*]
am. [*maɪ `freɪmz 'broukn*]

Można ją zreperować, czy trzeba dać nową?
Can you repair it or should it be replaced by a new one?
bryt. [*kən jə rɪ`peə ɪt ə ʃud ɪt bi rɪ`pleɪst baɪ ə `nju wʌn*]
am. [*kən jə rɪ`per ɪt ər ʃud ɪt bi rɪ`pleɪst baɪ ə `nu wʌn*]

Czy mogę obejrzeć oprawki?
May I have a look at the frames?
[*meɪ aɪ 'hæv ə 'luk ət ðə `freɪmz*]

W jakiej cenie są te złote (oprawki)?
What's the price of those gold ones?
bryt. [*`wots ðə `praɪs əv ðəuz `gəuld 'wʌnz*]
am. [*`hwats ðə `praɪs əv ðouz `gould 'wʌnz*]

Czy mogę je przymierzyć?
May I try them on?
bryt. [*meɪ aɪ `traɪ ðəm `on*]
am. [*meɪ aɪ `traɪ ðəm `an*]

Czy ma pan podobne, ale tańsze?
Have you got <*am.* Do you have> similar ones but cheaper?
bryt. [*həv ju 'got `sɪmɪlə 'wʌnz bət `tʃipə*]
am. [*də ju 'hæv `sɪmɪlər 'wʌnz bət `tʃipər*]

Zgubiłem/zgubiłam okulary. Muszę kupić nowe.
I've lost my glasses. I must get new ones.
bryt. [*aɪv `lost maɪ `glasɪz \ aɪ məs 'get `nju 'wʌnz*]
am. [*aɪv `last maɪ `glæsɪz \ aɪ məst 'get `nu 'wʌnz*]

Czy może mi pan/pani zbadać wzrok i dobrać okulary?
Can you examine my eyes and select lenses for me?
bryt. [*kən ju ɪg`zæmɪn maɪ `aɪz ən sɪ'lekt `lenzɪz fə mɪ*]
am. [*kən ju ɪg`zæmɪn maɪ `aɪz ən sɪ'lekt `lenzɪz fər mɪ*]

Ile będą kosztowały te okulary?
How much will these glasses cost?
bryt. [*hau `mʌtʃ wɪl `ðiz 'glasɪz `kost*]
am. [*hau `mʌtʃ wɪl `ðiz 'glæsɪz `kast*]

Czy mogą być szybko zrobione?
Can you make them quickly?
[*kən ju `meɪk ðəm `kwɪklɪ*]

Proszę szkła plastikowe.
I'd like plastic lenses.
[*aɪd laɪk `plæstɪk `lenzɪz*]

Czy dostanę szkła kontaktowe?
Could I have contact lenses?
bryt. [*kəd aɪ 'hæv `kontækt `lenzɪz*]
am. [*kəd aɪ 'hæv `kan(D)ækt `lenzɪz*]

Proszę futerał do okularów.
A case for the glasses, please.
bryt. [*ə `keɪs fə ðə `glɑsɪz pliz*]
am. [*ə `keɪs fər ðə `glæsɪz pliz*]

22. FRYZJER

a) Fryzjer męski

Barber
bryt. [*`bɑbə*]
am. [*`bɑrbər*]

Chciałbym się ostrzyc.
I want a haircut, please.
bryt. [*aɪ 'won(t) ə `heəkʌt pliz*]
am. [*aɪ 'wan(D) ə `herkʌt pliz*]

Proszę krótko/nie za krótko.
Cut it short/Don't cut it too short.
bryt. [*`kʌt ɪt `ʃɔt\`dəunt 'kʌt ɪt 'tu `ʃɔt*]
am. [*`kʌt ɪt `ʃort\`dount 'kʌt ɪt 'tu `ʃort*]

Proszę trochę przyciąć mi włosy, brodę i wąsy.
Would you please trim my hair/beard and moustache <*am.* mustache> a little.
bryt. [*wəd ju `pliz `trɪm maɪ `heə \`bɪəd ən mə`stɑʃ ə `lɪtl*]
am. [*wəd ju `pliz `trɪm maɪ `her\`bird ən mə`stɑʃ ə `lɪDl*]

Chciałbym się ogolić.
I'd like a shave.
[*aɪd 'laɪk ə `ʃeɪv*]

Ile płacę?
How much is it?
[*hau `mʌtʃ ɪz ɪt*]

b) Fryzjer damski
Hairdresser
bryt. [*`headresə*]
am. [*`herdresər*]

Chciałabym umyć i uczesać włosy.
I'd like a shampoo and set.
[*aɪd 'laɪk ə ʃæm`pu ən `set*]

Czy długo muszę czekać?
How long must I wait?
[*hau `loŋ məst aɪ `weɪt*]

Proszę mi obciąć włosy krótko/niezbyt krótko.
Please cut my hair short/don't cut my hair too short.
bryt. [*pliz `kʌt maɪ `heə ʃɔt\`dəunt 'kʌt maɪ `heə 'tu `ʃɔt*]
am. [*pliz `kʌt maɪ `her `ʃort\`dount 'kʌt maɪ ` her 'tu `ʃort*]

Proszę przyciąć grzywkę.
Please trim my fringe <*am.* bangs>.
bryt. [*pliz `trɪm maɪ `frɪndʒ*]
am. [*pliz `trɪm maɪ `bæŋz*]

Proszę rozjaśnić mi włosy.
I'd like my hair bleached.
bryt. [*aɪd 'laɪk maɪ `heə `blitʃt*]
am. [*aɪd 'laɪk maɪ `her `blitʃt*]

Proszę ufarbować mi włosy na brązowo/popielato/rudo.
I'd like my hair dyed brown/ashen blond <*am.* ash blond>/red.
bryt. [*aɪd 'laɪk maɪ he 'daɪd `braun\`æʃən blond\`red*]
am. [*aɪd 'laɪk maɪ `her 'daɪd `braun\`æʃ bland\`red*]

Proszę zrobić mi trwałą.
A perm, please.
bryt. [*ə ˋpɜm pliz*]
am. [*ə ˋpərm pliz*]

Proszę zakręcić na wałki.
Put it in curlers, please.
bryt. [*ˋput ɪt ɪn ˋkɜləz pliz*]
am. [*ˋput ɪt ɪn ˋkərlərz pliz*]

Proszę polakierować/nie lakierować.
Hair spray/no hair spray, please.
bryt. [*ˋheə 'spreɪ\ˋnəu 'heə 'spreɪ pliz*]
am. [*ˋher 'spreɪ\ˋnou 'her 'spreɪ pliz*]

Chciałabym zrobić manikiur/pedikiur.
I'd like to have a manicure/pedicure.
bryt. [*ɑɪd 'lɑɪk tə ˋhæv ə ˋmænɪkjuə\ˋpedɪkjuə*]
am. [*ɑɪd 'lɑɪk tə ˋhæv ə ˋmænɪkjər\ˋpedɪkjər*]

Bez lakieru proszę.
No nail varnish <*am.* polish>, please.
bryt. [*nəu ˋneɪl 'vɑnɪʃ pliz*]
am. [*nou ˋneɪl 'pɑlɪʃ pliz*]

Proszę jasny/ciemny lakier.
Light/dark nail varnish <*am.* polish>, please.
bryt. [*ˋlɑɪt\ˋdɑk ˋneɪl 'vɑnɪʃ pliz*]
am. [*ˋlɑɪt\ˋdɑrk ˋneɪl 'pɑlɪʃ pliz*]

Ile płacę za wszystko?
How much will all this be?
[*hɑu ˋmʌtʃ wɪl ˋɔl ðɪs bɪ*]

23. PRALNIA, PRALNIA CHEMICZNA
LAUNDRY, DRY CLEANER'S
bryt. [*ˋlɔndrɪ \ˈdraɪ ˋklinəz*]
am. [*ˋlɔndrɪ \ˈdraɪ ˋklinərz*]

Czy jest w pobliżu pralnia/pralnia samoobsługowa?
Is there a laundry/launderette <*am.* laundromat> in the neighbourhood <*am.* neighborhood>?
bryt. [*ɪz ðər ə ˋlɔndrɪ\lɔnˋdret ɪn ðə ˋneɪbəhud*]
am. [*ɪz ðər ə ˋlɔndrɪ\ˋlɔndrəmæt ɪn ðə ˋneɪbərhud*]

Gdzie jest pralnia chemiczna?
Where's the dry cleaner's?
bryt. [*ˋweəz ðə ˈdraɪ ˋklinəz*]
am. [*ˋhwerz ðə ˈdraɪ ˋklinərz*]

Chciałbym/chciałabym wyprać te rzeczy.
I'd like to wash/to dry clean these things.
[*aɪd ˈlaɪk tə ˋwaʃ\tə ˈdraɪ ˋklin ðiz ˋθɪŋz*]

Chciałbym/chciałabym to oddać do prania.
I'd like it to be laundered/dry cleaned.
bryt. [*aɪd ˈlaɪk ɪt tə bɪ ˋlɔndəd\ˈdraɪ ˋklind*]
am. [*aɪd ˈlaɪk ɪt tə bɪ ˋlɔndərd\ˈdraɪ ˋklind*]

Proszę to wyprać ekspresowo.
I need an express laundry service.
bryt. [*aɪ ˋnid ən ɪkˋspres ˈlɔndrɪ ˋsɜvɪs*]
am. [*aɪ ˋnid ən ɪkˋspres ˈlɔndrɪ ˋsərvɪs*]

Tu jest plama. Czy da się wywabić?
Here's a stain. Can you remove it?
bryt. [*hɪəz ə ˋsteɪn\ kən ju rɪˋmuv ɪt*]
am. [*hirz ə ˋsteɪn\ kən ju rɪˋmuv ɪt*]

Czy mogę to pranie odebrać jutro/pojutrze?
Can I collect <*am.* pick up> my laundry tomorrow/the day after tomorrow?
bryt. [*kən aɪ kə`lekt maɪ `lɔndrɪ tə`morəu\ðə 'deɪ 'ɑftə tə`morəu*]
am. [*kən aɪ 'pɪk `ʌp mɑ` lɔndrɪ tə`marou\ðə 'deɪ 'æftər tə`marou*]

Ile to będzie kosztowało?
How much will it cost?
[*hɑu `mʌtʃ wɪl ɪt 'kast*]

Proszę pokwitowanie.
A receipt, please.
[*ə rɪ`sit pliz*]

24. ZWROTY UŻYWANE PRZY ROBIENIU ZAKUPÓW
USEFUL PHRASES WHILE SHOPPING
bryt. [*`jusfl `freɪzɪz waɪl `ʃopɪŋ*]
am. [*`jusfl `freɪzɪz lhwaɪl `ʃapɪŋ*]

a) Waga Weight [*weɪt*]

funt (*0,45 kilograma*) pound [*pɑund*]

uncja (*28,35 grama*) ounce [*ɑuns*]

gram gram [*græm*]

dekagram decagram [*`dekəgræm*]

kilogram kilogram [*`kɪləgræm*]

Proszę funt mięsa wołowego.
A pound of beef, please.
[*ə `pɑund əv `bif pliz*]

Proszę kilogram/dwa funty kartofli.
A kilogram/Two pounds of potatoes, please.
bryt. [*ə ˋkɪləgræm \ˋtu ˋpaundz əv pəˋteɪtəuz pliz*]
am. [*ə ˋkɪləgræm \ˋtu ˋpaundz əv pəˋteɪDouz pliz*]

Proszę 200 gramów białego sera.
200 grams of cottage cheese, please.
bryt. [*ˋtu hʌndrɪd ˋgræmz əv ˋkotɪdʒˈtʃiz pliz*]
am. [*ˋtu hʌndrɪd ˋgræmz əv ˋkaDɪdʒˈtʃiz pliz*]

Proszę pół funta ryżu.
Half a pound of rice, please.
bryt. [*ˋhaf ə ˋpaund əv ˋraɪs pliz*]
am. [*ˋhæf ə ˋpaund əv ˋraɪs pliz*]

b) Miara
Measure
bryt. [*ˋmeʒə*]
am. [*ˋmeʒər*]

cal (*2,54 centymetra*) inch [*ɪntʃ*]

stopa (*30,48 centymetra*) foot [*fut*]

jard (*91,44 centymetra*) *bryt.* yard [*jad*] *am.* yard [*jard*]

mila (*1,6 kilometra*) mile [*maɪl*]

milimetr millimetre <*am.* millimeter> *bryt.* [*ˋmɪlɪmitə*]
am. [*ˋmɪləmiDər*]

centymetr centimetre <*am.* centimeter> *bryt.* [*ˋsentɪmitə*]
am. [*ˋsen(D)əmiDər*]

metr metre <*am.* meter> *bryt.* [*ˋmitə*] *am.* [*ˋmiDər*]

kilometr kilometre <*am.* kilometer> *bryt.* [*`kɪləmitə*]
am. [*`kɪləmiDər*]

Proszę trzy metry/jardy tego materiału.
May I have three metres <*am.* meters>/yards of this fabric.
bryt. [*meɪ aɪ 'hæv `θri 'mitəz \'jadz əv ðɪs `fæbrɪk*]
am. [*meɪ aɪ 'hæv `θri 'miDərz \'jardz əv ðɪs `fæbrɪk*]

Ile kilometrów/mil jest stąd do Polski?
How many kilometres <*am.* kilometers>/miles is it from here to Poland?
bryt. [*`hau menɪ `kɪləmitəz \`maɪlz ɪz ɪt frəm `hɪə tə `pəulənd*]
am. [*`hau menɪ `kɪləmiDərz \`maɪlz ɪz ɪt frəm `hir tə `poulənd*]

c) Objętość
Capacity
bryt. [*kə`pæsɪtɪ*]
am. [*kə`pesəDɪ*]

pint (*bryt 0,568 litra, am. 0,473 litra*) pint [*paɪnt*]

kwarta (*1,136 litra*) quart *bryt.* [*kwɔt*], (*0,946 litra*) *am.* [*kworD*]

galon (*bryt. 4,546 litra, am. 3,785 litra*) gallon [*`gælən*]

litr litre <*am.* liter> *bryt.* [*`lɪtə*] *am.* [*`lɪDər*]

pół litra half a litre <*am.* a half liter> *bryt.* [*'haf ə `lɪtə*]
am. [*ə 'hæf `lɪDər*]

Proszę litr mleka.
A litre <*am.* liter> /quart of milk, please.
bryt. [*ə `lɪtə \kwɔt əv `mɪlk pliz*]
am. [*ə `lɪDər \`kworD əv `mɪlk pliz*]

Proszę kwartę piwa.
A quart of beer, please.
bryt. [*ə `kwɔt əv `bɪə pliz*]
am. [*ə `kworD əv `bir pliz*]

Proszę galon benzyny.
A gallon of petrol <*am.* gas>, please.
bryt. [*ə `gælən əv `petrəl pliz*]
am. [*ə `gælən əv `gæs pliz*]

Proszę pół litra soku pomarańczowego.
Half a litre <*am.* a half liter> of orange juice, please.
bryt. [*'haf ə `lɪtə `orɪndʒ 'dʒus pliz*]
am. [*ə 'hæf `lɪDər `arɪndʒ 'dʒus pliz*]

d) Rozmiar
Size
[*saɪz*]

Proszę buty numer 43/10.
I'd <would> like shoes size 43 <*am.* 10>, please.
bryt. [*aɪd <aɪ wəd> laɪk `ʃuz 'saɪz 'fɔtɪ `θri pliz*]
am. [*aɪd <aɪ wəd> laɪk `ʃuz 'saɪz `ten pliz*]

Proszę koszulę rozmiar L.
I'd <would> like a large shirt, please.
bryt. [*aɪd <aɪ wəd> 'laɪk ə `ladʒ `ʃɜt pliz*]
am. [*aɪd <aɪ wəd> 'laɪk ə `lardʒ `ʃərt pliz*]

Proszę o pół numeru większe/mniejsze.
Half a size <*am.* A half size> larger/smaller, please.
bryt. [*`haf ə saɪz `ladʒə\`smɔlə pliz*]
am. [*ə `hæf 'saɪz `lardʒər\`smɔlər pliz*]

Ta spódnica jest za szeroka w biodrach. Proszę inną tego fasonu.
This skirt's too wide <*am.* large> in the hips. Can I have another one of this style.
bryt. [*ðɪs `skɜts tu `waɪd ɪn ðə `hɪps\ kən aɪ 'hæv ə`nʌðə 'wʌn əv ðɪs `staɪl*]
am. [*ðɪs `skərts tu `lardʒ ɪn ðə `hɪps\ kən aɪ 'hæv ə`nʌðər 'wʌn əv ðɪs `staɪl*]

Ten żakiet jest za wąski w ramionach.
This jacket's too narrow in the shoulders.
bryt. [*ðɪs `dʒækɪts tu `nærəu ɪn ðə `ʃəuldəz*]
am. [*ðɪs `dʒækɪts tu `nærou ɪn ðə `ʃoulDərz*]

Te spodnie są dla mnie za długie.
These trousers <*am.* pants> are too long for me.
bryt. [*ðiz `trauzəz ə tu `loŋ fə mɪ*]
am. [*ðiz `pænts ər tu `loŋ fər mɪ*]

Marynarka jest za krótka.
The jacket's too short.
bryt. [*ðə `dʒækɪts tu `ʃɔt*]
am. [*ðə `dʒækɪts tu `ʃort*]

Ta czapka jest trochę za ciasna.
This cap's a bit tight.
[*ðɪs `kæps ə 'bɪt `taɪt*]

Chciałbym/chciałabym bardzo luźny płaszcz.
I'd like to have a very loose-fitting coat.
bryt. [*aɪd 'laɪk tə `hæv ə `verɪ 'lusfɪtɪŋ `kəut*]
am. [*aɪd 'laɪk tə `hæv ə `verɪ 'lusfɪDɪŋ `kout*]

e) Kolor
Colour <*am.* Color>
bryt. [*`kʌlə*]
am. [*`kʌlər*]

beżowy beige [*beɪʒ*]

biały white *bryt.* [*waɪt*] *am.* [*hwaɪt*]

brązowy brown [*braun*]

ciemny dark *bryt.* [*dak*] *am.* [*dark*]

czarny black [*blæk*]

czerwony red [*red*]

fioletowy violet [`*vaɪələt*]

granatowy navy blue [`*neɪvɪ 'blu*]

jasny light [*laɪt*]

niebieski blue [*blu*]

pomarańczowy *bryt.* orange [`*orɪndʒ*] *am. orange* [`*arɪndʒ*]

popielaty ashen [`*æʃn*]

różowy pink [*pɪŋk*]

srebrny silver *bryt.* [`*sɪlvə*] *am.* [`*sɪlvər*]

szary grey <*am.* gray> [*greɪ*]

zielony green [*grin*]

złoty gold *bryt.* [*gəuld*] *am.* [*gould*]

żółty yellow *bryt.* [`*jeləu*] *am.* [`*jelou*]

f) Rodzaj materiału
Type of fabric
[`*taɪp əv `fæbrɪk*]

aksamit velvet [`*velvɪt*]

atłas satin *bryt.* [`*sætɪn*] *am.* [`*sæDɪn*]

bawełna cotton *bryt.* [*`kotn*] *am.* [ *`kaDn*]

dżins denim [*`denɪm*]

flanela (*ubraniowa*) flannel [*`flænl*] (*pościelowa*) flannelette [*flænl` et*]

frotté terrycloth [*`terɪkloθ*]

jedwab silk [*sɪlk*]

sztuczny rayon [*`reɪon*]

surowy raw silk [*`rɔ 'sɪlk*]

koronka lace [*leɪs*]

moher mohair *bryt.* [*`məuheə*] *am.* [ *`mouher*]

plusz plush [*plʌʃ*]

płótno linen [*`lɪnɪn*]

skóra leather *bryt.* [*`leðə*] *am.* [ *`leðər*]

sztruks corduroy *bryt.* [*`kɔdərɔɪ*] *am.* [ *`kordərɔɪ*]

szyfon chiffon [*`ʃɪfɔn, ʃɪ`fɔn*]

tweed tweed [*twid*]

wełna wool [*wul*]

zamsz suede [*sweɪd*]

25. ZAKUPY
SHOPPING
bryt. [ˋʃopɪŋ]
am. [ˋʃapɪŋ]

Czy może mi pan/pani powiedzieć, gdzie jest najbliższy kiosk?
Could you tell me where the nearest newsagent's <*am.* newsstand> is?
bryt. [kəd ju ˋtel mɪ ˋweə ðə ˋnɪərɪst ˋnjuzeɪdʒənts ɪz]
am. [kəd ju ˋtel mɪ ˋhwer ðə ˋnirɪst ˋnuzstænd ɪz]

W jakich godzinach są otwarte sklepy?
What are the opening hours of the shops <*am.* What hours are the stores open>?
bryt. [ˋwot ə ðɪ ˋəupnɪŋ ˈauəz əv ðə ˋʃops]
am. [ˋhwat ˈauərz ər ðə ˋstorz ˋoupn]

Gdzie jest supermarket?
Where's the supermarket?
bryt. [ˋweəz ðə ˋsupəmakət]
am. [ˋhwerz ðə ˋsupərmarkət]

Czy jest tu bazar (spożywczy)
Is there a food market here?
bryt. [ɪz ðər ə ˋfud ˈmakət ˋhɪə]
am. [ɪz ðər ə ˋfud ˈmarkət ˋhir]

Gdzie znajdę hurtownię?
Where's the nearest wholesaler's <*am.* wholesale store>?
bryt. [ˋweəz ðə ˋnɪərɪst ˋhəulseɪləz]
am. [ˋhwerz ðə ˋnirɪst ˋhoulseɪl ˈstor]

Czy w tym domu towarowym jest przecena towarów?
Is there a sale in this department store?
bryt. [ɪz ðər ə ˋseɪl ɪn ðɪs dɪˋpatmənt ˈstɔ]
am. [ɪz ðər ə ˋseɪl ɪn ðɪs dɪˋpartmənt ˈstor]

Gdzie jest sklep z wyprzedażą posezonową towarów?
Where's the shop <*am.* store> with the after season clearance sale?
bryt. [*ˋweəz ðə ˋʃop wɪð ðɪ ˈɑftə ˈsizn ˋklɪərəns ˈseɪl*]
am. [*ˋhwerz ðə ˋstor wɪð ðɪ ˈæftər ˈsizn ˋklirəns ˈseɪl*]

Proszę mi pokazać zegarek marki Rolex.
Please show me the Rolex watch.
bryt. [*pliz ˋʃəu mɪ ðə ˋrəuleks ˈwotʃ*]
am. [*pliz ˋʃou mɪ ðə ˋrouleks ˈwatʃ*]

Proszę mi pokazać ten obok.
Please show me the one next to it.
bryt. [*pliz ˈʃəu mɪ ðə ˈwʌn ˋnekst tu ɪt*]
am. [*pliz ˈʃou mɪ ðə ˈwʌn ˋnekst tu ɪt*]

Chciałabym przymierzyć ten kostium.
I'd like to try on this suit.
bryt. [*ɑɪd ˈlɑɪk tə ˋtrɑɪ on ˈðɪs ˋs(j)ut*]
am. [*ɑɪd ˈlɑɪk tə ˋtrɑɪ an ˈðɪs ˋsut*]

Gdzie jest przymierzalnia?
Where's the fitting room?
bryt. [*ˋweəz ðə ˋfɪtɪŋ ˈrum*]
am. [*ˋhwerz ðə ˋfɪDɪŋ ˈrum*]

Czy może mi pan/pani pomóc wybrać zabawkę dla dziecka?
Could you help me (to) choose a toy for a child?
[*kəd ju ˋhelp mɪ (tə) ˋtʃuz ə ˋtoɪ fər ə ˋtʃɑɪld*]

Chciałbym/chciałabym filiżanki do herbaty. Co może mi pan/pani zaproponować?
I'd like tea cups. What would you recommend?
bryt. [*ɑɪd ˈlɑɪk ˋti ˈkʌps\ ˋwot wəd ju rekəˋmend*]
am. [*ɑɪd ˈlɑɪk ˋti ˈkʌps\ ˋhwat wəd ju rekəˋmend*]

Czy może pan/pani obniżyć trochę cenę?
Can you come down on the price?
[kən ju 'kʌm `daun on ðə `praɪs]

Tę suknię kupiłam wczoraj. Czy mogę wymienić ją na inną?
I bought this dress yesterday. May I exchange it for another?
bryt. [aɪ `bɔt ðɪs `dres `jestədɪ \ meɪ aɪ ɪks`tʃeɪndʒ ɪt fər ə`nʌðə]
am. [aɪ `bɔt ðɪs `dres `jestərDɪ\ meɪ aɪ ɪks`tʃeɪndʒ ɪt fər ə`nʌðər]

Biorę te buty.
I'll take these shoes.
[aɪl 'teɪk `ðiz 'ʃuz]

Gdzie jest kasa?
Where's the cashier's <*am.* cashier>?
bryt. [`weəz ðə kæ`ʃɪəz]
am. [`hwerz ðə kæ`ʃir]

Czy mogę zapłacić dolarami?
May I pay in dollars?
bryt. [meɪ aɪ `peɪ ɪn `doləz]
am. [meɪ aɪ `peɪ ɪn `dalərz]

Czy mogę zapłacić czekiem podróżnym?
May I pay by traveller's <*am.* traveler's> cheque?
bryt. [meɪ aɪ `peɪ baɪ `trævləz 'tʃek]
am. [meɪ aɪ `peɪ baɪ `trævlərz 'tʃek]

Proszę o paragon/rachunek.
A receipt/A bill, please.
[ə rɪ`sit\ə `bɪl pliz]

Proszę ładnie zapakować.
Would you gift-wrap it, please?
[wəd ju `gɪftræp ɪt 'pliz]

26. LICZBY
NUMBERS
bryt. [`*nʌmbəz*]
am. [`*nʌmbərz*]

Liczebniki główne
Cardinal numbers
bryt. [`*kadɪnl* `*nʌmbəz*]
am. [`*kardɪnl* `*nʌmbərz*]

0 zero *bryt.* [`*zɪərəu*] (*w numerze telefonu*) oh [*əu*]
am. [`*zɪrou*] (*w numerze telefonu*) oh [*ou*]

1 one [*wʌn*]

2 two [*tu*]

3 three [*θri*]

4 four *bryt.* [*fɔ(r)*] *am.* [*for*]

5 five [*faɪv*]

6 six [*sɪks*]

7 seven [`*sevn*]

8 eight [*eɪt*]

9 nine [*naɪn*]

10 ten [*ten*]

11 eleven [*ɪ*`*levn*]

12 twelve [*twelv*]

13 thirteen *bryt.* [*θɜ*`*tin*] *am.* [*θər*`*tin*]

14 fourteen *bryt.* [*fɔ`tin*] *am.* [*for`tin*]

15 fifteen [*fɪf`tin*]

16 sixteen [*sɪks`tin*]

17 seventeen [*sevn`tin*]

18 eighteen [*eɪ`tin*]

19 nineteen [*naɪn`tin*]

20 twenty *bryt.* [*`twentɪ*] *am.* [*`twen(D)ɪ*]

30 thirty *bryt.* [*`θɜtɪ*] *am.* [*`θərDɪ*]

40 forty *bryt.* [*`fɔtɪ*] *am.* [*`forDɪ*]

50 fifty [*`fɪftɪ*]

60 sixty [*`sɪkstɪ*]

70 seventy *bryt.* [*`sevntɪ*] *am.* [*`sevən(D)ɪ*]

80 eighty *bryt.* [*`eɪtɪ*] *am.* [*`eɪDɪ*]

90 ninety *bryt.* [*`naɪntɪ*] *am.* [*`naɪn(D)ɪ*]

100 one hundred [*'wʌn `hʌndrɪd*]

1000 one thousand [*'wʌn `θauznd*]

2000 two thousand [*`tu `θauznd*]

10 000 ten thousand [*`ten `θauznd*]

1 000 000 one million [*'wʌn `mɪljən*]

Liczebniki porządkowe
Ordinal numbers
bryt. [`ɔdɪnl `nʌmbəz]
am. [`ɔrdɪnl `nʌmbərz]

pierwszy first *bryt.* [*fɜst*] *am.* [*fərst*]

drugi second [`*sekənd*]

trzeci third *bryt.* [*θɜd*] *am.* [*θərd*]

czwarty fourth *bryt.* [*fɔθ*] *am.* [*forθ*]

piąty fifth [*fɪfθ*]

szósty sixth [*sɪksθ*]

siódmy seventh [`*sevnθ*]

ósmy eighth [*eɪtθ*]

dziewiąty ninth [*naɪnθ*]

dziesiąty tenth [*tenθ*]

dodawać to add [*tu `æd*]

odejmować to subtract [*tə səb`trækt*]

mnożyć to multiply *bryt.* [*tə `mʌltɪplaɪ*] *am.* [*tə `mʌlDəplaɪ*]

dzielić to divide [*tə dɪ`vaɪd*]

27. CZAS
TIME
[*taɪm*]

Czy ma pan/pani czas?
Have you <*am.* Do you have> any time?
bryt. [*`hæv ju enɪ `taɪm*]
am. [*də ju `hæv enɪ `taɪm*]

Mam dużo/mało czasu.
I've got <*am.* I have> a lot of time/I haven't got <*am.* I don't have> much time.
bryt. [*aɪv 'got ə `lot əv 'taɪm\aɪ `hævnt 'got mʌtʃ `taɪm*]
am. [*aɪ 'hæv ə `laD əv 'taɪm\aɪ `dount 'hæv mʌtʃ `taɪm*]

Mam jeszcze trochę czasu.
I have some time left.
[*aɪ `hæv səm 'taɪm `left*]

Za chwilę będę z powrotem.
I'll be back in a moment.
bryt. [*aɪl bɪ `bæk ɪn ə `məumənt*]
am. [*aɪl bɪ `bæk ɪn ə `moumənt*]

Czy to długo trwało?
Did it take long?
[*dɪd ɪt `teɪk `loŋ*]

Rzadko chodzę do kina.
I seldom go to the cinema <*am.* movies>.
bryt. [*aɪ `seldəm 'gəu tə ðə `sɪnɪmə*]
am. [*aɪ `seldəm 'gou tə ðə `muvɪz*]

Często odwiedzam rodziców.
I often visit my parents.
bryt. [*aɪ `ofn 'vɪzɪt maɪ `peərnts*]
am. [*aɪ `afn 'vɪzɪt maɪ `perənts*]

Spieszę się.
I'm in a hurry.
bryt. [*aɪm ɪn ə `hʌrɪ*]
am. [*aɪm ɪn ə `hərɪ*]

godzina hour *bryt.* [*`aʊə(r)*] *am.* [*`aʊər*]

minuta minute [*`mɪnɪt*]

sekunda second [*`sekənd*]

Która godzina?
What time is it?
bryt. [*wot `taɪm ɪz ɪt*]
am. [*hwat `taɪm ɪz ɪt*]

Proszę mi powiedzieć, która godzina.
Could you, please, tell me the time.
[*kəd ju `pliz 'tel mɪ ðə `taɪm*]

Za dziesięć jedenasta.
Ten to eleven.
[*'ten tu ɪ`levn*]

Kwadrans po piątej.
A quarter past <*am.* after> five.
bryt. [*(ə) `kwɔtə 'past `faɪv*]
am. [*(ə) `kworDər `pæst\'æftər `faɪv*]

Wpół do trzeciej.
Half past two.
bryt. [*`haf 'past `tu*]
am. [*`hæf 'pæs `tu*]

Dwunasta. Twelve. [*twelv*]

O której się spotkamy?
What time shall we meet?
bryt. [*wot `taɪm ʃəl wɪ `mit*]
am. [*hwat `taɪm ʃəl wɪ `mit*]

Punktualnie o czwartej.
At four sharp.
bryt. [*ət `fɔ `ʃɑp*]
am. [*ət `for `ʃɑrp*]

Dziesięć po szóstej.
Ten past <*am.* after> six.
bryt. [*`ten 'pɑst `sɪks*]
am. [*`ten `pæst\'æftər `sɪks*]

Czekam między ósmą a dziewiątą.
I'll be waiting between eight and nine.
bryt. [*aɪl bɪ `weɪtɪŋ bɪ'twin `eɪt ən `naɪn*]
am. [*aɪl bɪ `weɪDɪŋ bɪ'twin `eɪt ən `naɪn*]

Jaki dzień dzisiaj mamy?
What day is it today?
bryt. [*wot `deɪ ɪz ɪt tə`deɪ*]
am. [*hwat `deɪ ɪz ɪt tə`deɪ*]

poniedziałek Monday *bryt.* [*`mʌndeɪ*] *am.* [*`mʌn(D)ɪ*]

wtorek Tuesday *bryt.* [*`tjuzdeɪ*] *am.* [*`tjuzDɪ*]

środa Wednesday *bryt.* [*`wenzdeɪ*] *am.* [*`wenzDɪ*]

czwartek Thursday *bryt.* [*`θɜzdeɪ*] *am.* [*`θərzDɪ*]

piątek Friday *bryt.* [*`fraɪdeɪ*] *am.* [*`fraɪDɪ*]

sobota Saturday *bryt.* [*`sætədeɪ*] *am.* [*`sæDərDɪ*]

niedziela Sunday *bryt.* [*`sʌndeɪ*] *am.* [*`sʌn(D)ɪ*]

We wtorek przyjeżdża moja córka.
My daughter is coming on Tuesday.
bryt. [*maɪ `dɔtər ɪz `kʌmɪŋ on `tjuzdeɪ*]
am. [*maɪ `dɔDər ɪz `kʌmɪŋ an `tjuzDɪ*]

W piątek idziemy na koncert.
We are going to a concert on Friday.
bryt. [*wɪ ə `gəuɪŋ tu ə `konsət on `fraɪdeɪ*]
am. [*wɪ ər `gouɪŋ tu ə `kansərt an `fraɪDɪ*]

Dwa razy w tygodniu chodzę na pływalnię.
I go to the swimming pool twice a week.
bryt. [*aɪ `gəu tə ðə `swɪmɪŋ 'pul 'twaɪs ə `wik*]
am. [*aɪ `gou tə ðə `swɪmɪŋ 'pul 'twaɪs ə `wik*]

W zeszłym tygodniu chorowałem/chorowałam.
I was ill last week.
bryt. [*aɪ wəz `ɪl 'last `wik*]
am. [*aɪ wəz `ɪl 'læst `wik*]

Wyjeżdżam na dwa tygodnie.
I'm leaving for a fortnight <*am.* two weeks>.
bryt. [*aɪm `livɪŋ fər ə `fɔtnaɪt*]
am. [*aɪm `livɪŋ fər `tu `wiks*]

Jaki mamy miesiąc?
What month is it?
bryt. [*wot `mʌnθ ɪz ɪt*]
am. [*hwat `mʌnθ ɪz ɪt*]

styczeń January *bryt.* [*`dʒænjuərɪ*] *am.* [*`dʒænjuerɪ*]

luty February *bryt.* [*`februərɪ*] *am.* [*`februerɪ*]

marzec March *bryt.* [*matʃ*] *am.* [*martʃ*]

kwiecień April [*`eɪprəl*]

maj May [*meɪ*]

czerwiec June [*dʒun*]

lipiec July [*dʒu`laɪ*]

sierpień August [*`ɔgəst*]

wrzesień September *bryt.* [*sep`tembə(r)*] *am.* [*sep`tembər*]

październik October *bryt.* [*ok`təubə(r)*] *am.* [*ok`toubər*]

listopad November *bryt.* [*nəu`vembə(r)*] *am.* [*nou`vembər*]

grudzień December *bryt.* [*dɪ`sembə(r)*] *am.* [*dɪ`sembər*]

W czerwcu wyjeżdżam na urlop.
I'm leaving for my holidays <*am.* a vacation> in June.
bryt. [*aɪm `livɪŋ fə maɪ `holɪdeɪz ɪn `dʒun*]
am. [*aɪm `livɪŋ fər ə və`keɪʃn ɪn `dʒun*]

Pół roku spędzę w Anglii.
I'll spend half a year in England.
bryt. [*aɪl 'spend `haf ə 'jɪə ɪn `ɪŋglænd*]
am. [*aɪl 'spend `hæf ə 'jɪər ɪn `ɪŋglænd*]

W tym roku luty był bardzo zimny.
February was very cold this year.
bryt. [*`februərɪ wəz `verɪ `kəuld ðɪs `jɪə*]
am. [*`februerɪ wəz `verɪ `kould ðɪs `jɪər*]

Przed kilkoma laty byłem/byłam w Australii.
I was in Australia a few years ago.
bryt. [*aɪ wəz in o`streɪlɪə ə `fju jɪəz ə`gəu*]
am. [*aɪ wəz in o`streɪlɪə ə `fju jiərz ə`gou*]

Pod koniec roku mam zamiar się ożenić/wyjść za mąż
I'm going to get married late in the year.
bryt. [*aɪm `gəuɪŋ tə 'get `mærɪd `leɪt ɪn ðə `jɪə*]
am. [*aɪm `gouɪŋ tə 'get `mærɪd `leɪt ɪn ðə `jiər*]

Pory roku
Seasons of the year
bryt. [*`sizns əv ðə `jɪə*]
am. [*`sizns əv ðə `jiər*]

wiosna spring [*sprɪŋ*]

lato summer *bryt.* [*`sʌmə(r)*] *am.* [*`sʌmər*]

jesień autumn <*am.* fall, autumn> *bryt.* [*`ɔtəm*]
am. [*fɔl `ɔDəm*]

zima winter *bryt.* [*`wɪntə(r)*] *am.* [*`wɪn(D)ər*]

Zeszłoroczne lato było upalne.
Last summer was hot.
bryt. [*lɑst `sʌmə wəz `hot*]
am. [*læst `sʌmər wəz `hat*]

Na przyszłą wiosnę planuję wycieczkę w Alpy.
I plan to take a trip to the Alps next spring.
[*aɪ `plæn tə 'teɪk ə `trɪp tə ðɪ `ælps 'nekst `sprɪŋ*]

28. JAKA JEST POGODA?
WHAT'S THE WEATHER LIKE?
bryt. [*`wots ðə `weðə 'laɪk*]
am. [*`hwats ðə `weðər 'laɪk*]

Jaka jest prognoza pogody na dziś?
What's the weather forecast for today?
bryt. [*`wots ðə `weðə 'fɔkɑst fə tə`deɪ*]
am. [*`hwats ðə `weðər 'forkæst fər tə`deɪ*]

Barometr spada/idzie w górę.
The barometer's dropping/rising.
bryt. [*ðə bə`romɪtəz `dropɪŋ\`raɪzɪŋ*]
am. [*ðə bə`raməDərz `drapɪŋ\`raɪzɪŋ*]

Nastąpi zmiana ciśnienia.
There will be a change in atmospheric pressure.
bryt. [*ðə wɪl bɪ ə `tʃeɪndʒ ɪn ætməs`ferɪk `preʃə*]
am. [*ðər wɪl bɪ ə `tʃeɪndʒ ɪn ætməs`ferɪk `preʃər*]

Ociepli się.
It'll get warmer.
bryt. [*ɪtl 'get `wɔmə*]
am. [*ɪDl 'get `wormər*]

Będzie chłodniej.
It'll get colder.
bryt. [*ɪtl 'get `kəuldə*]
am. [*ɪDl 'get `koulDər*]

Będzie silny/umiarkowany/słaby wiatr.
There will be a strong/a moderate/a weak wind.
bryt. [*ðə wɪl bɪ ə `stroŋ\ə `modərɪt \ə `wik 'wɪnd*]
am. [*ðər wɪl bɪ ə `straŋ\ə `maDərɪt \ə `wik 'wɪnd*]

Duże zachmurzenie.
Very cloudy.
bryt. [*`verɪ `klaudɪ*]
am. [*`verɪ `klauDɪ*]

Pod wieczór może być burza.
The storm might break towards the evening.
bryt. [*ðə `stɔm maɪt `breɪk tə'wɔdz ðə `ivnɪŋ*]
am. [*ðə `storm maɪt `breɪk tordz ðə `ivnɪŋ*]

Ulewny deszcz.
Heavy downpour.
bryt. [*'hevɪ `daunpɔ*]
am. [*'hevɪ `daunpor*]

Śnieżyca. Blizzard. *bryt.* [*`blɪzəd*] *am.* [*`blɪzərd*]

Grad. Hail. [*heɪl*]

Ile jest stopni na termometrze?
What's the temperature?
bryt. [*`wots ðə `temprɪtʃə*]
am. [*`hwats ðə `temprətʃər*]

5 stopni poniżej zera.
It's five degrees below zero.
bryt. [*ɪts `faɪv dɪ`griz bɪ'ləu `zɪərəu*]
am. [*ɪts `faɪv dɪ`griz bɪ'lou `zɪrou*]

Jest 0 stopni.
It's zero degrees.
bryt. [*ɪts `zɪərəu dɪ`griz*]
am. [*ɪts `zɪrou dɪ`griz*]

Jest 80 stopni (*Fahrenheita*).
It's eight degrees.
bryt. [*ɪts `eɪtɪ dɪ`griz*]
am. [*ɪts `eɪDɪ dɪ`griz*]

Jest bardzo mglisto.
It's very foggy.
[*ɪts `verɪ `fogɪ*]

Jest ślisko.
It's slippery.
[*ɪts `slɪpərɪ*]

29. NAZWY GEOGRAFICZNE
GEOGRAPHICAL NAMES

Afryka Africa
Alaska Alaska
Ameryka America; **Ameryka Północna <Południowa>** North <South> America
Anglia England
Antarktyda Antarctic; Antarctic Continent
Argentyna Argentina
Arizona Arizona
Arkansas Arkansas
Arktyka Arctic
Atlantyk, Ocean Atlantycki Atlantic, Atlantic Ocean
Australia Australia
Austria Austria
Azja Asia
Belgia Belgium
Birmingham Birmingham
Brazylia (*państwo*) Brazil; (*stolica*) Brasilia
Brytania Britain; **Wielka Brytania** Great Britain
Buckingham Buckingham
Cambridge Cambridge
Chicago Chicago
Chiny China
Chińska Republika Ludowa Chinese People's Republic
Chorwacja Croatia
Connecticut Connecticut
Czechy Czech Republic
Dania Denmark
Detroit Detroit
Dublin Dublin
Egipt Egypt
Estonia Estonia
Europa Europe
Filadelfia Philadelphia
Finlandia Finland
Floryda Florida
Francja France
Georgia Georgia
Glasgow Glasgow
Grecja Greece
Greenwich Greenwich
Grenlandia Greenland
Gruzja Georgia
Hiszpania Spain
Holandia Holland, the Netherlands
Indie India
Irak Irak, Iraq
Iran Iran
Irlandia Ireland, (*Republika Irlandzka*) Eire
Islandia Iceland
Izrael Israel
Japonia Japan
Jugosławia Yugoslavia
Kalifornia California
Kanada Canada
Kansas Kansas
Kentucky Kentucky
Kolorado Colorado
Korea Korea; **Koreańska Republika Ludowo-Demo-**

kratyczna Democratic People's Republic of Korea
Kuba Cuba
Litwa Lithuania
Liverpool Liverpool
Londyn London
Los Angeles Los Angeles
Luizjana Louisiana
Luksemburg Luxemburg
Łotwa Latvia
Manchester Manchester
Massachusetts Massachusetts
Meksyk Mexico
Melbourne Melbourne
Michigan Michigan
Minnesota Minnesota
Missisipi Mississippi
Missouri Missouri
Montana Montana
Montreal Montreal
Nevada Nevada
Niemcy Germany
Norwegia Norway
Nowa Południowa Walia New South Wales
Nowa Szkocja Nova Scotia
Nowy Jork New York
Nowy Meksyk New Mexico
Nowy Orlean New Orleans
Oksford, Oxford Oxford
Oregon Oregon
Pacyfik, Ocean Spokojny Pacific Ocean
Pensylwania Pennsylvania
Polska Poland
Portugalia Portugal
Rhode Island Rhode Island
Rosja Russia
Rumunia R(o)umania
San Francisco San Francisco
Serbia Serbia
Słowacja Slovakia
Słowenia Slovenia
Stany Zjednoczone Ameryki United States of America
Szkocja Scotland
Szwajcaria Switzerland
Szwecja Sweden
Teksas Texas
Toronto Toronto
Turcja Turkey
Ukraina Ukraine
Utah Utah
Vermont Vermont
Walia Wales
Warszawa Warsaw
Waszyngton Washington
Węgry Hungary
Wielka Brytania Great Britain
Wietnam Vietnam
Włochy Italy
Wyspy Brytyjskie British Ils
Zjednoczone Królestwo Wielkiej Brytanii i Północnej Irlandii United Kingdom of Great Britain and Northern Ireland

NOTATKI

NOTATKI

NOTATKI

NOTATKI

NOTATKI

NOTATKI

NOTATKI

Druk i oprawa:
Rzeszowskie Zakłady Graficzne S.A.
www.rzgraf.com.pl